PÓS-CAPITALISMO

PAUL MASON

Pós-capitalismo

Um guia para o nosso futuro

Tradução
José Geraldo Couto

1ª reimpressão

COMPANHIA DAS LETRAS

Copyright © 2015 by Paul Mason

Grafia atualizada segundo o Acordo Ortográfico da Língua Portuguesa de 1990, que entrou em vigor no Brasil em 2009.

Título original
Postcapitalism: A Guide to Our Future

Capa
Mateus Valadares

Preparação
Andressa Bezerra Corrêa

Índice remissivo
Luciano Marchiori

Revisão
Valquíria Della Pozza
Marise Leal

Dados Internacionais de Catalogação na Publicação (CIP)
(Câmara Brasileira do Livro, SP, Brasil)

Mason, Paul
 Pós-capitalismo : um guia para o nosso futuro / Paul Mason ; tradução José Geraldo Couto. — 1ª ed. — São Paulo : Companhia das Letras, 2017.

 Título original: Postcapitalism : A Guide to Our Future.
 ISBN 978-85-359-2848-8

 1. Capitalismo 2. Crise financeira global, 2008-2009 – Aspectos sociais 3. História econômica 4. Mudança social 5. Neoliberalismo 6. Sociedade de informação I. Título.

16-08906   CDD-330.9

Índices para catálogo sistemático:
1. Pós-capitalismo : História econômica   330.9
2. Sociedade pós-capitalista : História econômica 330.9

[2017]
Todos os direitos desta edição reservados à
EDITORA SCHWARCZ S.A.
Rua Bandeira Paulista, 702, cj. 32
04532-002 — São Paulo — SP
Telefone: (11) 3707-3500
www.companhiadasletras.com.br
www.blogdacompanhia.com.br
facebook.com/companhiadasletras
instagram.com/companhiadasletras
twitter.com/cialetras

Para Calum, Anya, Robbie e James

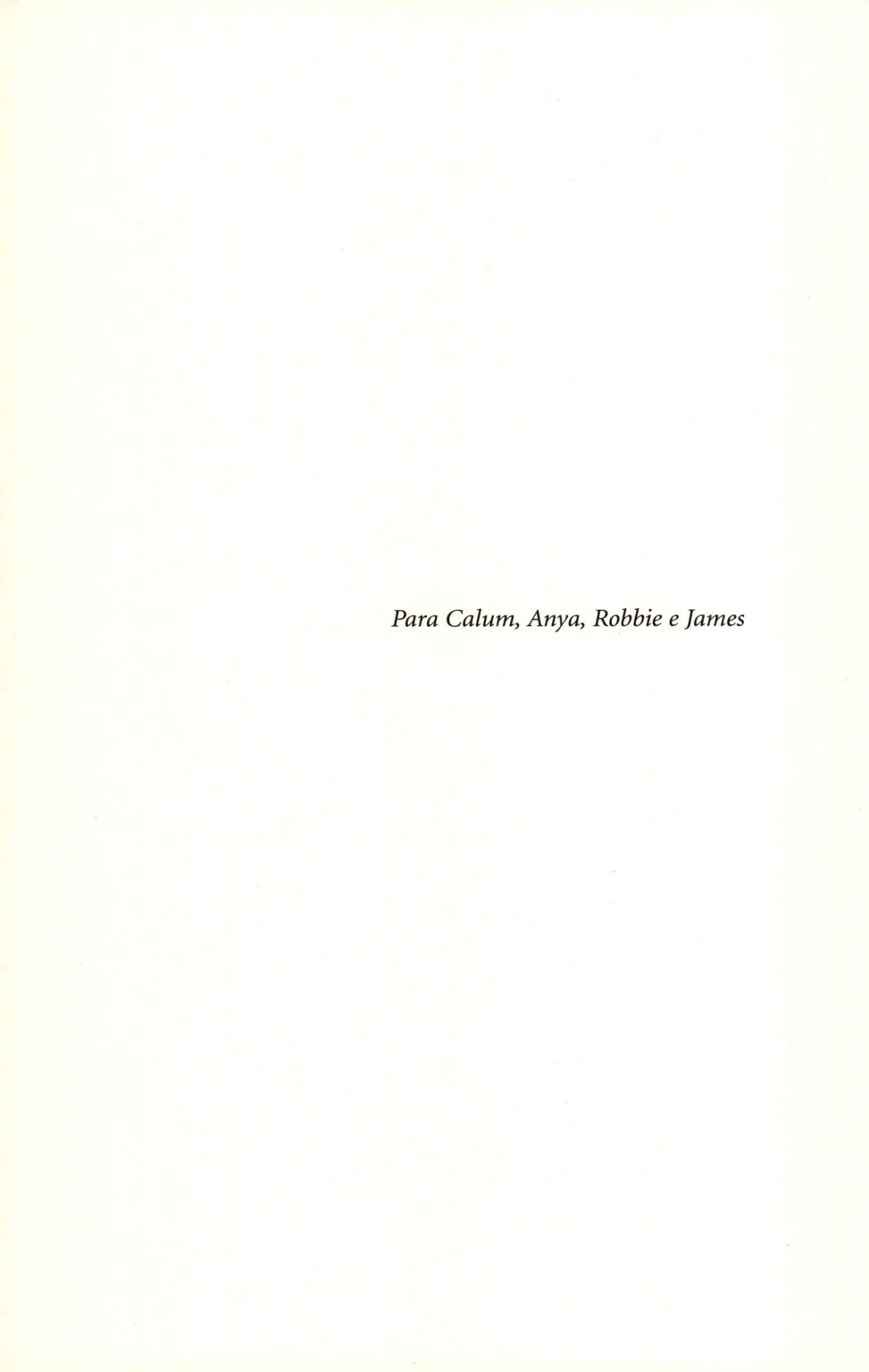

Sumário

Introdução.. 9

PARTE I
1. O neoliberalismo está falido............................ 29
2. Ondas longas, memórias curtas......................... 68
3. Marx estava certo?..................................... 93
4. A longa onda rompida.................................. 134

PARTE II
5. Os profetas do pós-capitalismo......................... 173
6. Rumo à máquina livre.................................. 223
7. Encrenqueiros maravilhosos............................ 265

PARTE III
8. Sobre transições....................................... 317
9. O motivo racional para o pânico....................... 354
10. Projeto Zero.. 379

Notas 419
Agradecimentos. 441
Índice remissivo 443

Introdução

Para encontrar o rio Dniestre rodamos através de bosques desfolhados, passamos por planícies desoladas e pátios ferroviários cuja cor dominante é a ferrugem. A água gélida corre límpida. O silêncio é tão grande que dá para ouvir pequenos pedaços de concreto caindo da ponte rodoviária mais acima, que se desmancha aos poucos no abandono.

O Dniestre é a fronteira geográfica entre o capitalismo de livre mercado e seja lá como você queira chamar o sistema que Vladimir Putin governa. Separa a Moldávia, um país da Europa Oriental, de um Estado-fantoche russo chamado Transnístria, controlado pela máfia e pela polícia secreta.

No lado moldávio, pessoas de idade, acocoradas nas calçadas, vendem coisas que elas fizeram ou cultivaram: queijo, doces, alguns nabos. Jovens são escassos; um a cada quatro adultos trabalha no exterior. Metade da população ganha menos de cinco dólares por dia; um a cada dez habitantes vive numa pobreza tão extrema que pode ser medida na mesma escala da pobreza da África.[1] O país nasceu no início da era neoliberal, com o colapso da União Soviética no começo dos anos 1990 e a entrada das forças de mercado — mas muitos dos aldeões com quem converso dizem que prefeririam viver no Estado policial de Putin a sofrer na infame penúria da Moldávia. Esse mundo cinzento de estradas de terra e rostos sombrios foi produzido pelo capitalismo, não pelo comunismo. E agora o capitalismo já deixou para trás seu melhor momento. A Moldávia, evidentemente, não é um país europeu típico. Mas é nesses lugares periféricos do mundo que podemos observar a maré econômica refluindo — e traçar as conexões causais entre estagnação, crise social, conflito armado e erosão da democracia. A falência econômica do Ocidente está corroendo a crença em valores e instituições que em outros tempos julgávamos permanentes.

Nos centros financeiros, por trás de vidros espelhados, as coisas ainda podem parecer róseas. Desde 2008, trilhões de dólares de dinheiro artificial fluíram através dos bancos, fundos de cobertura,* firmas de advocacia e consultorias para manter em funcionamento o sistema global.

Mas as perspectivas de longo prazo para o capitalismo são lúgubres. De acordo com a OCDE (Organização para a Cooperação e Desenvolvimento Econômico), o crescimento no mundo desenvolvido será "fraco" nos próximos cinquenta anos. A desigualdade vai aumentar 40%. Mesmo nos países em desenvolvimento, o atual dinamismo estará exaurido em 2060.[2] Os economistas da OCDE foram educados demais ao dizer isso, então vamos trocar em miúdos: para o mundo desenvolvido, o melhor do capitalismo já passou; e para o resto, ele vai terminar durante nosso tempo de vida.

---

* Ou fundos *hedge* (em inglês, *hedge funds*): forma alternativa e agressiva de investimento de alto risco, com poucas restrições e superespeculativo. Investidores fornecem grandes somas a uma firma de investimento para que esta as aplique como achar melhor, dividindo depois lucros e perdas de acordo com cada contrato. (N. T.)

O que começou em 2008 como uma crise econômica converteu-se numa crise social, levando a uma inquietação generalizada; e agora, quando revoluções degeneram em guerras civis, criando tensão militar entre superpotências nucleares, tornou-se uma crise de ordem global. Há, ao que parece, dois desfechos possíveis. No primeiro cenário, a elite global se segura, impondo o custo da crise aos trabalhadores, pensionistas e pobres pelos próximos dez ou vinte anos. A ordem global — tal como imposta pelo FMI, pelo Banco Mundial e pela Organização Mundial do Comércio — sobrevive, mas de forma enfraquecida. O custo de salvar a globalização é arcado por gente comum do mundo desenvolvido. Mas o crescimento fica estagnado.

No segundo cenário, rompe-se o consenso. Partidos de extrema direita e de esquerda chegam ao poder, uma vez que as pessoas comuns se recusam a pagar o preço da austeridade. Em vez disso, os Estados tentam então impor uns aos outros os custos da crise. A globalização desmorona, as instituições globais tornam-se impotentes e no processo os conflitos que inflamaram os últimos vinte anos — guerras do narcotráfico, nacionalismo pós-soviético, jihadismo, migração descontrolada e resistência a ela — acendem uma fogueira no centro do sistema. Neste cenário, a obediência fingida a leis internacionais evapora; tortura, censura, detenções arbitrárias e vigilância em massa tornam-se os instrumentos comuns da governança. Esta é uma variante do que aconteceu nos anos 1930 e não há garantia de que não possa voltar a ocorrer.

Em ambos os cenários, o sério impacto da mudança climática, do envelhecimento demográfico e do crescimento da população explode por volta de 2050. Se não conseguirmos criar uma ordem global sustentável e restaurar o dinamismo da economia, as décadas posteriores a 2050 serão de caos.

Em vista disso, desejo propor uma alternativa: primeiro, salvamos a globalização refreando o neoliberalismo; em seguida, salvamos o planeta — e resgatamos a nós mesmos do tumulto e da desigualdade — avançando para além do próprio capitalismo.

Refrear o neoliberalismo é a parte fácil. Há um crescente consenso entre movimentos de protesto, economistas radicais e partidos políticos radicais na Europa quanto à maneira de fazer isso: suprimir as altas finanças, reverter a austeridade, investir em energia verde e promover o trabalho bem remunerado.

Mas e depois?

Como demonstra a experiência grega, qualquer governo que desafia a austeridade entra imediatamente em choque com as instituições globais que protegem o 1% mais rico da população mundial. Depois que o partido radical de esquerda Syriza venceu a eleição em janeiro de 2015, o Banco Central Europeu, cuja tarefa era promover a estabilidade dos bancos gregos, cortou o apoio a tais bancos, desencadeando uma corrida que ocasionou a retirada de 20 bilhões de euros em depósitos. Isso forçou o governo de esquerda a escolher entre a bancarrota e a submissão. Você não vai encontrar nenhuma ata, nenhum registro de votação, nenhuma explicação para o que o BCE fez. Coube à revista de direita alemã *Stern* explicar: tinham "esmagado" a Grécia.[3] Isso aconteceu, simbolicamente, para reafirmar a mensagem central do neoliberalismo de que *não há alternativa*; de que todas as rotas de fuga do capitalismo terminam no tipo de desastre que ocorreu à União Soviética; e de que uma revolta contra o capitalismo é uma revolta contra uma ordem natural e eterna.

A crise atual não apenas sinaliza o fim do modelo neoliberal: é também um sintoma do descompasso de longo prazo entre sistemas de mercado e uma economia baseada na informação. O objetivo deste livro é explicar por que substituir o capitalismo não é mais um sonho utópico, além de esclarecer como as formas básicas de uma economia pós-capitalista podem ser encontradas no interior do sistema vigente e de que modo é possível expandi-las rapidamente.

* * *

O neoliberalismo é a doutrina de mercados sem controle: ele diz que o melhor caminho para a prosperidade é indivíduos buscando o interesse próprio, e o mercado é o único meio de expressar esse interesse. Ele diz que o Estado deve ser pequeno (exceto no que se refere a suas tropas antitumulto e sua polícia secreta); que a especulação financeira é boa; que a desigualdade é boa; que o estado natural da humanidade é ser uma horda de indivíduos sem escrúpulos, competindo uns com os outros.

Seu prestígio repousa em feitos tangíveis: nos últimos 25 anos, o neoliberalismo suscitou o maior surto de desenvolvimento que o mundo já conheceu e desencadeou um progresso exponencial em tecnologias centrais de informação. Mas, no processo, ele reavivou uma desigualdade próxima à situação de cem anos atrás e agora originou uma situação de luta pela sobrevivência.

A guerra civil na Ucrânia, que levou forças especiais russas às margens do Dniestre; o triunfo do Estado Islâmico na Síria e no Iraque; a ascensão de partidos fascistas na Europa; a paralisia da OTAN na medida em que suas populações negam o consentimento para intervenções militares — esses não são problemas separados da crise econômica. São sinais de que a ordem neoliberal fracassou.

Ao longo das últimas duas décadas, milhões de pessoas resistiram ao neoliberalismo, mas em geral a resistência malogrou. Para além dos erros táticos e da repressão, a razão é simples: o capitalismo de livre mercado é uma ideia clara e poderosa, enquanto as forças que a ele se opõem pareciam estar defendendo algo antigo, pior e incoerente.

Entre o 1%, o neoliberalismo tem a força de uma religião: quanto mais você o pratica, melhor se sente — e mais rico se torna. Mesmo entre os pobres, quando o sistema estava a pleno vapor, agir de um modo que não estivesse de acordo com as restrições neoliberais revelava-se irracional: você toma empréstimo, mergulha e se debate nas margens do sistema tributário, além de se submeter às regras sem sentido impostas no trabalho.

E durante décadas os adversários do capitalismo patinaram em sua própria incoerência. Da corrente antiglobalização dos anos 1990 ao Occupy e eventos posteriores, o movimento por justiça social tem rejeitado a ideia de um programa coerente em favor do slogan "Um não, muitos sins". A incoerência é lógica, se você achar que a única alternativa é o que a esquerda do século XX chamava de "socialismo". Por que lutar por uma grande mudança se ela for apenas uma regressão — rumo ao controle estatal e ao nacionalismo econômico, rumo a economias que só funcionam se todo mundo se comportar da mesma maneira ou se submeter a uma hierarquia brutal? Inversamente, a ausência de uma alternativa clara explica por que a maioria dos movimentos de protesto nunca vence: no fundo do coração eles não querem vencer. Há até uma expressão para isso no movimento de protesto: "recusa de vencer".[4]

Para substituir o neoliberalismo precisamos de algo que seja tão poderoso e eficaz quanto ele: não apenas uma ideia brilhante acerca de como o mundo poderia funcionar, mas um modelo novo, holístico, que possa gerir a si mesmo e proporcionar tangivelmente um resultado melhor. Temos que nos basear em micromecanismos, não em diktats ou programas de diretrizes; tem que funcionar espontaneamente. Neste livro, defendo a ideia de que existe uma alternativa clara, de que ela pode ser global e de que pode propiciar um futuro substancialmente melhor do que aquele que o capitalismo estará oferecendo em meados do século XXI.

O nome disso é pós-capitalismo.

O capitalismo é mais do que apenas uma estrutura econômica ou um conjunto de leis e instituições. É o sistema *integral* —

social, econômico, demográfico, cultural, ideológico — necessário para fazer uma sociedade desenvolvida funcionar por meio dos mercados e da propriedade privada. Isso inclui companhias, mercados e Estados. Mas inclui também quadrilhas criminosas, redes secretas de poder, pregadores milagreiros numa favela de Lagos, analistas embusteiros em Wall Street. Capitalismo é a fábrica Primark que fechou as portas em Bangladesh e é o tumulto das garotas adolescentes na abertura da loja Primark em Londres, superexcitadas com a perspectiva de roupas baratinhas.

Estudando o capitalismo como um sistema integral, podemos identificar vários de seus traços fundamentais. O capitalismo é um organismo: tem um ciclo vital — um início, um meio e um fim. É um sistema complexo, que opera fora do controle de indivíduos, governos e mesmo superpotências. Cria resultados que muitas vezes são contrários às intenções das pessoas, mesmo quando elas agem racionalmente. O capitalismo é também um organismo *em aprendizado*: ele se adapta de modo contínuo, e não apenas em pequenos aperfeiçoamentos. Em grandes momentos críticos, ele se metamorfoseia em reação ao perigo, criando padrões e estruturas quase irreconhecíveis para a geração que veio antes. E seu instinto de sobrevivência mais básico é propulsar mudanças tecnológicas. Se considerarmos não apenas a tecnologia de informação, mas também a produção de alimentos, o controle de natalidade ou a saúde global, os últimos 25 anos provavelmente viram o maior salto nas possibilidades humanas da história. Mas as tecnologias que criamos não são compatíveis com o capitalismo — não em sua forma presente e talvez em forma nenhuma. Uma vez que o capitalismo não pode mais se adaptar à mudança tecnológica, o pós-capitalismo se torna necessário. Quando comportamentos e organizações aptas a explorar a mudança tecnológica aparecem espontaneamente, o pós-capitalismo se torna possível.

Eis, em resumo, o argumento deste livro: *o capitalismo é um sistema complexo, adaptativo, que alcançou os limites de sua capacidade de adaptação.*

Isso, evidentemente, situa-se a quilômetros de distância da teoria econômica predominante. Nos anos do boom, os economistas começaram a acreditar que o sistema que emergira depois de 1989 era permanente — a expressão perfeita da racionalidade humana, com todos os seus problemas resolvíveis por políticos e banqueiros manipulando instrumentos de controle chamados de "política fiscal e monetária".

Quando passaram a considerar a possibilidade de que a nova tecnologia e as velhas formas de sociedade estivessem em descompasso, os economistas tomaram por certo que a sociedade iria simplesmente se remodelar em torno da tecnologia. Seu otimismo era justificado, porque tais adaptações tinham acontecido no passado. Contudo, hoje, o processo de adaptação está estagnado.

A informática é diferente de todas as tecnologias anteriores. Como pretendo demonstrar, sua tendência espontânea é a de dissolver mercados, destruir propriedade e romper a relação entre trabalho e salários. E esse é o terreno profundo da crise que estamos atravessando.

Se eu estiver certo temos de admitir que, na maior parte do século passado, a esquerda interpretou mal como seria o fim do capitalismo. O objetivo da velha esquerda era a destruição forçada dos mecanismos de mercado. A força seria exercida pela classe trabalhadora, fosse na urna eleitoral ou nas barricadas. A alavanca seria o Estado. A oportunidade seria propiciada por frequentes episódios de colapso econômico. Em vez disso, ao longo dos últimos 25 anos, foi o projeto da esquerda que entrou em colapso. O mercado destruiu o plano; o individualismo substituiu o coletivismo e a solidariedade; a força de trabalho expandida massivamente no mundo parece um "proletariado", mas não mais pensa nem age como um.

Para quem passou por tudo isso e odiava o capitalismo, foi traumático. Mas, no processo, a tecnologia criou uma nova rota de saída, que os remanescentes da velha esquerda — e todas as outras forças influenciadas por ela — têm que abraçar ou morrer.

O capitalismo, afinal de contas, não será abolido por técnicas de marcha forçada. Será abolido pela criação de algo mais dinâmico que, inicialmente, existe quase invisível no interior do velho sistema, mas que rompe caminho, remodelando a economia em torno de novos valores, comportamentos e normas. A exemplo do que ocorreu com o feudalismo há quinhentos anos, a morte do capitalismo será acelerada por choques externos e moldada pela emergência de um novo tipo de ser humano. E já começou.

O pós-capitalismo é possível por causa de três impactos da nova tecnologia nos últimos 25 anos.

Primeiro, a informática reduziu a necessidade de trabalho, obscureceu as fronteiras entre trabalho e tempo livre, afrouxando a relação entre trabalho e salários.

Segundo, os bens de informação estão corroendo a capacidade do mercado de formar preços corretamente. Isso porque os mercados se baseiam na escassez, ao passo que a informação é abundante. O mecanismo de defesa do sistema é formar monopólios numa escala nunca vista nos últimos duzentos anos — no entanto, eles não podem durar.

Terceiro, estamos assistindo à ascensão espontânea de produção cooperativa: estão aparecendo bens, serviços e organizações que não mais respondem aos ditames do mercado e da hierarquia gerencial. O maior produto de informação do mundo — a Wikipédia — é feito por 27 mil voluntários, de graça, abolindo o comércio de enciclopédias e privando a indústria publicitária de uma receita anual estimada em 3 bilhões de dólares.

Quase sem ser notados, nos nichos e desvãos do sistema de mercado, territórios inteiros de vida econômica estão começando a se mover num ritmo diferente. Moedas paralelas, bancos de tempo, coletivos e espaços autogeridos proliferaram, quase despercebidos pela profissão econômica, e frequentemente como resultado direto do esfacelamento de velhas estruturas depois da crise de 2008.

Novas formas de propriedade, novas formas de empréstimo, novos contratos legais: toda uma subcultura de negócios emergiu nos últimos dez anos, chamada pela mídia de "economia de compartilhamento". Expressões envolventes como "bens comuns" e "produção em parceria" passaram a circular, mas poucos se deram ao trabalho de perguntar o que isso significa para o capitalismo em si.

Acredito que oferece uma rota de fuga — mas apenas se esses projetos de âmbito micro forem fomentados, promovidos e protegidos por uma mudança maciça no que fazem os governos. Isso, por sua vez, deve ser conduzido por uma mudança em nossas ideias acerca de tecnologia, propriedade e do próprio trabalho. Quando criarmos os elementos do novo sistema, deveremos ser capazes de dizer a nós mesmos e aos outros: este não é mais meu mero mecanismo de sobrevivência, meu refúgio no seio do mundo neoliberal — é um novo modo de vida em processo de formação.

No velho projeto socialista, o Estado toma posse do mercado, governa-o em favor dos pobres em lugar dos ricos e tira do mercado áreas-chave da produção, transferindo-as para uma economia planejada. Na única vez em que isso foi tentado, na Rússia depois de 1917, não funcionou. Se poderia ter funcionado é uma boa pergunta, mas uma pergunta morta.

Hoje o terreno do capitalismo mudou: ele é global, fragmentário, ajustado a escolhas de pequena escala, trabalho temporário e múltiplos conjuntos de capacidade. O consumo se tornou uma forma de autoexpressão — e milhões de pessoas têm uma participação no sistema financeiro que não tiveram antes. Com o novo terreno, o velho caminho se perdeu. Mas um caminho diferente se abriu. A produção cooperativa, usando tecnologia em rede para produzir bens e serviços que só funcionam quando são livres ou compartilhados, define a rota para fora do sistema de mercado. Ela precisará que o Estado crie a moldura, e o setor pós-capitalista talvez coexista com o setor de mercado por décadas ainda. Mas está acontecendo.

As redes propiciam "granulosidade" ao projeto pós-capitalista; isto é, elas podem ser a base de um sistema de não mercado que se reproduz, que não precisa ser criado de novo a cada manhã na tela do computador de um comissário do povo.

A transição envolverá o Estado, o mercado e a produção colaborativa que está fora do mercado. Mas, para fazê-la acontecer, o projeto da esquerda como um todo — dos grupos de protesto aos partidos social-democratas e liberais convencionais — precisa ser reconfigurado. Na verdade, uma vez que as pessoas compreendam a urgência desse projeto pós-capitalista, ele deixa de ser propriedade da esquerda e passa a ser de um movimento muito mais amplo, para o qual provavelmente precisaremos de novos rótulos.

Quem pode fazer isso acontecer? Para a velha esquerda, era a classe operária industrial. Mais de duzentos anos atrás, o jornalista radical John Thelwall alertou os homens que construíram as fábricas inglesas de que eles tinham criado uma nova e perigosa forma de democracia: "Cada grande oficina e manufatura é uma espécie de sociedade política, que nenhum ato do Parlamento pode silenciar e nenhum magistrado dispersa".[5]

Hoje, o conjunto da sociedade é uma fábrica — e as redes de comunicação vitais para o trabalho e o rendimento diários estão fervilhando de conhecimento e inquietação compartilhados. Hoje é a rede — como as oficinas de duzentos anos atrás — que "não pode ser silenciada ou dispersada".

Sim, é verdade que podem derrubar o Facebook, o Twitter e até a internet como um todo e os telefones celulares em tempos de crise, paralisando a economia no processo. E podem armazenar e monitorar cada kilobyte de informação que produzimos. Mas não podem voltar a impor a sociedade hierárquica, guiada pela propaganda e ignorante de cinquenta anos atrás, exceto — como na China, na Coreia do Norte ou no Irã — optando por ficar fora de partes essenciais da vida moderna. Seria, como define o sociólogo Manuel Castells, o mesmo que tentar deseletrificar um país.[6]

Ao criar milhões de pessoas interligadas em rede, financeiramente exploradas mas com a totalidade da inteligência humana ao alcance de um toque de dedo, o infocapitalismo criou um novo agente de mudança na história: o ser humano instruído e conectado.

Como resultado, nos anos posteriores a 2008 temos assistido ao início de um novo tipo de insurreição. Movimentos de oposição têm ido às ruas determinados a evitar as estruturas de poder e os abusos que as hierarquias trazem, e a imunizar-se contra os erros da esquerda do século XX.

Os valores, vozes e princípios morais da geração interconectada eram tão óbvios nessas revoltas que, dos *indignados* espanhóis à Primavera Árabe, a mídia acreditou inicialmente que elas tinham sido causadas pelo Facebook e pelo Twitter. Então, em 2013-4, irromperam revoltas em alguns dos mais icônicos países em desenvolvimento: Turquia, Brasil, Índia, Ucrânia e Hong Kong. Milhões tomaram as ruas, de novo tendo à frente a geração interconectada — mas agora suas queixas dirigiam-se ao coração do que está falido no capitalismo moderno.

Em Istambul, nas barricadas em torno do parque Gezi em junho de 2013, encontrei médicos, programadores de software, despachantes e contadores — profissionais para os quais os 8% de crescimento do PIB da Turquia não serviam de compensação para o roubo de um estilo de vida moderno cometido pelos muçulmanos no poder.

No Brasil, no mesmo momento em que os economistas celebravam a criação de uma nova classe média, esta se revelou na verdade composta de trabalhadores de baixa remuneração. Eles saíram da vida de favelados para um mundo de salários regulares e contas bancárias, mas logo perceberam que eram privados de confortos básicos, à mercê de uma polícia brutal e um governo corrupto. Saíram às ruas aos milhões.

Na Índia, os protestos motivados pelo estupro coletivo e assassinato de uma estudante em 2012 foram um sinal de que também nessa questão a geração instruída e interconectada não vai tolerar por muito mais tempo o paternalismo e o atraso.

Muitas dessas revoltas se esgotaram. A Primavera Árabe ou foi suprimida, como no Egito e no Bahrein, ou açambarcada pelo islamismo, como na Líbia e na Síria. Na Europa, a repressão policial e uma frente unida de todos os partidos em favor da austeridade forçaram os *indignados* a um silêncio emburrado. Mas as revoltas mostraram que a revolução numa sociedade altamente complexa movida pela informação terá uma aparência muito diferente das revoluções do século XX. Sem uma classe trabalhadora forte e organizada empurrando as questões sociais com rapidez para o primeiro plano, as revoltas costumam empacar. Mas a ordem nunca é plenamente restaurada.

Em vez de passar do pensamento à ação num movimento de

mão única — como faziam os radicais dos séculos XIX e XX —, a repressão obriga os jovens radicalizados a oscilar entre as duas coisas: você pode prender, torturar e fustigar as pessoas, mas não pode evitar sua resistência mental.

No passado, o radicalismo mental não teria sentido sem a força. Quantas gerações de rebeldes desperdiçaram suas vidas em sótãos sombrios escrevendo poesia raivosa, praguejando contra a injustiça do mundo e sua própria paralisia? Mas, numa economia da informação, a relação entre pensamento e ação se modifica.

Na engenharia de alta tecnologia, antes de uma única peça ser formatada, os objetos são projetados, testados e até mesmo "manufaturados" virtualmente — todo o processo modelado do início ao fim em computadores. Os erros são descobertos e corrigidos no estágio de projeto, de uma maneira que era impossível antes de surgirem as simulações em 3-D.

Por analogia, o mesmo vale para o projeto de um pós-capitalista. Numa sociedade da informação, nenhuma ideia, debate ou sonho é desperdiçado — seja ele concebido numa tenda de acampamento, numa cela de prisão ou numa sessão de "imagenharia" de uma empresa iniciante ou companhia start-up.

Na transição para uma economia pós-capitalista, o trabalho feito no estágio de projeto pode reduzir erros na etapa de implementação. E o projeto do mundo pós-capitalista, como no caso dos softwares, pode ser modular. Diferentes pessoas podem trabalhar nele em lugares diversos, a velocidades distintas, com relativa autonomia em relação umas às outras. Não é mais de um plano que precisamos, mas de um projeto modular.

No entanto, nossa necessidade é urgente.

Meu objetivo aqui não é fornecer uma estratégia econômica ou um guia de organização. É mapear as novas contradições do capitalismo de modo que as pessoas, movimentos e partidos possam contar com coordenadas mais precisas para a jornada que estão tentando empreender.

A principal contradição hoje é entre a possibilidade de criar bens e informações livres e um sistema de monopólios, bancos e governos tentando manter as coisas privadas, escassas e comerciais. Tudo se resume à refrega entre rede e hierarquia, entre velhas formas de sociedade moldadas em torno do capitalismo e novas formas de sociedade que prefiguram o que vem em seguida.

Em face dessa mudança, a elite dirigente do capitalismo moderno tem muita coisa em jogo. Enquanto escrevia este livro, meu trabalho cotidiano como repórter me colocou no meio de três conflitos icônicos que mostram como é impiedosa a reação da elite.

Em Gaza, em agosto de 2014, passei dez dias numa comunidade que estava sendo destruída sistematicamente por ataques de drones, bombardeios e disparos. Mil e quinhentos civis foram mortos, um terço deles crianças. Em fevereiro de 2015, vi 25% do Congresso norte-americano aplaudir de pé o homem que ordenou os ataques.

Na Escócia, em setembro de 2014, eu me vi no meio de um súbito e totalmente imprevisto movimento radical de massas em defesa da independência em relação à Grã-Bretanha. Presenteados com a oportunidade de romper com um Estado neoliberal e começar a partir de novas bases, milhões de jovens disseram "sim". Foram derrotados — mas por pouco — depois que os diretores executivos de grandes corporações ameaçaram tirar suas operações da Escócia, e o Bank of England, para completar, ameaçou sabotar o desejo da Escócia de continuar usando a libra esterlina.

Por fim, na Grécia, em 2015, assisti à transformação da euforia em angústia quando uma população que votara na esquerda pela primeira vez em setenta anos viu seus desejos democráticos destroçados pelo Banco Central Europeu.

Em cada caso, a luta por justiça colidiu com o poder real que governa o mundo.

Em 2013, examinando o lento progresso da austeridade no sul da Europa, economistas do J.P. Morgan concluíram com todas as letras: para o neoliberalismo sobreviver, a democracia deve murchar. Grécia, Portugal e Espanha — alertaram — tinham "herdado problemas de natureza política": "As constituições e acordos políticos na periferia sul, postos em cena como consequência da queda do fascismo, têm uma série de traços que parecem não ser adequados para favorecer a integração na região".[7] Em outras palavras, povos que insistiram em sistemas decentes de bem-estar social por ocasião da transição pacífica das ditaduras para a democracia nos anos 1970 agora precisam se livrar dessas coisas para que bancos como o J.P. Morgan sobrevivam.

Hoje não existe nenhuma Convenção de Genebra quando se trata do confronto entre elites e as pessoas que elas governam: o robocop tornou-se a linha de frente de defesa contra protestos pacíficos. Pistolas de choque, raios sonoros e gás lacrimogêneo, combinados com vigilância invasiva, infiltração e desinformação, tornaram-se o padrão no script dos defensores da lei. E os bancos centrais, de cujas operações a maioria das pessoas não faz nem ideia, estão preparados para sabotar a democracia ao desencadear corridas aos bancos onde quer que movimentos antineoliberais ameacem vencer — como fizeram no Chipre em 2013, depois na Escócia e mais recentemente na Grécia.

A elite e seus apoiadores estão a postos para defender os mesmos preceitos centrais: alta finança, baixos salários, sigilo, militarismo, propriedade intelectual e energia baseada no carbono. A má notícia é que eles controlam quase todos os governos do mundo. A boa notícia é que, na maioria dos países, gozam de pouquíssima anuência ou popularidade junto às pessoas comuns.

Mas nesse hiato entre sua popularidade e seu poder reside o perigo. Conforme descobri nas margens do rio Dniestre, uma ditadura que fornece gás barato e um trabalho para seu filho no Exército pode parecer melhor que uma democracia que deixa você congelar e passar fome.

Numa situação como essa, o conhecimento da história é mais poderoso do que você pensa.

O neoliberalismo, com sua crença na permanência e no caráter definitivo dos livres mercados, tentou reescrever toda a história anterior da humanidade como "coisas que deram errado antes de nós". Mas, logo que você começa a pensar na história do capitalismo, é obrigado a perguntar quais eventos, em meio ao caos, fazem parte de um padrão recorrente e quais fazem parte de uma mudança irreversível.

Assim, se a meta deste livro é delinear uma moldura para o futuro, partes dele são sobre o passado. A parte I é sobre a crise e como chegamos aqui. A parte II esboça uma nova e abrangente teoria do pós-capitalismo. A parte III investiga como poderia ser a transição para o pós-capitalismo.

Isso é utópico? As comunidades socialistas utópicas de meados do século XIX fracassaram porque a economia, a tecnologia e os níveis de capital humano não estavam suficientemente desenvolvidos. Com a tecnologia informática, grande parte do projeto utópico socialista torna-se possível: de cooperativas a comunas e ao afloramento de comportamentos emancipados que redefinem a liberdade humana.

Não, é a elite — isolada em seu mundo — que agora parece tão utópica quanto as seitas milenaristas do século XIX. A democracia de tropas de choque, políticos corruptos, jornais controlados por magnatas e estado de vigilância parece tão falsa e frágil quanto a Alemanha Oriental de trinta anos atrás.

Todas as leituras da história humana têm que deixar em aberto a possibilidade de um colapso. A cultura popular tem obsessão por isso: o colapso nos ameaça nos filmes de zumbis, nos filmes-catástrofes, na devastada terra pós-apocalíptica de *A estrada* ou *Elysium*. Mas por que deveríamos, na qualidade de seres inteligentes, deixar de formar um retrato da vida ideal, da sociedade perfeita?

Milhões de pessoas estão começando a se dar conta de que foi vendido a elas um sonho que jamais poderão realizar. Em seu lugar, precisamos de mais do que um punhado de sonhos diferentes: precisamos de um projeto coerente baseado na razão, na evidência e em esquemas testáveis; um projeto que esteja de acordo com a história econômica e seja sustentável em termos do nosso planeta.

E temos que levá-lo adiante.

PARTE I

Para os historiadores, cada evento é único. A ciência econômica, porém, sustenta que as forças na natureza e na sociedade comportam-se de modo repetitivo.

Charles Kindleberger*

---

* C. Kindleberger, *Comparative Political Economy: A Retrospective*. Cambridge; London: MIT Press, 2000. p. 319.

1. O neoliberalismo está falido

Quando o Lehman Brothers quebrou, em 15 de setembro de 2008, meu cinegrafista me fez caminhar várias vezes por entre a balbúrdia de limusines, caminhões de TV, guarda-costas e banqueiros demitidos diante do quartel-general do banco em Nova York para que ele pudesse me filmar no meio do caos.

Quando observo essas imagens quase sete anos depois — com o mundo ainda cambaleante pelas consequências daquele dia —, emerge a pergunta: o que o sujeito na frente da câmera sabe hoje que já não soubesse na época?

Eu sabia que uma recessão tinha começado: acabara de atravessar os Estados Unidos filmando o fechamento de seiscentas filiais da Starbucks. Sabia que havia tensão no sistema financeiro global: noticiara a preocupação de que um grande banco estivesse prestes a falir, seis semanas antes de acontecer de fato.[1] Sabia que o mercado imobiliário dos Estados Unidos estava destruído: tinha visto casas em Detroit à venda por 8 mil dólares à vista. Sabia, além de tudo isso, que eu não gostava do capitalismo.

Mas não tinha ideia de que o capitalismo, em sua forma atual, estava prestes a se autodestruir.

O desastre de 2008 liquidou 13% da produção e 20% do comércio no mundo. Tornou negativo o crescimento global — numa escala em que qualquer coisa abaixo de 3% positivos é computada como recessão. No Ocidente, produziu uma fase de depressão mais longa do que a de 1929-33, e mesmo agora, em meio a uma pálida recuperação, mantém os economistas hegemônicos aterrorizados com a perspectiva de uma estagnação de longo prazo.

Mas a depressão pós-Lehman não é o verdadeiro problema. O verdadeiro problema é o que vem depois — e compreender que temos que ir além das causas imediatas do desastre de 2008 para examinar suas raízes estruturais.

Quando o sistema financeiro global entrou em colapso em 2008, não demorou a descobrir a causa imediata: os débitos escondidos em produtos com preço artificial conhecidos como "veículos de investimento estruturado"; a rede de empresas offshore e não reguladas conhecida — logo que começou a implodir — como o "sistema bancário fantasma".[2] Em seguida, quando começaram os processos legais, fomos capazes de perceber a escala da criminalidade que se tornara normal às vésperas da crise.[3]

Em última instância, porém, estávamos todos voando às cegas. E isso porque não há modelo nenhum de uma crise econômica neoliberal. Mesmo que você não aceite a ideologia toda — o fim da história, o mundo como um capitalismo liso e sem fricção —, a ideia básica por trás do sistema é de que os mercados se autocorrigem. A possibilidade de que o neoliberalismo pudesse ruir sob suas próprias contradições era na época, e continua ainda hoje, inaceitável para a maioria.

Em sete anos o sistema foi sendo estabilizado. Levando a dívida pública a quase 100% do PIB e emitindo dinheiro no valor de cerca de um sexto da renda mundial, os Estados Unidos, a Grã-

-Bretanha, a Europa e o Japão deram uma injeção de adrenalina para combater a convulsão. Salvaram os bancos enterrando suas dívidas incobráveis; uma parte delas foi cancelada, uma parte assumida como dívida soberana, algumas encobertas em entidades tornadas seguras simplesmente porque os bancos centrais fiaram sua credibilidade nelas.

Então, por meio de programas de austeridade, eles transferiram o ônus das pessoas que investiram dinheiro estupidamente, punindo em vez delas os beneficiários da previdência social, trabalhadores do setor público, pensionistas, aposentados e, acima de tudo, as gerações futuras. Nos países mais atingidos, o sistema previdenciário tem sido destruído, a idade para a aposentadoria está sendo elevada de tal modo que quem está saindo agora da universidade só vai se aposentar aos setenta anos, e a educação vem sendo privatizada de modo que os formandos terão de encarar uma dívida que durará a vida inteira. Os serviços estão sendo desmantelados e os projetos de infraestrutura, paralisados.

No entanto, ainda hoje muita gente não consegue captar o verdadeiro sentido da palavra "austeridade" — que não significa sete anos de cortes de gastos, como no Reino Unido, nem a catástrofe social imposta à Grécia. Tidjane Thiam, o diretor executivo da Prudential, expressou o real significado de austeridade no fórum de Davos em 2012. Os sindicatos, disse ele, são o "inimigo dos jovens" e o salário mínimo é "uma máquina de destruir empregos". Os direitos dos trabalhadores e os salários decentes são um obstáculo no caminho da recuperação do capitalismo e, por isso, diz sem constrangimento o sujeito das finanças milionárias, devem acabar.[4]

É esse o verdadeiro projeto de austeridade: rebaixar salários e padrões de vida no Ocidente ao longo de décadas, até que eles se nivelem com os da classe média da China e da Índia em ascensão.

Enquanto isso, na falta de um modelo alternativo, as condições para outra crise estão se acumulando. Os salários reais caíram ou permaneceram estagnados no Japão, na parte sul da Zona do Euro, nos Estados Unidos e no Reino Unido.[5] O sistema bancário fantasma se reconstituiu, e é hoje maior do que era em 2008.[6] A dívida global combinada de bancos, negócios domésticos, empresas e Estados elevou-se em 57 trilhões de dólares desde a crise e atinge cerca de três vezes o PIB global.[7] Novas regras exigindo que os bancos retenham mais reservas foram diluídas e adiadas. E o 1% ficou mais rico.

Se houver outro frenesi financeiro seguido por outro colapso, pode não haver uma segunda chance de salvação. Com as dívidas públicas num nível semelhante ao do pós-guerra e os sistemas previdenciários mutilados em alguns países, não há mais balas no pente — pelo menos não do tipo das disparadas em 2009-10. O resgate do Chipre em 2013 foi o laboratório de ensaio do que acontece se um grande banco ou um Estado for à falência de novo. Para poupadores, tudo que havia no banco acima de 100 mil euros foi aniquilado.

Eis aqui um resumo do que aprendi desde o dia em que o Lehman morreu: a próxima geração será mais pobre que a atual; o velho modelo econômico está falido e não pode ressuscitar o crescimento sem ressuscitar a fragilidade financeira. Os mercados naquele dia estavam nos mandando uma mensagem sobre o futuro do capitalismo — mas era uma mensagem que, naquele momento, eu só compreendi parcialmente.

"OUTRA DROGA EM QUE ESTAMOS VICIADOS..."

No futuro, deveríamos procurar emoticons, sorrisinhos e piscadinhas digitais que os sujeitos das finanças usam quando sabem que estão fazendo o mal.

"É outra droga em que estamos viciados", admite o executivo do Lehman falando da famigerada manobra Repo 105 num e-mail. Essa manobra envolvia a ocultação de dívidas do balanço do Lehman por meio da "venda" temporária delas e de sua recompra depois que o relatório trimestral do banco tinha sido apresentado. Outro executivo do Lehman é questionado: essa tática é legal? Outros bancos a praticam? Ela não disfarça buracos no seu balanço? Ele responde por e-mail: "Sim, não e sim :)".[8]

Na agência de classificação Standard & Poor, em que eles sabidamente avaliaram mal os riscos, um sujeito manda a outro a mensagem: "Vamos torcer para estarmos ricos e aposentados quando este castelo de cartas desmoronar", acrescentando o emoticon ":O)".[9]

Enquanto isso, na Goldman Sachs, em Londres, o *trader** Fabrice Tourre graceja:

> Mais e mais alavancagem no sistema, o sistema inteiro está prestes a se esfacelar a qualquer momento... O único sobrevivente em potencial é o fabuloso Fab... Erguendo-se no meio de todo esse complexo, altamente alavancado, transações exóticas que ele criou sem necessariamente compreender todas as implicações dessas monstruosidades!!!

À medida que emergem mais evidências de criminalidade e corrupção, há sempre essa informalidade espertinha entre banqueiros que rompem as regras. "Feito, para você, garotão", escreve

---

* Diferentemente do investidor comum, que compra ações de uma empresa num investimento de longo prazo, apostando que poderá ser beneficiado com a prosperidade dela, o *trader* tenta tirar proveito a curto prazo das oscilações dos chamados "mercados nervosos". No mercado financeiro brasileiro consagrou-se o uso do termo em inglês e, por isso, a tradução optou por mantê-lo — como ocorrerá com outras expressões assimiladas no país. (N. T.)

um funcionário do Barclays a um colega enquanto eles manipulam a Libor, a taxa pela qual os bancos emprestam uns aos outros, a mais importante taxa de juros do planeta.[10]

Deveríamos escutar com cuidado o tom desses e-mails — a ironia, a desonestidade, o uso repetido de sorrisinhos, gíria e pontuação bizarra. É sinal de autoengano sistêmico. No fundo do coração do sistema financeiro, que por sua vez é o coração do mundo neoliberal, eles sabiam que ele não funcionava.

John Maynard Keynes uma vez definiu o dinheiro como "um elo entre o presente e o futuro".[11] Ele queria dizer com isso que o que fazemos com o dinheiro hoje é um sinal de como pensamos que as coisas irão se modificar nos anos vindouros. O que fizemos com o dinheiro na escalada rumo a 2008 foi expandir maciçamente o seu volume: a oferta global de dinheiro subiu de 25 trilhões a 70 trilhões de dólares nos sete anos que antecederam o desastre — um ritmo incomparavelmente mais veloz do que o do crescimento da economia real. Quando o dinheiro se expande a essa velocidade, é um sinal de que pensamos que o futuro será espetacularmente mais rico que o presente. A crise foi apenas um sinal de resposta do futuro: estávamos errados.

Tudo o que a elite global fez, uma vez eclodida a crise, foi colocar mais fichas na mesa da roleta. Consegui-las, até a quantia de 12 trilhões de dólares em *quantitative easing*,* não foi problema, já que eles próprios eram os encarregados do caixa do cassino. Mas tiveram que espalhar suas apostas de modo mais equilibrado por um momento, sendo menos inconsequentes.[12]

---

* *Quantitative easing* — ou flexibilização quantitativa — é a criação de determinadas quantidades de dinheiro novo por um banco, sob autorização do Banco Central, mediante o cumprimento de certas normas. Como a expressão em inglês, bem como sua abreviatura (QE), está incorporada ao vocabulário econômico brasileiro, a tradução optou por mantê-la. (N. T.)

Foi nisso que consistiu, na prática, a diretriz do mundo desde 2008. Você imprime tanto dinheiro que o custo de tomá-lo emprestado é quase zero, ou até mesmo negativo, para os bancos. Quando taxas de juros reais se tornam negativas, poupadores — que só conseguem manter seu dinheiro seguro comprando títulos do governo — são de fato obrigados a renunciar a qualquer rendimento de suas economias. Isso, por sua vez, estimula o reaquecimento dos mercados de imóveis, commodities, ouro e ações ao forçar os poupadores a transferir seu dinheiro para essas áreas mais arriscadas. O resultado, até agora, tem sido uma recuperação superficial — mas os problemas estratégicos continuam.

O crescimento no mundo desenvolvido é lento. Os Estados Unidos só se recuperaram arrastando consigo uma dívida federal de 17 trilhões de dólares. Trilhões de dólares, ienes, libras e agora euros em papel-moeda ainda estão em circulação. As dívidas familiares no Ocidente permanecem não saldadas. Cidades-fantasmas inteiras de propriedade especulativa — da Espanha à China — continuam não vendidas. A Zona do Euro — provavelmente o constructo econômico mais importante e mais frágil do mundo — permanece estagnada, gerando um nível de atrito político entre classes e países que pode levar ao seu esfacelamento.

A menos que o futuro proporcione uma riqueza espetacular, nada disso é sustentável. Mas o tipo de economia que está emergindo da crise não pode produzir tamanha riqueza. Portanto, estamos num momento estratégico, tanto para o modelo neoliberal como — conforme demonstrarei no capítulo 2 — para o próprio capitalismo.

Se rebobinarmos o filme até setembro de 2008 em Nova York, será possível ver o que era racional no otimismo que desencadeou o boom. No meu material filmado naquele dia há uma multidão de pessoas do lado de fora do quartel-general do Lehman tirando fotos com seus Nokias, Motorolas e Sony Ericssons. O modelo dos aparelhos está há muito obsoleto, a hegemonia de mercado daquelas marcas já passou.

O rápido avanço na tecnologia digital que levou ao boom pré-2007 mal parou para tomar fôlego durante a baixa. Nos anos que se seguiram ao colapso do Lehman, o iPhone conquistou o mundo e foi, por sua vez, sobrepujado pelo smartphone Android. Os tablets e e-books decolaram. As redes sociais — das quais pouco se falava até então — tornaram-se uma parte central da vida das pessoas. O Facebook tinha 100 milhões de usuários quando o Lehman faliu; tem 1,3 bilhão de usuários no momento em que escrevo isto e é maior do que a internet global (como um todo) era em 2008.[13]

E o progresso tecnológico não se limita à esfera digital. Naqueles sete anos, apesar de uma crise financeira global e de um tremendo terremoto, a Toyota fabricou 5 milhões de carros híbridos — cinco vezes o número que produzira antes de a crise bater. Em 2008, havia 15 mil megawatts de capacidade de produção de energia solar no mundo; em 2014, havia dez vezes isso.[14]

Esta, portanto, tem sido uma depressão como nenhuma outra. Temos visto crise e estagnação combinadas com a rápida introdução de novas tecnologias de uma maneira que simplesmente não aconteceu nos anos 1930. E, em termos de programa de ação, ela tem sido o inverso do que houve naquele período. Em vez de exacerbar a crise, como fez naquela década, a elite global recorreu a instrumentos de política econômica para amortecer a economia real — frequentemente em desacordo com o que suas próprias teorias econômicas a mandavam fazer. E, nos países-chave de mercado emergente, o aumento da demanda por commodities, junto com o estímulo monetário global, transformou os primeiros anos depois de 2008 numa mina de ouro.

O impacto combinado de progresso tecnológico, políticas de estímulo e resiliência dos mercados emergentes produziu uma depressão muito mais branda em termos humanos que a dos anos 1930. Mas, como ponto de inflexão, ela é maior que a daquela década. Para compreender por quê, devemos explorar a cadeia de causa e efeito.

Tanto para os economistas de esquerda como para os de direita, a causa imediata do colapso é atribuída ao "dinheiro barato": a decisão dos Estados ocidentais de desregular o sistema bancário e afrouxar o crédito depois do estouro da bolha "pontocom" em 2001. Ela criou a oportunidade para a bolha financeira estruturada — e o motivo para todos os crimes: os banqueiros ouviram dos políticos, na prática, que era seu dever enriquecer mediante as finanças especulativas, de modo que sua riqueza pudesse respingar no restante de nós.

Uma vez reconhecida a centralidade do dinheiro barato, chegamos a um problema mais profundo: "desequilíbrios globais" — a divisão de trabalho que permitiu a países como os Estados Unidos viver de créditos e incorrer em altos déficits, enquanto a China, a Alemanha, o Japão e os outros países exportadores ficavam com o lado B do acordo. Certamente esses desequilíbrios estão por trás da abundância de crédito nas economias ocidentais. Mas por que eles existem? Por que famílias chinesas poupavam 25% de seus salários e os emprestavam via sistema financeiro global a trabalhadores norte-americanos que não poupavam nada?

Nos anos 2000, os economistas discutiram explicações rivais: ou a culpa era da poupança excessiva dos povos parcimoniosos da Ásia, ou dos empréstimos exagerados tomados pelos esbanjadores ocidentais. Em qualquer dos casos, os desequilíbrios são um fato da vida. Cavando em busca de uma explicação mais profunda, você chega ao leito de rocha da própria globalização, e na ciência econômica hegemônica a globalização não pode ser questionada — ela simplesmente está aí.

A tese da "má gestão bancária + crescimento desequilibrado"

tornou-se a explicação para o desastre. Endireite os bancos, reduza as dívidas, reequilibre o mundo e as coisas ficarão bem. Essa é a suposição que tem guiado a política econômica desde 2008. No entanto, a persistência de baixo crescimento agora tem levado até mesmo economistas convencionais a deixar para trás essa complacência. Larry Summers, secretário do Tesouro no governo Bill Clinton e um dos arquitetos da desregulamentação dos bancos, chocou o mundo econômico em 2013 ao alertar que o Ocidente estava diante de uma "estagnação secular" — isto é, de um baixo crescimento a curto e médio prazos. "Infelizmente", admitiu ele, o baixo crescimento "tem estado presente há muito tempo, mas foi mascarado por finanças insustentáveis."[15] O veterano economista norte-americano Robert Gordon foi além, prevendo um crescimento fraco persistente nos Estados Unidos pelos próximos 25 anos, como resultado de baixa produtividade, população envelhecida, dívidas altas e desigualdade crescente.[16] Impiedosamente, o fracasso do capitalismo em se restabelecer deslocou as preocupações de um cenário de dez anos de estagnação causada por dívidas pendentes para um cenário em que o sistema nunca mais recupera seu dinamismo. Nunca mais.

Para compreender o que há de lúcido nessas premonições de ruína, precisamos examinar criticamente quatro coisas que, de início, permitiram o florescimento do neoliberalismo, mas que começaram a destruí-lo. São elas:

1. *Fiat money*, que permitiu que todo contratempo ou diminuição de ritmo fosse compensado com liberação de crédito e que todo o mundo desenvolvido vivesse de dívidas.

2. Financeirização, que substituiu por crédito os rendimentos estagnados da força de trabalho do mundo desenvolvido.

3. Os desequilíbrios globais e os riscos remanescentes nas vastas dívidas e reservas de moeda dos principais países.

4. A tecnologia da informação, que permitiu que todo o resto

acontecesse, mas cuja contribuição futura ao crescimento é duvidosa.

O destino do neoliberalismo depende dessas quatro coisas persistirem ou não. O destino de longo prazo do capitalismo depende do que acontecer se elas não persistirem. Vamos examiná-las em detalhes.

FIAT MONEY

Em 1837, a recém-proclamada República do Texas emitiu suas primeiras cédulas de dinheiro. Ainda se preservam algumas, enrugadas e limpas, nos museus do estado. Na falta de um lastro de ouro, o novo país prometeu pagar ao portador daquelas notas 10% de juros ao ano. Em 1839, o valor de um dólar texano tinha caído para quarenta centavos de dólar dos Estados Unidos. Em 1842, as células eram tão impopulares que o governo do Texas se recusou a deixar as pessoas pagarem seus impostos com elas. Pouco depois, as pessoas começaram a reivindicar que os Estados Unidos anexassem o Texas. Em 1845, quando isso finalmente aconteceu, o dólar do Texas recuperou boa parte de seu valor. Os Estados Unidos cancelaram então 10 milhões de dólares da dívida pública texana em 1850.

O episódio é visto como um exemplo de manual do que acontece com *fiat money*, isto é, dinheiro sem lastro em ouro. A palavra latina *fiat* significa o mesmo que na frase bíblica *fiat lux* ("faça-se a luz"): quer dizer "faça-se dinheiro", criado a partir do nada. No Texas, havia terra, gado e comércio — mas não o bastante para avalizar a emissão de 4 milhões de dólares e uma dívida pública de 10 milhões de dólares. O papel-moeda ruiu e no fim das contas a República Texana desapareceu.

Em agosto de 1971, os próprios Estados Unidos decidiram

repetir a experiência — dessa vez usando o mundo todo como seu laboratório. Richard Nixon descartou unilateralmente um acordo que atrelava todas as outras moedas ao dólar, e o dólar ao ouro. A partir de então, o sistema monetário global passou a se basear no *fiat money*.

No final da década de 1960, o futuro chefe do Federal Reserve (o sistema de reserva federal dos Estados Unidos) Alan Greenspan tinha denunciado a proposta de abandonar o padrão-ouro como uma conspiração de defensores da "assistência social estatizante" para financiar os gastos do governo confiscando o dinheiro dos cidadãos.[17] Mas depois, como o restante da elite norte-americana, ele se deu conta de que isso primeiro permitiria aos Estados Unidos, na prática, confiscar o dinheiro de outros países — montando o cenário para Washington entregar-se a três décadas de manipulação monetária. O resultado facultou aos Estados Unidos acumular, até o momento em que escrevo, uma dívida de 6 trilhões de dólares com o resto do mundo.[18]

Essa mudança para um papel-moeda puro foi a precondição para todas as outras fases do projeto neoliberal. Demorou, portanto, muito tempo para a direita norte-americana compreender que não gostou dela. Hoje, porém, a teoria econômica da direita tornou-se um contínuo rugido de raiva contra o *fiat money*. Seus críticos acreditam que isso é a fonte primordial do boom e do desastre — e eles estão parcialmente certos.

O abandono do padrão-ouro e do câmbio fixo permitiu a entrada em cena de três reflexos fundamentais da era neoliberal: a criação extensiva de dinheiro pelos bancos, a suposição de que todas as crises podem ser solucionadas e a ideia de que lucros gerados pela especulação podem continuar subindo para sempre. Esses reflexos se entranharam de tal maneira no pensamento de milhões de indivíduos que, quando deixaram de funcionar, o resultado foi a paralisia.

Para algumas pessoas, é novidade o fato de os bancos "criarem" dinheiro, mas eles sempre fizeram isso: sempre emprestaram mais do que havia no cofre. No sistema pré-1971, porém, havia limites legais para essa criação de dinheiro. Nos Estados Unidos, para economias que podiam ser sacadas a qualquer momento, os bancos tinham que reter em caixa vinte dólares para cada cem dólares de depósitos. Mesmo que uma em cada cinco pessoas corresse ao banco para tirar todo o seu dinheiro, ainda haveria o suficiente.[19]

A cada estágio de seu esquema, o projeto neoliberal foi removendo esses limites. O primeiro Acordo de Basileia, em 1988, reduziu as reservas necessárias a oito dólares para cada cem dólares de depósitos. Na época do Basileia II, em 2004, tanto os depósitos como os empréstimos tinham se tornado complexos demais para equilibrar com uma única cifra percentual. Então eles mudaram as regras: era preciso "pesar" seu capital de acordo com a qualidade dele — e essa qualidade seria decidida por uma agência de classificação de risco. Tinha que revelar a engenharia financeira usada para calcular seus riscos. E tinha que levar em conta o "risco de mercado": em outras palavras, o que estava acontecendo fora dos muros do banco.

Basileia II foi um convite aberto a jogar com o sistema — e foi o que fizeram os banqueiros e seus advogados. As agências de classificação de risco avaliavam erradamente os ativos; as firmas de advocacia concebiam meios complexos de driblar as regras de transparência. Quanto ao risco de mercado, mesmo quando os Estados Unidos resvalavam para a recessão no final de 2007, o Comitê de Mercado Aberto do Federal Reserve — o lugar em que supostamente sabem tudo — chafurdava na complacência. Tim Geithner, então chefe do Federal Reserve de Nova York, vaticinou: "Os gastos dos consumidores reduzem um pouquinho a velocidade, e as empresas reagem reduzindo o crescimento da contratação e do investimento; isso produz vários trimestres de crescimento ligeiramente abaixo da tendência".[20]

Essa total incapacidade de dimensionar corretamente o risco de mercado não era otimismo cego; estava escorada na experiência. Quando defrontado com um declínio da atividade econômica, o Fed (Federal Reserve, banco central dos Estados Unidos) sempre reduzia as taxas de juros, habilitando os bancos a emprestar ainda mais dinheiro contra menos ativos. Isso formava o segundo reflexo básico do neoliberalismo: a presunção de que todas as crises eram solucionáveis.

De 1987 a 2000, sob o comando de Greenspan, o Fed enfrentou cada declínio com um corte na taxa de juros. O efeito foi de não apenas fazer do investimento uma aposta de mão única — uma vez que o Fed sempre neutralizaria um colapso da bolsa —, mas também reduzir, com o tempo, o risco de possuir ações.[21] O preço das ações, que em teoria representa uma conjectura quanto à lucratividade futura de uma firma, passou cada vez mais a representar uma conjectura quanto à futura política do Federal Reserve. A proporção entre os preços das ações e os rendimentos (lucros anuais), no tocante às quinhentas maiores empresas dos Estados Unidos, que tinha oscilado entre dez vezes e 25 vezes desde 1870, agora saltava para 35 a 45 vezes na relação preço/lucro.[22]

Se o dinheiro é um "elo com o futuro", então no ano 2000 ele estava sinalizando um futuro mais róseo que o de qualquer outro período da história. O estopim para o colapso das pontocom de 2001 foi a decisão de Greenspan de elevar as taxas de juros de modo a sufocar o que ele chamou de "exuberância irracional". Mas depois do Onze de Setembro e da falência da Enron, em 2001, e com o começo de uma breve recessão, as taxas de juros foram reduzidas de novo. E agora era uma opção abertamente política: exuberância irracional era o.k. quando seu país estava ao mesmo tempo em guerra com o Iraque e o Afeganistão, e quando a confiança no sistema corporativo tinha sido abalada por sucessivos escândalos.

Dessa vez, a ação do Fed vinha sustentada por uma promessa explícita: o governo emitiria dinheiro em vez de permitir recessão e deflação prolongadas. "O governo dos Estados Unidos tem uma tecnologia chamada máquina de impressão", disse Ben Bernanke, membro do conselho do Fed, em 2002. "Sob um sistema de papel-moeda, um determinado governo pode sempre gerar gastos maiores e, consequentemente, inflação positiva."[23]

Sempre que as condições financeiras forem positivas e previsíveis, os lucros dos próprios bancos serão altos. A atividade bancária se tornou um jogo de táticas sempre cambiantes concentrado em abocanhar dinheiro de seus concorrentes, seus fregueses e seus clientes de negócios. Isso criou o terceiro reflexo básico do neoliberalismo: a ilusão generalizada de que se pode gerar dinheiro a partir do próprio dinheiro.

Embora tenham reduzido a porcentagem de capital que os bancos precisam manter em mãos, as autoridades dos Estados Unidos mantiveram a divisão rigorosa entre os bancos comuns de empréstimo e os de investimento, imposta nos anos 1930 pelo Glass-Steagall Act. Mas, no final dos anos 1990, numa escalada de fusões e aquisições, o setor dos bancos de investimentos tornava-se global, escarnecendo das regras. Foi o secretário do Tesouro Larry Summers que, em 1999, mediante a revogação do Glass-Steagall Act, abriu o sistema bancário para a atenção dos adeptos de formas exóticas, opacas e desregulamentadas de finança.

O *fiat money*, então, contribuiu para a crise criando uma onda atrás da outra de falsos sinais do futuro: o Fed sempre nos salvará, ações não são arriscadas e os bancos podem alcançar grandes lucros com negócios de baixo risco.

Nada demonstra melhor a continuidade entre políticas pré e pós-crise do que o *quantitative easing* (QE). Em 2009, tendo hesitado diante da enormidade da tarefa, Bernanke — junto com seu congênere Mervyn King, presidente do Bank of England — botou as impressoras para funcionar. Em novembro de 2008, a China já havia começado a imprimir dinheiro na forma mais direta de "suaves" empréstimos dos bancos estatais para as empresas (isto é, empréstimos que ninguém esperava que fossem pagos). Agora o Fed imprimiria 4 trilhões de dólares pelos quatro anos seguintes — comprando todas as dívidas prementes de emprestadores de hipotecas avalizadas pelo Estado, e também títulos do governo, além de dívidas de hipoteca, até a quantia de 80 bilhões de dólares por mês. O impacto combinado foi de injeção de dinheiro na economia, por meio da elevação dos preços das ações e do reanimado mercado imobiliário, o que significava que era injetado primeiro nos bolsos daqueles que já eram ricos.

O Japão foi pioneiro na solução imprima-dinheiro depois que sua própria bolha imobiliária estourou em 1990. Com a economia chafurdando, o premiê Shinzo Abe viu-se obrigado a religar a impressora em 2012. A Europa — proibida de emitir dinheiro por regras concebidas para estancar a depreciação do euro — esperou até 2015, enquanto a deflação e a estagnação se aprofundavam, antes de se comprometer a imprimir 1,6 trilhão de euros.

Calculo o montante combinado de dinheiro emitido globalmente, incluindo aquele prometido pelo Banco Central Europeu, em cerca de 12 trilhões de dólares — um sexto do PIB global.[24]

Funcionou, por ter evitado uma depressão. Mas foi a doença usada como cura para a doença: dinheiro barato usado para consertar uma crise causada por dinheiro barato.

O que acontece em seguida depende do que você acha que o dinheiro de fato é. Os adversários do *fiat money* preveem o desastre. Na verdade, livros denunciando o papel-moeda sem lastro tornaram-se tão comuns quanto os que denunciam os bancos. Com uma quantidade limitada de bens econômicos reais e uma quantidade ilimitada de dinheiro, diz o argumento, todos os sistemas de papel-moeda acabarão tendo o destino do Texas do século XIX. A crise de 2008 foi apenas o tremor que precede o verdadeiro terremoto. Quanto a soluções, elas vêm predominantemente em forma milenarista. Haverá, diz Detlev Schlichter, ex-administrador do J.P. Morgan, uma "transferência de riqueza de proporções históricas" daqueles que detêm ativos de papel — seja em contas bancárias ou em fundos de pensão — para aqueles que detêm ativos reais, sobretudo ouro. Das ruínas, prediz ele, virá um sistema em que todos os empréstimos terão que ser afiançados por dinheiro no banco, algo conhecido como "100% de reserva bancária", junto com um novo padrão-ouro. Isso exigirá uma única e drástica elevação do preço do ouro, já que o valor de todo o ouro do mundo tem que subir para equivaler à riqueza mundial. (Uma lógica semelhante está por trás do movimento Bitcoin, que é uma moeda digital, não avalizada por nenhum Estado e com um número limitado de moedas digitais em circulação.)

Esse proposto novo mundo de dinheiro "real" viria a um enorme custo econômico. Se as reservas bancárias devem equivaler aos empréstimos feitos, não poderá existir expansão alguma da economia por meio do crédito, e haverá pouco espaço para mercados de derivativos, onde a complexidade — em tempos normais — ajuda a resiliência a problemas como secas, colheitas malogradas, recalls de automóveis com defeito etc. Num mundo onde os bancos retivessem reservas equivalentes a 100% de seus depósitos, teria de haver repetidos ciclos econômicos de expansão e retração, além de alto índice de desemprego. E uma matemática básica nos mostra que poderíamos entrar numa espiral de deflação: "Numa economia com um suprimento inalterado de dinheiro, mas produtividade crescente [...], os preços tendem a declinar", diz Schlichter.[25]

Essa é a opção preferida pelos fundamentalistas monetários de direita. O grande temor deles é que, para manter o *fiat money* vivo, o Estado nacionalize os bancos, cancele as dívidas, tome o controle do sistema financeiro e mate para sempre o espírito de livre empresa.

Como veremos, isso pode acontecer. Mas esse raciocínio contém uma falha fundamental: eles não compreendem o que o dinheiro de fato é.

Na versão popular da teoria econômica, o dinheiro é só um meio conveniente de câmbio, inventado porque trocar um punhado de batatas por uma pele de guaxinim nas primeiras sociedades era aleatório demais. Na verdade, como mostrou o antropólogo David Graeber, não há evidência nenhuma de que as primeiras sociedades humanas praticaram o escambo, ou que o dinheiro tenha emergido dele.[26] Eles usavam uma coisa muito mais poderosa: a confiança.

O dinheiro é criado pelos Estados e sempre foi; não é algo que exista independentemente dos governos. Dinheiro é sempre a "promessa a ser paga" por um governo. Seu valor não repousa no valor intrínseco de um metal; é uma medida da confiança das pessoas na permanência do Estado.

O *fiat money* teria funcionado no Texas se as pessoas acreditassem que o Estado existiria para sempre. Mas ninguém — nem mesmo os colonizadores da era do Álamo — acreditava nisso. Tão logo eles se deram conta de que o Texas se incorporaria aos Estados Unidos, o valor do dólar texano renasceu.

Uma vez que se tenha isso em mente, a verdadeira natureza do problema do neoliberalismo fica clara. O problema não é "Putz, imprimimos dinheiro demais, em descompasso com a produção real da economia!", e sim, embora poucos admitam, "Putz, ninguém acredita mais no nosso Estado". O sistema como um todo depende da credibilidade do Estado que emite as cédulas.

E, na economia global moderna, essa credibilidade repousa não apenas em Estados individuais, mas num complexo sistema de dívidas, mecanismos de pagamento, paridades cambiais informais, uniões monetárias formais como o euro e enormes reservas de divisas acumuladas por Estados como um seguro em caso de colapsos do sistema. O verdadeiro problema com o *fiat money* emerge se, ou quando, esse sistema multilateral desmorona. Mas isso pertence ao futuro. Por enquanto, o que sabemos é que o *fiat money* — quando combinado com política econômica de livre mercado — é uma máquina que produz ciclos de expansão e quebra. Se o deixam correr sem controle, ele pode — antes mesmo que se levem em consideração os outros fatores desestabilizadores — empurrar a economia mundial rumo a uma estagnação de longo prazo.

FINANCEIRIZAÇÃO

Se você for a qualquer das cidades britânicas devastadas pelo declínio industrial, verá a mesma paisagem urbana: bancas de pequenos empréstimos informais, casas de penhores e lojas vendendo utensílios domésticos a crédito com taxas de juros hiperinfladas. Ao lado das casas de penhores você provavelmente encontrará esta outra mina de ouro da cidade assolada pela pobreza: a agência de empregos. Olhe pela janela e verá anúncios de trabalhos por salário mínimo — mas que exigem mais do que uma qualificação mínima. Operadores de impressora, enfermeiras em turno noturno, trabalhadores em centros de distribuição: empregos que costumavam pagar salários decentes agora pagam o mínimo que a lei permite. Em outros lugares, longe das ruas mais iluminadas, você se deparará com gente juntando os cacos: bancos de alimentos mantidos por igrejas e instituições de caridade; Escritórios de

Assistência ao Cidadão, cuja atividade principal tem sido a de aconselhar os afundados em dívidas.

Apenas uma geração antes essas mesmas ruas eram palco de uma vicejante atividade comercial. Eu me lembro da rua principal da minha cidade natal, Leigh, no noroeste da Inglaterra, nos anos 1970, apinhada nas manhãs de sábado por prósperas famílias de trabalhadores. Havia pleno emprego, altos salários e alta produtividade. Havia numerosas agências bancárias. Era um mundo de trabalho, poupança e grande solidariedade social.

O despedaçamento dessa solidariedade, o rebaixamento dos salários, a destruição do tecido social dessas cidades, tudo isso foi feito — originalmente — para limpar o caminho para o sistema de livre mercado. Na primeira década, o resultado foi simplesmente criminalidade, desemprego, degradação urbana e uma brutal deterioração da saúde pública.

Mas então veio a financeirização.

A paisagem urbana de hoje — lojas oferecendo dinheiro caro, trabalho barato e comida gratuita — é o símbolo visual do que o neoliberalismo realizou. Salários estagnados foram substituídos por empréstimos: nossas vidas foram financeirizadas.

"Financeirização" é uma palavra grande; se pudesse usar uma com menos sílabas, eu usaria, porque ela está no coração do projeto neoliberal e precisa ser mais bem compreendida. Os economistas usam o termo para descrever quatro mudanças específicas que começaram nos anos 1980:

1. As empresas afastaram-se dos bancos e foram aos mercados financeiros abertos para financiar sua expansão.

2. Os bancos se voltaram para os consumidores como uma nova fonte de lucros, e para um conjunto de atividades complexas e de alto risco que chamamos de *investment banking* [banca de investimento].

3. Os consumidores se tornaram participantes diretos dos

mercados financeiros: cartões de crédito, saques a descoberto, hipotecas, empréstimos educacionais e para compra de carros se tornaram parte da vida cotidiana. Uma crescente proporção do lucro na economia está sendo auferida hoje não empregando trabalhadores, nem fornecendo bens e serviços que eles possam comprar com seus salários, mas sim emprestando dinheiro a eles.

4. Todas as formas simples de finanças agora geram um mercado em finanças complexas num nível superior da cadeia: cada comprador de casa ou motorista de carro está gerando um retorno financeiro conhecível em algum lugar do sistema. O contrato do seu telefone celular, sua mensalidade da academia de ginástica, a conta de luz da casa — todos os seus pagamentos habituais — são acondicionados em instrumentos financeiros, gerando lucros constantes para um investidor, muito antes de você decidir adquiri-los. E então alguém desconhecido aposta se você vai fazer os pagamentos ou não.

O sistema pode não ser concebido especificamente para manter os salários baixos e o investimento produtivo fraco — políticos neoliberais vivem alegando que promovem o trabalho altamente qualificado e a produtividade —, mas, a julgar pelos resultados, a financeirização e os baixos salários são como o trabalho precário e os bancos de comida: andam juntos.

Os salários reais dos trabalhadores da produção nos Estados Unidos estão, de acordo com o governo, estagnados desde 1973. Ao longo do mesmo período, o montante de dívida na economia norte-americana dobrou, chegando a 300% do PIB. Enquanto isso, a parcela do PIB dos Estados Unidos produzida pelas empresas de finanças, seguros e imóveis subiu de 15% para 24% — ou seja, ficou maior que a da produção fabril e chegou perto do tamanho do setor de serviços.[27]

A financeirização também mudou a relação entre empresas e bancos. Dos anos 1980 em diante, a margem de lucro trimestral de curto prazo tornou-se o porrete que o mercado financeiro usou para golpear até a morte os velhos modelos de negócios corporativos: empresas com lucro pequeno demais foram forçadas a transferir empregos para outros países, fundir-se com outras, tentar estratégias monopolísticas de vida ou morte, fragmentar suas operações em vários departamentos terceirizados — e cortar salários impiedosamente.

A ficção no cerne do neoliberalismo é a de que todo mundo pode usufruir um estilo de vida de consumidor sem elevação de salário. Você pode tomar empréstimo, mas não pode falir jamais: se pegar dinheiro emprestado para comprar uma casa, o valor dela vai sempre subir. E sempre haverá inflação — assim, se tomar empréstimo para comprar um carro, o valor da dívida remanescente terá sido corroído na época em que você precisar de um veículo novo, deixando uma boa margem para pedir mais empréstimo.

O acesso generalizado ao sistema financeiro convinha a todos: políticos progressistas nos Estados Unidos podiam apontar o crescente número de famílias pobres, negras e hispânicas com hipotecas; banqueiros e companhias financeiras enriqueciam fazendo empréstimos a gente que não tinha condição de pagá-los. Além disso, gerou a vasta indústria de serviços que floresceu em torno dos abonados — os floristas, professores de ioga, construtores de iate e assim por diante, que proporcionavam uma espécie de *Downton Abbey* de bronzeamento artificial para os ricos do século XXI. E convinha ao zé-ninguém também: afinal, quem é que vai recusar dinheiro fácil?

Mas a financeirização criou problemas inerentes; problemas que desencadearam a crise, mas não foram resolvidos por ela.

O papel-moeda pode ser ilimitado, mas os salários são reais. Você pode seguir emitindo dinheiro sem parar, mas, se uma parcela decrescente desse dinheiro vai para os trabalhadores, e ainda uma parte crescente de lucros é gerada pelas hipotecas e cartões de crédito deles, mais cedo ou mais tarde você dará de cara com um muro. Em algum momento, a expansão do lucro financeiro por meio da concessão de empréstimos a consumidores sob pressão vai quebrar e chicotear de volta, como um elástico. Foi exatamente o que aconteceu quando a bolha norte-americana de hipotecas *subprime** estourou.

De 2001 a 2006, os empréstimos hipotecários nos Estados Unidos subiram de 2,2 trilhões de dólares anuais para quase 3 trilhões de dólares: significativo, mas não exorbitante. Mas os empréstimos *subprime* — isto é, empréstimos para gente pobre a taxas de juros reais elevadas — subiram de 160 bilhões de dólares para 600 bilhões de dólares. E "hipotecas ajustáveis", que começam baratas e vão ficando mais caras com o passar do tempo, surgiram do nada para atingir 48% de todos os empréstimos emitidos nos últimos três anos do boom. Esse mercado para empréstimos arriscados, complexos e fadados à insolvência não existia até que os bancos de investimento o criassem.[28]

Isso ilustra outro problema inerente à financeirização: ela rompe o elo entre empréstimo e poupança.[29] Os bancos convencionais ou de varejo sempre retêm menos dinheiro do que emprestam. Já vimos como a desregulamentação os incentivou a manter menos reservas e jogar o jogo do sistema. Mas esse novo processo — mediante o qual cada fluxo de juros é empacotado num produto mais complexo, distribuído entre investidores — significa que os bancos comuns são obrigados a entrar no merca-

---

* Hipotecas *subprime*: empréstimos hipotecários de alto risco, ou seja, aqueles concedidos a clientes sem comprovação de renda ou com mau histórico de crédito, a uma taxa de juros abaixo do mínimo (*prime rate*) cobrado por um banco comercial em seus empréstimos de curto prazo a clientes ou empresas preferenciais. Nesta tradução será mantido o termo em inglês, já incorporado à linguagem do mercado brasileiro. (N. T.)

do monetário de curto prazo simplesmente para executar suas operações normais.

Isso levou a uma alteração fatal na psicologia da atividade bancária. A natureza de longo prazo de seus empréstimos concedidos (sobre hipotecas de 25 anos ou cartões de créditos nunca saldados) foi empurrada para cada vez mais longe da natureza de curto prazo de seus empréstimos tomados. Assim, além de todas as fraudes e cotações erradas de preço, a financeirização cria no interior do sistema bancário uma tendência estrutural rumo à espécie de crise imediata de liquidez — isto é, de dinheiro em caixa — que destruiu o Lehman Brothers.

Nas sociedades financeirizadas, uma crise bancária não vê geralmente as massas correrem às agências para sacar seu dinheiro (pela simples razão de que, para começar, elas não têm muito dinheiro ali). São os bancos que têm dinheiro no banco — isto é, em outros bancos — e, conforme descobrimos em 2008, grande parte dele na forma de papel sem valor.

Os problemas descritos aqui só podem ser solucionados se interrompermos a financeirização. Se permitirmos que ela prossiga, com o tempo, cada vez mais dinheiro do sistema financeiro se tornará fictício e uma quantidade cada vez maior de suas instituições se tornará dependente da tomada de empréstimos de curto prazo.

Mas nenhum político ou agência reguladora estava preparado para desmantelar o sistema. Em vez disso, eles o remontaram, provendo-lhe 12 trilhões de dólares de dinheiro criado do nada, e colocaram-no para funcionar de novo. Com isso, as mesmas condições que causaram o ciclo de expansão e colapso irão certamente — caso ocorra algum crescimento significativo — gerar outro.

O historiador Fernand Braudel sugeriu que o declínio de todas as superpotências econômicas começa com uma virada espetacular rumo às finanças. Examinando a queda da Holanda como império comercial no século XVII, ele escreveu: "Todo desenvolvimento capitalista dessa ordem parece, ao atingir o estágio de capitalismo financeiro, anunciar de alguma forma sua maturidade; é um sinal de outono".[30] Proponentes da teoria do "outono financeiro" chamam a atenção para o mesmo padrão na República de Gênova — o principal centro financeiro do final da Idade Média —, depois na Holanda e por fim em Londres perto do final do Império Britânico. Mas em cada um desses exemplos o padrão era o poder dominante tornar-se emprestador para o mundo. Sob o neoliberalismo, isso se inverteu. Os Estados Unidos — e o Ocidente em geral — tornaram-se os tomadores de empréstimos, não os emprestadores. É uma ruptura do padrão de longa duração.

O mesmo vale para a estagnação salarial. Os grandes impérios financeiros dos últimos quinhentos anos extraíam lucros do comércio desigual, da escravidão e da usura, que eram então usados para financiar estilos decentes de vida nos países-sede. Os Estados Unidos, sob o neoliberalismo, alavancaram os lucros empobrecendo seus próprios cidadãos.

A verdade é que, na medida em que as finanças se infiltraram em nossa vida cotidiana, não somos mais escravos apenas da máquina, ou da rotina das-nove-às-cinco, mas nos tornamos escravos também dos pagamentos de juros. Não geramos lucros apenas para nossos patrões mediante nosso trabalho, mas também para os intermediários financeiros mediante os empréstimos que tomamos. A mãe solteira que recebe pensão, obrigada a entrar no mundo dos pequenos empréstimos de curto prazo e das compras de utensílios domésticos a crédito, pode estar gerando uma taxa de lucro muito mais alta para o capital do que um operário da indústria automobilística com emprego fixo.

Uma vez que todo ser humano pode gerar um lucro financeiro simplesmente ao consumir — e os mais pobres podem gerar os lucros maiores —, começa uma mudança profunda na atitude do capitalismo com relação ao trabalho. Vamos explorar o assunto mais tarde, na parte II. Por enquanto, em resumo: a financeirização é um traço permanente do neoliberalismo. Como o *fiat money*, ela leva ao colapso — mas o sistema não pode passar sem ela.

O MUNDO DESEQUILIBRADO

O resultado inevitável do neoliberalismo foi o avanço dos chamados "desequilíbrios globais" — no comércio, na poupança e no investimento. Para países que esfacelaram o trabalho organizado, transferiram suas indústrias produtivas para países menos regulamentados e incentivaram o consumo por meio de crédito crescente, as consequências sempre seriam déficits comerciais, altas dívidas públicas e instabilidade do setor financeiro. Os gurus do neoliberalismo instaram todo mundo a seguir o modelo anglo-saxão, mas na realidade o sistema depende de que alguns países-chave optem por não segui-lo.

O superávit comercial da Ásia com o resto do mundo, o superávit da Alemanha com relação à Europa, a implacável acumulação de dívidas de outros povos com os exportadores de petróleo — nada disso era anomalia. Foram essas coisas que permitiram que os Estados Unidos, a Grã-Bretanha e a Europa meridional tomassem emprestado além de suas posses.

Em outras palavras, precisamos entender desde o início que o neoliberalismo só pode existir porque certos países-chave não o praticam. A Alemanha, a China e o Japão seguem aquilo que seus críticos chamam de "neomercantilismo": manipulam seu comércio, seu investimento e suas posições monetárias para acumular um grande montante de dinheiro de outros países. Esses países superavitários costumavam ser vistos como retardatários econômicos, mas no mundo pós-crise eles estão entre as poucas economias que permanecem de pé. A capacidade da Alemanha de ditar os termos da humilhação da Grécia, presente na memória viva das pessoas que viram a suástica tremular na Acrópole, mostra a força de ser produtor, exportador e emprestador quando o capitalismo desmorona.

O principal meio de dimensionar o desequilíbrio global é a conta-corrente — a diferença entre importações e exportações de bens, serviços e investimentos. O desequilíbrio mundial de conta-corrente cresceu constantemente ao longo dos anos 1990 e decolou rápido depois de 2000, subindo de 1% do PIB mundial para 3% em 2006. Os principais países deficitários eram os Estados Unidos e a maior parte da Europa; os países com superávit eram a China, o restante da Ásia, a Alemanha, o Japão e os produtores de petróleo.[31]

Por que nos preocupar com isso? Porque os desequilíbrios produziram o material inflamável para a crise de 2008 ao sobrecarregar os sistemas financeiros dos Estados Unidos, da Grã-Bretanha e da Europa com dívidas insustentáveis. Isso forçou países como a Grécia — que não tinham força para sair da crise por meio da exportação — a entrar numa espiral fatal de austeridade. E deixou a maioria dos países neoliberalizados com montanhas impagáveis de dívida pública.

No rastro da crise de 2008, o desequilíbrio de conta-corrente recuou — de 3% do PIB global para 1,5%. A projeção mais recente do FMI não vê perigo de um novo trauma, mas as condições para isso são severas: que a China não retorne a seus velhos índices de crescimento, nem os Estados Unidos a seus velhos índices de empréstimo e despesa. Como definiram os economistas Florence Pisani e Anton Brender: "A única força que pôde finalmente deter o contínuo aprofundamento dos desequilíbrios globais foi o colapso das finanças globalizadas".[32]

Pós-2008, a diminuição do déficit de conta-corrente levou certos economistas a crer que o risco representado pelos desequilíbrios terminou.³³ Mas nesse ínterim outro índice de medida do desequilíbrio no mundo cresceu: o estoque de dinheiro mantido pelos países superavitários em outras moedas — conhecido como reservas internacionais.

Enquanto a China viu seu crescimento cair para 7% e seu superávit comercial com o Ocidente ser reduzido, seu montante de reservas internacionais chegou a dobrar desde 2008 — e, em meados de 2014, chegou a 4 trilhões de dólares.³⁴ As reservas internacionais globais cresceram igualmente, de menos de 8 trilhões de dólares para quase 12 trilhões de dólares no final de 2014.³⁵

Os desequilíbrios sempre apresentaram dois perigos distintos. Primeiro, de que eles inundassem as economias ocidentais com tanto crédito que o sistema financeiro viesse a desmoronar. Isso aconteceu. Segundo, mais estrategicamente, de que o risco e a instabilidade reprimidos no mundo todo suscitassem um arranjo entre Estados, em torno de índices de débito e câmbio, arranjo que então entraria em colapso. Esse perigo ainda existe.

Se os Estados Unidos não puderem continuar financiando suas dívidas, em algum momento o dólar vai ruir — na verdade, a mera percepção de que isso possa ocorrer seria suficiente para fazê-lo ruir. Não obstante, a mútua dependência da China e dos Estados Unidos e, em menor escala, da Alemanha com o restante da Zona do Euro assegura que o gatilho não seja puxado.

Tudo o que vem ocorrendo desde 2008, por meio do armazenamento de reservas internacionais, deve ser visto como os países superavitários lançando mão de políticas de proteção contra um colapso norte-americano.

Se o mundo fosse feito apenas de forças econômicas, esse resultado não seria problema: crescimento baixo ou estagnado nos países deficitários, uma elevação gradual do valor do RMB chinês em relação ao dólar, uma erosão gradual da dívida norte-americana pela inflação — e um déficit comercial menor para os Estados Unidos porque o fraturamento hidráulico reduz sua dependência ao petróleo estrangeiro.

Mas o mundo é feito de classes, religiões e nações. As eleições de 2014 na Zona do Euro viram partidos empenhados em destruir o sistema global conquistarem 25% ou mais — na Dinamarca, França, Grécia e Grã-Bretanha. Em 2015, no momento em que escrevo, a vitória da extrema esquerda na Grécia pôs em xeque a coesão da Zona do Euro. Mais: a crise diplomática em torno da Ucrânia viu as primeiras sanções comerciais e financeiras impostas à Rússia pelo Ocidente desde que a globalização começou. O Oriente Médio está em chamas, de Islamabad a Istambul, enquanto as rivalidades militares entre a China e o Japão estão mais intensas do que em qualquer momento desde 1945, justificadas agora por uma intensa guerra cambial.

Tudo o que necessitaria para despedaçar a coisa toda seria um ou mais países resolver "correr para a saída", usando protecionismo, manipulação cambial ou calote da dívida. Levando em conta que a nação mais importante, os Estados Unidos, tem agora um Partido Republicano retoricamente comprometido com todas essas três coisas, as chances de isso acontecer são elevadas.

Os desequilíbrios eram fundamentais à própria natureza da globalização e só foram revertidos devido ao colapso financeiro.

Vamos dizer com todas as letras o que isso significa: a forma vigente de globalização tem uma falha de projeto. Quando produz crescimento elevado, ela só é capaz de fazê-lo estimulando distorções insustentáveis, corrigidas por sua vez por crises financeiras. Para reduzir as distorções — os desequilíbrios — é preciso suprimir a forma normal do crescimento neoliberal.

A REVOLUÇÃO DA TECNOLOGIA DA INFORMAÇÃO

O único fator positivo a contrapor a todos os negativos delineados até aqui é a revolução tecnológica, que foi produzida pelo neoliberalismo e avançou com ímpeto a despeito da crise econômica. "A sociedade da informação", escreve o filósofo Luciano Floridi, "foi engendrada pela tecnologia de crescimento mais rápido da história. Nenhuma geração anterior foi exposta a uma aceleração tão extraordinária do poder tecnológico sobre a realidade, com as mudanças sociais e responsabilidades éticas correspondentes."[36]

Foi o aumento do poder da informática que tornou possível um complexo sistema financeiro global. Ele deu sustentação ao crescimento da oferta de dinheiro na medida em que sistemas digitais substituíram a necessidade de dinheiro vivo. Possibilitou a redistribuição física da produção e do abastecimento aos mercados emergentes, onde a força de trabalho era barata. Fez o profissional de alto nível trabalhar em funções abaixo de suas possibilidades, tornou redundante a mão de obra semiqualificada e acelerou o crescimento do trabalho pouco qualificado do setor de serviços.

Mas, ainda que a tecnologia da informação tenha se tornado, nas palavras de Floridi, "a tecnologia característica de nossa época", sua emergência assume a forma de um ato de desaparecimento. Computadores centrais nascem para desaparecer em seguida, substituídos por servidores, que também desaparecem dos quartéis-generais das corporações e agora estão assentados em amplos abrigos com ar-condicionado em outra parte. O chip de silício fica menor; os acessórios que antes abarrotavam nossos locais de trabalho — modems, discos rígidos externos, disquetes — tornam-se menores, mais escassos e, por fim, desaparecem. Softwares patenteados são desenvolvidos por departamentos de TI das corporações e depois substituídos por versões prêt-à-porter a um décimo do preço. E logo, também, os departamentos de TI desaparecem, substituídos por centrais de atendimento em Mumbai. O PC se transforma no laptop. O laptop encolhe e se torna mais poderoso, mas é suplantado pelo smartphone e pelo tablet. De início, essa nova tecnologia estava atrelada às velhas estruturas do capitalismo. Nos anos 1990, o folclore no setor de TI era de que o software mais caro — o pacote empresarial de recursos — era "mole como massinha, mas endurecia como cimento". Quando você acabava de computadorizar sua linha de produção, as inovações produzidas em outro lugar significavam ter de jogar tudo fora e começar de novo.

Mas, depois de 2004, mais ou menos, com a ascensão da internet e dos dados móveis, a tecnologia começou a possibilitar novos modelos de negócios: chamamos isso de Web 2.0. Iniciou também a produção de novos comportamentos tangíveis entre uma quantidade crescente de pessoas. Tornou-se normal pagar com um cartão plástico; normal pôr toda a sua vida privada on-line para sempre; normal entrar na rede para conseguir um empréstimo rápido a juros de 1000%.

Inicialmente, o ímpeto euforizante da nova tecnologia foi tomado como algo que justificava todo o sofrimento enfrentado para termos mercados livres. Os mineiros britânicos precisavam ser esmagados para que pudéssemos ter o Facebook; as telecomunicações tinham de ser privatizadas para que todos pudéssemos ter celulares 3G. Esse era o raciocínio implícito.

Acima de tudo, porém, a mudança em termos humanos é que foi crucial. O componente mais vital do neoliberalismo — os trabalhadores e consumidores individualizados, recriando-se a cada manhã como "capital humano" e competindo ferozmente uns com os outros — não teria sido possível sem a tecnologia de rede. A previsão do sociólogo Michel Foucault do que aquilo faria de nós — "empresários de si" — parece ainda mais visionária, porque foi feita quando a única coisa semelhante à internet era uma rede de monitores monocromáticos, operada pelo Estado francês, chamada Minitel.³⁷

A promessa era de que a nova tecnologia produziria uma economia da informação e uma sociedade do conhecimento. Estas emergiram, mas não na forma imaginada. Nas velhas distopias — como é o caso do malévolo computador Hal, em *2001: Uma odisseia no espaço* — é a tecnologia que se rebela. Na realidade, a rede tem permitido que os humanos se rebelem.

Ela os capacitou antes de tudo a produzir e consumir conhecimento independentemente dos canais formados na era do capitalismo industrial. Foi por isso que notamos primeiro as rupturas na indústria da notícia, na música e na súbita perda do monopólio do Estado no campo da propaganda política e da ideologia.

Em seguida, a rede começou a solapar conceitos tradicionais de propriedade e privacidade. O WikiLeaks e a controvérsia em torno dos dados de vigilância em massa coletados pela Agência de Segurança Nacional dos Estados Unidos são apenas a fase mais recente de uma guerra para ver quem pode possuir e armazenar informação. Mas o maior impacto de todos só agora começa a ser compreendido.

O "efeito rede" foi teorizado pela primeira vez por Theodore Vail, o mandachuva da Bell Telephone, cem anos atrás. Vail percebeu que redes criavam alguma coisa extra, de graça. Além da utilidade para o usuário de um telefone e da receita para o proprietário, ele notou uma terceira coisa: quanto mais pessoas se juntam à rede, mais útil ela se torna para todo mundo.

O problema surge quando se tenta dimensionar e apreender essa terceira coisa. Robert Metcalfe, o inventor do comutador Ethernet, sustentou em 1980 que o valor de uma rede é "o número de usuários elevado ao quadrado". Assim, enquanto o custo de formação de uma rede cresce numa linha reta, seu valor cresce numa curva exponencial.[38] Por conseguinte, a arte de fazer negócios numa economia do conhecimento é capturar tudo o que há entre a linha reta e a curva ascendente.

Mas como medimos o valor? Em termos de dinheiro economizado, receita bruta ou lucros auferidos? Em 2013, os economistas da OCDE chegaram ao consenso de que ele não poderia ser apreendido pelos padrões de medida tradicionais do mercado. "Se o impacto da internet nas transações do mercado e no valor agregado foi sem dúvida de longo alcance", escreveram eles, "seu efeito em interações não vinculadas ao mercado [...] é ainda mais profundo."[39]

Os economistas tenderam a ignorar as interações de não mercado: elas são, por definição, não econômicas — tão insignificantes quanto um sorriso trocado por dois fregueses na fila da Starbucks. Quanto ao efeito rede, supunham que seus benefícios seriam quantificados em preços mais baixos e distribuídos entre produtores e consumidores. Mas no intervalo de menos de trinta anos as tecnologias de rede vêm abrindo áreas inteiras da vida econômica à possibilidade de colaboração e produção à margem do mercado.

Em 15 de setembro de 2008, os Nokias e Motorolas que apontavam para o quartel-general do Lehman Brothers, mais o sinal livre de *wi-fi* na Starbucks em frente, eram a seu modo tão significativos quanto o banco que acabava de ruir. Estavam emitindo o sinal supremo do mercado do futuro para o presente: *uma economia da informação não pode ser compatível com uma economia de mercado* — ou pelo menos não com uma dominada e regulada fundamentalmente por forças de mercado.

Essa, a meu ver, é a causa profunda do colapso, dos espasmos e do estado de zumbi do neoliberalismo. Todo o dinheiro criado, toda a velocidade e o ímpeto das finanças erigidos nos últimos 25 anos têm que ser contrapostos à possibilidade de que o capitalismo — um sistema baseado em mercados, propriedade privada e troca — não seja capaz de apreender o "valor" gerado pela nova tecnologia. Em outras palavras, é cada vez mais evidente que os bens de informação conflitam fundamentalmente com mecanismos de mercado.

O SISTEMA ZUMBI

Vamos imaginar uma rota de fuga para o capitalismo. Durante a próxima década, os bancos se retiram do quartel-general de maneira ordenada. Abstêm-se de usar o dinheiro emitido para cancelar suas próprias dívidas com o governo; o mercado privado para os títulos públicos, suprimido por uma década, volta a florescer. Além disso, os governos concordam em suprimir para sempre a obsessão financeira: comprometem-se a elevar as taxas de juros em resposta a todas as futuras bolhas; eliminam para sempre a garantia implícita de socorro aos bancos. Todos os outros mercados — de crédito, de ações, de derivativos — então se estabilizariam, para refletir o risco crescente do capitalismo financeiro. O capital seria realocado para o investimento produtivo, afastando-se da especulação financeira.

No final das contas, o mundo teria que voltar a taxas de câmbio atreladas a uma nova moeda global gerida pelo FMI, com o RMB chinês tornando-se uma moeda-âncora plenamente negociável, como o dólar. Isso faria frente à ameaça sistêmica oferecida pelo *fiat money* — a falta de credibilidade surgindo do perigo de que a globalização desmorone. Mas o preço seria um ponto final permanente para os desequilíbrios globais: as moedas de países superavitários iriam subir, e a China, a Índia e os outros teriam que abrir mão de sua vantagem de mão de obra barata.

Ao mesmo tempo, a financeirização teria que ser revertida.

Seria necessária uma virada do poder político que o afastasse dos bancos e dos políticos que os apoiam, em direção a diretrizes que favorecessem a volta física de indústrias e serviços para o Ocidente, de modo a criar emprego bem remunerado no mundo desenvolvido. Como resultado, a complexidade financeira encolheria, os salários subiriam e a participação do setor financeiro no PIB seria reduzida, assim como nossa confiança no crédito.

Os mais perspicazes no seio da elite global sabem que essa é a única resposta: estabilização do *fiat money*, abandono da financeirização e fim dos desequilíbrios. Mas há enormes obstáculos sociais e políticos.

Em primeiro lugar, os ricos opõem-se a salários elevados e finanças reguladas; querem o oposto. Ademais, haveria vencedores e vencidos no âmbito das nações: a elite dominante alemã se beneficia da "dívida-colonização" da Grécia e da Espanha; a elite dominante chinesa se beneficia da condição de porteira de uma economia de mão de obra barata de 1,4 bilhão de pessoas. Essas elites têm um interesse arraigado em bloquear a rota de fuga.

Mas o maior problema é o seguinte: para esse cenário vingar, dívidas soberanas imensas, impagáveis, teriam que ser canceladas, junto com uma grande proporção de dívidas familiares e de empresas privadas.

Não há, porém, nenhum sistema global para conseguir isso. Se você cancelar as dívidas norte-americanas, poupadores chineses sairão perdendo; o resultado seria a ruptura do acordo essencial entre a Ásia e o Ocidente; você toma emprestado, nós emprestamos. Cancele a dívida grega com a União Europeia e serão os contribuintes alemães que perderão dezenas de bilhões, de novo, infringindo um acordo essencial.

A consequência dessa melhor hipótese de cenário, mesmo que a transição pudesse ser conduzida pacificamente, seria uma completa decomposição da globalização.

E, é claro, ela não poderia ser conduzida pacificamente.

A Rússia, desde 2014, tornou-se uma potência dedicada a desarranjar as economias ocidentais, não cooperando com elas. A China — apesar de todo o poder brando que ela começou a projetar — não tem condições de fazer o que os Estados Unidos fizeram ao final da Segunda Guerra Mundial: absorver as dívidas do mundo, estabelecer regras explícitas e criar um novo sistema monetário global.

Enquanto isso, no Ocidente, não há sinal nenhum de uma estratégia que se assemelhe à delineada acima. Há conversas a respeito — da transformação em celebridade do economista francês Thomas Piketty aos clamores do Bundesbank em 2014 por maiores salários na Europa. Mas, na prática, os principais partidos mantêm-se casados com o neoliberalismo.

E, sem a rota de fuga, a perspectiva que se impõe cada vez mais é a de uma estagnação de longo prazo.

Em 2014, a OCDE divulgou suas projeções para a economia mundial até o ano 2060.[40] O crescimento mundial vai se reduzir a 2,7%, disse o instituto de estudos baseado em Paris, porque os efeitos da busca para superar o atraso que levaram ao crescimento no mundo em desenvolvimento — população crescente, educação, urbanização — vão se esgotar. Mesmo antes disso, a quase estagnação das economias avançadas indica um crescimento médio global de apenas 3% pelos próximos cinquenta anos, significativamente menor do que a média pré-crise.

Enquanto isso, já que os trabalhos semiqualificados se tornarão automatizados, deixando restar apenas os muito bem e muito mal pagos, a desigualdade global crescerá 40%. Em 2060, países como a Suécia terão os níveis de desigualdade que vemos hoje nos Estados Unidos: imagine Gary, Indiana, nos subúrbios de Estocolmo. Há também o risco muito real de que as mudanças climáticas comecem a destruir regiões costeiras cruciais e culturas agrícolas, desbastando 2,5% do PIB mundial e 6% no Sudeste Asiático.

Mas a parte mais desalentadora do relatório da OCDE consiste não no que ele projeta, mas no que toma por certo: um rápido crescimento da produtividade devido à tecnologia da informação. Espera-se que três quartos de todo o crescimento até 2060 venham da produtividade incrementada. No entanto, tal conjectura, conforme o relatório diz de forma eufemística, é "elevada quando se compara com a história recente".

Na verdade, conforme abordarei no capítulo 5, não há certeza nenhuma de que toda essa revolução informática dos últimos vinte anos será incorporada no tipo de crescimento e produtividade que podem ser medidos em termos de mercado. Nesse caso, há um risco substancial de que os escassos 3% de crescimento anual projetados pela OCDE para os próximos cinquenta anos fiquem mais próximos dos 0,75%.

E há também o problema da imigração. Para que o cenário central de crescimento da OCDE funcione, a Europa e os Estados Unidos precisam absorver 50 milhões de imigrantes cada um, entre hoje e 2060, com o restante do mundo desenvolvido absorvendo outros 30 milhões. Sem eles, a força de trabalho e a base fiscal do Ocidente encolhem tanto que os Estados vão à falência. O risco — como indicam os 25% de votos para a Frente Nacional na França e os direitistas armados que hostilizam crianças imigrantes na fronteira da Califórnia com o México — é de que populações do mundo desenvolvido não aceitem isso.

Imagine o mundo de 2060 tal como a OCDE o antevê: Los Angeles e Detroit se parecem com a Manila de hoje — favelas abjetas lado a lado com arranha-céus bem guardados; Estocolmo e Copenhague parecem as cidades destruídas do cinturão da ferrugem norte-americano; o emprego de remuneração média desapareceu. O capitalismo estará em sua quarta década de estagnação.

Mesmo para conseguir esse futuro brilhante, diz a OCDE, precisamos tornar a força de trabalho "mais flexível" e a economia mais globalizada. Teremos que privatizar a educação superior — pois o custo de expandi-la para suprir a demanda por formados levaria muitos Estados à bancarrota — e assimilar dezenas de milhões de imigrantes no mundo desenvolvido.

E, enquanto nos debatemos com tudo isso, é provável que os meios vigentes de financiar o Estado evaporem. A OCDE assinala que a polarização das populações em grupos de renda alta e baixa tornará ineficazes os impostos de renda. Precisaremos, em vez disso, como sugere Thomas Piketty, taxar a riqueza. O problema aqui é que os bens — sejam eles um cavalo de corrida, uma conta bancária secreta ou o copyright do logotipo da Nike — tendem a ser mantidos em jurisdições dedicadas a evitar impostos sobre a riqueza, mesmo que alguém tivesse a vontade de elevá-los, o que hoje em dia não acontece.

Se as coisas não mudarem, diz a OCDE, é realista esperar estagnação no Ocidente, um ritmo cada vez mais lento de crescimento nos mercados emergentes e a provável falência de muitos Estados.

Portanto, o mais provável é que a certa altura alguns países abandonem a globalização, através de protecionismo, cancelamento de dívidas e manipulação cambial. Ou que uma crise de *desglobalização* originada em conflito diplomático e militar inunde a economia mundial e produza os mesmos resultados.

A lição do relatório da OCDE é de que precisamos de um redesenho completo do sistema. A geração mais bem instruída da história da raça humana, assim como a mais conectada, não vai aceitar um futuro de alta desigualdade e crescimento estagnado.

Em vez de uma corrida caótica para desglobalizar o mundo, além de décadas de estagnação combinada com crescente desigualdade, precisamos de um novo modelo econômico. Arquitetá-lo envolverá mais do que um esforço de pensamento utópico.

A genialidade de Keynes em meados dos anos 1930 consistiu em compreender o que a crise havia revelado sobre o sistema *existente*: que um novo modelo viável teria que ser construído em torno das permanentes deficiências do antigo, que a teoria econômica dominante não era capaz de ver.

Desta vez, o problema é ainda maior. A premissa central deste livro é a de que, lado a lado com o problema da estagnação produzida pela crise financeira e pela situação demográfica, a tecnologia da informação roubou das forças de mercado sua capacidade de criar dinamismo. Em vez disso, ela está criando as condições para uma economia pós-capitalista.

Pode não ser mais possível "salvar" o capitalismo, como fez Keynes com soluções estratégicas radicais, porque seus alicerces tecnológicos mudaram.

Portanto, antes de clamarmos por um "New Deal Verde", ou por bancos estatizados, ou por educação superior gratuita, ou taxas de juro de longo prazo de 0%, precisamos compreender como isso tudo poderia se encaixar no tipo de economia que está emergindo. E estamos muito mal equipados para fazer isso. Uma ordem foi rompida, mas a teoria econômica convencional não tem ideia da magnitude da ruptura.

Para seguir em frente precisamos de uma imagem mental menor que "o outono financeiro de um império combalido", mas maior que a teoria dos ciclos de expansão e retração. Precisamos de uma teoria que explique por que, na evolução do capitalismo ao longo dos últimos dois séculos, ocorreram grandes momentos de metamorfose, e como exatamente a mudança tecnológica recarrega as baterias do crescimento econômico.

Precisamos, em resumo, de uma teoria que insira a crise atual num quadro do destino geral do capitalismo. Essa busca nos levará além da economia convencional e muito além do marxismo convencional. Tudo começa numa cela de prisão russa em 1938.

2. Ondas longas, memórias curtas

A forma de onda é linda. O som do oceano batendo na areia é evidência de que existe ordem na natureza.

Quando se considera a física envolvida numa forma de onda, ela se torna ainda mais linda. É a matéria exibindo a tendência à inversão: a energia que faz a onda se erguer é a mesma que a faz cair. Mil e quinhentos anos atrás, um matemático indiano descobriu que, se você representar graficamente todas as proporções possíveis entre dois lados de um triângulo, isso produz um padrão semelhante a uma onda. Sábios medievais chamaram-no de "seno". Hoje chamamos de onda seno ou senoidal toda onda regular e repetitiva encontrada na natureza. Uma corrente elétrica se movimenta na forma de uma onda senoidal; o mesmo faz o som; o mesmo faz a luz.

E há ondas dentro de ondas. Para um surfista, as ondas parecem vir em séries, em tamanho crescente, de modo que a sexta ou sétima onda é a grande que ele quer pegar. Na verdade, isso é simplesmente o resultado de uma onda mais longa e baixa movendo-se "através" das curtas.

Essa relação — entre ondas longas e curtas — é uma fonte de ordem na acústica. Para os músicos, as harmonias criadas por ondas curtas no seio de ondas longas são o que dá a cada instrumento seu som particular; a música está afinada quando ondas longas e curtas estão em rigorosa proporção matemática.

Ondas estão por toda parte na natureza. Na verdade, no nível subatômico, o movimento de onda de uma partícula é o único meio pelo qual podemos saber que ela existe. Mas ondas existem também no interior de sistemas grandes, complexos e artificiais — tais como os mercados. Para aqueles que analisam mercados de ações, a forma de onda tornou-se como um ícone religioso: eles removem os "ruídos" das flutuações diárias para produzir uma curva previsível. "Altas" e "baixas" tornaram-se termos econômicos cotidianos.

Mas, no pensamento econômico, a forma de onda pode ser perigosa. Ela pode sugerir ordem e regularidade onde estas não existem. Uma onda sonora simplesmente se enfraquece até o silêncio; mas ondas geradas por dados aleatórios tornam-se distorcidas e desorganizadas depois de um tempo. E a economia é um mundo de eventos complexos, aleatórios, não de ondas simples.

Foram os especialistas em mapear as ondas do último boom que falharam ao não prever o desastre. Em termos emprestados do surfe, eles estavam olhando as ondas em vez de olhar as séries; as séries, em vez das marés; as marés, em vez do tsunami que estava prestes a atingi-los. Pensamos no tsunami como uma grande onda: uma parede de água. Na verdade, o tsunami é uma *longa* onda: ela cresce e continua vindo.

Para o homem que descobriu sua existência no pensamento econômico, ondas longas mostraram-se fatais.

A MORTE POR FUZILAMENTO

O prisioneiro arrasta os pés; não consegue andar. Está parcialmente cego, tem uma doença cardíaca crônica e depressão clínica. "Não há meio de eu me obrigar a pensar de forma sistemática", escreve. "Pensar cientificamente sem trabalhar de modo ativo com dados e livros, e ainda por cima com dor de cabeça, é muito difícil."[1] Nikolai Kondratiev tinha passado oito anos como prisioneiro político em Suzdal, a leste de Moscou, lendo apenas os livros e jornais permitidos pela polícia secreta de Stálin. Tiritara de frio no inverno, sufocara no verão, mas seu martírio logo acabaria. Em 17 de setembro de 1938, dia em que sua sentença original expirou, Kondratiev foi julgado uma segunda vez, condenado por atividades antissoviéticas e executado em sua cela, por um pelotão de fuzilamento.

Assim morreu um dos gigantes do pensamento econômico do século XX. Em seu tempo, Kondratiev situava-se no mesmo plano de pensadores globalmente influentes, tais como Keynes, Schumpeter, Hayek e Gini. Seus "crimes" foram fabricados. O clandestino "Partido Trabalhista Camponês", do qual ele era o suposto líder, simplesmente não existia.

O verdadeiro crime de Kondratiev, aos olhos de seus algozes, foi o de pensar o impensável acerca do capitalismo: que, em vez de ruir com a crise, o capitalismo geralmente se adapta e sofre mutação. Em duas obras pioneiras de interpretação de dados ele mostrou que, para além dos ciclos econômicos de curto prazo, há evidências de um padrão mais longo, de cinquenta anos, cujos pontos de inflexão coincidem com grandes mudanças estruturais no interior do capitalismo e grandes conflitos. Assim, tais momentos de extrema crise e sobrevivência não são evidência de caos, mas de ordem. Kondratiev foi a primeira pessoa a mostrar a existência de ondas longas na história econômica.

Embora tenha sido popularizado depois como uma "teoria dos ciclos", o mais valioso insight de Kondratiev foi o de compreender por que a economia global atravessa mudanças súbitas, por que o capitalismo se depara com crises estruturais, e como ele se transmuta e metamorfoseia em resposta a elas. Ele nos mostrou por que os ecossistemas econômicos que duraram por décadas podem implodir de repente. Usou o termo "longo ciclo" em vez de "onda", porque os ciclos criam uma sublinguagem que é altamente útil no pensamento científico: falamos de fases, estados e sua súbita alternância.

Kondratiev estudou o capitalismo industrial. Embora outros aleguem ter descoberto longas ondas de preços que remontam à Idade Média, a série de dados dele começa com a Revolução Industrial, nos anos 1770.

Na teoria de Kondratiev, cada ciclo longo tem uma ascensão que dura uns 25 anos, alimentada pela entrada em ação de novas tecnologias e alto investimento de capital; segue-se então um movimento descendente de mais ou menos a mesma duração, em geral terminando em uma depressão. Na fase "para cima", as recessões são raras; na fase "para baixo" elas são frequentes. Na fase ascendente, o capital flui para indústrias produtivas; na descendente, fica aprisionado no sistema financeiro.

Há mais, mas essa é a teoria básica. Neste capítulo, sustentarei que ela é essencialmente correta, mas que a crise atual representa uma ruptura do padrão — e indica que é uma coisa maior do que o simples fim de um ciclo de cinquenta anos.

O próprio homem era extremamente cauteloso quanto às implicações de sua teoria. Nunca afirmou que podia prever acontecimentos — embora tenha de fato antevisto a Depressão dos anos 1930, dez anos antes que acontecesse. Providenciou para que seus achados fossem publicados lado a lado com uma crítica brutal e uma resenha de um colega.[2]

Mas a polícia de Stálin havia, de certo modo, compreendido mais coisas acerca da teoria de Kondratiev do que ele próprio. Compreendeu que — se levada às últimas conclusões — ela colocaria o marxismo face a face com uma proposição perigosa: a de que não existe uma crise "final" do capitalismo. Pode haver caos, pânico e revolução, mas, de acordo com as evidências de Kondratiev, a tendência do capitalismo não é desmoronar, e sim sofrer mutação. Imensas faixas de capital podem ser destruídas, modelos de negócios podem ser sucateados, impérios podem ser liquidados em guerras globais, mas o sistema sobrevive — ainda que sob uma forma diferente.

Para o marxismo ortodoxo dos anos 1920, a explicação de Kondratiev para o que causava tais transformações era igualmente perigosa. Os eventos que pareciam causar os grandes pontos de inflexão — guerras, revoluções, descoberta de novas jazidas de ouro e novas colônias — eram, dizia ele, meros efeitos gerados pelas demandas da própria economia. A humanidade, mesmo ao tentar moldar a história econômica, é relativamente impotente em termos de longo prazo.

Por um tempo, nos anos 1930, a teoria das ondas longas tornou-se influente no Ocidente. O economista austríaco Joseph Schumpeter produziu sua própria teoria dos ciclos econômicos, popularizando a expressão "ciclo de Kondratiev". Mas, uma vez estabilizado o capitalismo depois de 1945, a teoria das ondas longas passou a parecer redundante. Os economistas acreditavam que a intervenção do Estado podia aplainar até mesmo as menores altas e baixas do capitalismo. Quanto ao ciclo de cinquenta anos, o guru da economia keynesiana, Paul Samuelson, descartou-a como "ficção científica".[3]

E quando a Nova Esquerda tentou ressuscitar o marxismo como ciência de crítica social, nos anos 1960, dedicou pouco tempo a Kondratiev e suas ondas; estava buscando uma teoria do colapso do capitalismo, não da sua sobrevivência.

Só uns poucos teimosos, predominantemente investidores, permaneceram obcecados por Kondratiev. Na década de 1980, analistas de Wall Street converteram os cuidadosos e provisórios achados dele numa tosca ladainha profética. Em lugar dos dados complexos de Kondratiev, traçaram linhas simples, mostrando uma onda em forma estilizada: uma elevação, um cume, uma crise e uma queda. Chamaram-na de "onda K".

Se Kondratiev estava certo, diziam esses investidores, a recuperação econômica iniciada no final dos anos 1940 era o começo de um ciclo de cinquenta anos, o que significava que em algum momento do final da década de 1990 haveria uma depressão. Engendraram estratégias complexas de investimento para se resguardar de uma catástrofe. E então ficaram à espera...

O QUE KONDRATIEV DISSE DE FATO

Em 2008, o que os investidores estavam esperando finalmente aconteceu — ainda que, por motivos que logo abordaremos, dez anos depois do que eles previam.

Agora, pessoas da corrente econômica dominante estão de novo interessadas em longos ciclos. À medida que foram se dando conta de que a crise do Lehman era sistêmica, analistas começaram a procurar padrões produzidos pela interação entre inovação tecnológica e crescimento. Em 2010, economistas do banco Standard Chartered anunciaram que estávamos no meio de um "superciclo" global.[4] Carlota Perez, uma economista anglo-venezuelana e discípula de Schumpeter, usou a teoria dos ciclos para prometer uma nova "era de ouro" para o capitalismo desde que se pudesse afastar o pânico financeiro e retornar ao processo de inovação bancado pelo Estado, que produziu o boom do pós-guerra.[5]

Mas, para usar adequadamente o estalo de Kondratiev, precisamos entender o que ele disse de fato. Sua pesquisa original, nos anos 1920, estava baseada em dados relativos a cinco economias avançadas entre 1790 e 1920. Ele não rastreou diretamente o PIB, mas taxas de juros, salários, preços de commodities, produção de carvão e ferro e comércio exterior. Usando as técnicas de estatística mais avançadas de sua época — e dois assistentes cuja função era chamada de "computação" —, estabeleceu uma linha de tendência a partir de dados brutos. Dividiu os dados cotejando com o tamanho da população e aplainou-os usando uma "média móvel" para filtrar e eliminar flutuações aleatórias e ciclos mais curtos.

O resultado foi uma coleção de gráficos que parecem suaves ondas senoidais. Eles mostram o primeiro longo ciclo, com a emergência do sistema fabril na Grã-Bretanha nos anos 1780 e terminando por volta de 1849. Em seguida, uma segunda onda muito mais clara começa em 1849, coincidindo com a difusão global de estradas de ferro, barcos a vapor e telégrafo, antes de entrar em sua fase descendente, com a assim chamada "Longa Depressão" depois de 1873, terminando em algum ponto da década de 1890.

No início dos anos 1920, Kondratiev acreditava que havia um terceiro ciclo em curso. Tinha atingido seu pico e começado seu movimento descendente, provavelmente entre 1914 e 1920. Mas esse declínio não estava perto de terminar. Como resultado, previa ele, a crise política que consumiu a Europa entre 1917 e 1921 não levaria a um colapso econômico imediato. Uma trôpega recuperação era possível, sustentava Kondratiev, antes de uma depressão ainda por vir. Isso foi plenamente corroborado pelos acontecimentos.

Diferentemente dos analistas atuais de Wall Street, Kondratiev não estava interessado, em última análise, nas formas das ondas em si. Enxergava as ondas senoidais que representara graficamente no papel como evidência de algo mais profundo que acontecia na realidade: uma sucessão de "fases" alternadas que, para os nossos propósitos, são as ferramentas mais úteis para compreender os ciclos de cinquenta anos.[6] Vamos examinar mais profundamente essas fases tal como Kondratiev as descreve. A primeira fase, para cima, começa tipicamente com uma década frenética de expansão, acompanhada por guerras e revoluções, em que as novas tecnologias inventadas na fase descendente anterior são subitamente consolidadas e difundidas. Em seguida, começa uma redução de velocidade, causada por uma diminuição de investimento de capital, pela elevação das poupanças e pelo acúmulo de capital pelos bancos e pela indústria; isso piora devido ao impacto destrutivo das guerras e o crescimento das despesas militares improdutivas. No entanto, essa diminuição de ritmo ainda faz parte da fase ascendente: as recessões permanecem curtas e superficiais, enquanto os períodos de crescimento são frequentes e fortes.

Por fim, começa uma fase descendente, na qual os preços das commodities e as taxas de juros caem. Há mais capital acumulado do que pode ser investido em indústrias produtivas, de modo que ele tende a ficar armazenado no interior do setor financeiro, deprimindo as taxas de juros porque a ampla oferta de crédito rebaixa o preço da tomada de empréstimo. As recessões tornam-se piores e mais frequentes. Salários e preços entram em colapso, e finalmente instala-se uma depressão.

Em tudo isso, não há nenhuma afirmação quanto à cronologia exata de acontecimentos, e nenhuma afirmação de que as ondas são regulares. Kondratiev enfatizou que cada onda longa ocorre "sob novas condições históricas concretas, a um novo nível no desenvolvimento das forças produtivas, e portanto não é de modo algum uma simples repetição do ciclo precedente".[7] É, em suma, mais novidade do que déjà-vu.

Agora chegamos ao ponto mais controverso de Kondratiev. Ele notou que o início de cada ciclo de cinquenta anos era acompanhado por eventos desencadeadores. Vou citá-lo na íntegra, apesar da linguagem antiquada, porque os paralelos com o presente são impressionantes:

> Durante cerca das primeiras duas décadas antes do início da onda ascendente de um ciclo longo, observamos um revigoramento de invenções tecnológicas. Antes e durante o início da onda ascendente, observamos a extensa aplicação dessas invenções à prática industrial, devido à reorganização das relações de produção. O início dos longos ciclos geralmente coincide com uma expansão da órbita das relações econômicas mundiais. Por fim, os inícios dos dois últimos ciclos sucessivos foram precedidos por grandes mudanças na extração de metais preciosos e na circulação monetária.[8]

Se traduzirmos isso em linguagem moderna, teremos o seguinte. O início de um longo ciclo presencia:
- a introdução de novas tecnologias;
- a emergência de novos modelos de negócios;
- novos países arrastados para dentro do mercado global;
- uma elevação da quantidade e da disponibilidade de dinheiro.

A relevância dessa lista para nós é clara: ela descreve muito bem o que aconteceu com a economia global entre meados dos anos 1990 e o desastre do Lehman. Mas Kondratiev estava convencido de que tais fenômenos não eram causas, mas apenas estopins. "Não estamos de modo algum inclinados a pensar que isso fornece qualquer forma de explicação para as causas dos longos ciclos", insistiu.[9]

Kondratiev estava determinado a encontrar a causa dos longos ciclos na economia, não na tecnologia nem na política global. E estava certo. Mas, nessa busca, fiava-se em teorias que tinham sido desenvolvidas por Karl Marx para explicar os ciclos mais curtos, de dez anos, do século XIX: isto é, o esgotamento do investimento de capital e a necessidade de reinvestimento.

Se as crises "normais" que vêm a cada década, explicava ele, são resultado da necessidade de repor ferramentas e máquinas, então as crises de cinquenta anos são provavelmente causadas pelo "desgaste e pela avaria, substituição e incremento daqueles bens de capital básicos, demandando um longo período de tempo e um tremendo investimento para sua produção".[10] Ele tinha em mente, por exemplo, o boom dos canais do final do século XVIII e o boom das estradas de ferro dos anos 1840.

Na teoria de Kondratiev, uma onda longa decola porque grandes quantidades de capital barato foram acumuladas, centralizadas e mobilizadas no sistema financeiro, geralmente acompanhadas por uma elevação na oferta de dinheiro, que é necessário para bancar o boom de investimento. Investimentos grandiosos são empreendidos — canais e fábricas no final do século XVIII, ferrovias e infraestruturas urbanas em meados do século XIX. Uma nova tecnologia entra em cena e novos modelos de negócios são criados — levando a uma disputa por novos mercados —, o que estimula a intensificação das guerras na medida em que se acirram as rivalidades quanto a áreas coloniais. Novos grupos sociais ligados às indústrias e tecnologias em ascensão colidem com as velhas elites, produzindo inquietação social.

Alguns dos detalhes são obviamente específicos de cada ciclo particular, mas o que é importante na tese de Kondratiev é o raciocínio sobre causa e efeito. A subida é determinada por uma acumulação de capital mais rápida que seu investimento durante a fase de depressão anterior. Um efeito disso é a busca por uma oferta expandida de dinheiro; outro é o aumento da disponibilidade de tecnologias novas e mais baratas. Uma vez iniciado um novo surto de crescimento, o efeito é uma proliferação de guerras e revoluções.

A insistência de Kondratiev em causas econômicas e efeitos político-tecnológicos sofreria ataques vindos de três lados. Primeiro, dos marxistas, que insistiam que os grandes pontos de inflexão no capitalismo só podiam ser causados por choques externos. Segundo, de Schumpeter, seu contemporâneo, que argumentava que as ondas longas são compelidas pela tecnologia, não pelos ritmos do investimento de capital. Uma terceira série de críticas dizia que, em todo caso, os dados de Kondratiev eram falhos e que a evidência de ondas era exagerada.

Mas Kondratiev estava certo — e seus raciocínios sobre as causas descrevem brilhantemente o que aconteceu com a economia desde 1945. Se pudermos preencher as lacunas da teoria de Kondratiev, chegaremos perto de compreender não apenas como o capitalismo se adapta e transmuta em resposta às crises, mas também por que essa capacidade de adaptação poderia atingir seus limites. Vou sustentar na parte II que estamos atravessando uma ruptura significativa e provavelmente permanente dos padrões que o capitalismo industrial exibiu por duzentos anos.

Primeiro, porém, é preciso responder aos críticos.

A CURVA IMAGINÁRIA

Em 1922, a publicação do primeiro esboço de Kondratiev sobre os longos ciclos despertou uma controvérsia imediata. Leon Trótski, na época um dos três principais líderes do comunismo russo, escreveu que, se os ciclos de cinquenta anos existiam, "seu caráter e sua duração são determinados não pela interação interna de forças capitalistas, mas pelas condições externas por cujos canais flui o desenvolvimento capitalista".[11]

No início do século XX, revolucionários marxistas tinham se tornado obcecados pela ideia de que a ação humana — a "vontade subjetiva" — era mais importante que a teoria econômica. Eles se sentiam prisioneiros da economia política, que tinha sido apropriada pelos socialistas moderados que acreditavam ser impossível a revolução. Kondratiev, insistia Trótski, tinha entendido as coisas ao contrário:

> A conquista, pelo capitalismo, de novos países e continentes, a descoberta de novos recursos naturais e, na esteira disso, grandes fatos de ordem "superestrutural" tais como guerras e revoluções determinam o caráter e a sucessão de épocas de ascensão, estagnação ou declínio do desenvolvimento capitalista.[12]

Pode parecer estranho para aqueles que conhecem o marxismo somente como uma forma de determinismo econômico, mas Trótski estava insistindo aqui que o conflito político entre nações e classes era mais importante que as forças econômicas. Em lugar das ondas longas, Trótski sustentava que o pensamento econômico soviético deveria se concentrar em explicar "a curva inteira do desenvolvimento capitalista", do nascimento à ascensão e ao declínio: isto é, sua história toda. Ondas longas eram interessantes, mas para aqueles que desejavam o fim do capitalismo o padrão mais vital de todos era o ciclo de vida completo do capitalismo, que certamente tinha que ser finito.

Os marxistas, àquela altura, já haviam desenvolvido sua própria explicação da grande mutação nas estruturas econômicas depois de 1890 — que eles chamavam de "imperialismo" e que, presumiam, era o estágio final ou "mais elevado" que o capitalismo podia alcançar. Sendo assim, confrontado com os dados de Kondratiev, Trótski também traçou uma curva — produzida inteiramente por sua imaginação. Ela mostrava a ascensão e declínio de um país capitalista imaginário ao longo de noventa anos. O propósito do gráfico, explicou Trótski, era mostrar o que uma computação esmerada e exaustiva dos dados podia produzir. De acordo com ele, uma vez entendida a linha de tendência de uma economia capitalista, seria possível entender se um ciclo de cinquenta anos — se é que existia — fazia parte do movimento mais geral de ascensão, declínio ou fim. Trótski não se desculpou pela natureza imaginária de sua curva. Os dados ainda não eram bons o bastante para traçar uma curva real, disse ele, embora com um tanto de trabalho isso pudesse ser feito.

Assim o ataque de Trótski de 1922 foi usado, e tem sido desde então, para refutar a ideia de ciclos longos. Mas não refuta. Simplesmente diz que eles: (a) provavelmente não são regulares, já que são causados por choques externos; e (b) precisam ser encaixados numa onda maior, única, que é a de ascensão e declínio do próprio capitalismo. Em outras palavras, Trótski estava demandando uma definição melhor e mais histórica da "tendência" dentro da qual os ciclos de cinquenta anos eram computados.

Isso, em si, era lógico. Com todas as tendências, os estatísticos procuram o que eles chamam de uma "ruptura de tendência": um ponto em que a curva nitidamente para de subir, se aplaina e prepara-se para uma queda. A busca por uma ruptura de tendência no interior do capitalismo iria obcecar economistas de esquerda ao longo do século XX — e acabaria por frustrá-los.

Enquanto isso, Kondratiev tinha estado ocupado.

UMA SALA FRIA EM MOSCOU

Em janeiro de 1926, Kondratiev publicou sua obra definitiva: *Ciclos longos da conjuntura*. Em 6 de fevereiro, a nata dos economistas soviéticos reuniu-se no centro de estudos de Kondratiev, o Instituto de Conjuntura, acima da rua Tverskaya, em Moscou, para rasgá-la em pedacinhos.

O registro textual do encontro não contém nada do temor e da irracionalidade que os expurgos de Stálin logo injetariam na vida acadêmica soviética. Os participantes falam com liberdade e franqueza. Seguem as mesmas três linhas de ataque que dominaram desde então as críticas a Kondratiev: que seus métodos estatísticos estavam errados; que ele entendera mal as causas das ondas; e que as conclusões políticas eram inaceitáveis.

Primeiro, o principal adversário de Kondratiev, o economista Dmitry Oparin, afirmou que o método que ele usara para aplainar ciclos mais curtos era falso, e que distorcera os resultados. Além disso, os dados de longo prazo sobre a ascensão e queda da poupança não sustentavam a teoria de Kondratiev.

Então o seminário voltou-se para o tema da causa e efeito. O economista V. E. Bogdanov sustentou que, em vez de o ritmo dos ciclos longos ser ditado pelo investimento de capital, deveria ser ditado pela inovação. (Isso faz dele a primeira pessoa, mas não a última, a reduzir a teoria dos longos ciclos a uma história da inovação tecnológica.) Bogdanov, porém, levantou uma questão pertinente. Não era lógico, argumentou, que o custo de construção de coisas grandes como canais, estradas de ferro ou siderúrgicas ditasse o ritmo da economia mundial por cinquenta anos. A objeção a um ciclo conduzido pelo capital levou-o a propor um que fosse conduzido pela tecnologia, e sobre essa base ele desenvolveu uma versão mais rigorosa do argumento do "choque externo" de Trótski.

Se as longas ondas de fato existiam, elas deveriam, de acordo com Bogdanov, ser causadas pela "interação aleatória de duas séries essencialmente causais": a dinâmica interna do capitalismo e as dinâmicas do ambiente exterior, não capitalista.[13] Por exemplo, a crise de sociedades não capitalistas como a China e o Império Otomano no final do século XIX criou novas aberturas para o capital ocidental; o atraso agrário de um país como a Rússia moldou o crescimento de seu setor capitalista, obrigando-o a buscar fundos na França e na Grã-Bretanha.

Bogdanov tinha um argumento forte. A teoria de Kondratiev assumia que os ritmos do capitalismo exerciam uma atração gravitacional de mão única sobre o mundo não capitalista. Na verdade, os dois interagem constantemente, e qualquer versão sintética da teoria de Kondratiev teria que levar isso em conta.

Perto do fim do seminário, um velho pau-mandado do Partido Comunista, o economista agrário Miron Nachimson, introduziu a questão das implicações políticas da teoria das ondas longas. A obsessão com ondas longas, disse ele, era ideológica. O propósito dela era justificar a crise como um estado de coisas normal, dizer que "estamos lidando com um movimento essencialmente perpétuo do capitalismo, primeiro para cima e depois para baixo, e ainda não é apropriado sonhar com a revolução social". Ciclos longos, percebeu Nachimson, representariam um grande desafio teórico para o bolchevismo, cuja premissa era a morte iminente do capitalismo.[14]

O debate se aproxima do cerne do problema da obra de Kondratiev:

1. Ele via a dinâmica do investimento do capital como a causa fundamental das crises de cinquenta anos. No entanto, sua abordagem dessa dinâmica não era sofisticada.

2. Ele assumia que o mundo não capitalista era o espectador passivo dos padrões de onda capitalistas, quando na verdade não era.

3. Àquela altura, embora visse cada onda como uma versão mais complicada da seguinte, ele não conseguiu situar o papel das ondas longas no interior do destino final do capitalismo.

E havia outro problema, correlato, no trabalho de Kondratiev: o dos dados. Esse problema perseguiu a teoria dos longos ciclos o tempo todo, da era da régua de cálculo até o Linux box. Precisamos levá-lo em conta aqui, porque o problema dos dados funcionou como um aviso de "não entre" afixado à obra de Kondratiev por uma geração.

O DESAFIO DOS NÚMEROS ALEATÓRIOS

É um sinal da ambição de Kondratiev o fato de o grupo de pesquisa que ele dirigia ter empregado um dos grandes matemáticos do século XX, Eugen Slutsky. E, enquanto Kondratiev lutava corpo a corpo com dados reais, Slutsky estava empenhado num projeto próprio, usando números aleatórios.

Slutsky mostrou que, aplicando uma média móvel a dados aleatórios, é possível gerar facilmente padrões de onda que parecem fatos econômicos reais. Para provar sua tese, produziu um padrão de onda a partir de números aleatórios de loteria e o superpôs a um gráfico estatístico do crescimento britânico: quando uma onda foi posta em cima da outra, seus formatos revelaram-se notavelmente similares. Em estatística, isso é conhecido como "efeito Yule-Slutsky", e agora é usado para sugerir que o próprio ato de aplainar dados gera resultados espúrios. No entanto, Slutsky acreditava no contrário: que a emergência de padrões de onda regulares a partir de eventos aleatórios era real[15] — não apenas na teoria econômica, mas também na natureza:

Parece provável que um papel especialmente proeminente seja desempenhado na natureza pelo processo de soma móvel com pesos de um tipo ou de outro, em que a magnitude de cada consequência é determinada pela influência, não de uma, mas de um conjunto de causas precedentes, como por exemplo o tamanho de uma safra é determinado não pela chuva de um dia, mas de muitos dias.[16]

Em outras palavras, gotas de chuva caem aleatoriamente num quilômetro quadrado, mas no final da estação você tem uma safra que pode medir em comparação com a do último ano. O impacto cumulativo de eventos aleatórios pode produzir padrões regulares, cíclicos.

Na época em que Slutsky escreveu isso, Kondratiev estava se tornando alguém a quem era perigoso conhecer. Em 1927, explodiram conflitos no seio da burocracia soviética que ocasionaram expulsões e confrontos de rua. A historiadora Judy Klein observa que teria sido fácil para Slutsky renegar Kondratiev, que estava sob suspeita como pretenso socialista de mercado. Em vez disso, ele apoiou a teoria básica de Kondratiev.[17]

Na verdade, o experimento de Slutsky acrescentou um insight crucial à teoria das ondas longas: ele observou que ondas geradas pela filtragem de dados aleatórios não se repetem para sempre. À medida que ele as computava ao longo do tempo, os padrões subitamente se rompiam, um evento que ele chamou de "mudança de regime": "Depois de um número mais ou menos considerável de períodos cada regime se desarranja, a transição a outro regime ocorrendo às vezes de modo bastante gradual, às vezes de modo mais ou menos abrupto, em torno de certos pontos críticos".[18]

Para qualquer pessoa interessada em padrões de longa duração, o desafio apresentado pela observação de Slutsky é claro. Primeiro, não se pode rastrear a causa tangível de ondas longas — se é inovação, choques externos ou os ritmos do investimento de capital. Talvez elas sejam simplesmente um traço regular de qualquer sistema econômico complexo ao longo do tempo. Segundo, qualquer que seja a causa, devemos esperar que padrões regulares de onda se rompam e se reconstituam.

O próprio Slutsky acreditava que esse padrão de súbita ruptura poderia operar em dois níveis: dentro do ciclo econômico de dez anos e através dos longos ciclos de cinquenta anos. Mas seu trabalho levanta uma terceira possibilidade. Se o capitalismo industrial produziu uma sequência de ondas de cinquenta anos ao longo de um período de mais de duzentos anos, então talvez em algum ponto isso também se rompa, inaugurando uma mudança de regime que leve a um padrão completamente diferente.

Nos últimos vinte anos tem havido uma reação a Kondratiev movida pelas estatísticas. Vários estudos modernos pretendem demonstrar que, se melhores técnicas de aplainamento forem usadas, as ondas de Kondratiev simplesmente desaparecem, ou tornam-se irregulares. Outros indicam corretamente que as flutuações de preços de longo prazo observadas no interior das três primeiras ondas desaparecem quando um mercado global sofisticado emerge depois de 1945.[19]

No entanto, dada a enorme quantidade de dados suplementares e métodos melhores de que dispomos, deveria ser possível detectar ondas de Kondratiev nas estatísticas de crescimento global.

Em 2010, os pesquisadores russos Korotayev e Tsirel fizeram exatamente isso.[20] Usaram uma técnica chamada "análise de frequência" para mostrar de modo convincente que há vigorosas pulsações de cinquenta anos nos dados de PIB. Para o período pós--1945, eles mostraram que mesmo os dados brutos contêm clara evidência de uma fase de alta depois de 1945 e uma prolongada fase descendente começando em 1973.

De fato, usando a definição de recessão do FMI (seis meses durante os quais o crescimento global afunda abaixo dos 3%), eles calculam que, se não houve recessão alguma no período 1945-73, houve seis recessões desde 1973. Eles estão seguros de que a onda de Kondratiev está presente em números do PIB posteriores a 1870 e é observável nas economias ocidentais antes disso.

Há mais evidências da existência de ciclos longos no trabalho de Cesare Marchetti, um físico italiano que analisou dados históricos sobre consumo de energia e projetos de infraestrutura. Os resultados, concluiu ele em 1986, "revelam muito claramente um comportamento cíclico ou de pulsação" em várias áreas da vida econômica, com ciclos durando aproximadamente 55 anos.[21]

O físico rejeita a ideia de que sejam ondas, ou de que sejam principalmente econômicas, preferindo chamá-las de "pulsações" de longo prazo no comportamento da sociedade. Mas, diz ele, sinais que são pouco nítidos no pensamento econômico "tornam-se cristalinos quando os 'aspectos físicos' são analisados".

Marchetti diz que a evidência mais clara da existência de longos ciclos repousa no padrão de investimento em "grades" físicas de comunicação. Tomando como exemplos redes de canais, ferrovias, estradas pavimentadas e linhas aéreas, ele mostrou como a construção de cada uma delas atingiu seu pico aproximadamente cinquenta anos depois de a tecnologia anterior ter feito o mesmo. Sobre essa base, Marchetti previu que um novo tipo de grade deveria aparecer por volta do ano 2000. Embora estivesse escrevendo apenas catorze anos antes da virada do milênio, ele não podia supor o que seria essa nova grade. Hoje temos a resposta: a rede de informação.

Há, portanto, evidências físicas e econômicas de que existe um padrão de cinquenta anos. As formas de onda geradas por tal padrão, ou pulsação, têm importância secundária diante do fato de que o padrão existe. Para um economista, isso indica processos mais profundos em curso — assim como para um astrofísico um buraco negro pode ser detectado apenas pelo movimento da matéria ao seu redor.

E é por isso que é importante. Kondratiev nos deu um meio de compreender *mutações* no seio do capitalismo. O pensamento econômico de esquerda vinha procurando um processo que levasse unicamente ao colapso. Kondratiev mostrou como a ameaça de colapso geralmente leva à adaptação e sobrevivência.

O problema de Kondratiev segue sendo sua explicação da força econômica que movimenta o ciclo; e como isso se relaciona com o destino último e a longevidade do sistema. É isso que precisamos consertar.

SALVANDO KONDRATIEV

Certa ocasião, dei uma palestra sobre Kondratiev para duzentos estudantes de economia numa universidade britânica. Eles não faziam ideia de quem ou sobre o que eu estava falando. "Seu erro", disse-me um acadêmico depois da conversa, "foi misturar micro e macroeconomia. Eles não estão habituados a isso". Outro palestrante, cujo trabalho é ensinar história econômica, nunca ouvira falar de Kondratiev.

Mas tinham ouvido falar de Josef Schumpeter. Em *Ciclos econômicos* (1939), Schumpeter sustentou que o capitalismo é moldado por ciclos interligados, que vão desde a onda curta de três a cinco anos produzida pelo armazenamento de estoques no interior de ramos econômicos até as ondas de cinquenta anos observadas por Kondratiev.

Num tortuoso exercício lógico, Schumpeter excluiu o ciclo de crédito, os choques externos, as mudanças no gosto e o que ele chamou de "crescimento" como causas do ciclo de cinquenta anos. Em vez disso, argumentou: "A inovação é o fato proeminente na história econômica da sociedade capitalista e [...] é amplamente responsável pela maior parte daquilo que à primeira vista poderíamos atribuir a outros fatores".[22] Forneceu então uma história detalhada de cada uma das ondas de Kondratiev como um ciclo de inovação: o primeiro é desencadeado pela invenção do sistema de fábricas nos anos 1780; o segundo, impulsionado pelas ferrovias a partir de 1842; o terceiro, por um conjunto de inovações que hoje chamamos de Segunda Revolução Industrial, nas décadas de 1880 e 1890.[23]

Schumpeter tomou a teoria das ondas de Kondratiev e tornou-a altamente atraente para os capitalistas: em sua versão, o empreendedor e o inovador impulsionam cada novo ciclo. Inversamente, períodos de declínio são resultado de esgotamento da inovação e de entesouramento do capital no sistema financeiro. Para Schumpeter, a crise é um traço necessário do sistema capitalista, uma vez que ela promove a "destruição criativa" de modelos velhos e ineficientes.

E, embora Kondratiev tenha sido amplamente esquecido, a obra de Schumpeter tem sobrevivido como uma espécie de revelação religiosa: uma narrativa tecnodeterminista de boom e queda à qual os economistas convencionais podem retornar em tempos de crise, quando suas crenças normativas falham.

A mais destacada discípula moderna de Schumpeter, Carlota Perez, tem usado a teoria do impulso técnico para instar governantes a dar apoio estatal à tecnologia da informação, à biotecnologia e à energia verde — com a promessa de uma nova "idade do ouro" a ter início em algum momento dos anos 2020, assim que a próxima onda comece a se erguer.

Perez acrescentou à teoria das ondas alguns refinamentos que são úteis para compreender a fase atual. O mais importante é sua ideia de "paradigma tecnoeconômico". Não é suficiente, sustenta ela, que haja um conjunto de inovações no início de cada ciclo, nem tampouco que essas inovações interajam umas com as outras. Um "novo consenso, guiando a difusão de cada revolução" tem que emergir, uma reconhecível "lógica do novo" que possibilite a substituição de um conjunto de tecnologias e práticas econômicas por outro.

Mas, ao datar as ondas a partir da invenção de tecnologias-chave, e não de sua ampla difusão, Perez afasta-se tanto de Kondratiev como de Schumpeter. E propõe uma sequência causal diferente: os inovadores inventam, financistas ficam excitados e especulam, tudo termina em choro e o Estado entra em cena, regularizando a situação de modo que uma era dourada de alto crescimento e produtividade possa ocorrer.

Os apoiadores de Perez dizem que essa sequência temporal é apenas uma reembalagem de Schumpeter, com o ponto de partida de cada onda arrastado para 25 anos antes. Mas é mais do que isso. Para ela, o foco principal da teoria das ondas longas é "a irrupção e gradual assimilação de cada revolução tecnológica", não as altas e baixas no PIB que eram o foco para Kondratiev.[24]

Como resultado, ela fica com todo tipo de problemas de coerência. Por que a quarta onda (1909-71) dura quase setenta anos? Porque a resposta política à Depressão dos anos 1930 não rendeu frutos até 1945, responde ela. Por que a sequência clara "inovação, bolha, crise" acontece duas vezes entre 1990 e 2008? Mais uma vez ela responde: por causa de erros de política econômica.

A versão de Perez da teoria das ondas realça a resposta de governos em momentos de crise, mas dá pouquíssima ênfase aos conflitos de classes e à distribuição da riqueza. Numa inversão quase total de Kondratiev, as políticas econômicas são impulsionadas pela tecnologia, que por sua vez é impulsionada pelos governos.

A atração da teoria das ondas movidas pela tecnologia é que as evidências a seu favor são tangíveis: conjuntos de inovações de fato ocorrem antes do início de ondas longas, e a sinergia entre elas pode ser documentada. É uma teoria materialista, já que vê as revoluções e mudanças nas atitudes sociais como produto de algo mais profundo. Novas tecnologias alçam ao poder o que Schumpeter chamava de "novos homens" — que trazem consigo seus próprios gostos e padrões de consumo.

Mas Kondratiev estava certo ao rejeitar a tecnologia como força motriz das grandes mudanças. Ela é adequada para descrever o início dos ciclos de cinquenta anos, mas não explica inteiramente por que o feixe de invenções acontece, nem por que um novo paradigma social emerge — tampouco, aliás, por que a onda termina.

Se nos aferrarmos a Kondratiev e estendermos sua sequência de ciclos longos até o presente, aproveitando os "aspectos físicos" de Marchetti e dados muito melhores dos que estavam disponíveis na década de 1920, podemos traçar o seguinte esboço.

O capitalismo industrial atravessou quatro longos ciclos, levando a um quinto cuja decolagem foi retardada:

1. De 1790 a 1848: O primeiro ciclo longo é discernível nos dados ingleses, franceses e norte-americanos. O sistema fabril, maquinário movido a vapor e canais são a base do novo paradigma. O ponto de inflexão é a depressão no final da década de 1820. A crise revolucionária de 1848-51 na Europa — espelhada pela Guerra Mexicana e pelo Compromisso do Missouri nos Estados Unidos — forma um claro sinal de pontuação.

2. De 1848 a meados dos anos 1890: O segundo ciclo longo é tangível de ponta a ponta do mundo desenvolvido e, em seu final, da economia global. Estradas de ferro, telégrafo, navios a vapor, moedas estáveis e maquinário produzido por máquinas estabelecem o paradigma. A onda chega ao pico em meados da década de 1870, com a crise financeira nos Estados Unidos e na Europa levando à Longa Depressão (1873-96). Durante os anos 1880 e

1890, novas tecnologias são desenvolvidas em resposta a crises econômicas e sociais, juntando-se no início do terceiro ciclo.

3. De 1890 a 1945: No terceiro ciclo a indústria pesada, a engenharia elétrica, o telefone, a administração científica e a produção em massa são as tecnologias-chave. A ruptura ocorre ao final da Primeira Guerra Mundial; a Depressão dos anos 1930, seguida pela destruição de capital durante a Segunda Guerra Mundial, arremata o movimento descendente.

4. Final dos anos 1940 a 2008: No quarto ciclo os transistores, os materiais sintéticos, os bens de consumo de massa, a automação fabril, o poder nuclear e o cálculo automático criam o paradigma — produzindo o mais longo boom de toda a história. O pico não poderia ser mais claro: o choque do petróleo de outubro de 1973, depois do qual tem lugar um longo período de instabilidade, mas não uma grande depressão.

5. No final dos anos 1990, sobrepondo-se ao final da onda anterior, aparecem os elementos básicos do quinto ciclo longo. Ele é impulsionado pela tecnologia de rede, comunicações móveis, um mercado verdadeiramente global e bens de informação. Mas ele empacou — e a razão tem algo a ver com o neoliberalismo e com a tecnologia em si.

Isso é apenas um esboço: uma lista de pontos de início e fim, feixes de tecnologia e crises significativas. Para ir adiante, precisamos compreender a dinâmica da acumulação de capital melhor do que Kondratiev, e por caminhos que os tecnoteóricos mal tocam. É necessário não só entender que o capitalismo se transmuta, mas também o que impulsiona as mutações no interior da economia, e ainda o que poderia limitá-las.

Kondratiev nos deu um modo de compreender o que os teóricos de sistemas chamam de nível "meso" em economia: algo entre um modelo abstrato do sistema e sua história concreta. Ele nos deixou um modo melhor de compreender suas mutações do que as teorias desenvolvidas por discípulos de Marx no século xx, que se concentraram em fatores externos e em cenários de destruição.

Não esgotamos Kondratiev ainda. Mas, para completar o que ele tentou fazer, temos que mergulhar num problema que importunou o pensamento econômico por mais de um século: o que causa a crise.

3. Marx estava certo?

Em 2008 aconteceu uma coisa bizarra a Karl Marx: "Ele voltou!", gritou uma manchete no *Times* de Londres. Os editores alemães de *O capital* registraram um aumento de 300% nas vendas depois que um ministro do governo alemão declarou que as ideias dele "não eram tão ruins". Enquanto isso, no Japão, uma versão em mangá de *O capital* tornou-se viral. Na França, Nicolas Sarkozy foi fotografado folheando a edição francesa da obra máxima de Marx. O catalisador da marxmania foi, evidentemente, a crise financeira. O capitalismo estava ruindo. Marx previra isso, de modo que ele poderia ser considerado certo, ou reavaliado, ou pelo menos ter direito a algum *schadenfreude* póstumo.*

Mas há um problema. O marxismo é ao mesmo tempo uma teoria da história e uma teoria de crise. Como teoria da história, é soberbo: armados com uma compreensão de classe, poder e tec-

---

* *Schadenfreude* (em alemão, no original): palavra incorporada a outras línguas, com o sentido de alegria causada pela desgraça alheia, uma espécie de sarcasmo vingativo. (N. T.)

nologia, podemos prever as ações de homens poderosos antes que eles próprios saibam o que vão fazer. Porém, como teoria da crise, o marxismo é falho. Se formos utilizar Marx na situação atual, precisamos compreender suas limitações — e a bagunça teórica que seus discípulos introduziram ao tentar superar tais limitações.

Não são questões soterradas. Quanto mais o rosto barbudo de Marx aparece nas páginas apavoradas dos grandes jornais, quanto mais profunda a catástrofe infligida aos jovens de amanhã, maiores se tornam as chances de que tentem repetir os experimentos fracassados dos discípulos de Marx: o bolchevismo e a abolição forçada do mercado. A premissa deste livro — de que há uma rota diferente para superação do capitalismo e diversos meios de empreendê-la — exige que lidemos aqui com a teoria marxista da crise.

Então qual é o problema?

Marx compreendeu que o capitalismo é um sistema instável, frágil e complexo. Reconheceu que a condição de classe dá aos diferentes agentes que atuam no mercado uma força desigual. Mas o marxismo subestimou a capacidade de adaptação do capitalismo.

O próprio Marx só tinha testemunhado uma adaptação global: a subida da segunda onda longa nas duas décadas que se seguiram à revolução de 1848. Tragicamente, na época em que seus seguidores estavam no meio da terceira onda longa, o pensamento econômico marxista tinha parado de evoluir como uma teoria eficaz de sistemas.

No fim, três traços gerais de sistemas adaptativos complexos haveriam de desafiar o marxismo. Primeiro, tais sistemas tendem a ser "abertos" — isto é, eles vicejam em contato com o mundo exterior. Segundo, respondem a desafios inovando e se transformando de modos imprevisíveis, com cada inovação produzindo um novo e intrincado conjunto de oportunidades para o crescimento e a expansão no seio do sistema. Terceiro, geram fenômenos "emergentes", que só podem ser estudados num nível mais elevado que o funcionamento do sistema em si. Por exemplo, o comportamento de uma colônia de formigas poderia ser o produto do código genético da formiga, mas também tem que ser estudado como comportamento, não como genética.

O marxismo foi, de certo modo, o mais sistemático estudo de fenômenos emergentes já empreendido, mas foi constantemente confuso quanto à natureza deles. Somente na década de 1970, quando a ideia de "autonomia relativa" chegou ao pensamento econômico marxista, foi que a disciplina começou a entender que nem todas as camadas da realidade são simples expressão das camadas abaixo delas.

Neste capítulo vou mostrar de que maneira, nos últimos cem anos, a natureza adaptativa do capitalismo confundiu não apenas os marxistas, mas a esquerda de modo geral. No entanto, o insight original de *O capital*, que descreve como mecanismos de mercado conduzem à crise, permanece não apenas válido, mas essencial para o entendimento das grandes adaptações.

A teoria da crise de Marx, quando compreendida adequadamente, proporciona uma explicação melhor que a de Kondratiev para o que impulsiona as principais mutações — e por que elas poderiam parar de ocorrer. Mas o Marx que nos interessa aqui é uma imaginação do século XXI aprisionada num cérebro do século XIX.

O QUE MARX DISSE...

Durante os primeiros oitenta anos do capitalismo industrial, os economistas eram pessimistas quanto ao futuro do sistema. Os economistas clássicos — Smith, Say, Mill, Malthus e Ricardo — eram acossados por dúvidas quanto à sua sobrevivência. O tema do trabalho deles eram os limites do capital: os obstáculos a sua expansão, o declínio do lucro, a fragilidade do crescimento estável.

No centro de seus debates estava a ideia de que o trabalho humano é a fonte de valor e determina o preço médio das coisas. Ela é conhecida como "teoria do valor-trabalho", e no capítulo 6 explicarei em detalhes como ela nos ajuda a mapear a transição do capitalismo para uma economia que não seja de mercado.

Marx passou a vida tentando retificar falhas na teoria do valor-trabalho, com o intuito de explicar as crises e os colapsos que assolaram o capitalismo inicial. Segundo ele, uma economia de mercado plenamente desenvolvida cria instabilidade inerente. Pela primeira vez na história existe a possibilidade de crise em meio à abundância. Coisas que não podem ser compradas ou usadas são produzidas — uma situação que teria parecido maluca sob o feudalismo ou no mundo antigo.

Marx também reconhecia uma tensão no pensamento econômico entre o que é real e o que tomamos por real. O mercado é uma máquina para reconciliar os dois. O valor real das coisas é ditado pela quantidade de trabalho, maquinário e matérias-primas usados para fazê-las — tudo mensurado em termos de valor-trabalho —, mas este não pode ser calculado de antemão. Nem tampouco podemos vê-lo, porque as leis da economia operam "pelas costas" de todos os envolvidos.

Essa tensão impulsiona tanto as correções pequenas — por exemplo, quando a banca na feira tem frutas demais na hora do fechamento — como as grandes — por exemplo, quando o governo dos Estados Unidos é levado a salvar o Lehman Brothers. Isso significa que, quando você estuda uma crise, deve buscar o que está errado num nível mais profundo que os fatos apresentados na primeira página do *Wall Street Journal*.

Marx sustentava que no capitalismo plenamente desenvolvido os lucros têm uma tendência a convergir na média. Assim, os administradores — mesmo que suas mentes lhes digam que estão competindo ferozmente uns com os outros — criam, na verdade, uma taxa média de lucro perceptível em cada setor e no conjunto da economia, em cotejo com a qual estabelecem preços e avaliam seu desempenho. Então, por meio do sistema financeiro, eles criam um pool de lucros no qual investidores podem entrar com taxas de retorno razoavelmente constantes a partir de um dado nível de risco. Embora o setor financeiro fosse pequeno quando Marx escreveu *O capital*, ele captou com muita clareza o modo como as finanças — na forma de juros — tornam-se o principal mecanismo para alocar capital racionalmente em resposta aos riscos e remunerações setoriais médios.

Ele percebeu também que a fonte primordial de lucro é o trabalho; especificamente, o valor extra (mais-valia) arrancado dos empregados pelas relações desiguais de poder no local de trabalho. Mas há uma tendência inata a substituir a mão de obra por máquinas, impulsionada pela necessidade de aumentar a produtividade. Uma vez que a força de trabalho é a fonte primordial de lucro, isso tende, à medida que a mecanização se difunde por toda a economia, a corroer a taxa de lucro. Numa empresa, num setor ou numa economia como um todo, onde proporções crescentes de capital são investidas em maquinário, matérias-primas e outros insumos não laborais, está se reduzindo o alcance do trabalho como gerador de lucro. Marx chamou isso de "a lei mais fundamental do capitalismo".

Porém, o sistema reage espontaneamente a essa ameaça: cria instituições e comportamentos que contrabalançam a tendência da taxa de lucro a cair. Investidores mudam para novos mercados, onde os lucros são mais altos; o custo da mão de obra é rebaixado pelo barateamento de bens de consumo e alimentos; executivos procuram novas fontes de mão de obra barata em países estrangeiros; ou produzem maquinário que custa menos, em termos de mão de obra, para ser feito; ou deixam as indústrias de mecanização intensiva pelas de trabalho intensivo; ou ainda buscam fatias de mercado (tamanho do lucro) em vez de margens (taxa de lucro).

Marx identificou a ascensão do setor financeiro como uma contratendência mais estratégica: uma parcela de investidores começa a aceitar ações ou quotas — em lugar do lucro empresarial direto e completo que provém de instaurar uma empresa e operá-la — como a recompensa normal por possuir grandes somas de dinheiro. Empreendedores ainda assumirão riscos unilaterais, como o capital privado e os fundos de cobertura fazem hoje, mas amplas partes do sistema são ajustadas para sobreviver à base de risco baixo, investimentos de pouco retorno por meio do sistema financeiro — o que, dizia Marx, permite ao capitalismo seguir operando quando os lucros são rebaixados.

Precisamos ser muito claros quanto a este ponto: *para Marx, essas contratendências operam o tempo todo*. Uma crise acontece apenas quando elas se esgotam ou se rompem.[1] Isto é, quando acaba a mão de obra barata, ou novos mercados deixam de aparecer, ou o sistema financeiro não pode mais conter com segurança todo o capital que investidores avessos ao risco estão tentando estocar nele.

Em suma, Marx sustentava que a crise é a válvula de escape para o sistema como um todo. É um traço normal do capitalismo e um produto de seu dinamismo tecnológico.

É possível ver, mesmo a partir deste esboço básico, que Marx está configurando o capitalismo como um sistema complexo. Mesmo quando parece estável, o capitalismo não está em equilíbrio: há um processo espontâneo de desarranjo contrabalançado por numerosos estabilizadores espontâneos. A teoria da crise explica quando e por que tais estabilizadores deixam de funcionar.

Ao longo dos três volumes de *O capital*, Marx descreve várias formas de crise. A primeira é a de superprodução, quando mercadorias demais encontram demanda de menos, fazendo com que os lucros gerados no processo de produção não possam ser alcançados pela venda dos produtos. Marx também esperava que elas emergissem do fluxo ineficiente de capital entre setores: ele presenciou em vida numerosas crises em que a indústria pesada tinha ficado em descompasso com o setor de produção de bens de consumo, levando a uma recessão até que os dois se reequilibrassem.

E há também a crise desencadeada pelo fracasso das tendências compensatórias listadas acima, levando a um tangível colapso na taxa de lucro, a um congelamento de investimentos, à demissão temporária de trabalhadores e ao declínio do PIB.

Por fim, no volume III de *O capital*, Marx descreve como a crise financeira acontece: o crédito se torna massivamente superestendido, e em seguida a especulação e o crime o empurram para limites insustentáveis, em que a falência corrige em dose excessiva o boom — arrastando a economia para uma depressão de vários anos. Numa frase sugestiva, Marx antecipou o mundo da Enron, de Bernie Madoff e do 1% de abastados. A principal função do crédito, escreveu, é desenvolver a exploração "até a forma mais pura e colossal de jogatina e fraude, e reduzir cada vez mais o número dos poucos que tiram proveito da riqueza social".[2] Em 2008, foram os paralelos entre o colapso do setor financeiro e a famosa passagem citada acima que provocaram os artigos sustentando que Marx estava certo. Hoje, quando a crise financeira recua, mas as rendas reais permanecem estagnadas no mundo ocidental, as pessoas estão dizendo de novo que "Marx estava certo" — desta vez quanto ao problema da superprodução, em que os lucros e o crescimento se restabelecem, mas os salários dos trabalhadores não.

No entanto, a teoria da crise de Marx é incompleta. Contém falhas lógicas que seus apoiadores levaram muito tempo procurando resolver, sobretudo o ponto em que ele tenta conectar seu modelo abstrato à realidade concreta. Além disso, ela é um produto de seu tempo: Marx não tinha como levar em conta os grandes fenômenos do século XX — capitalismo de Estado, monopólios, complexos mercados financeiros e globalização.

Para que Marx esteja certo — isto é, como algo mais que um profeta que disse "a crise é normal" — temos que tornar a teoria coerente internamente e também compatível com as evidências. Temos que aperfeiçoá-la de modo a fazê-la incluir os traços comuns a sistemas adaptativos complexos contra os quais ela lutou: abertura, resposta imprevisível ao perigo e ciclos longos (o que se situa em algum lugar entre uma crise normal e o colapso final). Mas, mesmo corrigida assim, uma teoria de crises cíclicas não é suficiente quando confrontada com as mudanças de nível de sobrevivência que estamos explorando neste livro.

Num famoso parágrafo escrito em 1859, Marx previu que "a um certo estágio de seu desenvolvimento, as forças produtivas da sociedade entram em conflito com as relações de produção existentes [...]. De formas de desenvolvimento das forças produtivas essas relações se tornam seus grilhões. Então começa uma época de revolução social".[3] Mas ele nunca explicou como as crises esporádicas iriam — ou poderiam — criar as condições para o novo sistema. Foi deixada a seus discípulos a tarefa de preencher a lacuna.

Depois da morte de Marx, seus defensores tomaram por certo que as crises de superprodução não poderiam ser aliviadas por muito tempo mediante a descoberta ou invenção de novos mercados. "Há um limite à expansão dos mercados", escreveu o líder socialista alemão Karl Kautsky em 1892. "Hoje mal existem novos mercados a ser abertos."[4] Eles esperavam que as crises de curto prazo ganhassem momentum e virassem uma bola de neve rumo ao colapso total. Em 1898, a socialista polonesa Rosa Luxemburgo estava prevendo que, uma vez que o sistema ficasse sem mercados para explorar, haveria "uma explosão, um colapso, em cujo ponto desempenharemos o papel do *syndic* [administrador] que liquida uma empresa falida".⁵

Em vez disso, como sabemos, o início de seu terceiro ciclo longo viu o capitalismo passar por uma mutação. Sua natureza adaptativa habilitou-o a criar mercados internamente, mesmo quando a corrida por colônias chegou a um beco sem saída. E mostrou-se capaz de suprimir aspectos do mercado pelo bem de sua própria sobrevivência.

As premonições apocalípticas da esquerda marxista nos anos 1890 mostraram-se falsas. Seus participantes teriam primeiro que atravessar uma recuperação massiva do capitalismo, depois o caos e o colapso nos anos 1914-21. O impacto acabaria por desorientar o pensamento econômico de esquerda pela maior parte de um século.

O CAPITALISMO ELIMINA O MERCADO

Por volta de 1900, a economia mundial estava às voltas com uma grande mudança. Tecnologias, modelos de negócios, padrões de comércio e hábitos de consumo tinham evoluído rapidamente lado a lado. Agora estavam fundidos num novo tipo de capitalismo.

O que nos espanta hoje é a audácia e a velocidade daquilo tudo: o aço substitui o ferro; a eletricidade substitui o gás; o telefone suplanta o telégrafo; filmes de cinema e jornais tabloides são lançados; a produção industrial aumenta repentinamente; edifícios espetaculares com estrutura de aço aparecem nas principais cidades do mundo e automóveis passam diante deles.

Na época, porém, os comandantes da economia tomavam tudo isso por garantido. O que os preocupava era a relação entre empresas de larga escala e forças de mercado. Se possível, concluíram, as forças de mercado deveriam ser abolidas.

"Competição é guerra industrial", escreveu James Logan, o mandachuva da US Envelope Company, em 1901. "A competição ignorante, irrestrita, levada à sua conclusão lógica, significa a morte para alguns de seus combatentes e ferimentos para todos."[6] Na época, a empresa dele gozava de um domínio quase total do mercado norte-americano. Ao mesmo tempo, Theodore Vail, o chefão da Bell Telephone, advertiu que "todos os custos da competição agressiva, descontrolada, acabam recaindo, direta ou indiretamente, sobre os ombros do público".[7] Para aliviar o público de tais fardos, o próprio Vail iria adquirir toda e qualquer central telefônica dos Estados Unidos.

A competição, alegavam os magnatas dos negócios, trazia caos à produção e rebaixava os preços a um ponto em que a nova tecnologia não poderia ser desenvolvida com lucro. As soluções deveriam ser encontradas em três níveis: monopólio, fixação de preços e mercados protegidos. Os meios para esses fins eram: 1) fusões, promovidas por novos e agressivos bancos de investimento; 2) criação de cartéis e "firmas" para definir preços; 3) restrições impostas pelo governo sobre bens importados.

A United States Steel Corporation foi formada em 1901 a partir de 138 diferentes empresas, controlando imediatamente 60% do mercado. Enquanto isso, a Standard Oil tinha 90% da capacidade de refino e usava seu poder tão impiedosamente que forçava as empresas ferroviárias a transportar petróleo tendo prejuízo. A Bell Telephone desfrutou de um monopólio total das telecomunicações até meados dos anos 1890, então o readquiriu em 1909, quando o J.P. Morgan se aliou a Vail para comprar toda a concorrência.

Na Alemanha, onde os cartéis definidores de preços eram politicamente incentivados e legalmente registrados, seu número mais do que dobrou entre 1901 e 1911.[8] Apenas um desses cartéis, a Corporação de Carvão do Reno-Vestfália, envolvia 67 empresas, tinha o poder de fixar 1400 preços diferentes e controlava 95% do mercado de energia da região.⁹ Para ser absolutamente claro, porque é difícil compreender isso hoje, tratava-se de um sistema em que a oferta e a procura não estabeleciam os preços: os milionários é que o faziam.

Por volta de 1915, dois gigantes industriais dominavam o setor elétrico alemão; do mesmo modo, a indústria química, a indústria naval e a mineração contavam, cada uma, com apenas dois atores dominantes. No Japão, toda a economia era dominada por seis *zaibatsu* — conglomerados que começaram como companhias mercantis, mas aos poucos se converteram em impérios industriais, integrados verticalmente em torno da mineração, siderurgia, navegação e indústria de armamentos, com uma poderosa operação bancária no centro. Em 1909, por exemplo, a Mitsui produzia ao menos 60% da energia elétrica do Japão.¹⁰

Para criar essas companhias de peso, as finanças foram organizadas de uma nova maneira. Nos Estados Unidos, na Grã-Bretanha e na França, o mercado de ações e os bancos de investimentos impulsionaram o processo. Em 1890, havia dez empresas industriais cotadas em Wall Street; em 1897, mais de duzentas.¹¹ No Japão e na Alemanha, onde o capitalismo industrial havia sido criado "de cima para baixo" por governos autoritários, as finanças foram mobilizadas não tanto por meio do mercado de ações, mas pelos bancos, e até mesmo pelo próprio Estado. A Rússia — a retardatária — viria a adotar um modelo híbrido, com boa parte da sua indústria em mãos estrangeiras.

O modelo anglo-saxão e o modelo germano-japonês, portanto, pareciam muito diferentes, e isso iria provocar um debate de cem anos em torno de qual era melhor.* Mas no seio de cada

---

* Complica a situação o fato de que o modelo dos Estados Unidos evoluiu depois de 1911, afastando-se dos monopólios diretos em direção a um sistema de

um deles repousava uma variação da mesma ideia básica: as finanças passaram a controlar a indústria, "cavando" posições de monopólio onde fosse possível, suprimindo forças de mercado — e o Estado estava diretamente aliado ao projeto como um todo.

O mercado, em suma, tornara-se organizado. Agora ele precisava ser protegido. Ao lado da corrida por colônias, as grandes potências impunham numerosas tarifas sobre o comércio exterior, concebidas explicitamente para promover os interesses de suas empresas. Em 1913, por exemplo, a maioria dos países industriais estava protegendo suas indústrias domésticas com taxas de importação de dois dígitos sobre produtos manufaturados.[12] Os monopólios, por sua vez, punham pessoal em postos-chave dos governos. A ideologia do Estado como um "vigia", alheio à vida econômica, estava morta.

A emergência desse novo sistema não era imune a crises. Nos Estados Unidos, uma minidepressão entre 1893 e 1897 acelerou o processo de fusões; depois, em 1907, um colapso financeiro corrigiu a sobrevalorização de ações emitidas durante o boom de fusões. Tanto o Japão quanto a Alemanha viram o processo de concentração ser acelerado por curtos espasmos de expansão e contração nos anos 1890.

Mas, se tomarmos todo o período entre aproximadamente 1895 e a Primeira Guerra Mundial, o progresso sobrepujou a crise; a economia dos Estados Unidos dobrou de tamanho na primeira década do século XX, enquanto a do Canadá triplicou.[13] Mesmo na Europa, onde o impulso da mão de obra imigrante não foi tão

---

competição regulada entre grandes firmas industriais, com o verdadeiro monopólio concentrado em Wall Street e no então recém-criado Fed [o sistema de reserva federal]. Isso gerou uma considerável gritaria antimonopólios por parte da direita norte-americana, obscurecendo o fato de que ao longo de todo o período em questão os monopólios eram a norma nos Estados Unidos. (N. A.)

grande, a economia italiana cresceu um terço naqueles dez anos; e a da Alemanha, um quarto.

Foi a fase ascendente da terceira onda de Kondratiev. É possível "ler" os resultados na paisagem urbana de Nova York, Shanghai, Paris e Barcelona: os mais belos e duradouros edifícios públicos — bibliotecas, pubs, escritórios, até mesmo saunas e piscinas cobertas — são geralmente do período entre 1890 e 1914. A história que eles contam é clara: durante o período que chamamos de belle époque ou de Era Progressista (uma época de rápido crescimento, liberalização e elevação cultural), o mundo prosperou não por meio do mercado, mas da supressão controlada dele. Àquela altura, isso causava escassa confusão aos conservadores. Quem ficou confuso foram os marxistas.

O CAPITALISMO SE TRANSFORMA

A tarefa de atualizar o pensamento econômico marxista coube a um médico austríaco de 33 anos chamado Rudolf Hilferding, que era um clássico intelectual da belle époque: enquanto estudava pediatria em Viena no final dos anos 1890, ele se lançou na cena econômica, que tinha um elenco estelar. Eugen von Böhm-Bawerk, o professor de economia que escrevera uma famosa crítica de Marx, comandava seminários nos quais Hilferding media forças com, entre outros, Schumpeter, Ludwig von Mises — o fundador do neoliberalismo — e um estudante húngaro, Jeno Varga, que causaria mais tarde seu próprio impacto espetacular.

Em 1906, Hilferding abandonou a medicina e mudou-se para Berlim para ensinar economia no centro de educação do partido socialista alemão, que era a casa de força intelectual da esquerda global. Em 1910, Hilferding deu um nome à fusão entre o capital bancário e o industrial: "Por meio de suas relações [...] o capital assume a forma de capital financeiro, sua expressão suprema e mais abstrata".[14]

Seu livro, *O capital financeiro*, iria se tornar por um século o ponto de referência para todos os debates da esquerda sobre o futuro do capitalismo. Hilferding foi o primeiro marxista a compreender a escala da mutação do capitalismo. Mais que isso: na nova estrutura, muitos dos traços permanentes se pareciam exatamente com aqueles que Marx havia listado como contratendências à queda da taxa de lucro: a exportação de capital; a exportação, pela migração, de trabalhadores excedentes para assentamentos coloniais no exterior; a distribuição de dividendos por meio do mercado de capitais; a passagem do empreendedorismo para o investimento de estilo rentista.

O sistema financeiro, que no século anterior tinha funcionado como um frágil centro de redistribuição de lucro econômico e uma fonte não confiável de capital, agora dominava e controlava o mundo dos negócios. As contratendências à crise tinham sido sintetizadas num sistema novo e mais estável.

Hilferding sustentava que essa nova estrutura poderia suprimir as crises cíclicas. Grandes firmas e grandes bancos poderiam sobreviver por longos períodos com lucros baixos ou nulos. E investidores iriam preferir aceitar uma estagnação prolongada a ver uma crise repentina destruir empresas como Siemens, Bell ou Mitsui. Como resultado, períodos de crise sob o capitalismo financeiro seriam longos e estagnados, em vez de agudos e traumáticos. Os bancos eliminariam a especulação porque compreendiam seu poder destrutivo. Os cartéis suprimiriam a operação de forças de mercado — e consequentemente a crise — em favor de grandes firmas, descarregando as perdas sobre setores menos poderosos da economia. Empresas pequenas arcariam com o peso maior de qualquer recessão, acelerando sua aquisição por monopólios.

Para Hilferding, as forças de instabilidade não tinham desaparecido, mas sido canalizadas para uma única esfera: o desequilíbrio entre setores da economia orientados para a produção e para o consumo. Ele excluiu explicitamente o "subconsumo" como causa de crises, assinalando que o capitalismo sempre poderia criar novos mercados onde os antigos estivessem exauridos, e desse modo seguir expandindo a produção. Mas persistia a possibilidade de que os setores se expandissem em medidas e ritmos diferentes. Daí a necessidade de intervenção estatal para prevenir tal desequilíbrio. O livro de Hilferding foi um banho de realidade tremendamente influente para a esquerda. Ele prescindia da tese da "crise bola de neve" como estopim para a mudança social; introduzia conceitos e termos que o marxismo compartilharia com o pensamento econômico convencional. E dizia — antes de Schumpeter — que a principal alavanca de inovação era agora a grande empresa utilizando a ciência aplicada, não o empreendedor improvisando em sua oficina.[15]

Mas o livro de Hilferding conduziu o pensamento econômico de esquerda a um beco sem saída. Embora ele descrevesse o capital financeiro apenas como o "estágio mais recente" do sistema, a insinuação implícita era de que seria o último. Um sistema no qual o capital financeiro prevalece, escreveu ele, é a "suprema e mais abstrata" forma de capitalismo e não pode ir adiante:

> A função socializadora do capital financeiro facilita enormemente a tarefa de sobrepujar o capitalismo. Uma vez que o capital financeiro tenha colocado sob seu controle os mais importantes ramos da produção, bastará que a sociedade, mediante seu órgão executivo consciente — o Estado conquistado pela classe trabalhadora —, se apodere do capital financeiro para conquistar controle imediato de tais ramos da produção.

Hilferding era um socialista moderado e se tornaria ainda mais moderado com o correr do tempo. Acreditava que o capitalismo evoluiria gradualmente para o socialismo. Suas ideias, contudo, influenciaram tanto reformistas como revolucionários. Ambas as vertentes do movimento operário apegaram-se à crença de que o socialismo poderia ser introduzido por meio da tomada de controle do Estado e do mercado organizado. O capital financeiro era, conforme Lênin definiria mais tarde, "o capitalismo moribundo, o capitalismo em *transição* para o socialismo [...], o capitalismo *já* agonizante".[16] As únicas divergências entre os socialistas eram quanto ao tipo de ação necessária para fazê-lo morrer.

O que é importante é que Hilferding não apenas vinculou o socialismo a um projeto de transição conduzido pelo Estado, mas também excluiu qualquer nova mutação do capitalismo que transcendesse o modelo estabelecido na primeira década do século XX. E essa teoria básica permaneceu influente até poucas décadas atrás. Ainda nos anos 1970 era possível argumentar que, embora o capitalismo tivesse sobrevivido por mais tempo do que se esperava, ele ainda era um sistema dirigido pelo Estado, bastante monopolizado e nacional. Trabalhadores de esquerda podiam acreditar racionalmente que um mundo de companhias aéreas, siderúrgicas e fábricas de automóveis controladas pelo Estado era o segundo estágio da progressão: livre mercado → monopólio → socialismo.

Foi essa ideia que morreu depois de 1989, com o colapso do bloco soviético, a ascensão da globalização e a criação da economia fragmentária, mercadizada e privatizada que vemos hoje. A progressão imaginada por Hilferding, que havia guiado implicitamente o socialismo ao longo de oitenta anos, rompera-se e até mesmo se invertera.

Enquanto durou, porém, a doutrina de uma transição linear inevitável — da Standard Oil para o socialismo — foi todo-poderosa.

A ESQUERDA E SUA NECESSIDADE DE UMA CATÁSTROFE

Em 1910, quando saiu o livro de Hilferding, a social-democracia era influente em todos os países avançados. Seu centro nervoso reconhecido era Berlim, e as obras de seus líderes germanófonos eram traduzidas e discutidas nas fábricas de Chicago, nas minas de ouro de Nova Gales do Sul e em células clandestinas a bordo de encouraçados russos. Mas, mesmo quando os trabalhadores digeriam a mensagem de Hilferding, alguma coisa soava falsa. Greves em massa se alastravam, de operárias têxteis de Nova York a condutores de bonde de Tóquio, passando por todas as outras categorias. Havia uma guerra fermentando nos Bálcãs. Para um sistema que supostamente se tornara imune a crises, o que se via era turbulência política e social.

Rosa Luxemburgo, que agora substituía Hilferding na escola de formação socialista em Berlim, começou a trabalhar num livro substancioso que iria refutar sua tese da estabilidade. Luxemburgo promovera grandes greves e atacara o militarismo — chegara a atacar Lênin por sua concepção elitista da política revolucionária. Agora ela atacava Hilferding.

O livro de Rosa Luxemburgo de 1913, *A acumulação do capital*, foi escrito com um duplo propósito: explicar a motivação econômica da rivalidade colonial entre grandes potências e mostrar que o capitalismo estava condenado. No processo, ela produziu a primeira teoria moderna do subconsumo.

Ao reelaborar as avaliações de Marx, ela provou, ao menos para si mesma, que o capitalismo está num permanente estado de superprodução, sempre acossado pelo problema de um poder de compra demasiado baixo entre os trabalhadores. Assim, é obrigado a abrir colônias, não apenas como fontes de matéria-prima, mas como mercados. Os custos militares envolvidos na conquista e na defesa de colônias têm o benefício suplementar de enxugar o capital excedente. Isso, segundo Luxemburgo, é similar ao desperdício ou ao consumo de luxo: serve para drenar o excesso de capital. Como a expansão colonial era a única válvula de escape num sistema propenso à crise, Luxemburgo previu que, uma vez que o globo inteiro estivesse colonizado, com o capitalismo introduzido em todo o mundo colonial, o sistema deveria desmoronar. O capitalismo, concluiu ela, é "a primeira modalidade de economia que é incapaz de existir por si, que precisa de outros sistemas econômicos como meio e como chão. Embora se esforce para se tornar universal [...], ele deve sucumbir porque é imanentemente incapaz de se tornar uma forma universal de produção".[17]

Seu livro foi estraçalhado de imediato — por Lênin e pela maioria dos professores socialistas com quem ela trabalhara. Eles argumentavam, corretamente, que qualquer descompasso entre produção e consumo era temporário, e seria resolvido pelo deslocamento do investimento de capital da indústria pesada para os bens de consumo. Em todo caso, novos mercados coloniais não eram a única válvula de escape para as crises.

Mas o livro de Luxemburgo seguiu em frente e tornou-se muito influente. Ele introduziu a ideia da "crise final" no pensamento econômico de esquerda. Expressou a intuição sentida por muitos ativistas de que o monopólio, o capital financeiro e o colonialismo estavam, mesmo em meio à paz e prosperidade da primeira década do século, acumulando as condições para uma poderosa catástrofe final. Na década de 1920, o subconsumo tornou-se a principal teoria da crise da esquerda e — assim que as coisas se acalmaram — forneceu-lhe um terreno comum com a economia keynesiana pelos cinquenta anos seguintes.

Luxemburgo permanece relevante porque identificou algo que é crucial ao debate atual sobre o pós-capitalismo: a importância de um "mundo exterior" para os sistemas que se adaptam com êxito.

Se ignorarmos a obsessão dela com colônias e gastos militares, e em vez disso dissermos simplesmente que "o capitalismo é um sistema aberto", estaremos mais próximos de reconhecer sua natureza adaptativa do que os que seguiram Marx na tentativa de visualizá-lo como um sistema fechado.

O que incomodava os professores socialistas, no que se refere a Rosa Luxemburgo, era precisamente este insight: de que, ao longo de toda a sua história e como parte de sua essência, o capitalismo precisa interagir com um mundo exterior que não é capitalista. Sempre que o mundo exterior imediato é transformado — sociedades nativas aniquiladas, camponeses expulsos da terra —, ele precisa encontrar novos lugares para repetir o processo.

Mas Luxemburgo estava errada ao limitar isso à posse de colônias. Novos mercados também podem ser criados domesticamente, não apenas aumentando o poder de compra dos trabalhadores, mas também transformando atividades exteriores ao mercado em atividades de mercado. E é curioso que Luxemburgo não tenha percebido isso, pois uma transformação assim estava ocorrendo ao seu redor.

No momento mesmo em que ela trabalhava em seu livro, os primeiros automóveis estavam saindo da linha de produção da Ford em Highland Park, Detroit. A Victor Gramophone Company estava vendendo 250 mil aparelhos por ano nos Estados Unidos. Quando ela começou a escrever, em 1911, Berlim contava com apenas um teatro dedicado exclusivamente à exibição de cinema; em 1915, haveria 168.[18] A espetacular elevação da terceira onda longa (1896--1945) estava se desenvolvendo, acima de tudo, como a expansão de um novo mercado de consumo entre a classe média baixa e os trabalhadores qualificados. O lazer, a suprema atividade exterior ao mercado no século XIX, estava se tornando comercializado.

Rosa Luxemburgo havia ignorado o fato de que novos mercados são formados de modo complexo, interativamente, e de que eles podem ser criados não apenas em colônias, mas também no seio de economias nacionais, em setores locais, nos domicílios das pessoas e até mesmo dentro de seu cérebro.

A verdadeira questão levantada pelo insight de Luxemburgo não é "o que acontece quando o mundo todo está industrializado", mas o que acontece se o capitalismo esgotar seus meios de interagir com um mundo exterior a ele? Pior: o que acontece se ele não puder criar novos mercados no interior da economia existente? Como veremos, é exatamente esse o problema que a tecnologia da informação apresenta para o capitalismo hoje.

A GRANDE DESORIENTAÇÃO

Em janeiro de 1919, Rosa Luxemburgo foi assassinada por uma milícia de direita, seu corpo foi atirado num canal, no rastro de uma insurreição fracassada em Berlim. Rudolf Hilferding morreu — ou por suicídio ou por tortura — numa cela da Gestapo em Paris, em 1941. Entre esses dois eventos, o pensamento econômico anticapitalista ficaria gravemente desorientado.

Luxemburgo sempre se opusera ao bolchevismo, prevendo que, se o partido de Lênin tomasse o poder na Rússia, acabaria governando de modo autocrático. Mas em meados da década de 1920, por uma suprema ironia, sua teoria se convertera na doutrina de Estado da União Soviética. Para entender por que e como as consequências ainda assombram a esquerda, temos que compreender o que as pessoas viveram no início dos anos 1920, isto é, o caos.

Os anos 1919-20 viram o mais abrupto ciclo de boom e queda da história. A inflação desenfreada foi seguida por aumentos súbitos nas taxas de juros, produzindo uma crise da bolsa de valores que reverberou de Washington a Tóquio. Desemprego em massa e paralisação das atividades de fábricas gigantescas mantiveram o nível de produção abaixo dos de 1914.

Em meio a isso, sobrevieram eventos que a maioria dos socialistas sequer ousara imaginar. A Revolução de 1917 na Rússia tinha pouco mais de um ano quando repúblicas de trabalhadores brotaram na Baviera e na Hungria. A Alemanha evitou uma revolução socialista mediante apenas reformas de longo alcance no início da República de Weimar, incluindo a promessa de "socializar" a economia. O ano de 1919 assistiu à tomada de fábricas na Itália, ações grevistas beirando a insurreição na França e na Escócia, greves gerais em Seattle e Shanghai. Por todo o mundo ocidental, os políticos no poder viram-se confrontados com a possibilidade da revolução.

Àquela altura, a esquerda contava com mais do que apenas o livro de Rosa Luxemburgo para seguir em frente. Durante a guerra, tanto Lênin como o teórico bolchevique Nikolai Bukharin haviam produzido trabalhos inspirados por Hilferding, cada um deles chegando à conclusão de que o capitalismo dominado pelas finanças era a prova de que a destruição do sistema era iminente. Lênin chamou esse modelo novo e declinante de "imperialismo", definindo-o como "capitalismo em transição". A escala da organização — por corporações integradas verticalmente, por cartéis e pelo Estado — significava que a economia estava realmente se tornando socializada sob o capitalismo: "Relações de propriedade privada", escreveu Lênin em *Imperialismo* (1916), "constituem uma casca que não comporta mais seu conteúdo, uma casca que deve inevitavelmente se decompor se sua remoção for artificialmente adiada, uma casca que pode permanecer num estado de decomposição por um período bastante longo [...], mas que será inevitavelmente eliminada".[19]

O panfleto de Bukharin, escrito em 1915 numa biblioteca de Nova York que ficava aberta à noite, ia mais longe. Ele afirmava que, pelo fato de os Estados nacionais terem-se alinhado com os interesses de suas companhias industriais hegemônicas, a única forma de competição que restava era a guerra.[20]

Se esses panfletos foram venerados pela esquerda durante décadas, isso foi porque, embora escritos por economistas amadores, contavam uma história coerente com os dados. O monopólio levava à conquista colonial; esta, por sua vez, levava a uma guerra total — e a guerra levava à revolução. O predomínio das finanças levava ao capitalismo organizado, que estava maduro para ser tomado pela classe trabalhadora e gerido com diretrizes socialistas.

Tanto Lênin como Bukharin gastaram um tempo considerável demolindo a ideia de que algum novo tipo de capitalismo tivesse condições de emergir, no qual a cooperação transnacional pudesse existir. Foi o socialista moderado alemão Kautsky que teve essa inspiração brilhante às vésperas da Primeira Guerra Mundial: ele conjecturou a criação de um único mercado mundial dominado por corporações transnacionais. Mas na época em que seu artigo "Ultraimperialismo" foi publicado, a guerra havia começado e toda a questão talvez tenha parecido acadêmica.[21]

Mas os bolcheviques entenderam que a tese de Kautsky do ultraimperialismo era um grande desafio para eles. Seu ataque contra ela afirmava em termos claros que o capitalismo havia atingido seus limites, que era necessária a tomada do poder à primeira oportunidade, e que toda a conversa de que a classe trabalhadora precisava de "mais tempo" para se tornar mais instruída e politicamente madura estava errada.

Havia, na visão dos bolcheviques, uma clara progressão dialética — do mercado ao monopólio, da colonização à guerra global. Uma vez que esse processo tivesse ocorrido, o esquema filosófico deles não poderia comportar nenhuma nova evolução: o capitalismo não poderia progredir a não ser rumo a sua própria destruição.

A essa altura, toda a esquerda havia na prática aceitado uma das proposições-chave de Rosa Luxemburgo: a teoria da crise deveria descrever o caráter final do capitalismo — não seu movimento cíclico.

Entre 1917 e 1923, ambas as alas do socialismo tiveram a oportunidade de testar a ideia de que os trabalhadores poderiam usar o poder do Estado para socializar o capitalismo. Em janeiro de 1919, Hilferding se incorporou em Berlim à comissão de socialização do governo alemão, que durante quatro meses tentou nacionalizar e planificar a economia. Mas o projeto ruiu ainda no estágio de esboço, depois da obstrução por parte de socialistas moderados e liberais no seio do governo. Na Áustria — um país novo formado a partir das ruínas do Império Austro--Húngaro —, a socialização foi mais bem-sucedida. O governo de coalizão socialista-cristão passou uma lei permitindo a nacionalização de empresas falimentares, mas um plano socialista para encampar o sistema bancário foi rejeitado. No final, a Áustria ficou com três empresas estatais significativas: uma fábrica de sapatos, uma indústria farmacêutica e o arsenal do Império Austro--Húngaro, que o governo tentou converter numa empresa de produção diversificada. O melhor resumo do destino desse projeto é do homem que tentou conduzi-lo: "O problema enfrentado pela recém-fundada corporação era empregar seus homens e máquinas para a produção de mercadorias para as quais um mercado tinha ainda que ser criado".[22]

Na Hungria, durante a breve república soviética de 1919, Jeno Varga, um antigo assistente de Hilferding nos seminários de Viena, tornou-se ministro da Fazenda. Decretou que todas as firmas com mais de vinte trabalhadores tinham que ser nacionalizadas. Todas as grandes lojas foram fechadas para impedir que a classe média comprasse bens de luxo e os usasse como investimentos. As terras foram nacionalizadas. Não demorou para que a república húngara dos trabalhadores se visse diante de outro problema — as fábricas precisavam de administração, mas os operários não eram capazes de administrar. Varga resumiu o problema com franqueza:

> Os membros dos comitês operários empenhavam-se em livrar-se do trabalho produtivo. Na condição de controladores, eles se sentavam todos em volta da mesa da diretoria... Tentavam conquistar as boas graças dos trabalhadores, mediante concessões na disciplina, na quantidade de trabalho exigida e nos salários, em detrimento do interesse geral.[23]

Os comitês operários, em outras palavras, agiam no interesse dos operários e não no dos comissários.

Na Rússia, os bolcheviques tinham superado problemas desse tipo introduzindo a disciplina militar nas fábricas e abolindo o controle operário. Só que agora eles encaravam um problema maior: a economia estava desmoronando sob a pressão do caos industrial, da escassez de produtos e da recusa de camponeses em fornecer grãos às cidades.

Em 1920, Bukharin delineou uma solução: um plano detalhado para passar rapidamente daquele sistema improvisado, conhecido como "comunismo de guerra", para um sistema permanente de planejamento central de toda a economia. Lênin descartou isso um ano mais tarde, quando a fome e o caos forçaram os bolcheviques a mudar para uma forma crua de socialismo de mercado.

Durante décadas, os líderes da social-democracia anterior à guerra tinham insistido que era inútil desenhar um plano do que eles fariam se chegassem ao poder. Esse era um ponto em que estavam de acordo tanto os bolcheviques como os moderados que dirigiam o Partido Trabalhista britânico: toda a sua atitude mental tinha sido criada em oposição ao socialismo utópico, com seus malfadados experimentos e sonhos. Eles reconheciam que o progresso tecnológico e a reorganização econômica tinham sido tão rápidos na escalada até 1914 que qualquer plano guardado na gaveta na sede do partido estaria obsoleto na época em que fosse necessário. Sabiam que tinham que controlar ou nacionalizar o sistema financeiro; sabiam que haveria um conflito entre as necessidades dos proprietários de terras e as dos consumidores urbanos, já que é impossível satisfazer a ambos ao mesmo tempo. Mas eles mostraram bem pouca antevisão quanto ao problema que assolaria tanto a versão reformista como a revolucionária da socialização, a saber: a ação independente dos trabalhadores, perseguindo seus próprios interesses de curto prazo, e o conflito disso com a necessidade de gerência tecnocrática e de planejamento centralizado.

Dos recalcitrantes comitês operários de Varga em Budapeste aos trabalhadores russos que insistiam na autogestão, ou aos operários da Fiat em Milão que até tentaram produzir carros sem a ajuda de administradores, esse problema — controle operário versus planejamento — atingiria os líderes socialistas como uma surpresa total.

Se essas primeiras tentativas de socialismo fracassaram, vale a pena lembrar que as tentativas capitalistas de estabilização também falharam. O acordo de paz de 1919 condenou a recuperação alemã a empacar sob o sufoco das reparações de guerra. "Na Europa continental", escreveu um enfurecido John Maynard Keynes, logo depois de ter abandonado intempestivamente a delegação britânica em Versalhes, "a terra está arfando e ninguém se dá conta de seus rugidos. Lá não se trata meramente de uma questão de gasto excessivo ou de 'problemas trabalhistas'; mas sim de vida e morte, de fome e sobrevivência, e das terríveis convulsões de uma civilização agonizante."[24]

Olhando retrospectivamente, podemos ver o período 1917--21 como uma crise social quase terminal, mas que, como crise econômica, não era inevitável, e sim resultado de más decisões de política econômica. Para a Alemanha, foi a consequência de reparações de guerra impagáveis; na Grã-Bretanha e nos Estados Unidos, ela foi causada pelo fato de os bancos centrais estabelecerem taxas de juros altas demais, de modo a sufocar o boom de 1919. Na Áustria e na Hungria, foi o resultado de ter se dado mal em Versalhes, com enormes dívidas e agora sem um império para pagá-las.

Depois de 1921, a situação começou a se estabilizar. Kondratiev, como vimos, descreveu o período 1917-21 simplesmente como a primeira crise num longo movimento descendente. Mas a estabilização deixou sem rumo os marxistas que haviam abraçado a sequência "monopólio-guerra-colapso". O capitalismo, concluíram, permanecia vivo simplesmente devido à imaturidade do proletariado, à relutância dos trabalhadores em tomar o poder — além dos erros táticos dos partidos socialistas. Lênin admitia a possibilidade de surtos de crescimento neste ou naquele setor, mas não de sobrevivência do sistema como um todo.

Em 1924 Lênin estava morto, Trótski tinha sido colocado de lado e Stálin estava no controle; Varga, que fugira da Hungria para Moscou, era seu principal economista. Stálin não precisava de uma teoria que explicasse a complexidade — precisava de uma teoria da certeza. A certeza do colapso do capitalismo justificaria a tentativa de construir aquilo que todos os economistas de esquerda diziam ser impossível: o "socialismo num só país" — e num país extremamente atrasado, ainda por cima. A base para uma teoria da catástrofe tinha sido lançada no livro de Rosa Luxemburgo, mas era preciso mais, e isso foi suprido por Varga.

A "Lei de Varga" previa o declínio constante da renda real

dos trabalhadores. Esta, escreveu ele, "é a base econômica para a crise geral do capitalismo [...]. O empobrecimento absoluto da classe trabalhadora vem ao primeiro plano".[25] Varga era explícito: a tendência descendente do consumo de massa era um traço geral, não cíclico, do século XX e iria, com o tempo, destruir todo o apoio a políticas reformistas e liberais entre os trabalhadores. Em vez de crescimento haveria, para usar a palavra de Varga, "desacumulação".

É difícil lembrar hoje como tais ideias se tornavam poderosas depois de espalhadas de boca em boca ao redor das mesas de cozinha das classes trabalhadoras. Nos anos 1920 e 1930, a Lei de Varga foi uma frase usada rotineiramente por ativistas do movimento operário. Fazia sentido de acordo com sua própria experiência: afinal, toda a estratégia dos governos britânico e francês nos anos 1920 não era a de impor cortes de salários? E quando ocorreu o colapso, em 1929, o governo norte-americano não tornou as coisas piores de propósito, numa tentativa de rebaixar salários? Embora completamente errada, o prestígio da teoria do subconsumo se espalhou.

O próprio Varga produziu trabalhos de alguma sutileza na década de 1930. Como discípulo de Rosa Luxemburgo, permanecia consciente de que as condições do mundo que estava fora das economias desenvolvidas poderiam ter impacto sobre a dinâmica das crises — de modo que ele colocava uma pesada ênfase no malogro da agricultura no mundo colonial como fator de eliminação do renascimento econômico no Ocidente. Como resultado, a "versão autorizada" da economia marxista — o colapso inevitável e iminente — era plausível. Até mesmo os trotskistas, perseguidos por Stálin, estavam convencidos da condenação à morte do capitalismo no final dos anos 1930, com seu líder insistindo que "as forças produtivas estavam estagnadas".[26]

Num movimento operário global dominado agora pela variante de Moscou do marxismo, não era permitida nenhuma possibilidade que não o colapso.

Marx tentara descrever o capitalismo em abstrato: usar um número mínimo de conceitos gerais e trabalhar de baixo para cima a partir disso, rumo a uma explicação da realidade complexa e visível da crise. Portanto, em Marx, a taxa de lucro declinante produz contratendências em muitos níveis de abstração, tanto no mundo puro dos lucros agregados como no mundo sujo das colônias e da exploração. Para Marx, conquanto cada crise real tenha uma causa concreta, a meta é explicar o processo profundo em funcionamento por trás de todas as crises.

Mas a primeira grande mutação estrutural do capitalismo não pôde ser contida nessa moldura. O capitalismo financeiro criou uma nova realidade.

Nos anos 1900, a tentativa de entender o capitalismo financeiro arrastou inevitavelmente a teoria marxista em direção a fenômenos concretos: a questões de descompassos setoriais e baixo consumo, à economia multissetorial, a preços reais em vez das quantidades abstratas de trabalho com que Marx lidava.

Esse foco no "real" levou Hilferding a concluir que a crise cíclica tinha terminado, Luxemburgo a deslocar a teoria da crise para o terreno do colapso, Lênin a assumir a irreversibilidade do declínio econômico. Com Varga, passamos da racionalidade para o dogma: a menos sofisticada de todas as teorias da crise torna-se a doutrina incontestável de um Estado impiedoso, todos os partidos comunistas do mundo passam a ser seus emissários e todos os intelectuais de esquerda de uma geração inteira são instruídos com um lixo absoluto.

Ao longo de todo o debate, os participantes estavam acossados por suas implicações políticas de uma maneira que nenhum cientista social deveria estar. Se Hilferding estiver certo, disse Rosa Luxemburgo, então o socialismo não é inevitável. Ele se torna um "luxo" para a classe trabalhadora. Esta pode simplesmente optar por coexistir com o capitalismo e — dada sua consciência política — é o que provavelmente fará. Então Luxemburgo sentiu-se levada a procurar uma lógica objetiva para o desastre.

No entanto, todas as formas de teoria de subconsumo têm um calcanhar de aquiles: e se o capitalismo encontrar *de fato* um meio de superar o baixo poder de compra das massas? Em 1928, Bukharin teve a repentina intuição de que ele o encontrara. O capitalismo, alegou, tinha se estabilizado nos anos 1920 — não temporariamente, não parcialmente — e desencadeara uma nova onda de inovação técnica. A causa dessa onda, disse, era a emergência do "capitalismo de Estado" — uma fusão de monopólios, bancos e cartéis com o próprio Estado.[27]

Com isso, a teoria da crise tinha dado uma volta completa, retornando à possibilidade de o capitalismo organizado ser capaz de eliminar as crises. O azar de Bukharin foi ter dito isso às vésperas do colapso de Wall Street, em meio a uma disputa partidária com Stálin. Foi expulso da direção do partido e, apesar de uma década difícil em que tentou coexistir com Stálin e abjurou suas posições anteriores, foi executado como Kondratiev em 1938.

O PROBLEMA COM A TEORIA DA CRISE

Foi só nos anos 1970 que um sólido corpus de trabalho acadêmico começou a conectar as partes díspares da teoria de Marx num todo utilizável. Apesar das realizações de economistas da geração da Nova Esquerda no esclarecimento e resgate do verdadeiro Marx, o problema fundamental subsiste: para compreender o destino do capitalismo e suas grandes mutações, a teoria da crise não é suficiente.

Há, como sugeriu Marx, um processo por meio do qual a força de trabalho é expulsa pelas máquinas; o resultado é uma tendência à queda da taxa de lucro. Há uma tendência equivalente de que os lucros declinantes sejam compensados pela adaptação (as contratendências), e uma crise cíclica é o que acontece quando essas adaptações falham.

Mas Kondratiev nos mostra como, a certa altura — quando as crises se tornam frequentes, profundas e caóticas —, uma adaptação mais estrutural é desencadeada. Pelo fato de seu modelo econômico não conseguir acomodar a adaptação estrutural, os marxistas do início do século XX tiveram que descrevê-la em termos de "épocas" históricas, ou de categorias filosóficas como parasitismo, deterioração e transição.

Na verdade, o momento de mutação é fundamentalmente econômico. É o esgotamento de uma estrutura inteira — de modelos de negócios, conjuntos de aptidões, mercados, moedas, tecnologias — e sua rápida substituição por uma nova.

Isso acontece — na terminologia de sistemas — no nível "meso", entre a micro e a macroeconomia. Sua escala se situa em algum lugar entre o ciclo de crédito e a destruição do sistema como um todo. Uma vez que as mutações sejam entendidas como eventos prováveis e regulares, qualquer modelo de capitalismo que as trate como acidentais ou opcionais estará equivocado.

Não há forma nenhuma de teoria da crise que possa conter todo o fenômeno da mutação do sistema, mas a mesma teoria pode descrever o que a causa em cada caso específico.

A teoria moderna da crise tem que ser macroeconômica, não abstrata. Pode usar abstrações para situar mecanismos de mercado fundamentais, como faz Marx, mas não é possível ignorar o Estado como uma força econômica, mão de obra organizada, monopólios, moedas ou bancos centrais. Nem tampouco ignorar o sistema financeiro como um acelerador de crise, e — no presente contexto — os efeitos do comportamento do consumidor financiado, as instabilidades introduzidas pelo *fiat money*, que permite a expansão do crédito e a especulação numa escala que o capitalismo do século XIX não poderia ter suportado.

Nesse sentido, Hilferding, Luxemburgo e os outros não foram "maus marxistas" quando começaram a se afastar das abstrações em direção aos fatos concretos: estavam sendo bons materialistas. Seu erro foi asseverar que o capitalismo de Estado monopolista é o único caminho para um sistema pós-capitalista. Hoje podemos estar certos de que não é.

Economistas marxistas têm dado contribuições perspicazes ao nosso entendimento do que aconteceu em 2008. O economista francês Michel Husson e o professor da New School Ahmed Shaikh demonstraram de que maneira o neoliberalismo restaurou taxas de lucro dos anos 1980 em diante. Mas estas mostram uma queda drástica nos anos imediatamente anteriores à crise financeira de 2008.[28] Husson sustenta, corretamente, que o neoliberalismo "resolve" o problema da rentabilidade — tanto para firmas individuais (ao suprimir custos trabalhistas) como para o sistema como um todo (ao expandir amplamente lucros financeiros). Mas, lado a lado com lucros mais elevados, a taxa geral de investimento depois dos anos 1970 é baixa.

Essa charada de lucros crescentes ao lado de investimento declinante deveria ser o verdadeiro foco de uma teoria moderna da crise. Mas há uma explicação bastante clara: no sistema neoliberal as firmas usam lucros para pagar dividendos em vez de reinvestir. E em condições de pressão financeira — óbvias depois da crise asiática de 1997 — elas usam lucros para acumular reservas monetárias como um para-choque contra um aperto no crédito. Elas também adiantam inexoravelmente o pagamento de dívidas, e em tempos favoráveis compram de volta ações como uma espécie de distribuição-surpresa de lucros a seus proprietários financeiros. Minimizam sua exposição ao risco de ser exploradas financeiramente e maximizam sua própria habilidade de jogar nos mercados financeiros.

Então, embora Husson e Shaikh tenham demonstrado com êxito uma "queda da taxa de lucro" anterior a 2008, a crise é resultado de algo maior e mais estrutural. Sua causa (como sugeriu Larry Summers em seu trabalho sobre estagnação secular) é o súbito desaparecimento de fatores que tinham contrabalançado durante décadas a ineficiência e a baixa produtividade.[29]

A obstinação em buscar a origem das crises em geral numa causa abstrata, ignorando a mutação estrutural que estava de fato acontecendo, foi a fonte original de confusão na teoria marxista. Desta vez, nós temos que evitá-la. A abordagem tem que ser concreta: precisa incluir as estruturas reais do capitalismo — Estados, corporações, sistemas de bem-estar social, mercados financeiros.

A crise que estourou em 2008 não foi resultado de um colapso neste ou naquele fator de contrapeso, nem devida a uma queda de curto prazo na taxa de lucro. Foi a falência de todo um sistema de fatores que sustentavam a taxa de lucro, chamado neoliberalismo. O neoliberalismo não foi nem um grande boom nem tampouco, como alguns alegam, um período oculto de estagnação. Foi um experimento fracassado.

A ONDA PERFEITA

No próximo capítulo explicarei o que levou a tal experimento. Descreverei em detalhe como a quarta onda de Kondratiev estendeu-se entre 1948 e 2008; o que a fez rebentar e o que a prolongou. Proporei que o impacto da tecnologia e a súbita disponibilidade de um novo mundo exterior criam uma ruptura no padrão de longo prazo.

Primeiro precisamos instituir — como ferramenta mental — um modelo de uma onda normal. Kondratiev estava certo ao alertar que cada onda, estendendo-se na seguinte, cria uma nova versão do padrão. Mas só destilando a essência das primeiras três ondas é que podemos ver como a quarta diferiu delas.

O que se segue é minha reformulação "normativa" da teoria do ciclo longo, fundida com o que há de razoável no entendimento marxista da crise:

1. O início de uma onda é geralmente precedido por uma acumulação de capital no sistema financeiro, o que estimula a busca por novos mercados e desencadeia o lançamento de um punhado de novas tecnologias. O surto inicial provoca guerras e revoluções, levando em algum momento à estabilização do mercado mundial em torno de um novo conjunto de regras ou arranjos.

2. Uma vez que novas tecnologias, modelos de negócios e estruturas de mercado começam a trabalhar em sinergia — e o novo "paradigma tecnológico" fica óbvio —, o capital aflui para o setor produtivo, estimulando uma era de ouro de crescimento acima da média com poucas recessões. Já que o lucro está em toda parte, o conceito de partilhá-lo entre os atores econômicos torna-se popular, bem como a possibilidade de redistribuir riqueza em favor dos que estão embaixo. Tem-se a impressão de uma era de "competição colaborativa" e de paz social.

3. Ao longo de todo o ciclo, vigora a tendência a substituir mão de obra por máquinas. Mas, na fase ascendente, qualquer queda na taxa de lucro é contrabalançada pela escala expandida da produção, de modo que os lucros gerais sobem. Em cada um dos ciclos de subida, a economia não tem problema algum em absorver novos trabalhadores na força de trabalho mesmo quando a produtividade aumenta. Nos anos 1910, por exemplo, o vidreiro

substituído pelas máquinas torna-se o projecionista num cinema ou o operário numa linha de produção de automóveis.

4. Quando a era dourada empaca, frequentemente é porque a euforia produziu superinvestimento setorial, ou inflação, ou uma guerra de arrogância travada pelos poderes dominantes. Há geralmente um "ponto de ruptura" traumático — no qual a incerteza quanto ao futuro dos modelos econômicos, das relações entre moedas e da estabilidade global torna-se generalizada.

5. Agora começa a primeira adaptação: há o ataque aos salários e uma tentativa de desespecializar a força de trabalho. Projetos de redistribuição — tais como o estado de bem-estar social ou a provisão pública de infraestrutura urbana — ficam sob pressão. Modelos de negócios evoluem rapidamente de modo a agarrar qualquer rendimento existente; o Estado é impelido a organizar mudanças mais rápidas. As recessões tornam-se mais frequentes.

6. Se a tentativa inicial de adaptação fracassa (como ocorreu nos anos 1830, 1870 e 1920), o capital se desloca do setor produtivo para o sistema financeiro, de maneira que as crises assumem uma forma financeira mais aberta. Os preços caem. O pânico é seguido por uma depressão. Começa uma busca por novas tecnologias e modelos de negócios mais radicais, bem como de novos suprimentos de dinheiro. As estruturas de poder globais tornam-se instáveis.

A esta altura temos que incorporar o conceito de "agentes": grupos sociais perseguindo seus próprios interesses. Um problema com a versão da teoria das ondas inspirada em Schumpeter é sua tendência a pensar obcecadamente em inovadores e tecnologias e não ver as classes. Quando examinamos de perto a história social, vemos que cada fase de "adaptação fracassada" acontece por causa da resistência da classe trabalhadora; cada fase bem-sucedida é organizada pelo Estado.

Durante a primeira onda longa, aproximadamente entre

1790 e 1848 na Grã-Bretanha, temos uma economia industrial aprisionada num Estado aristocrático. Uma crise prolongada começa no final da década de 1820, caracterizada pela determinação dos donos de fábricas em sobreviver por meio da desespecialização da força de trabalho e do corte de salários, e também pelo caos no sistema bancário. A resistência da classe trabalhadora — o movimento cartista que culminou na greve geral de 1842 — força o Estado a estabilizar a economia.

Mas nos anos 1840 ocorre uma adaptação bem-sucedida: o Bank of England ganha o monopólio da emissão de papel-moeda; a legislação fabril acaba com o sonho de substituir trabalhadores qualificados por mulheres e crianças. As Leis dos Grãos — uma taxação protecionista que favorecia a aristocracia — são abolidas. É criado um imposto de renda, e o Estado britânico finalmente começa a funcionar como uma máquina para regrar os capitalistas industriais, não como um campo de batalha entre eles e a velha aristocracia.

Na segunda onda — que começa com a Grã-Bretanha, Europa ocidental e América do Norte, mas arrasta também a Rússia e o Japão —, o movimento descendente se inicia em 1873. O sistema tenta se adaptar mediante a criação de monopólios, reforma agrária, um ataque aos salários qualificados e incorporação de trabalhadores migrantes sempre que possível como mão de obra barata. Países mudam para o padrão-ouro, formam blocos monetários e impõem medidas tarifárias ao comércio. Mas a instabilidade esporádica ainda afligia o crescimento. Os anos 1880 assistem aos primeiros movimentos operários de massa. Embora os movimentos em si sejam frequentemente derrotados, trabalhadores qualificados têm um êxito espetacular em resistir à automação, enquanto os não qualificados se beneficiam dos primórdios de um sistema de bem-estar social. Somente na década de 1890, à medida que os monopólios passam a ser fundidos com os bancos ou apoiados por um mercado financeiro líquido, é que ocorre uma mudança estratégica. Um punhado de tecnologias radicalmente novas entra em ação e — como nos anos 1840 — há uma mudança de patamar no papel econômico do Estado, o qual — seja em Berlim, Tóquio ou Washington — se torna indispensável para manter condições favoráveis para grandes empresas monopolistas mediante tarifas, expansão imperial e construção de infraestrutura.

Uma vez mais, é a resistência da classe trabalhadora que evita que o sistema se adapte do modo mais fácil, sem inovação tecnológica.

Para a terceira onda, se tomarmos 1917-21 como início do movimento descendente, o sistema se adapta estreitando o controle estatal da indústria e tentando reavivar o padrão-ouro. Na maioria dos países há uma ofensiva contra os salários durante os anos 1920, mas eles não caem com rapidez suficiente para resolver a crise. Então, uma vez iniciada a Depressão, o temor de inquietação social leva cada um dos principais países a perseguir uma rota de fuga competitiva: destruindo o padrão-ouro, criando blocos comerciais fechados, usando os gastos estatais para impulsionar o crescimento e reduzir o desemprego.

Ao enfatizar isso, estou fazendo o que considero um acréscimo crucial à teoria das ondas: em cada ciclo longo, a investida contra os salários e as condições de trabalho no início do movimento descendente é um dos traços mais claros do padrão. Ela atiça o confronto de classes dos anos 1830, os movimentos de sindicalização das décadas de 1880 e 1890, as lutas sociais dos anos 1920. O resultado é crítico: se a classe trabalhadora resiste à investida, o sistema é impelido a uma mutação mais fundamental, permitindo a emergência de um novo paradigma. Mas na quarta onda descobrimos o que acontece se os trabalhadores não têm êxito em sua resistência.

O papel do Estado na criação do novo paradigma é igualmente claro. A década de 1840 assiste ao triunfo dos economistas da Escola Monetária, que impõe dinheiro sólido no capitalismo britânico ao insistir que o Bank of England tenha o monopólio da emissão de papel-moeda. Nos anos 1880 e 1890, há um crescimento da intervenção do Estado. Nos anos 1930, é capitalismo de Estado total e fascismo.

A história dos ciclos longos mostra que, só quando o capital fracassa em rebaixar salários e quando novos modelos de negócios atolam em condições precárias, o Estado é obrigado a agir: para formalizar novos sistemas, recompensar novas tecnologias, fornecer capital e proteção aos inovadores.

O papel do Estado em transformações importantes tem sido bem compreendido. A importância das classes, ao contrário, tem sido subestimada. O trabalho de Carlota Perez sobre os longos ciclos aborda a resistência dos trabalhadores como um subconjunto do problema mais geral da "resistência à mudança". A meu ver, a resistência dos trabalhadores desempenha um papel crucial na formatação da onda longa seguinte.

Se a classe trabalhadora é capaz de resistir aos cortes de salários e aos ataques contra o sistema de bem-estar, os inovadores são obrigados a buscar novas tecnologias e modelos de negócios que sejam capazes de restaurar dinamismo na base de salários mais altos — por meio da inovação e da produtividade mais elevada, não da exploração. Em geral, para os três primeiros ciclos longos, a resistência da classe trabalhadora de fato obrigou o capitalismo a se reinventar com base nos níveis existentes ou mais elevados de consumo (embora o outro lado da moeda tenha sido a busca, por parte das potências imperiais, de meios ainda mais brutais de extrair rendimentos da periferia).

Na abordagem das ondas longas por Perez, a resistência à morte do velho sistema é refutada como algo inútil. É traçada uma linha "entre aqueles que olham para trás com nostalgia, tentando se apegar a práticas passadas, e aqueles que abraçam o novo paradigma".[30]

Contudo, quando se incluem os fatores classe, salários e estados de bem-estar, a resistência da classe trabalhadora pode ser tecnologicamente progressista; ela força os novos paradigmas a emergir num plano mais elevado de produtividade e consumo. Obriga os "novos homens e mulheres" da era seguinte a comprometer-se a encontrar modos de proporcionar uma forma de capitalismo que seja mais produtiva e que possa elevar os salários reais.

Ciclos longos não são produzidos apenas por tecnologia e política econômica; a terceira força motriz crucial é a luta de classes. E é nesse contexto que a teoria marxista original da crise propicia um melhor entendimento do que a teoria de Kondratiev do "investimento exaurido".

O QUE CRIA A ONDA?

A teoria de Marx descreve eficazmente de onde vem a energia que cria a onda de cinquenta anos. Se eliminarmos os falsos acréscimos feitos por seus discípulos, seremos capazes de entender o que estava certo em Marx e onde sua teoria se aplica às mutações de cinquenta anos que descrevemos.

Pode-se supor que a queda da taxa de lucro e suas tendências compensatórias operam ao longo do ciclo de cinquenta anos. Colapsos acontecem quando as contratendências se exaurem. No capitalismo imaturo do século XIX, eles eram frequentes — mas sempre mais frequentes na fase de declínio. Marx, por exemplo, subestimou as possibilidades de que a resistência dos trabalhadores aos cortes de salários pudesse ser um fator de desencadeamento de crises de lucro. No entanto, a queda da taxa de lucro — por mais fundamental que seja — agora opera sob diversas camadas de prática social concebida para contrabalançá-la.

A abordagem de Kondratiev — segundo a qual os ciclos de cinquenta anos eram movidos pela necessidade de renovar a infraestrutura básica — era simplista demais. Melhor dizer que cada onda gera uma solução específica e concreta para a queda de taxas de lucro na fase ascendente — um conjunto de modelos de negócios, práticas e tecnologias — e que a fase descendente começa quando essa solução se exaure ou é rompida. As formas mais eficazes de solução durante a fase ascendente são as que a teoria marxista descreve num nível profundo no interior do processo de produção: produtividade incrementada, insumos mais baratos, volume de lucros crescente. Uma vez que a onda se inverte e começa o declínio da solução, são os fatores mais contingentes da superfície que tendem a entrar em cena. É possível encontrar novos mercados fora do sistema? Os investidores ficarão com uma porção reduzida de lucro na forma de dividendos?

A tendência de queda da taxa de lucro, interagindo constantemente com as contratendências, é uma explicação muito melhor daquilo que move o ciclo de cinquenta anos do que a fornecida por Kondratiev. E, uma vez fundidas as duas, a teoria dos longos ciclos torna-se uma ferramenta muito mais poderosa do que a esquerda marxista ortodoxa suspeitava.

Em termos simples: os ciclos de cinquenta anos são o ritmo de longo prazo do sistema de lucro.

Um arranjo que permita a rápida substituição da mão de obra por máquinas funciona por um tempo, gerando lucros expandidos, e depois sucumbe. Esta é minha alternativa à tese do "esgotamento de investimento" de Kondratiev.

Quanto à crise financeira, ela é sempre possível durante a fase ascendente do ciclo longo (por exemplo, no pânico de 1907 nos Estados Unidos), mas virtualmente obrigatória na fase descendente. À medida que o capital sai do problemático setor produtivo e vai para as finanças, desestabiliza estas últimas, levando a ciclos especulativos de altas e baixas. E, ao longo dos três primeiros ciclos longos, o capital se tornou mais sofisticado financeiramente e mais complexo de modo geral.

Uma última observação se refere à necessidade do capitalismo de interagir com um mundo exterior a ele para buscar novos mercados para mercadorias e uma nova fonte de mão de obra. Esta é uma consideração crucial em teorias de sistemas, mas é subvalorizada pela teoria marxista da crise com seu foco em modelos fechados e abstratos.

Durante o século XIX, havia um mercado interno pronto esperando para ser desenvolvido no interior da maioria dos países capitalistas, desde que a economia agrária pudesse sobreviver ao choque da ruptura. Do mesmo modo, um amplo suprimento de mão de obra estava à disposição. Mas depois de 1848 a adaptação passou a envolver também a busca por mercados externos.

No início do século XX, o suprimento interno de mão de obra estava retraído — em parte pela resistência da classe operária ao trabalho de crianças e mulheres, em parte pela taxa de natalidade. Quanto aos novos mercados, por volta dos anos 1930 o mundo todo estava demarcado em blocos fechados de comércio.

Com a quarta onda, uma parte substancial do mundo exterior é isolada. Uma vez iniciada a Guerra Fria, cerca de 20% do PIB mundial passa a ser produzido fora do mercado.[31] Depois de 1989, a súbita disponibilidade de novos mercados e de uma nova força de trabalho desempenha um papel importante no prolongamento da onda; o mesmo vale para a nova liberdade de ação do Ocidente para moldar mercados em países neutros que estavam anteriormente fora de seus limites.

Em outras palavras, entre 1917 e 1989 o pleno potencial do capitalismo para o complexo comportamento adaptativo foi cerceado. Depois de 1989, ele experimentou uma corrida frenética: mão de obra, mercados, liberdade empresarial e novas economias de escala. Com base nisso, 1989 deve — por si só — explicar em parte a história de distorção de fase que estou prestes a contar. Mas não basta para dar conta dela.

O padrão de onda longa foi rompido. O quarto ciclo longo foi prolongado, distorcido e por fim rompido por fatores que não haviam ocorrido antes na história do capitalismo: a derrota e a rendição moral da força de trabalho organizada, a ascensão da tecnologia da informação e a descoberta de que, uma vez que existe uma superpotência incontestada, ela pode criar dinheiro a partir do nada por um longo tempo.

4. A longa onda rompida

Em 1948, o Plano Marshall entrava em ação, a Guerra Fria começava e os Bell Laboratories inventavam o transistor. Cada um desses eventos formataria o quarto ciclo longo que estava prestes a deslanchar.

O Plano Marshall, um pacote de 12 bilhões de dólares de ajuda à Europa, assegurou que o boom econômico pós-guerra acontecesse sob o comando norte-americano. A Guerra Fria iria distorcer a onda que se desenvolvia, primeiro ao tirar 20% da produção mundial do alcance do capital e depois estimulando um novo surto de crescimento quando acabou, em 1989. Quanto ao transistor, ele se tornaria o cerne da tecnologia da era pós-guerra, propiciando o uso da informação numa escala industrial.

Aqueles que presenciaram o boom do pós-guerra ficaram maravilhados e constantemente preocupados com a perspectiva de ele acabar. Até mesmo Harold Macmillan, que disse aos britânicos em 1957 que "eles jamais tinham estado melhor", acrescentou: "O que começa a preocupar alguns de nós é: será que não é bom demais para ser verdade?".[1] Na Alemanha, no Japão e na Itália, a imprensa popular — separadamente em cada país — rotulou o crescimento nacional de "milagre".

Os números eram espantosos. O Plano Marshall, combinado com esforços domésticos de reconstrução, permitiu à maior parte das economias europeias crescer bem acima de 10% ao ano até atingir o mesmo nível de seu apogeu anterior à guerra, o que a maioria alcançou em 1951.[2] O crescimento normal saltou espetacularmente — e não parou. A economia dos Estados Unidos mais do que duplicou de tamanho entre 1948 e 1973.[3] As economias do Reino Unido, Alemanha Ocidental e Itália cresceram quatro vezes cada uma no mesmo período. A economia do Japão, enquanto isso, cresceu *dez vezes* — em relação a números básicos próximos da normalidade pré-guerra, e não como um efeito artificial devido à escala da destruição nuclear. Durante todo o período, a taxa média anual de crescimento da Europa Ocidental foi de 4,6% — perto do dobro do movimento ascendente de 1900 a 1913.[4]

Isso era crescimento impulsionado pela produtividade numa escala sem precedentes. Os resultados são evidentes nos números do PIB per capita: para os dezesseis países mais avançados, o PIB per capita cresceu a uma média de 3,2% ao ano entre 1950 e 1973. No período todo entre 1870 e 1950, ele tinha subido em média 1,3%.[5] A renda real saltou: nos Estados Unidos, a maioria das famílias viu seus rendimentos reais subir mais de 90% entre 1947 e 1975;[6] no Japão, a média de renda real aumentou vertiginosos 700%.[7]

Por todo o mundo desenvolvido, o novo paradigma tecnoeconômico era claro, mesmo que cada país tivesse sua própria versão dele. A produção em massa padronizada — com salários altos o bastante para impulsionar o consumo do que as fábricas produziam — expandiu-se por toda a sociedade. Houve pleno emprego masculino e, sujeito a variações culturais, emprego crescente de adolescentes e mulheres assim que a fase de reconstrução terminou. No mundo desenvolvido, as pessoas deslocavam-se da área rural para as fábricas em grandes números: entre 1950 e 1970, a força de trabalho agrícola na Europa caiu de 66 milhões para 40 milhões de indivíduos; nos Estados Unidos, ela despencou de 16% da população para apenas 4%.[8]

O período mais frenético de crescimento na história humana estava fadado a produzir desarranjos. Mas havia sofisticadas técnicas de gerenciamento econômico para superá-los: estatísticas em tempo real, entidades de planejamento econômico de âmbito nacional, exércitos de economistas e processadores de números nos quartéis-generais das grandes corporações.

À medida que o boom foi se desenvolvendo, produziu desorientação na esquerda. Varga — o economista domesticado de Stálin — de fato entendeu bem a coisa: em 1946, ele alertou os líderes soviéticos de que os métodos de capitalismo de Estado adotados pioneiramente durante a guerra poderiam estabilizar o Ocidente.[9] As potências anglo-saxônicas dominantes provavelmente iriam, segundo ele previu, emprestar ao restante do mundo dinheiro bastante para alavancar o consumo de novo, e os métodos de organização estatal dos tempos de guerra substituiriam a "anarquia da produção capitalista".[10] Por dizer isso ele foi derrubado de seu posto, obrigado a se retratar e a admitir ser "cosmopolita". A estabilização da economia ocidental era impossível, decretara Stálin.

No Ocidente, a extrema esquerda manteve-se apegada ao tom apocalíptico do raciocínio: "A reanimação da atividade econômica em países capitalistas enfraquecidos pela guerra [...] será caracterizada por um ritmo excepcionalmente lento que manterá suas economias em níveis próximos da estagnação e do colapso", escreveram os trotskistas em 1946.[11]

Quando isso se mostrou uma tolice, os marxistas não foram os únicos que ficaram confusos. Mesmo os teóricos da moderada social-democracia ficaram tão perplexos que declararam que o sistema econômico do Ocidente tinha efetivamente se tornado não capitalista. "Os traços mais característicos do capitalismo desapareceram", escreveu o parlamentar trabalhista Anthony Crosland em 1956, "a regra absoluta da propriedade privada, a sujeição de toda a vida a injunções do mercado, a dominância da motivação do lucro, a neutralidade do governo, a típica divisão de renda do laissez-faire e a ideologia dos direitos individuais."[12]

Em meados da década de 1950, quase toda a esquerda havia adotado a teoria do "capitalismo monopolista de Estado" — sugerida pela primeira vez por Bukharin, depois por Varga e agora transformada numa teoria plenamente desenvolvida pelo economista norte-americano de esquerda Paul Sweezy.[13] Ele acreditava que a intervenção estatal, as políticas de bem-estar e as despesas militares permanentemente altas tinham abolido a tendência às crises. A taxa declinante de lucro poderia ser revertida pelo aumento da produtividade — de novo, de modo permanente. A União Soviética, estava claro, teria que se acostumar a coexistir com o capitalismo; o movimento operário no Ocidente teria que esquecer a revolução e aproveitar os aspectos positivos do boom, que eram consideráveis.

Durante todo o período, o foco do debate era o que havia mudado no âmbito do Estado, da fábrica, do supermercado, da sala de diretoria e do laboratório. Pouquíssima atenção era dedicada ao dinheiro. No entanto, o fator crucial que escorou a realidade econômica nos anos 1950 e 1960 foi um sistema monetário internacional estável, e a efetiva eliminação de mercados financeiros.

O PODER DE REGRAS EXPLÍCITAS

Em 1º de julho de 1944, um trem especial entregou uma carga de economistas, políticos e banqueiros em White River Junction, Vermont, de onde eles foram levados de balsa até um hotel em New Hampshire. "Todos os trens, normais ou agendados, tinham que dar passagem para nós", rememorou o foguista do trem, "tínhamos prioridade sobre tudo o mais".[14] Seu destino era Bretton Woods. Ali eles iriam delinear um sistema monetário global que, como o trem, tinha "prioridade sobre tudo o mais".

A Conferência de Bretton Woods acordou um sistema de taxas de câmbio fixas para restaurar a estabilidade pré-1914, só que desta vez com regras explícitas. Todas as moedas seriam atreladas ao dólar, e os Estados Unidos atrelariam o dólar ao ouro, a 35 dólares a onça (28,349 gramas). Países cuja balança comercial ficasse seriamente desequilibrada teriam que comprar ou vender dólares para manter sua própria moeda no patamar combinado.

Na conferência, o economista britânico John Maynard Keynes pressionou pela criação de uma moeda global separada, mas os Estados Unidos rejeitaram a ideia. Em vez dela, assegurou-se a posição do dólar como a moeda global não oficial. Não havia um banco central global, mas o Fundo Monetário Internacional e o Banco Mundial foram concebidos para reduzir a fricção no sistema, com o FMI agindo na qualidade de emprestador de dinheiro rápido como último recurso e de fiscal das regras.

O sistema foi arranjado de modo abertamente favorável aos Estados Unidos: não apenas o país era a maior economia do mundo, como também tinha uma infraestrutura não danificada pela guerra e — por ora — a maior produtividade. Também indicava o chefe do Fundo. O sistema foi ordenado também em favor da inflação. Uma vez que o vínculo com o ouro era indireto, uma vez que havia margem de manobra no atrelamento monetário e uma vez que as regras sobre comércio equilibrado e reformas estruturais eram frouxas, o sistema estava destinado a produzir inflação. Isso foi reconhecido pela direita defensora do livre mercado antes mesmo de o trem para Bretton Woods deixar a estação. O jornalista Henry Hazlitt, confidente do guru do livre mercado Ludwig von Mises, fez críticas veementes ao plano no *New York Times*: "Seria difícil imaginar uma ameaça mais séria à estabilidade mundial e à produção plena do que a permanente perspectiva de uma inflação mundial uniforme à qual os políticos de todos os países podem ser tão facilmente tentados".[15]

Mas era um sistema organizado também contra as altas finanças. Limites estritos de alavancagem bancária foram impostos por lei e por "persuasão moral" — pressão silenciosa dos bancos centrais sobre os bancos que emprestavam demais. Nos Estados Unidos, exigiu-se que os bancos retivessem dinheiro vivo ou títulos equivalentes a 24% do dinheiro que emprestassem.[16] No Reino Unido, eram 28%. Em 1950, empréstimos bancários em catorze países capitalistas avançados equivaliam a apenas um quinto do PIB — a menor proporção desde 1870 e muito menor do que a escala de empréstimos bancários durante a fase ascendente pré-1914.

O resultado criou uma forma de capitalismo que era profundamente nacional. Bancos e fundos de pensão eram obrigados por lei a conter a dívida de seus países; e eram desestimulados a fazer negócios financeiros além-fronteiras. Acrescente-se a isso um teto explícito às taxas de juros e tem-se o que hoje chamamos de "repressão financeira".

Eis como funciona a repressão financeira: você mantém as taxas de juros abaixo da inflação, de modo que os poupadores estão efetivamente pagando pelo privilégio de ter dinheiro; você os impede de transferir dinheiro para fora do país em busca de uma situação melhor, e força-os a comprar as dívidas de seu próprio país com ágio. O efeito, conforme demonstraram as economistas Reinhart e Sbrancia, foi encolher dramaticamente as dívidas combinadas do mundo desenvolvido.[17]

Em 1945, por causa das despesas de guerra, as dívidas públicas dos países desenvolvidos estavam perto dos 90% do PIB. Mas, com um salto inflacionário logo depois da guerra e em seguida inflação moderada durante o boom do pós-guerra, as taxas reais de juros ficaram negativas: nos Estados Unidos entre 1945 e 1973, as taxas reais de juros de longo prazo foram em média de menos de 1,6%. Pelo fato de as regulações bancárias agirem como uma taxação eficaz dos ativos financeiros, os economistas calculam que elas levantaram o equivalente a um quinto de toda a receita governamental durante o boom, mais ainda no Reino Unido.[18] O resultado foi encolher as dívidas dos países avançados a um nível historicamente baixo de 25% do PIB em 1973.

Em resumo, Bretton Woods alcançou algo sem precedentes: reduziu as dívidas que haviam subido durante uma guerra global, suprimiu a especulação, canalizou a poupança para o investimento produtivo e propiciou um crescimento espetacular. Empurrou toda a instabilidade latente do sistema para a esfera das relações entre moedas, mas a predominância dos Estados Unidos garantiu que estas fossem, de início, contidas. A indignação da direita quanto ao aspecto inflacionário de Bretton Woods foi superada pelo mais notável período de estabilidade e plena produção já conhecido.

Keynes enfatizara, no estágio de projeto, a importância de regras explícitas — que fossem além do acordo de cavalheiros que estava por trás do padrão-ouro. No caso, regras explícitas sustentadas por uma superpotência global tiveram um efeito multiplicador que poucos poderiam ter imaginado.

Se a Depressão foi em parte um produto do declínio da Grã--Bretanha e da recusa norte-americana em se tornar uma superpotência global, então foi em Bretton Woods que os Estados Unidos assumiram, com grande entusiasmo, os deveres de uma superpotência. Na verdade, os 25 anos do pós-guerra são o único período da história moderna em que uma grande potência foi realmente hegemônica. A preponderância britânica no século XIX foi sempre negociada e relativa. Dentro do mundo capitalista de meados do século XX, a hegemonia dos Estados Unidos foi absoluta. Isso agiu como um imenso botão de reset na economia mundial, amplificando a onda ascendente. Mas esse não foi o único botão de reset pressionado.

O BOOM DO PÓS-GUERRA COMO UM CICLO

Uma segunda mudança fundamental ocorrera durante a guerra, com o Estado tomando o controle da inovação. Em 1945, as burocracias nacionais haviam se tornado adeptas da propriedade e do controle estatais — e certamente das comunicações de massa — para modelar o comportamento do setor privado. Administradores perfeitamente comuns, sob a pressão suprema do "se você perder, você morre", tinham aprimorado a tecnocracia. Mesmo nas potências do Eixo, onde o Estado foi desmantelado em 1945, essa cultura da inovação e uma grande parte do sistema tecnocrático sobreviveram à guerra.

O caso da General Motors é instrutivo. Em 1940, o governo dos Estados Unidos contratou o presidente da GM, Alfred Knudsen, para dirigir seu Departamento de Administração da Produção, que coordenava toda a economia de guerra. Ele estabeleceu contratos no valor de 14 bilhões de dólares com a GM durante a guerra. A corporação converteu todas as suas duzentas fábricas para a produção de guerra, fazendo — entre outras coisas — 38 mil tanques, 206 mil motores de aviões e 119 milhões de bombas. Tornou-se, em outras palavras, uma imensa empresa de armamentos com um único comprador. No seio desse e de outros segmentos gigantes da indústria norte-americana, a administração operou na prática como um escritório de planejamento estatal movido pelo lucro. Nada parecido tinha sido visto antes — nem seria depois.

No âmbito federal, a pesquisa e o desenvolvimento eram centralizados e industrializados pelo Departamento de Pesquisa e Desenvolvimento Científico. Crucial para o arranjo como um todo era a proibição de auferir lucro diretamente da pesquisa. "O lucro é uma função das atividades produtivas de um estabelecimento industrial, não de um departamento de pesquisa", decretou o OSRD (a sigla do órgão, em inglês).[19] Contratos eram firmados nos setores onde havia alta competência, onde o perigo de um excesso de produção em massa era mínimo e "espalhado entre o maior número possível de organizações". Só quando houvesse empate em todos esses critérios o custo mais baixo seria levado em consideração. Questões de competição e de propriedade de patentes foram deixadas para depois.[20]

Eram coisas notáveis de realizar no seio do capitalismo: tratar a pesquisa como propriedade pública, suprimir a competição e planejar não apenas a produção, mas o direcionamento da pesquisa. E, embora os Estados Unidos tenham levado isso à perfeição, todos os principais Estados em combate o tentaram. O resultado foi estimular uma cultura sem precedentes de fecundação mútua em disciplinas estratégicas. A nova abordagem inseriu a matemática e a ciência no cerne do processo industrial; o pensamento econômico e a gerência de dados no seio das tomadas de decisão políticas.

Foi o OSRD que tirou de Princeton Claude Shannon, o fundador da teoria da informação, e colocou-o nos Bell Laboratories para conceber algoritmos para armas antiaéreas.[21] Ali, ele conheceria Alan Turing e discutiria a possibilidade de "máquinas pensantes". Turing também tinha sido sacado da academia pelo governo britânico para dirigir a operação Enigma, de decifração de código, em Bletchley Park.

Essa cultura da inovação sobreviveu à transição para os tempos de paz, mesmo com corporações individuais tentando monopolizar os resultados e brigando por direitos de patente. E não se limitou à inovação técnica.

Em 1942, a GM deu ao teórico da administração Peter Drucker pleno acesso para estudar suas operações. Drucker aproveitou para escrever *The Concept of the Corporation* [O conceito da corporação], possivelmente o primeiro livro sobre administração moderna, que defendia a ruptura de estruturas de comando e a descentralização do controle. Embora a GM tenha rejeitado seu conselho, milhares de outras firmas não o fizeram: a indústria automobilística japonesa do pós-guerra adotou-as por completo. A teoria da administração tornou-se uma disciplina generalizada, não um conhecimento secreto, com toda uma corte de firmas de consultoria dedicadas a difundir técnicas bem-sucedidas em vez de entesourá-las.

Nesse sentido, a economia de guerra deu à luz um dos reflexos mais fundamentais do longo boom no seio do capitalismo: resolver problemas mediante saltos tecnológicos audaciosos, atraindo especialistas de disciplinas variadas, difundindo as melhores práticas de um setor e mudando o processo econômico à medida que o próprio produto muda.

O papel do Estado em tudo isso contrasta com o escasso papel das finanças. Em todos os modelos normativos dos ciclos longos, são as finanças que alimentam a inovação e ajudam o capital a fluir para áreas novas e mais produtivas. Mas as finanças tinham sido achatadas na prática durante os anos 1930.

O que emergiu da guerra foi um capitalismo muito diferente. Tudo o que ele precisava era de uma plataforma de novas tecnologias — e estas foram abundantes: o motor a jato, o circuito integrado, a energia nuclear e os materiais sintéticos. Depois de 1945, o mundo passou subitamente a ter cheiro de nylon, plástico e vinil, e a zumbir com os processos elétricos.

Mas uma tecnologia crucial era invisível: a informação. Embora a "economia da informação" ainda estivesse a uma distância de décadas no futuro, as economias do pós-guerra viram a informação ser usada numa escala industrial. Ela fluía na condição de ciência, de teoria da administração, de dados, de comunicações de massa, e até mesmo — em uns poucos locais sagrados — saía de um computador para uma bandeja de papéis.

Um transistor é simplesmente um interruptor sem partes móveis. A teoria da informação, junto com os transistores, nos dão a capacidade de automatizar processos físicos. Assim, fábricas em todo o Ocidente foram reequipadas com maquinário semiautomático: prensas pneumáticas, perfuratrizes, cortadoras, tornos mecânicos, máquinas de costura e linhas de produção. O que esse maquinário carecia era de sofisticados mecanismos de realimentação: sensores eletrônicos e sistemas lógicos automatizados eram tão rudimentares que estes últimos usavam ar comprimido para fazer o que hoje fazemos com aplicativos de iPhone. Mas os seres humanos eram abundantes — e para muitos o trabalho manual tornou-se o ato de controlar um processo semiautomatizado.

O economista de Cambridge Andrew Glyn acreditava que o extraordinário sucesso do boom do pós-guerra só podia ser explicado por "um regime econômico ímpar".[22] Descreveu esse regime como uma mistura de fatores econômicos, sociais e geopolíticos, que operaram favoravelmente ao longo da fase ascendente até começarem a colidir e se desgastar no final dos anos 1960.

A direção estatal produziu uma cultura da inovação conduzida pela ciência. A inovação estimulava a alta produtividade. A produtividade proporcionava altos salários, de modo que o consumo se manteve em compasso com a produção por 25 anos. Um sistema de regras globais explícitas amplificava os resultados positivos. Uma atividade bancária com reservas pequenas estimulava uma inflação "benigna" que, combinada com a repressão financeira, empurrava o capital para setores produtivos e mantinha a especulação financeira num nível pouco significativo. O uso de fertilizantes e a mecanização no mundo desenvolvido impulsionaram a produtividade agrária, mantendo baixo o custo dos insumos. Os insumos energéticos também eram baratos, na época. Em consequência, o período 1948-73 desenvolveu-se como uma onda ascendente de Kondratiev incrementada com esteroides.

O QUE FEZ A ONDA SE ROMPER?

Não há na história econômica uma linha divisória mais clara que o dia 17 de outubro de 1973. Com seus exércitos em guerra contra Israel, a maioria dos países árabes exportadores de petróleo impôs um embargo de petróleo contra os Estados Unidos e reduziu a produção. O preço do petróleo quadruplicou. O choque resultante empurrou economias-chave para a recessão. A economia norte-americana encolheu 6,5% entre janeiro de 1974 e março de 1975;[23] a da Grã-Bretanha, 3,4%. Até mesmo o Japão — que tivera uma média de taxas de crescimento próxima dos 10% no período do pós-guerra — teve um desempenho temporariamente negativo.[24] A crise foi singular porque nos países mais atingidos a queda no crescimento coincidiu com inflação elevada. Em 1975 a inflação na Grã-Bretanha atingiu 20%, e 11% nos Estados Unidos. A palavra "estagflação" chegou às manchetes.

No entanto, mesmo na época era óbvio que o choque do petróleo foi apenas o estopim. A fase ascendente já vinha rateando. Em cada um dos países desenvolvidos, o crescimento no final da década de 1960 parecia acossado por problemas nacionais ou locais: inflação, questões trabalhistas, preocupações quanto à produtividade e frisson em torno de escândalos financeiros. Mas 1973 foi o divisor de águas, o ponto em que a energia que levou a quarta onda a se erguer a fez chegar ao pico e inverter o movimento. O que fez isso acontecer é uma questão que tem definido o pensamento econômico moderno.

Para economistas de direita, a resposta estava no esgotamento da política keynesiana. Para a esquerda, porém, as explicações variaram ao longo do tempo: no final dos anos 1960, os altos salários eram vistos como os responsáveis; na década seguinte, economistas da Nova Esquerda tentaram aplicar a teoria marxista da superprodução.

Na verdade, 1973 pode ser compreendido como uma clássica mudança de fase no padrão de Kondratiev. Ocorre cerca de 25 anos depois de iniciado o ciclo econômico. É de amplitude global. Ela anuncia um longo período de crises recorrentes. E, uma vez compreendido o que causou o movimento ascendente — alta produtividade, regras globais explícitas e repressão financeira —, poderemos compreender como ele se esgotou.

Os arranjos do pós-guerra tinham de fato circunscrito a instabilidade em duas zonas de controle: relações entre moedas e relações entre classes. Sob as regras de Bretton Woods, supunha-se que você não fosse desvalorizar sua moeda para tornar baratas suas exportações e impulsionar o emprego. Em vez disso, não sendo competitiva a sua economia, você poderia ou se proteger da competição internacional mediante barreiras comerciais ou impor "desvalorização interna" — cortando salários, controlando preços, reduzindo o volume gasto em despesas de bem-estar social. Na prática, o protecionismo era desestimulado pelas regras de Bretton Woods e o corte de salários nunca foi tentado seriamente até meados dos anos 1970 — então o que restava era a desvalorização. Em 1949, a Grã-Bretanha desvalorizou a libra em 30% em relação ao dólar e outros 23 países fizeram o mesmo. Um total de quatrocentas desvalorizações oficiais foi registrado antes de 1973.

Assim, desde o começo, Bretton Woods foi um sistema em que os Estados estavam tentando repetidamente compensar seus percalços, manipulando suas taxas de câmbio em relação ao dólar. Isso era visto em Washington como uma forma de competição desleal, e os Estados Unidos revidaram. Nos anos 1960 eles estavam desvalorizando sua própria moeda em termos reais, medidos pelas diferenças de preços, em relação às de seus competidores. Essa guerra econômica subterrânea tornou-se aberta durante as crises de inflação do final da década de 1960.

Dentro das fábricas, o longo boom tinha sido uma narrativa de produtividade e uma narrativa de salários. Nos países avançados a produtividade cresceu à razão de 4,5% ao ano, enquanto o consumo privado cresceu 4,2%. O rendimento cada vez maior das máquinas automatizadas pagava com sobras os salários crescentes daqueles que as operavam. Tudo isso era resultado de novos investimentos. Mas o movimento ascendente terminou quando o investimento não pôde mais aumentar a produtividade na proporção anterior.

Há sinais claros de uma diminuição de ritmo da produtividade nos dados pré-1973, e de uma queda na proporção entre produção e capital investido.[25] A produtividade, como contratendência à pressão para a queda dos lucros, perdeu a força. Mas, à medida que as condições se apertavam, a mera força de barganha da classe trabalhadora em países com pleno emprego e nenhum desejo de romper o contrato social do pós-guerra tornava inviável a opção dos cortes salariais. Em vez disso, administradores foram obrigados a aumentar salários e benefícios suplementares, ao mesmo tempo em que reduziam as horas de trabalho.

Como resultado, entrou em cena um "esmagamento do lucro". Comparando as taxas de lucro dos Estados Unidos, Europa e Japão em 1973 com seus respectivos anos de pico durante o boom, Andrew Glyn descobriu que, em cada caso, elas tinham caído um terço. Com lucros em queda, salários em alta e níveis alarmantes de militância operária nas fábricas, havia duas válvulas de escape: deixar a inflação correr, erodindo o valor dos salários reais sem provocar mais conflitos; e seguir com aumentos salariais sociais — aliviando a pressão sobre negócios individuais ao impulsionar, por exemplo, o salário-família e outros pagamentos do Estado aos trabalhadores. Como resultado, a despesa social do Estado — em benefícios, subsídios e outras medidas de incremento da renda — saltou a níveis disfuncionais, especialmente na Europa: de 8% do PIB no final dos anos 1950 para 16% em 1975.[26] Durante aproximadamente o mesmo período nos Estados Unidos, o gasto federal com bem-estar, pensões e saúde dobrou para 10% do PIB no final dos anos 1970.

Tudo o que era necessário para jogar na crise esse frágil sistema era um choque. E, em agosto de 1971, Richard Nixon proporcionou um, rompendo unilateralmente o compromisso de vincular o dólar ao ouro, e com isso destruindo Bretton Woods.

As razões de Nixon para fazer isso estão bem documentadas.[27] À medida que os concorrentes dos Estados Unidos superavam sua desvantagem em termos de produtividade, o capital fluía dos Estados Unidos para a Europa, enquanto a balança comercial norte-americana declinava. No final da década de 1960, com todos os países engajados em políticas expansionistas — com altos gastos estatais e baixas taxas de juros —, os Estados Unidos tornaram-se o grande perdedor de Bretton Woods. Precisavam pagar pela Guerra do Vietnã e pelas reformas previdenciárias do final dos anos 1960, mas não eram capazes. Precisavam desvalorizar, mas não podiam; porque, para que isso acontecesse, era preciso que outros países elevassem suas próprias moedas em relação ao dólar, e eles se recusaram. Então Nixon agiu.

O mundo se deslocou de taxas de câmbio fixadas em relação ao dólar e ao ouro para moedas com flutuação totalmente livre. Daí em diante, o sistema bancário global passou, na prática, a criar dinheiro a partir do nada.

Com essa mudança, cada país afetado estava temporariamente livre para resolver os problemas básicos de produtividade e lucratividade de maneiras que o velho sistema havia tornado impossíveis: com gastos estatais mais elevados e taxas de juros mais baixas. Os anos de 1971 a 1973 foram vividos numa espécie de euforia nervosa. O inevitável desastre da bolsa de valores atingiu Wall Street e Londres em janeiro de 1973, desencadeando o colapso de diversos bancos de investimento. O choque do petróleo de outubro de 1973 foi o golpe de misericórdia.

SEGURA ESSA, KEYNES!

Em 1973, cada aspecto do regime ímpar que sustentara o longo boom estava rompido. Mas a crise parecia acidental: baixos preços de insumos destruídos pela OPEP; regras globais rasgadas por Richard Nixon; lucros corroídos por aquela figura repugnante, o "trabalhador ganancioso".

A icônica franquia cinematográfica britânica *Carry On** escolheu aquele momento para mudar de burlescas paródias históricas para uma tentativa de comentário social cortante. *Carry On At Your Convenience* (1971), ambientado numa fábrica de vasos sanitários, satiriza um mundo no qual os trabalhadores controlam a produção, os administradores são incompetentes e a liberdade sexual está transformando a vida até mesmo num chão de fábrica de cidadezinha. O subtexto de *Carry On At Your Convenience* é que o atual sistema é cômico: não podemos ir em frente, mas aparentemente não temos alternativa. Este, no fim das contas, foi também o subtexto da política adotada em resposta à crise.

---

* Série de comédias de longa metragem dirigidas por Gerald Thomas entre as décadas de 1960 e 1990. Algumas foram lançadas no Brasil, com títulos como *Apuros de Cleópatra*, *Manda ver, soldado*, *Fuzarca no camping* e *Com jeito vai... Colombo*. O filme de 1971 citado pelo autor não teve lançamento por aqui. (N. T.)

Depois de 1973, os governos tentaram consertar o sistema aplicando de maneira mais dura as velhas regras keynesianas. Usaram políticas de controle de preços e salários numa tentativa de eliminar a inflação e acalmar a inquietação dos trabalhadores. Usaram gastos estatais — e tomaram empréstimos numa escala crescente — para manter a demanda em face do colapso. Mas, apesar de o crescimento ter-se recuperado depois de 1975, ele nunca poderia alcançar seus níveis anteriores.

Durante o final da década de 1970, o sistema keynesiano destruiu a si mesmo. Tal destruição não foi apenas obra dos formuladores de políticas, mas de todos os participantes do jogo keynesiano: trabalhadores, burocratas, tecnocratas e políticos.

A militância da classe trabalhadora já saíra das fábricas para a arena das negociações em âmbito nacional com o governo. Em meados dos anos 1970, em quase todos os países a atenção de líderes sindicais estava concentrada nos acordos salariais nacionais, no controle de preços, nos programas de reforma social, junto com estratégias que pudessem manter seu domínio sobre setores específicos — como a tentativa dos estivadores britânicos de resistir à tecnologia dos contêineres. O fim último dos movimentos trabalhistas no mundo desenvolvido passou a ser colocar no poder governos social-democráticos de esquerda que garantissem permanentemente políticas keynesianas.

Mas àquela altura a classe empresarial e políticos-chave da direita tinham se afastado por completo do mundo keynesiano.

A OFENSIVA CONTRA A FORÇA DE TRABALHO

Tornou-se lugar-comum pensar que o triunfo da globalização e do neoliberalismo era inevitável. Mas não era. Sua emergência foi o resultado de ações governamentais tanto quanto o foram o corporativismo e o fascismo nos anos 1930.

O neoliberalismo foi concebido e implementado por políticos visionários: Pinochet no Chile; Thatcher e seu círculo ultraconservador na Grã-Bretanha; Reagan e os velhos combatentes da Guerra Fria que o levaram ao poder. Eles tinham enfrentado uma resistência compacta da mão de obra organizada e chegaram ao limite. Em resposta, esses pioneiros do neoliberalismo chegaram a uma conclusão que modelou a nossa era: de que uma economia moderna não pode coexistir com uma classe trabalhadora organizada. Consequentemente, resolveram esmagar por completo o poder coletivo de barganha dos trabalhadores, suas tradições e sua coesão social.

Os sindicatos já tinham estado sob ataque antes, mas sempre por parte de políticos paternalistas que ofertavam o menor de dois males: em lugar da militância, eles incentivavam uma força de trabalho "boa", definida pelo socialismo moderado, sindicatos dirigidos por agentes do Estado. E ajudaram a construir comunidades estáveis, socialmente conservadoras, que poderiam servir de terreno de procriação de soldados e serviçais. O programa geral do conservadorismo — e mesmo do fascismo — tinha sido o de promover um tipo diferente de solidariedade que servia para reforçar os interesses do capital. Mas ainda era solidariedade.

Os neoliberais pretendiam algo diferente: a atomização. Pelo fato de a geração atual ver apenas os resultados do neoliberalismo, é fácil perder de vista que esse objetivo — a destruição do poder de negociação dos trabalhadores — era a essência de todo o projeto: era um meio para chegar a todos os outros fins. O princípio diretor do neoliberalismo não são os livres mercados, nem tampouco a disciplina fiscal, nem o dinheiro forte, nem a privatização e a desregulamentação — nem mesmo a globalização. Todas essas coisas são subprodutos de seu principal empenho: eliminar da equação a mão de obra organizada. Nem todos os países industrializados seguiram a mesma trilha, nem no mesmo ritmo. O Japão tinha aberto caminho para a flexibilização do trabalho nos anos 1970 ao introduzir pequenas equipes nas linhas de produção, também mediante negociações individuais de salários e sessões ruidosas de propaganda nas fábricas. De todas as economias avançadas, o Japão foi a única que racionalizou com sucesso os modelos econômicos industriais depois de 1973. Houve evidentemente resistência, enfrentada de modo brutal — com o afastamento dos líderes e seu espancamento todos os dias até a resistência cessar. "Era como se o 'mundo da empresa' fosse imune às leis do Estado", escreveu o esquerdista japonês Muto Ichiyo, que testemunhou alguns desses espancamentos. "E é natural que nesse mundo empresarial os trabalhadores, petrificados pelo horror, com o livre pensamento congelado, mantenham a boca fechada."[28]

A Alemanha, ao contrário, resistiu às reformas trabalhistas até o início dos anos 2000, preferindo em vez disso criar uma força de trabalho de imigrantes periféricos em serviços desqualificados e na construção civil ao lado do mundo paternalista da linha de produção. Por conta disso, o país foi chamado de "o doente do euro" pela revista *The Economist*, que ainda em 1999 lamentava seu "sistema previdenciário inchado e seus custos trabalhistas excessivos".[29] Estes últimos foram erradicados nas reformas trabalhistas Hartz II (2003), que agora tornaram a Alemanha uma sociedade altamente desigual, com muitas de suas comunidades assoladas pela pobreza.[30]

Muitos países desenvolvidos tiraram proveito da recessão do início dos anos 1980 para impor o desemprego em massa. Adotaram políticas abertamente destinadas a tornar mais profunda a recessão: elevaram drasticamente as taxas de juros, colocando no aperto velhas empresas industriais. Privatizaram amplas fatias da produção de carvão, aço, automóveis e maquinário pesado que antes eram de propriedade do Estado. Proibiram as greves--relâmpago e ações de solidariedade que tanto haviam aborrecido os administradores nos anos de boom. Mas não tentaram ainda, na época, desmantelar sistemas de bem-estar social; estes eram necessários para manter a ordem social em comunidades cujos corações tinham sido arrancados.

A investida contra a mão de obra organizada foi pontuada por momentos marcantes. Em 1981, os líderes sindicais dos controladores de tráfego aéreo dos Estados Unidos foram presos, exibidos algemados, e todos os empregados do setor foram demitidos por conta de suas ações grevistas. Thatcher usou grupos paramilitares para destruir a greve dos mineiros em 1984-5. Mas o verdadeiro êxito da ofensiva antitrabalhista situou-se num plano moral e cultural. De 1980 em diante, no mundo desenvolvido, diminuíram as greves, bem como a densidade sindical. Nos Estados Unidos, a filiação a sindicatos caiu de já baixos 20% da força de trabalho em 1980 para 12% em 2003, com os sobreviventes aglomerados em grande parte no setor público.[31] No Japão, ela caiu de 31% para 20%, e no Reino Unido a queda foi ainda mais espetacular, de 50% para 30%.[32]

Com os sindicatos colocados para escanteio, a transformação do trabalho poderia começar para valer, criando a força de trabalho atomizada e precária dos dias de hoje. Aqueles de nós que presenciamos a derrota da mão de obra organizada nos anos 1980 a vimos como algo traumático, mas dissemos a nós mesmos que nossos avós tinham passado pela mesma coisa. Mas, se dermos um passo para trás e examinarmos tal derrota através do caleidoscópio da teoria das ondas longas, veremos que ela é na verdade singular.

A década de 1980 testemunhou a primeira "fase de adaptação" na história das ondas longas em que a resistência dos trabalhadores ruiu. No padrão normal, esboçado no capítulo 3, a resistência obriga os capitalistas a se adaptar mais radicalmente, criando um novo modelo baseado em produtividade mais elevada e salários reais também mais elevados. Depois de 1979, o fracasso dos trabalhadores em resistir permite que países capitalistas cruciais encontrem uma solução para a crise mediante salários mais baixos e modelos de produção de baixo valor. Esse é o fato fundamental, a chave para entender tudo o que acontece em seguida.

A derrota dos trabalhadores organizados não propiciou — como pensavam os neoliberais — um "novo tipo de capitalismo", mas antes a extensão da quarta onda longa sobre uma base de estagnação salarial e atomização. Em vez de ser obrigado a inovar como caminho para sair da crise, usando a tecnologia, como no último estágio de cada um dos ciclos anteriores, o 1% mais rico simplesmente impôs a penúria e a atomização à classe trabalhadora.

Por todo o mundo ocidental, a participação dos salários no PIB caiu notavelmente. O economista Engelbert Stockhammer, pesquisando a extensão do estrago para a Organização Internacional do Trabalho, mostrou que essa queda na parcela salarial tinha sido causada inteiramente pelo impacto da globalização, da financeirização e dos cortes de recursos para as políticas de previdência e bem-estar social. Ele escreveu: "Isso constitui uma importante mudança histórica, uma vez que a participação salarial se mantivera estável ou crescente na era pós-guerra".[33]

Isso, como se pode verificar, é uma afirmação tímida. Na verdade, essa mudança precipitaria um remodelamento do mundo.

A ONDA INTERROMPIDA EM IMAGENS

Quando a mudança é massiva e óbvia, mas acontece ao longo de décadas, diagramas bidimensionais são às vezes o meio mais claro de ver o quadro geral. Os gráficos que se seguem indicam muito claramente o que se encaixa ou não no padrão clássico previsto por Kondratiev. Podem também nos dar uma pista quanto ao porquê.

1. *Crescimento do PIB mundial*

O gráfico abaixo mostra o formato geral da quarta onda longa numa única imagem. Há uma clara mudança de fase no início da década de 1970. Usando a definição do FMI de uma recessão global — quando a taxa de crescimento cai abaixo de 3% —, não houve recessão nos primeiros 25 anos da onda e nos seis imediatamente posteriores a 1973, o último deles uma maravilha.[34]

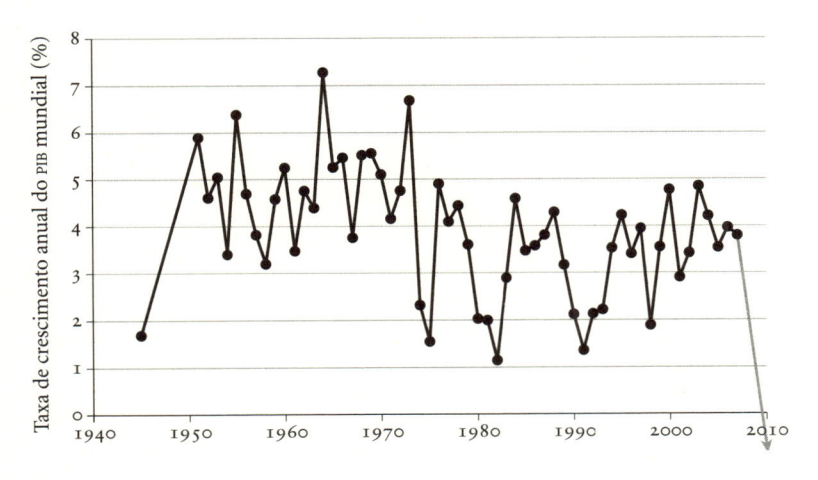

2. Taxas de juros[35]

Kondratiev dimensionou suas ondas usando taxas de juros; para o período pós-1945, não existe método mais claro do que esse: as taxas de juros que os bancos cobram de empresas e indivíduos nos Estados Unidos. Elas subiram gradualmente durante o longo boom, atingiram o pico no início dos anos 1980 — quando altas taxas de juros foram usadas para liquidar setores das velhas indústrias — e declinaram gradativamente, deixando de emitir sinais vitais no final do gráfico por causa da insignificância quantitativa. Os colegas de Kondratiev, que tinham visto esse exato padrão em todos os ciclos anteriores, teriam concluído: "Camarada, eis uma onda longa".

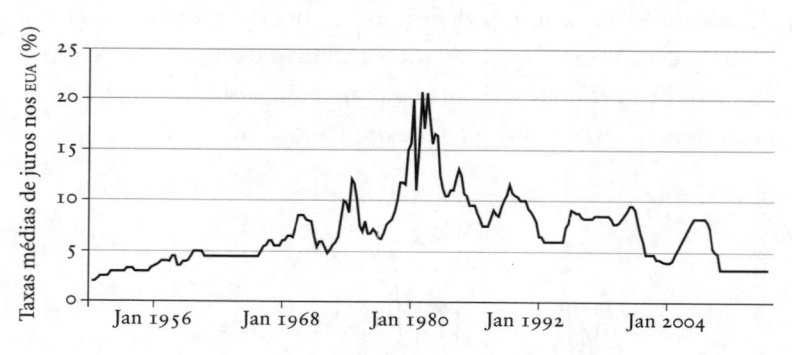

3. Preços de commodities: níquel

No entanto, Kondratiev também rastreou os preços de commodities básicas, como carvão e ferro. O gráfico a seguir acompanha o preço de um equivalente moderno, o níquel — um componente-chave do aço inoxidável —, ao longo de 57 anos. Acredito que teria feito Kondratiev saltar da cadeira. É só uma commodity, mas, com apenas umas poucas exceções, é bastante representativa do que aconteceu com os preços de matérias-primas desde 1945: há sempre um pico no lado direito do gráfico, causado pelo rápido desenvolvimento da indústria e do consumo de massa no sul global, sobretudo na China.

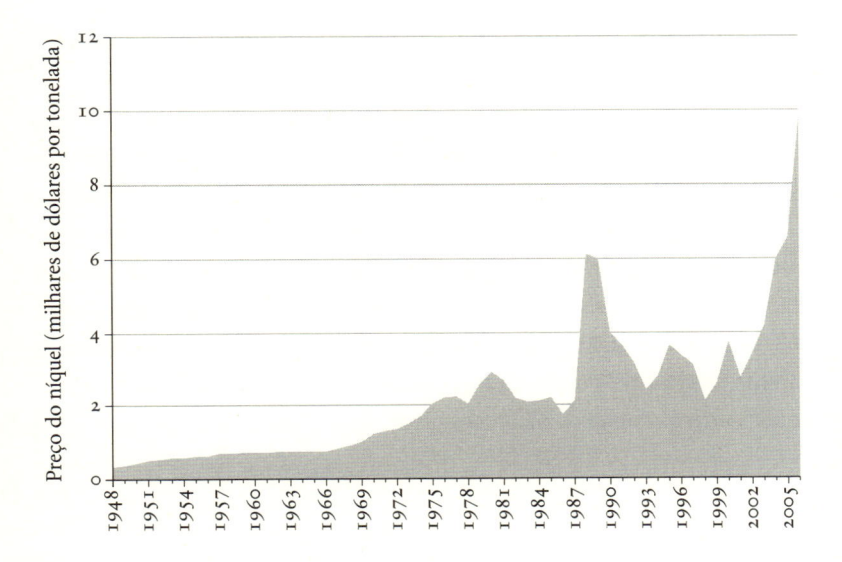

Um relatório de 2007 do Serviço Geológico dos Estados Unidos mostra de que maneira, depois de 1989, todos os preços de metais industriais foram elevados pela entrada da China no mercado global.[36] O uso de níquel pela China vai de 30 kt (quilotons) em 1991 para 60 kt em 2001 e 780 kt em 2012. Em contraste, ao longo do mesmo período, o consumo de níquel e outros metais pela maioria dos outros grandes produtores sobe bem lentamente, com a Alemanha indo de 80 kt a 110 kt.*

---

* É normal, para os economistas, cotejar preços e inflação; fazendo isso, o preço desse e de muitos outros metais é bastante constante ao longo do período pós-1989, inclusive declina. No entanto, em análises de ciclos longos, queremos *ver* a inflação e a deflação, não deixá-las de lado. (N. A.)

4. Dívida pública em relação ao PIB em vinte economias avançadas[37]

Kondratiev não media a dívida pública, mas numa nação moderna ela é um bom indicador da saúde geral da economia. O gráfico abaixo mostra a dívida de Estados comparada com seu PIB anual. A repressão financeira, combinada com inflação, eliminou suas dívidas de guerra ao longo de 25 anos de crescimento sustentado. Então, diante da crise iniciada em 1973, o mundo avançado foi obrigado a aumentar suas dívidas continuamente. Essa dívida chega perto dos 100% do PIB, apesar de três décadas de redução das políticas sociais e das receitas oriundas das privatizações.

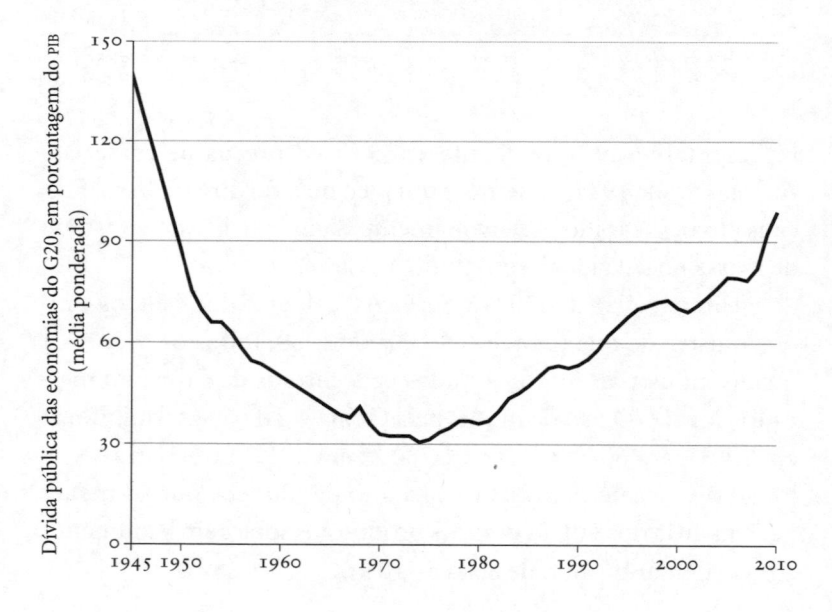

5. Dinheiro em circulação

Esta é a ilustração básica da história do *fiat money*, dinheiro não lastreado por ouro. O gráfico começa no momento em que

Nixon aboliu Bretton Woods em 1971 e mostra o volume de dinheiro em circulação em noventa países, em diferentes formas, abarcando desde dinheiro vivo, que pouco muda, até o crédito e instrumentos financeiros, que crescem constantemente na era neoliberal e saltam drasticamente depois de 2000.[38]

Nixon descolara o dinheiro e o crédito da realidade subjacente e, embora a criação de um sistema financeiro capaz de explorar ao máximo essa liberdade tenha levado décadas, a partir do final dos anos 1990 o ritmo de crescimento torna-se vertiginoso.

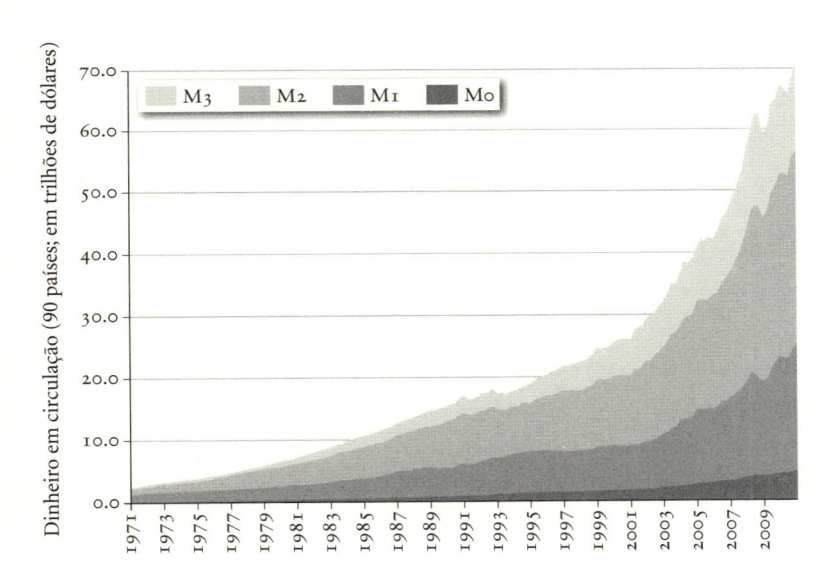

6. Desigualdade

No gráfico a seguir, a linha escura mostra a renda real dos 99% ao longo da quarta onda longa. Ela já havia dobrado durante a Segunda Guerra Mundial, à medida que as pessoas passavam de fazendas para fábricas, e dobrou de novo entre a guerra e o choque do petróleo. A partir daí cresce muito lentamente por todo o período posterior a 1989. Mas para o 1% é o contrário: a fase ascendente do ciclo é imensamente lucrativa. Tendo se estabilizado durante o boom e os anos de crise, seus rendimentos (linha cinza) disparam logo que as políticas econômicas de livre mercado são desencadeadas no final dos anos 1980. Não há exemplo mais nítido de quem ganha e quem perde[39] no seio de países desenvolvidos quando o ciclo se torna descendente.

7. Financeirização[40]

O gráfico seguinte mostra os lucros do setor financeiro no conjunto de todos os lucros da economia norte-americana. Durante o longo boom, os lucros do setor financeiro são pequenos nos Estados Unidos. A mudança ganha velocidade em meados dos anos 1980, e nos anos que precedem o colapso do Lehman Brothers vemos bancos, fundos de cobertura e companhias de seguros auferindo mais de 40% de todo o lucro combinado. É uma evidência clara da ideia de que no capitalismo financeirizado se obtém mais lucro gerado por nossos empréstimos e nosso consumo e menos por nossos empregos. Às vésperas da crise, os lucros financeiros representavam quatro em cada dez dólares dos lucros gerais.

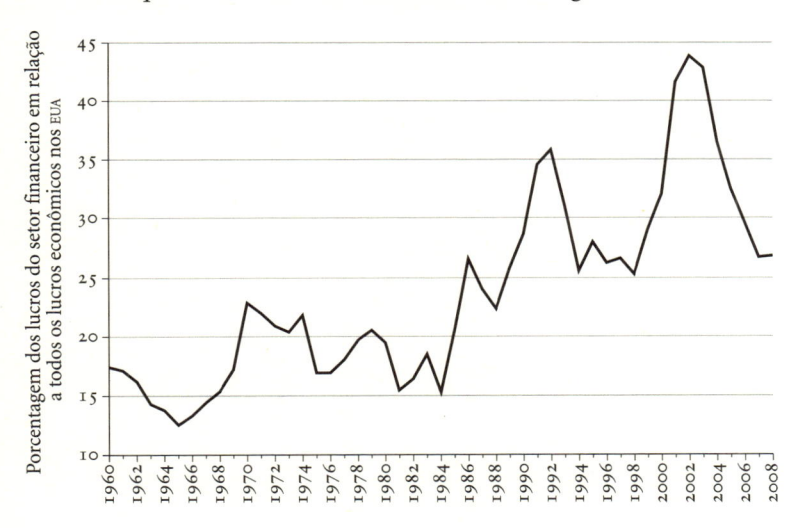

8. O fluxo do investimento global

O gráfico a seguir mostra numa imagem impressionante a realidade da globalização. A linha de cima é o total de investimento estrangeiro direto (IED) no mundo, entre 1970 e 2012 (em milhões de dólares a preços e taxas de câmbio atuais). A linha do meio mostra a quantidade que flui para países em desenvolvimento; a linha de baixo, para antigos países comunistas. O fosso entre a linha de cima e a do meio representa a quantidade de investimento estrangeiro que circula entre países avançados.[41]

A globalização começa no momento em que o paradigma keynesiano é abandonado. Há um surto de investimentos transfronteiriços entre os países avançados, espelhado por um fluxo constante de investimento para o que chamávamos de "Terceiro Mundo". Os fluxos de capital para a Rússia e seus satélites são significativos levando em conta o tamanho de suas economias, mas não significativos em termos do quadro geral.

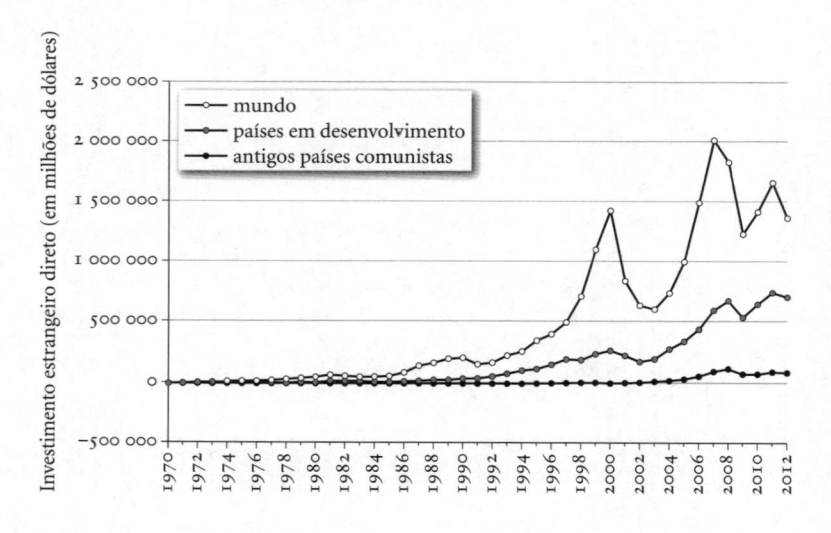

9. PIB per capita[42]

O PIB per capita é um meio de ilustrar o progresso humano: quanto do crescimento é compartilhado entre quantas pessoas? A linha de cima mostra o PIB per capita crescendo 162% em todo o mundo entre 1989 e 2012. Os antigos países comunistas alcançam mais ou menos o mesmo — ainda que mediante doze anos de declínio catastrófico e, em seguida, um crescimento estimulado pela entrada de satélites do bloco no euro e pelo dinheiro do petróleo entrando na própria Rússia. Mas a coisa mais espetacular é o que acontece com a linha de baixo — a do mundo em desenvolvimento. Ele cresce 404% depois de 1989.

Foi isso que levou o economista britânico Douglas McWilliams, em suas conferências no Gresham College, a qualificar os últimos 25 anos como "o maior evento econômico da história humana". O PIB mundial subiu 33% nos cem anos posteriores à descoberta das Américas, e o PIB per capita apenas 5%. Nos cinquenta anos posteriores a 1820, com a Revolução Industrial em curso na Europa e nas Américas apenas, o PIB mundial cresceu 60%, e o PIB per capita, 30%. Mas, entre 1989 e 2012, o PIB mundial subiu de 20 trilhões de dólares para 71 trilhões de dólares — 272% — e, como vimos, o PIB per capita aumentou 162%. Em ambos os quesitos, o período depois de 1989 ultrapassa o ritmo do boom do pós-guerra.[43]

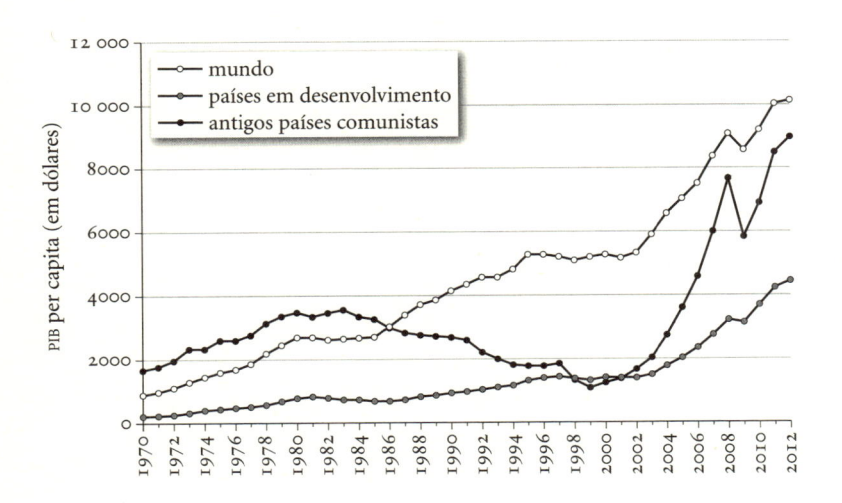

10. *Os vencedores da globalização*

Durante o boom do pós-guerra, o capitalismo reprimiu o desenvolvimento do sul global. Os meios pelos quais fez isso são claros e bem documentados.[44] Relações desiguais de comércio forçaram boa parte da América Latina, a África toda e a maior parte da Ásia a adotar modelos de desenvolvimento que proporcionaram superlucros para empresas ocidentais e pobreza em casa. Países que tentaram rejeitar tais modelos, como o Chile ou a Guiana, tiveram seus governos derrubados por golpes da CIA ou, como no caso de Granada, por invasão. Muitos viram suas economias destruídas pelas dívidas e pelos "programas de ajuste estrutural" ditados pelo FMI para o cancelamento de dívidas. Com uma indústria doméstica pequena, seus modelos de crescimento dependiam de exportação de matérias-primas, e a renda dos pobres estagnou.

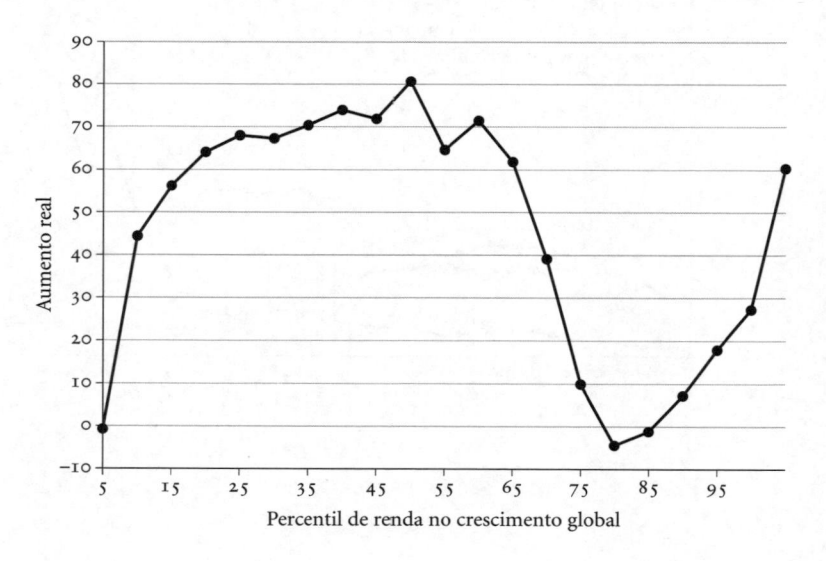

A globalização mudou tudo isso. Entre 1988 e 2008 — como mostra o gráfico — a renda real de dois terços das pessoas do mundo cresceu significativamente. É o que prova a corcova no lado esquerdo do gráfico.

Agora observe a parte direita do gráfico: o 1% mais rico também vê seus rendimentos subirem, em 60%. Mas para todo mundo no intervalo entre os super-ricos e o mundo em desenvolvimento — isto é, para os trabalhadores e a baixa classe média do Ocidente — há um buraco em forma de U indicando pouco ou nenhum crescimento real. Esse buraco conta a história da maioria das pessoas nos Estados Unidos, no Japão e na Europa — elas não ganharam quase nada do capitalismo nos últimos vinte anos. Na verdade, algumas delas perderam. Esse mergulho abaixo de zero provavelmente inclui os negros dos Estados Unidos, os brancos pobres da Grã-Bretanha e boa parte da força de trabalho do sul da Europa.

Branko Milanovic, o economista que preparou esses números para o Banco Mundial, qualificou isso de "provavelmente o mais profundo rearranjo global nas posições econômicas das pessoas desde a Revolução Industrial".[45]

11. Duplicando a força de trabalho mundial

O economista de Harvard Richard Freeman calculou que entre 1980 e 2000 a força de trabalho mundial dobrou em números absolutos, dividindo pela metade a razão capital/mão de obra.[46] O crescimento da população e o investimento estrangeiro alavancaram a força de trabalho do mundo em desenvolvimento, a urbanização criou uma classe trabalhadora forte de 250 milhões na China, enquanto a mão de obra dos países do antigo Comecon tornou-se subitamente disponível para o mercado global.

Os próximos dois gráficos mostram os limites do que pode

ser conseguido mediante o simples emprego de grandes quantidades de trabalhadores de baixo salário dos países pobres.

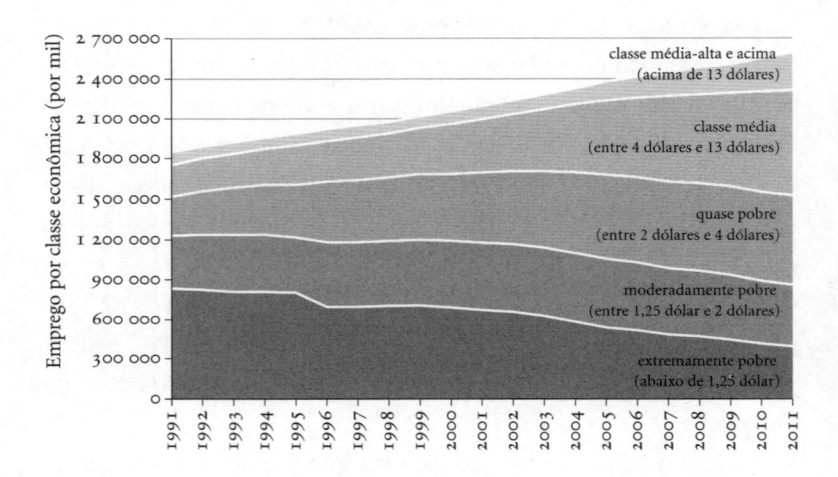

[Gráfico: Emprego por classe econômica (por mil), 1991–2011, mostrando as classes: classe média-alta e acima (acima de 13 dólares); classe média (entre 4 dólares e 13 dólares); quase pobre (entre 2 dólares e 4 dólares); moderadamente pobre (entre 1,25 dólar e 2 dólares); extremamente pobre (abaixo de 1,25 dólar). Eixo y de 0 a 2 700 000.]

Primeiro, no gráfico acima, eis o que aconteceu com a renda da força de trabalho no mundo em desenvolvimento desde que a globalização começou.

De modo surpreendente, o gráfico mostra o grupo que aufere entre quatro dólares e treze dólares por dia crescendo mais rapidamente do que todos: de 600 milhões a 1,4 bilhão.[47] (Embora os demógrafos os chamem de "classe média em desenvolvimento", a marca dos treze dólares por dia corresponde aproximadamente à linha de pobreza nos Estados Unidos.) Esses indivíduos são predominantemente trabalhadores. Têm acesso ao sistema bancário e seguro social, provavelmente possuem um aparelho de TV e geralmente vivem em pequenos grupos familiares, não como as famílias multigeracionais das favelas, nem na solidão de dormitórios. Três quartos deles trabalham em indústrias de serviços. O crescimento dos empregos no setor de serviços no mundo em desenvolvimento reflete tanto a evolução natural da mistura de trabalhos sob o capitalismo moderno como uma segunda onda de *offshoring*,* centrada em *call centres*, departamentos de informática e funções de retaguarda. Em resumo, o gráfico mostra os limites do que o *offshoring* pode alcançar. Essa cunha crescente de trabalhadores de treze dólares por dia está penetrando na faixa de renda dos trabalhadores norte-americanos mais pobres.

Isso significa que os dias de êxitos fáceis para firmas que transferem sua produção num processo de *offshoring* estão perto do fim. Nos últimos 25 anos, grandes parcelas da indústria no sul global têm usado métodos "extensivos", em vez de intensivos, de impulsionar a produção. Isto é, se você quer dobrar a produção de pares de tênis, constrói uma fábrica extra em vez de investir em métodos mais eficientes de produção. Mas essa opção se fecha se você tiver que começar a pagar a seus trabalhadores mais qualificados o mes-

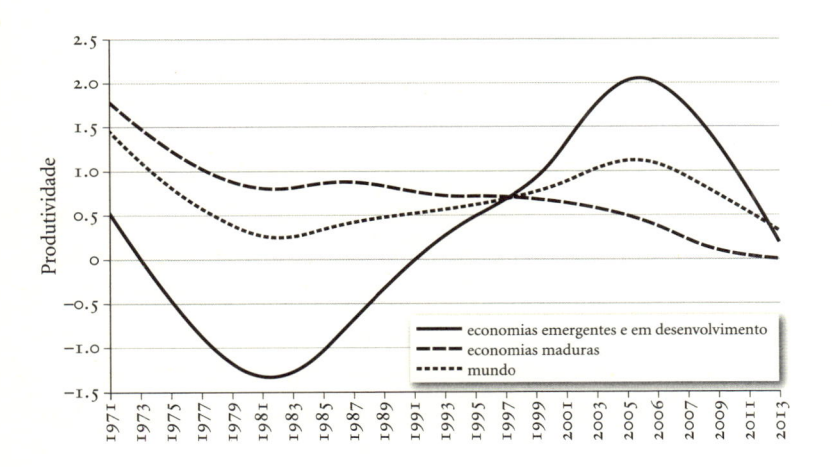

―― economias emergentes e em desenvolvimento
--- economias maduras
······ mundo

---

* *Offshoring*: modelo de realocação de processos econômicos (de produção, comércio ou serviços) de um país para outro, ou de uma região para outra, com o objetivo de se beneficiar de uma tributação menor ou de mão de obra mais barata. Optou-se por manter o termo em inglês por ser de uso corrente no Brasil. (N. T.)

mo que paga a um pobre nos Estados Unidos. Na verdade, o impacto da elevação de salários no mundo em desenvolvimento é evidente logo que olhamos para o segundo gráfico. Esse cálculo bruto mostra que o impulso inicial à produtividade vindo do deslocamento offshore de centenas de milhões de empregos acabou. Observe as três linhas. A tracejada, referente ao mundo desenvolvido, declina até zero. Seus trabalhadores não estão dando quase contribuição nenhuma à produtividade no mundo. A linha contínua, que representa o mundo em desenvolvimento, mostra uma contribuição robusta nos primeiros anos de globalização, definhando para quase nada nos últimos anos. É evidente, assim, que muito do impulso à produtividade oriundo da globalização da força de trabalho acabou e que a diminuição do ritmo de crescimento nos mercados emergentes — da China ao Brasil — está prestes a se tornar um problema estratégico. Fica claro por esses gráficos que o padrão normal de onda foi completamente rompido.

COMO O PADRÃO É ROMPIDO?

Quando o movimento ascendente perde força, nos anos 1960, isso acontece por uma razão que não teria surpreendido Kondratiev: o esgotamento do regime que promovia alta produtividade lado a lado com crescimento salarial. Isso levou às famosas crises de expansão e contração da década de 1960, quando o sistema global obrigou governos a refrear o crescimento, e em seguida ao colapso da ordem econômica global, com inflação alta e uma guerra tão arrogante no Vietnã que a psique norte-americana ainda não se recuperou do choque de tê-la perdido.

Aqui está a diferença crucial: em todos os três ciclos anteriores, os trabalhadores haviam resistido à solução barata e sórdida para a crise — cortes de salários, dispensa de trabalhadores qualificados e redução de benefícios sociais. Na quarta onda, por razões que explorarei no capítulo 7, sua resistência fracassou. Foi esse fracasso que permitiu que toda a economia global fosse reequilibrada em favor do capital.

Durante cerca de vinte anos, esse reequilíbrio funcionou — e tão bem que convenceu muitas pessoas sensatas de que uma nova era havia raiado. O que a teoria de Kondratiev indicara que deveria levar ao declínio e à depressão levou, em vez disso, a duas décadas revigorantes em que uma elevação dos lucros coexistiu com desarranjo social, conflito militar, retorno da pobreza abjeta e da criminalidade a comunidades no Ocidente — e uma riqueza espetacular para o 1%.

Mas isso não é uma ordem social, é uma desordem; é o que se obtém ao combinar o deslocamento da produção para as finanças (o que Kondratiev teria esperado) com uma força de trabalho derrotada e atomizada, e uma elite super-rica vivendo de lucros financeiros.

Arrolamos os fatores que permitiram que o neoliberalismo acontecesse: *fiat money*, financeirização, a duplicação da força de trabalho, os desequilíbrios globais, incluindo o efeito deflacionário da mão de obra barata, mais o barateamento de tudo o mais como resultado da tecnologia da informação. Cada um deles parecia um cartão de "Saia da prisão de graça", propiciando que o carma costumeiro do pensamento econômico fosse suspenso. Mas, como vimos — e muitos de nós vivenciaram de algum modo —, houve um imenso preço a pagar.

O que emerge desse sonho despedaçado? O novo sistema técnico e econômico terá que ser construído com os materiais à mão. Sabemos que isso envolverá redes, trabalho do conhecimento, aplicação de ciência e um grande volume de investimento em tecnologia verde.

A pergunta é: isso pode ser capitalismo?

PARTE II

Estamos agora engajados num grandioso esquema para aumentar, amplificar, fortalecer e estender as relações e comunicações entre todos os seres e todos os objetos.

Kevin Kelly, 1997*

---

* K. Kelly, "New Rules for the New Economy", *Wired*, n. 5, set. 1977. Disponível em: <www.archive.wired.com/wired/archive/5.09/newrules.html>.

5. Os profetas do pós-capitalismo

O motor a jato foi uma das tecnologias centrais da longa onda pós-1945. Inventado durante a Segunda Guerra Mundial, o turbofan — para usar seu nome apropriado — é uma tecnologia madura e não deveria estar produzindo surpresa. Mas está.

Ele funciona sugando ar comprimido na frente e produzindo uma chama através de si de maneira a fazer o ar se expandir. Isso movimenta um conjunto de ventoinhas no fundo, que transformam o calor em energia. Mas os turbofans são altamente ineficientes. Os primeiros motores a jato convertiam 20% do calor em propulsão. Por volta de 2001 eles tinham alcançado 35% de eficiência, com um veterano da indústria prevendo cautelosamente 55% "durante o segundo quarto do século XXI".[1]

Por que deveríamos nos importar? Porque, até 2030, fabricantes têm a expectativa de dobrar o número de aviões de passageiros em operação. Isso significa 60 mil novos turbofans.[2] Eles vão incrementar a contribuição da indústria aeronáutica ao aquecimento global de 3,5% em 2005 para algo em torno de 5% em meados do século.[3] Portanto, a eficiência de um turbofan não é um assunto de nerds, mas sim uma questão de sobrevivência global.

Ao longo dos primeiros cinquenta anos da vida do turbofan, projetistas conseguiram aprimorar sua eficiência em 0,5% ao ano. Hoje, porém, estão dando saltos inovadores: a marca de 65% de eficiência está no horizonte e espécies radicalmente novas de energia estão prestes a entrar em cena. O que está levando à mudança é uma mistura de regras para a emissão de carbono e o preço do combustível. O que permite que aconteça é a tecnologia crucial da quinta onda longa: a informação.

Na memória viva das pessoas que as fabricam, pás de hélices eram forjadas em metal sólido. A partir dos anos 1960, passaram a ser fundidas — isto é, moldadas a partir do metal líquido. Mas metal fundido contém imperfeições, tornando as pás sujeitas a falhas de funcionamento.

Entra em cena uma das mais espetaculares soluções de engenharia, da qual você provavelmente nunca ouviu falar. Em 1980, engenheiros da indústria de aviação norte-americana Pratt & Whitney desenvolveram uma pá de hélice feita de um monocristal metálico formado num vácuo.[4] O resultado foi um metal com uma estrutura atômica que jamais existira antes. Uma pá de monocristal pode suportar altas velocidades. Com metais de superliga, a pá pode enfrentar um ar mais quente que seu próprio ponto de fusão. Assim, o prospecto oficial[5] para motores de aeronaves agora vê mecanismos serem acrescentados em 2015, um sistema de ventoinha aberta de formato estranho por volta de 2020 e, em algum momento depois de 2035, um motor autorrefrigerador que seria capaz de levar a eficiência térmica para perto de 100%.

A tecnologia de informação está comandando todos os aspectos dessa evolução. Motores a jato modernos são controlados por um computador que pode analisar o desempenho, prever falhas e gerenciar a manutenção. Em pleno voo, os motores mais avançados transmitem seus dados do avião à sede do fabricante em tempo real.

Vejamos agora o que a tecnologia da informação tem feito ao processo de design. Há aeronaves ainda em operação que foram projetadas no papel, submetidas a testes de pressão mediante o uso de regras de cálculo, construídas em modelos de tamanho natural desenhados na seda. Novas aeronaves são projetadas e testadas virtualmente num supercomputador. "Quando projetamos o estabilizador de cauda do caça-bombardeiro Tornado, fizemos doze diferentes testes de pressão com ele", contou-me um engenheiro veterano. "Com sua substituição pelo Typhoon, fizemos 186 milhões."

Os computadores revolucionaram também o processo de construção. Os engenheiros agora constroem cada elemento da aeronave virtualmente, usando protótipos digitais em 3-D em supercomputadores. Nesses modelos, cada parafuso de bronze tem as qualidades físicas de um parafuso de bronze, cada folha de fibra de carbono se dobra e verga como se fosse real. Cada estágio do processo de fabricação é modelado antes que seja produzido um único objeto.

O mercado global para turbofans vale 21 bilhões de dólares por ano, portanto o que se segue é uma pergunta de 21 bilhões de dólares: quanto do valor de um turbofan reside nos componentes físicos usados para fazê-lo, quanto na mão de obra necessária e quanto na informação que ele incorpora?

Você não encontrará a resposta na contabilidade: nos padrões contábeis modernos, a propriedade intelectual é avaliada por conjectura. Um estudo feito para o SAS Institute em 2013 descobriu que, numa tentativa de estabelecer um valor para os dados, nem o custo de coletá-los, nem seu valor de mercado, nem o rendimento futuro que eles possam gerar tinham condições de ser calculados adequadamente. Apenas mediante uma forma de contabilidade que incluísse benefícios e riscos não econômicos é que as empresas poderiam de fato explicar a seus acionistas o que seus dados realmente valiam.⁶

O relatório mostrava que enquanto "ativos intangíveis" estavam crescendo nos balancetes de empresas dos Estados Unidos e do Reino Unido à proporção aproximada de três vezes o índice de ativos tangíveis, o tamanho real do setor digital em números do PIB tinha permanecido estático. Portanto, algo está incongruente na lógica que usamos para avaliar a coisa mais importante na economia moderna.

No entanto, por qualquer mensuração, está claro que a mistura de insumos se alterou. Um avião parece tecnologia antiga. Mas da estrutura atômica das pás de hélices ao ciclo comprimido de design e ao fluxo de dados que ele envia ao quartel-general de sua frota, esse avião está fervilhando de informação.

Esse fenômeno, fundindo o mundo virtual e o real, pode ser visto em muitos setores: motores de automóvel cujo rendimento físico é ditado por um chip de silício; pianos digitais que podem escolher entre milhares de sons de pianos reais, dependendo da força com que você pressiona as teclas. Hoje assistimos a filmes que consistem de pixels em vez de grãos de celuloide e que contêm cenas inteiras nas quais nada de real esteve diante de uma câmera. Nas linhas de produção automotivas, cada componente tem um código de barra: o que os humanos fazem, em meio aos zumbidos e murmúrios dos robôs, é comandado e checado por um algoritmo de computador. A relação entre o trabalho físico e a informação mudou.

O grande avanço tecnológico do início do século XXI não consiste em novos objetos, mas em objetos antigos tornados inteligentes. O conteúdo de conhecimento dos produtos está se tornando mais valioso que os elementos físicos usados para produzi-los.

Nos anos 1990, à medida que o impacto da tecnologia da informação começou a ser compreendido, pessoas de várias disciplinas tiveram o mesmo pensamento de uma só vez: o capitalismo está se tornando qualitativamente diferente. Frases da moda apareceram: a economia do conhecimento, a sociedade da informação, capitalismo cognitivo. A suposição era de que aquele infocapitalismo e o modelo de livre mercado trabalhavam em conjunto; um produzia e fortalecia o outro. Para alguns, a mudança pareceu grande o bastante para concluírem que ela era tão importante quanto a passagem do capitalismo mercantil para o capitalismo industrial no século XVIII. Mas, logo que os economistas puseram-se a explicar como funciona esse "terceiro tipo de capitalismo", depararam-se com um problema: ele não funciona.

Há um crescente conjunto de evidências de que a tecnologia da informação, longe de criar um forma nova e estável de capitalismo, está dissolvendo-o: corroendo mecanismos de mercado, erodindo direitos de propriedade e destruindo a velha relação entre salários, trabalho e lucro. Quem disse isso primeiro foi uma turma desconexa de filósofos, gurus da administração e advogados.

Neste capítulo, vou examinar e apreciar criticamente suas ideias principais. Em seguida, proporei uma coisa ainda mais radical: que a tecnologia da informação está nos levando em direção a uma economia pós-capitalista.

DRUCKER: FAZENDO AS PERGUNTAS CERTAS

Em 1993, o guru da administração Peter Drucker escreveu: "O fato de o conhecimento ter se tornado *o* recurso, mais do que *um* mero recurso, é o que torna 'pós-capitalista' a nossa sociedade. Isso muda — e de um modo fundamental — a estrutura da sociedade. Cria novas dinâmicas sociais. Cria novas dinâmicas econômicas. Cria novas políticas".[7] Aos noventa anos, o último pupilo vivo de Josef Schumpeter tinha avançado um pouco o sinal, mas o insight estava correto.

O argumento de Drucker repousa na premissa de que os velhos fatores de produção — terra, trabalho e capital — tornaram-se secundários em relação à informação. Em seu livro *Post-Capitalist Society* [*Sociedade pós-capitalista*], Drucker sustentou que certas normas essenciais do capitalismo estavam sendo substituídas. Escrevendo antes que qualquer pessoa tivesse visto um navegador de internet, Drucker observou o capitalismo rico em informação dos anos 1980 e imaginou em traços amplos a economia de rede que emergiria nos vinte anos seguintes.

E é para isso que servem os visionários. Enquanto muitos ao redor dele viam um "neoliberalismo infotecnológico" como um capitalismo aperfeiçoado, Drucker se permitiu imaginar o infocapitalismo como uma transição para outra coisa. Constatou que, a despeito da retórica sobre informação, não havia teoria alguma sobre como a informação age de fato em termos econômicos. Na ausência de tal teoria, levantou uma série de questões a respeito do que uma economia pós-capitalista poderia acarretar.

Primeiro, perguntou: como incrementar a produtividade do conhecimento? Se as eras anteriores do capitalismo tinham sido baseadas na produtividade intensificada de máquinas e da força de trabalho, então a próxima deveria ser baseada na produtividade intensificada do conhecimento. Drucker conjecturava que a solução passava por conectar criativamente as diferentes disciplinas do conhecimento: "A capacidade de conectar pode ser inata e uma parte do mistério que chamamos de gênio. Mas em grande medida conectar e consequentemente ampliar o alcance do conhecimento existente, seja para um indivíduo, seja para uma equipe ou para toda uma organização, é algo que pode ser aprendido".[8]

O desafio era treinar profissionais do conhecimento para fazer o tipo de conexões que o cérebro de um Einstein faria espontaneamente. A solução de Drucker saía direto do manual de teoria da administração: metodologia, planejamento de projeto, treinamento melhor. A humanidade veio com uma solução melhor: a rede. Não foi o resultado de algum plano centralizado nem de um grupo de gerência, mas a interação espontânea de pessoas usando vias de informação e formas de organização que não existiam até 25 anos atrás. Não obstante, o foco de Drucker na "conexão" e no uso modular da informação como a chave para a produtividade foi inspirado.

Sua segunda pergunta era igualmente profunda: quem é o arquétipo social do pós-capitalismo? Se a sociedade feudal era personificada pelo cavaleiro medieval, e o capitalismo pelo burguês, então quem é, no esquema das coisas, o portador das relações sociais pós-capitalistas? É a mesma pergunta que preocupava Marx, mas a resposta de Drucker iria desalentar a maioria dos esquerdistas tradicionais, que pensam que é o proletariado. Seria, propôs Drucker, "a pessoa instruída universal".

Drucker imaginava esse novo tipo de pessoa emergindo como uma fusão das classes administrativas e intelectuais da sociedade ocidental, combinando a habilidade do administrador em aplicar conhecimento com a habilidade do intelectual com os conceitos puros. Tal indivíduo seria o oposto do polímata — aquelas raras pessoas que são simultaneamente conhecedoras de mandarim e física nuclear. Esse novo tipo de pessoa seria, ao contrário, alguém capaz de apossar-se dos produtos dos estudos de especialistas em campos específicos e empregá-los generalizadamente: aplicar a teoria do caos à economia, a genética à arqueologia, ou a prospecção de dados à história social.

Drucker clamava pela emergência de tais pessoas como o "grupo de liderança" da nova sociedade: "uma força unificadora

[...] que possa integrar tradições particulares e separadas num compromisso comum e compartilhado em relação a valores, num conceito comum de excelência, e no respeito mútuo".[9]

Desde que ele escreveu isso, tal grupo emergiu: a tecnoburguesia do início do século XXI, vestindo camiseta, com sua informação armazenada na nuvem e suas atitudes ultraliberais com relação à sexualidade, à ecologia e à filantropia vistas como a nova normalidade. Se tudo sobre o que estamos falando para os próximos cinquenta anos é uma quinta onda longa do capitalismo baseada na informação, então já temos os novos homens e mulheres que a teoria das ondas longas nos levaria a esperar. O problema é que eles não mostram interesse algum em derrubar o capitalismo, fora o escasso interesse na política em geral.

No entanto, se estamos falando de pós-capitalismo, então essa pessoa instruída universal teria que existir em grandes números e ter algum interesse oposto ao das grandes firmas hierarquizadas que dominaram o século XX. Elas teriam que lutar, como fez a burguesia, pelo novo modelo econômico e incorporar os valores deste em seu comportamento. Teriam que ser, como na abordagem materialista da história, os portadores dessas novas relações sociais no interior das antigas.

Agora olhem em volta.

No metrô de Londres, estou num vagão em que todo mundo com menos de 35 anos tem fios brancos conectando seus ouvidos a um aparelho pelo qual estão ouvindo alguma coisa que baixaram por meio de uma rede. Mesmo aqueles que obviamente estão indo para trabalhos comerciais ou administrativos têm um ar e um modo de se vestir estudadamente informais. Alguns — mesmo aqui, onde não há *wi-fi*, estão checando e-mails em seus smartphones. Ou talvez estejam entretidos em jogos, pois as ações físicas e os níveis intensos de concentração exigidos são os mesmos. Estão colados à informação digital e a primeira coisa que farão ao emergir ao nível da rua será ligar-se de novo à rede global via 3G.

Todos os outros no vagão encaixam-se num quadro demográfico do século XX: o casal idoso de classe média com seus chapéus e tweeds; o trabalhador manual com a barba por fazer lendo seu jornal; o sujeito de terno teclando em seu laptop, ocupado demais para fones de ouvido, mas que perdeu um tempo lustrando os sapatos (este sou eu).

O primeiro grupo consiste no que os sociólogos chamam de "indivíduos conectados em rede", adeptos de extrair o conhecimento de um sistema relativamente aberto e global. Eles se comportam de um modo integrado — do trabalho ao consumo, dos relacionamentos à cultura. Trinta anos depois do famoso brado de Stewart Brand de que "a informação deseja ser livre", eles acreditam instintivamente que, sob circunstâncias normais, ela *deveria* ser livre. Eles pagam por suas drogas numa danceteria, mas ainda consideram uma imposição ter de pagar para baixar música.

Esse grupo já é tão grande e bem definido que em algumas metrópoles — Londres, Tóquio, Sydney — são os tipos do século XX que compõem a minoria: ainda consultando mapas analógicos em vez de GPS, ainda confusos diante das opções de café disponíveis no Starbucks, intimidados e fascinados pelos estilos de vida voláteis que o outro grupo vê como normais.

Os indivíduos conectados em rede do início do século XXI — o "povo do fio branco" — correspondem exatamente ao tipo de pessoa que Drucker esperava que emergisse: a pessoa instruída universal. Não estão mais confinados a um nicho tecnodemográfico. Qualquer barista, ou funcionário administrativo, ou advogado estagiário pode se tornar, se quiser, uma pessoa instruída universal — desde que tenha uma educação básica e um smartphone. Na verdade, com a ascensão da internet móvel, os estudos mais recentes mostram que até mesmo operários fabris chineses se tornaram

— em face de uma disciplina severa e de longas horas de trabalho
— pessoas avidamente conectadas durante suas horas livres.[10]

Uma vez entendido de que maneira a informação se comporta como um recurso econômico, e quem é o novo arquétipo social, avançamos no caminho de compreender como a transição para o pós-capitalismo *poderia* ocorrer. Mas isso ainda deixa em aberto a pergunta: por que isso *deveria* ocorrer? As respostas de Drucker são especulativas, mas fornecem os primeiros vislumbres da armação sobre a qual uma rigorosa teoria do pós-capitalismo teria que se basear.

Drucker divide a história do capitalismo industrial em quatro fases: uma revolução mecânica durante a maior parte do século XIX; uma revolução na produtividade com o advento da administração científica nos anos 1890; uma revolução gerencial depois de 1945, impulsionada pela aplicação do conhecimento a processos econômicos; e finalmente uma revolução da informação, baseada na "aplicação do conhecimento ao conhecimento".

Drucker, discípulo de Schumpeter, estava usando conscientemente aqui os longos ciclos de Kondratiev (embora fundindo os dois primeiros), mas vistos do ponto de vista da empresa individual. Isso leva à observação mais profunda de Drucker: de que nenhum desses pontos de inflexão pode ser apreendido sem compreendermos o funcionamento econômico do trabalho. De Virgílio a Marx, argumentava ele, ninguém se preocupou em estudar o que o agricultor ou o operário fabril fazia no seu dia a dia. Somente no final do século XIX os capitalistas notaram o que seus trabalhadores estavam fazendo de fato e tentaram mudar isso.

"Ainda não há uma história do trabalho", queixou-se Drucker e, 25 anos depois, a história do trabalho permanece subexplorada. A teoria econômica do mercado de trabalho continua concentrada no desemprego e nos índices de remuneração, ocupando um status inferior na academia. Mas, quando compreendemos o que a informação está ocasionando ao trabalho, às fronteiras entre trabalho e tempo livre, bem como aos salários, a escala da mudança que estamos atravessando fica evidente. No fim, Drucker nos deixou uma série de perguntas. Eram as perguntas certas, mas 25 anos depois ainda não temos uma teoria sintética do infocapitalismo, muito menos do pós-capitalismo. No entanto, o pensamento econômico dominante chegou perto, acidentalmente, de descobrir uma.

INFOBENS MUDAM TUDO

Em 1990, o economista norte-americano Paul Romer explodiu uma das suposições básicas do pensamento econômico moderno e, no processo, lançou a questão do infocapitalismo na corrente dominante.

Em sua busca por um modelo que pudesse prever a taxa de crescimento de um país, economistas haviam sempre listado vários fatores: poupança, produtividade, crescimento da população. Sabiam que a mudança tecnológica influenciava todos esses fatores, mas assumiam, para os propósitos do modelo, que ela era "exógena" — externa a seu modelo — e, portanto, irrelevante para a equação que estavam tentando formular. Então, num texto intitulado "Mudança tecnológica endógena", Romer reordenou todo o raciocínio.[11] Demonstrou que, uma vez que a inovação é impulsionada por forças de mercado, não pode ser tratada como acidental ou externa ao crescimento econômico, mas deve ser uma parte intrínseca ("endógena") dele. A inovação em si deve ser situada no interior da teoria do crescimento: seu impacto é previsível, não aleatório.

Mas, além de acrescentar uma clara peça de álgebra a respeito do capitalismo em geral, Romer tinha aparecido com uma proposição específica ao infocapitalismo, com implicações revolucionárias. Ele definiu a mudança tecnológica de um modo deliberadamente simples, como um "aperfeiçoamento das instruções para combinar matérias-primas". Isto é, ele separou coisas e ideias — pois é isso que são "instruções". A informação, para Romer, é como um esquema ou receita para fazer algo, seja no mundo físico ou no mundo digital. Isso levava ao que ele chamou de uma nova premissa fundamental: "Instruções para trabalhar com matérias-primas são inerentemente diferentes de outros bens econômicos".[12]

Um produto de informação é diferente de todas as commodities físicas produzidas até então. E uma economia primordialmente baseada em produtos de informação se comportará de modo diferente de uma baseada em fabricar coisas e fornecer serviços. Romer explicou por quê: "Uma vez coberto o custo de criar um novo conjunto de instruções, as instruções podem ser usadas de novo e de novo sem custo adicional algum. Desenvolver instruções novas e melhores é equivalente a incorrer num custo fixo".[13]

Em um parágrafo Romer tinha sintetizado o potencial revolucionário do pequeno gesto que eu acabara de fazer para tirar essa citação de um PDF e inseri-la neste livro: *copy/paste*. Assim como copiar e colar um parágrafo, você pode fazer o mesmo com uma faixa musical, um filme, o projeto de um motor turbofan e a maquete da fábrica que vai produzi-lo.

Se é possível copiar e colar alguma coisa, isso significa que ela pode ser reproduzida de graça. Ela tem, em linguagem econômica, "custo marginal zero".

Os infocapitalistas têm uma solução para isso: tornar legalmente impossível copiar certos tipos de informação. Por exemplo, posso citar Romer de graça neste livro, baixando o PDF de seu famoso texto de 1990, que me custou 16,80 dólares no website acadêmico JSTOR. Se tentasse copiar e colar o projeto de um motor turbofan, eu poderia acabar na cadeia.

Mas os direitos de propriedade intelectual são notoriamente confusos: posso copiar legalmente um CD que possuo na minha pasta no iTunes, mas é ilegal ripar* um DVD. As leis do que se pode ou não copiar não são claras. São impostas tanto socialmente como pela lei e, assim como as patentes da era pré-digital, caducam com o tempo.

Se você está tentando "possuir" um item de informação, seja você uma banda de rock ou um fabricante de turbofan, seu problema está no fato de que esse item não se deteriora com o uso, fora que alguém consumi-lo não impede outra pessoa de fazer o mesmo. Economistas chamam isso de "não rivalidade". Uma palavra mais simples seria "compartilhável".

Com bens puramente físicos, o consumo por uma pessoa geralmente impede seu uso por outra: é o meu cigarro, não seu; meu carro alugado, meu cappuccino, minha meia hora de psicoterapia. Não dos outros. Mas, com uma faixa de mp3, a informação é a commodity. Ela pode existir tecnicamente em muitas formas físicas e numa escala tão pequena que me permite carregar por aí, num *flash drive* de duas polegadas, também conhecido como iPod, todas as músicas que já adquiri na vida.

Uma vez que uma commodity é "não rival", o único modo de defender sua propriedade é mediante o que os economistas chamam de "exclusão". Assim, você pode ou colocar no software um dispositivo que torna impossível copiá-lo — como com um DVD — ou pode tornar ilegal a sua cópia. Mas, faça o que fizer para proteger a informação — inserir um bug de bloqueio, criptografá-la, prender o camelô que vende DVD pirata —, permanece o fato de que a informação em si segue sendo reproduzível e compartilhável, a um custo insignificante.

---

* "Ripar" (do verbo inglês "*to rip*") é, resumidamente, converter áudio e/ou imagem de um suporte físico (CD ou DVD) para outros meios, copiáveis e compartilháveis digitalmente. (N. T.)

Isso tem implicações importantes para o modo como o mercado opera. Economistas da corrente dominante partem da premissa de que o mercado promove competição e que imperfeições — tais como monopólios, patentes, sindicatos, cartéis que fixam preços — são sempre temporárias. Partem também da premissa de que as pessoas no mercado dispõem de informações perfeitas. Romer mostrou que, quando a economia se compõe de bens de informação compartilháveis, a competição imperfeita torna-se a norma.

O estado de equilíbrio de uma economia infotecnológica ocorre quando os monopólios dominam e as pessoas têm acesso desigual à informação de que precisam para tomar decisões racionais de compra. A infotecnologia, em suma, destrói o mecanismo normal de preços, em que a competição faz os preços baixarem em direção aos custos de produção. Custa quase zero armazenar uma faixa do iTunes no servidor da Apple, e quase nada também transmiti-la para o meu computador. Não importa quanto tenha custado à empresa gravadora para produzi-la (em termos de remuneração de artistas e gastos de marketing), ela me custa 99 pence (centésimos de libra esterlina) simplesmente porque é ilegal copiá-la de graça.

A interação entre oferta e procura não entra no preço de uma faixa do iTunes: a oferta de "Love Me Do", dos Beatles, no iTunes é infinita. E, diferentemente do que acontece com os discos físicos, o preço tampouco muda com as flutuações da demanda. O direito legal absoluto da Apple de cobrar 99 pence é o que estabelece o preço.

Para dirigir um negócio multibilionário baseado na informação, a Apple não conta apenas com a lei de copyright, mas construiu todo um jardim murado de tecnologias caras que trabalham em conjunto — o Mac, o iTunes, o iPod, a iCloud, o iPhone e o iPad — com o objetivo de tornar mais fácil para nós obedecer à lei do que transgredi-la. Como resultado, o iTunes domina as vendas digitais globais de música, com cerca de 75% do mercado.[14] Com o infocapitalismo, um monopólio não é apenas uma tática esperta para maximizar o lucro. É o único meio de uma indústria sobreviver. O escasso número de empresas que dominam cada setor é impressionante. Em setores tradicionais tem-se geralmente de quatro a seis grandes *players** em cada mercado: as quatro grandes firmas de contabilidade; quatro ou cinco grandes grupos de supermercados; quatro grandes fabricantes de turbofan. Mas as marcas distintivas da infotecnologia precisam de predominância total: o Google precisa ser a única empresa de busca; o Facebook tem que ser o único lugar onde você constrói sua identidade on-line; o Twitter, o único em que você posta suas ideias; o iTunes, a loja de música on-line obrigatória. Em dois mercados-chave — buscas on-line e sistemas operacionais móveis — há uma briga de vida ou morte entre duas firmas, com o Google vencendo ambas atualmente.

Até termos bens de informação compartilháveis, a lei básica da economia era de que tudo é escasso. Oferta e procura pressupõem a escassez. Agora certos bens não são escassos, mas sim abundantes — de modo que oferta e procura tornam-se irrelevantes. A oferta de uma faixa do iTunes é, em última instância, um arquivo de um servidor sediado em Cupertino (cidade da Apple), tecnicamente compartilhável por todo mundo. Somente a lei de propriedade intelectual e um pequeno dispositivo de código inserido na faixa do iTunes impedem todos os habitantes do globo de se apropriar de todas as obras musicais já gravadas. A diretriz da Apple, com todas as letras, é impedir a abundância de música.

---

* *Players*: literalmente, jogadores. Optou-se por manter a expressão no original, dado seu uso corrente nos meios econômicos no Brasil, com o sentido de "atores" ou "participantes" do jogo de mercado. (N. T.)

Assim, a nova teoria de Romer foi simultaneamente uma má notícia para o pensamento econômico dominante e uma notícia tranquilizadora para os gigantes emergentes do infocapitalismo. Ela amarrou numa explicação única muitas das anomalias que o pensamento econômico convencional havia se esforçado para explicar. E forneceu uma justificativa tácita para a posição de mercado dos monopólios tecnológicos. O jornalista David Warsh resumiu o impacto da nova teoria:

> As categorias fundamentais da análise econômica deixam de vigorar do modo como vigoraram por duzentos anos: terra, mão de obra e capital. Essa classificação extremamente elementar foi suplantada por pessoas, ideias e coisas [...]. O princípio familiar da escassez é acrescido do importante princípio da abundância.[15]

Com a publicação do artigo de Romer em 1990, o mundo dos economistas começou então a cantar "Aleluia"? Não, não começou. Romer foi recebido com hostilidade e indiferença. Críticos do pensamento econômico dominante, Joseph Stiglitz à frente, vinham dizendo havia anos que suas premissas gerais — de informação perfeita e mercados eficientes — estavam erradas. Agora Romer, trabalhando dentro da corrente dominante e usando seus métodos, tinha liquidado a defesa conservadora contra tais críticas. Pois a pesquisa de Romer mostrara que, uma vez que passamos a uma economia da informação, o mecanismo de mercado para estabelecimento de preços levará o custo marginal de certos produtos, com o tempo, em direção a zero — erodindo lucros no processo.

Em resumo, a tecnologia da informação está corroendo a operação normal do mecanismo de preços. Isso tem implicações revolucionárias para tudo, conforme se verá no restante deste livro.

Se tivessem entendido o capitalismo como um sistema finito, Romer e seus apoiadores talvez pudessem ter explorado as imensas implicações dessa constatação — mas não o fizeram. Partiram do pressuposto de que a economia era, como nos manuais, composta daqueles que estabelecem os preços e daqueles que os aceitam: indivíduos racionais tentando perseguir seu autointeresse através do mercado.

Aqueles que conseguiam ver o quadro mais amplo não se encontravam no mundo dos economistas profissionais, mas entre os visionários da tecnologia. No final dos anos 1990 eles tinham começado a compreender o que Romer não compreendera: que a tecnologia da informação torna possível uma economia que não é de mercado e cria um segmento demográfico preparado para perseguir seu autointeresse mediante ações que não são de mercado.

A ASCENSÃO DO CÓDIGO ABERTO

Há uma chance de que você esteja lendo isto num tablet: num Kindle, Nexus ou iPad. Eles raramente pifam e você nem sonharia em programá-los, mas mesmo assim eles não deixam de ser computadores. O chip num iPad Air tem 1 bilhão de transistores gravados numa minúscula peça de silício — é o equivalente ao poder de processamento de 5 mil computadores de mesa de trinta anos atrás.[16]

A camada básica de software necessária para que um iPad funcione é o sistema operacional: ios. A computação hoje em dia é tão fácil que mal somos capazes de compreender o desafio que os sistemas operacionais representavam para os pioneiros nos anos 1970. Nos primeiros anos de software, começou uma guerra em torno de sistemas operacionais, que entrou em espiral e se tornou uma guerra em torno de quem deve, ou pode, ter a propriedade da informação.

Durante os primeiros trinta anos, computadores eram grandes e raros, e a computação tinha lugar em empresas e universidades. Quando os PCs de mesa foram inventados, em meados da década de 1970, eram pouco mais que uma montagem de placas eletrônicas e uma tela. E as corporações não as construíam: quem as construía eram os diletantes, os que faziam aquilo por hobby.

O Altair 8800 foi uma máquina revolucionária, vendida por meio de anúncios em revistas para uma subcultura de aficionados que queriam aprender a programar. Era necessária uma linguagem de programação para que o computador fizesse o que você queria, e dois sujeitos de Seattle apareceram com uma: Altair BASIC, distribuída num rolo de papel com buracos perfurados, ao preço de duzentos dólares. Mas logo eles perceberam que as vendas da linguagem estavam ficando para trás em relação às vendas do computador. Usuários estavam copiando e distribuindo de graça os rolos de papel perfurado. Numa raivosa "Carta Aberta", o autor do software os instava a expulsar os piratas das reuniões de clubes de computadores e a pagar pelo programa: "A maioria de vocês rouba o software que usa. [Vocês acreditam que] o hardware deve ser pago, mas o software é algo que pode ser compartilhado. Ninguém se importa se as pessoas que trabalharam nele recebem pagamento ou não".[17]

O autor era Bill Gates, e ele logo apareceu com uma solução: deter a propriedade dos sistemas operacionais, bem como a da linguagem de programação. Gates projetou o Windows, que se tornou o sistema operacional padrão em PCs. Logo o Windows constituiu um quase monopólio do computador de mesa integrado, e Gates tornou-se um bilionário. Sua "Carta Aberta" ficaria como o segundo documento mais importante da história da economia digital.

Eis agora um trecho daquele que considero o documento mais importante:

Se alguma coisa merece uma recompensa, é a contribuição social. A criatividade pode ser uma contribuição social, mas somente se a sociedade for livre para usar os resultados. Extrair dinheiro de usuários de um programa restringindo seu uso é destrutivo, porque as restrições reduzem a extensão e os modos como o programa pode ser usado. Isso reduz a quantidade de riqueza que a humanidade aufere do programa.[18]

Assim dizia Richard Stallman no *Manifesto GNU*, que lançou o movimento pelo software livre em 1985. Stallman havia se aborrecido não apenas com a Microsoft, mas também com a tentativa de fabricantes de computadores comerciais muito mais poderosos de "deter a propriedade" de um sistema operacional rival chamado Unix. O plano dele era escrever uma versão gratuita do Unix, chamada GNU, distribuí-la de graça e convidar entusiastas a colaborar para o seu aperfeiçoamento — com a ressalva de que ninguém poderia ganhar dinheiro com isso. Esses princípios ficaram conhecidos como "Código Aberto".

Em 1991, a GNU tinha incorporado o Linux — uma versão do Unix para PCs desenvolvida por centenas de programadores trabalhando colaborativamente, gratuita e licenciada sob o contrato legal original que Stallman havia concebido.

Avancemos a fita até 2014 e talvez 10% de todos os computadores integrados estão usando Linux. Todos os dez supercomputadores mais rápidos do mundo usam Linux. Mais importante que isso: as ferramentas-padrão para fazer funcionar um website — do sistema operacional ao servidor de internet, da base de dados à linguagem de programação — são de Código Aberto.

O Firefox, um navegador de Código Aberto, tem hoje cerca de 24% do mercado global de navegadores.[19] Impressionantes 70% de todos os smartphones utilizam o Android, que é também, tecnicamente, de Código Aberto.[20] Isso se deve em parte a uma estratégia explícita da Samsung e do Google de usar software de Código Aberto para solapar o monopólio da Apple e manter sua própria posição de mercado, mas isso não altera o fato de que o smartphone hegemônico no planeta funciona com software do qual ninguém pode ser proprietário.

O sucesso de softwares de Código Aberto é notável. Ele demonstra que novas formas de propriedade e gestão tornam-se não apenas possíveis, mas imperativas numa economia rica em informação. Mostra que há coisas relacionadas a bens de informação que nem mesmo os monopólios podem monopolizar.

De acordo com a teoria econômica convencional, uma pessoa como Richard Stallman não deveria existir: ele não está perseguindo seu autointeresse, e sim eliminando-o em favor de um interesse coletivo que é não apenas econômico, mas moral.

De acordo com a teoria de mercado, são aqueles motivados pela busca da propriedade privada que deveriam ser os inovadores mais eficazes. Segundo o pensamento econômico dominante, grandes corporações como o Google deveriam estar fazendo o que Bill Gates fez: tomando posse de tudo e tentando destruir os softwares de Código Aberto. O Google é uma obstinada empresa capitalista, mas, em defesa de seu próprio interesse, é obrigada a brigar para que certos padrões sejam abertos e certos softwares sejam livres. O Google não é pós-capitalista — mas, enquanto mantiver o Android de Código Aberto, ele será obrigado a agir de um modo que prefigura formas não capitalistas de propriedade e troca, mesmo que, conforme está investigando a União Europeia, esteja usando essa posição para cavar uma hegemonia.

O nascimento do software livre e a busca por projetos colaborativos de software nos anos 1980 foram apenas os primeiros disparos de uma guerra que ainda está em pleno curso, e cujo campo de batalha é fluido. O movimento do Código Aberto também deu ímpeto a um movimento pela liberdade de informação, à

Wikipédia, ao WikiLeaks e a todo um ramo profissional do direito dedicado à escrita de contratos que pudessem defender a abertura e a possibilidade de compartilhamento.

Foi no interior desse ambiente, no final da década de 1990, que teve lugar a primeira reflexão sistemática sobre uma pergunta óbvia para Drucker, mas não tanto para Romer: poderia uma economia baseada em redes de informação criar um *novo modo de produção* fora do capitalismo?

PATINANDO NA BEIRA DO CAOS

Há um som, hoje esquecido, que permanecerá gravado na memória das gerações nascidas antes de 1990: um zumbido agudo, que flutua e em seguida se dissolve numa série de estalidos, pontuados por duas vibrantes notas graves. É o som de conexão por um modem de discagem telefônica.

Quando o ouvi pela primeira vez em algum momento dos anos 1980, estava tentando me conectar ao Compuserve: uma rede privada que oferecia e-mail, transferências de arquivos e uma grande comunidade de murais informativos. Era um mundo só de palavras — em preto e branco. Mesmo na época já transbordava de fúria, subversão e pornografia.

Em 1994, deixei o Compuserve e entrei na Easynet, um dos primeiros provedores de serviços da internet: mesma tecnologia, cenário diferente. Agora, proclamava o manual, eu tinha acesso "a todo o sistema viário, não apenas a um posto de beira de estrada". Aquilo dava acesso à World Wide Web (rede de extensão mundial), um sistema para encontrar qualquer coisa disponível nos computadores conectados do mundo todo.

Não havia muita coisa ali. Meu computador do local de trabalho estava conectado apenas aos outros computadores no prédio da empresa editorial Reed Elsevier. Quando tentamos escrever nossa primeira página na rede, o departamento de informática se recusou a nos deixar armazená-la no servidor "deles", que era para fazer a folha de pagamentos. Não havia e-mail no meu Mac do local de trabalho, nem acesso à rede. Os computadores eram para processamento de dados e estávamos conectados uns aos outros apenas para tarefas específicas.

Como foi visionário, então, o jornalista norte-americano Kevin Kelly, ao escrever isto em 1997:

> A grande ironia de nosso tempo é que a era dos computadores terminou. Todas as principais consequências dos computadores isolados já aconteceram. Os computadores aceleraram um pouco a nossa vida, e só. Em contraste, todas as mais promissoras tecnologias que fazem agora sua estreia devem-se predominantemente à comunicação entre computadores, isto é, às conexões, mais do que à computação.[21]

O artigo de Kelly na *Wired* provocou um momento de iluminação para a minha geração. Até então tudo — os disquetes de cinco polegadas para o computador mainframe da universidade, as telas verdes dos primeiros Amstrads, os estalidos e zumbidos do modem — tinha sido apenas o prólogo. De repente, uma economia de rede começava a tomar forma. Kelly escreveu: "Prefiro o termo economia de rede, porque a informação não é suficiente para explicar as descontinuidades que estamos presenciando. Fomos engolfados por uma sempre crescente maré de informação ao longo do último século [...], mas só recentemente uma reconfiguração total da própria informação alterou a economia como um todo".[22]

Pessoalmente, Kelly não era nenhum arauto do pós-capitalismo. A bem da verdade, seu livro *New Rules for the New Economy* [Novas Regras para a Nova Economia] era um esbaforido manual de sobrevivência para velhas empresas no momento em que elas tentavam se ajustar ao mundo interconectado. Mas sua contribuição foi importante. Foi o momento em que começamos a compreender que a "máquina inteligente" não era o computador, mas a rede, e que a rede iria acelerar o ritmo da mudança e torná-la imprevisível. Numa declaração que define nossa era, Kelly disse: "Estamos agora envolvidos num grandioso esquema para aumentar, amplificar, intensificar e estender as relações e comunicações entre todos os seres e todos os objetos".[23]

Os marcos entre aquele momento e hoje são o lançamento do eBay (1997), que levou ao boom pontocom. Ao primeiro laptop equipado com conexão *wi-fi* (um Mac), em 1999. À difusão da internet banda larga, que estava sempre ligada e era dez vezes mais rápida que a conexão discada (2000). À expansão, a partir de 2001, das telecomunicações 3G, que tornaram possível a internet móvel. Ao lançamento da Wikipédia, em 2001. Ao súbito advento de ferramentas digitais baratas e padronizadas, batizado de Web 2.0, em 2004.

Àquela altura, programas e dados começavam a ficar na rede, em vez de em computadores individuais; as atividades arquetípicas tornaram-se a busca, a autopublicação e a interação, inclusive através de jogos on-line de muitos bilhões de dólares.

Então veio o lançamento de redes sociais como MySpace (2003), Facebook (2004) e Twitter (2006); e o lançamento do iPhone (2007), o primeiro smartphone de verdade. O iPad e o Kindle no mesmo ano provocaram o rápido crescimento da publicação de e-books, cujo valor subiu de menos de 1,5 bilhão de dólares em 2009 para 15 bilhões de dólares em todo o mundo (2015). As vendas de desktops foram superadas pelas de notebooks em 2008. O primeiro Android da Samsung foi lançado em 2009.[24]

Enquanto isso, na computação de ponta, o primeiro computador a atingir um quatrilhão de cálculos por segundo foi um IBM, em 2008. Em 2014, o Tianhe-2, na China, utilizando o Linux, pôde fazer 33 quatrilhões. Em termos de armazenamento de dados, 2002 foi o ano em que o volume de informação digital no mundo ultrapassou o total de informação analógica. Entre 2006 e 2012, a produção anual de informação da humanidade cresceu dez vezes.[25]

É difícil dizer exatamente onde estamos numa revolução tecnológica, mas meu palpite é que a chegada simultânea de tablets, de vídeo e música em streaming e a decolagem da mídia social entre 2009 e 2014 serão vistas como um momento-chave de sinergia. A difusão de bilhões de conexões de máquina para máquina, conhecida como a "Internet das Coisas", povoará nos próximos dez anos a rede de informação global com mais dispositivos inteligentes do que o número de habitantes do planeta.

Presenciar tudo isso já era empolgante o suficiente. Ainda mais empolgante hoje é observar um garoto que ganha seu primeiro smartphone e vê tudo aquilo — Bluetooth, GPS, 3G, *wi-fi*, vídeo em streaming, fotografia em alta definição e monitor de frequência cardíaca — como se tivesse existido desde sempre.

A economia de rede emergiu e se tornou social. Em 1997, apenas 2% da população mundial tinha acesso à internet. Hoje esse índice chega a 38%, e no mundo desenvolvido a 75%. Há atualmente 96 contas de telefone celular para cada cem pessoas no mundo, e 30% dos habitantes da Terra têm um celular com tecnologia 3G (ou melhor). O número de linhas de telefone fixo por pessoa está caindo.[26]

No intervalo de uma década, a rede passou a permear nossa vida. Um adolescente comum com um smartphone está levando uma vida psicologicamente mais conectada do que o mais aplicado nerd de quinze anos atrás.

Quando Romer e Drucker deram suas contribuições no início da década de 1990, a questão era ainda o impacto de máquinas inteligentes. Hoje entendemos implicitamente que a rede é a máquina. E, na medida em que os softwares e dados se deslocaram para dentro da rede, o debate sobre o impacto econômico da tecnologia da informação também começou a dirigir seu foco para a rede.

Em 1997, Kelly proclamou a existência de uma nova ordem econômica emergente com três características principais: "Ela é global. Ela privilegia coisas intangíveis — ideias, informações e relações. E é intensamente interligada. Esses três atributos produzem um novo tipo de mercado e sociedade".[27] Kelly aceitava como lugar-comum o que Romer enxergara como novo sete anos antes: a tendência da tecnologia da informação a tornar mais baratos dados e produtos físicos, de tal modo que o custo marginal de produzi-los tende a zero. Mas tranquilizava seus leitores: havia um contrapeso à oferta infinita e à queda de preços, a saber, a demanda infinita. "A tecnologia e o conhecimento estão puxando para cima a demanda mais rapidamente do que puxam os preços para baixo [...]. A extensão das necessidades e desejos humanos só é limitada pela imaginação humana, o que significa, em termos práticos, que não há limite."[28]

A solução, disse Kelly, era inventar novos bens e serviços mais rápido do que eles pudessem resvalar pela curva da desvalorização. Em vez de tentar defender preços, era preciso aceitar que eles iriam despencar com o tempo, mas construir um negócio no hiato entre um e zero. Era preciso, alertava ele, "patinar até a beira do caos", explorar o conhecimento gratuito que os usuários doam quando interagem com websites. No final dos anos 1990, o consenso entre os que compreendiam o problema era de que o capitalismo sobreviveria porque a inovação iria neutralizar o efeito de rebaixamento de preços trazido pela tecnologia. Mas em nenhum lugar Kelly explorou o que poderia acontecer caso isso falhasse.

Então veio o colapso do pontocom. A queda espetacular da Nasdaq, iniciada em abril de 2000, mudou a percepção da geração que forcejara com os modems discados e ficara rica. Na esteira do desastre, John Perry Barlow, um ativista dos direitos cibernéticos que perdera 95% do seu dinheiro, chegou à dura conclusão: "Toda essa coisa do pontocom foi um esforço de usar conceitos de economia dos séculos XIX e XX num contexto em que eles não existiam, e a internet essencialmente os descartou. Isso foi um ataque de uma força alienígena repelido pelas forças naturais da internet". E ele indicava para onde o debate poderia ir em seguida. "A longo prazo, será muito bom para os pontocomunistas."[29]

UM NOVO MODO DE PRODUÇÃO?

Em 2006, Yochai Benkler, na época professor de direito em Yale, concluiu que a economia de rede era "um novo modo de produção emergindo no meio das economias mais avançadas do mundo".[30] Benkler vinha tentando definir um arcabouço legal para difusão de publicações no sistema de Código Aberto, conhecida como "Creative Commons". Em *The Wealth of Networks* [A riqueza das redes], ele descreveu as forças econômicas que estavam minando a propriedade intelectual, causando a proliferação de modelos de propriedade comum e de produção não controlada.

Primeiro, disse ele, a ascensão do poder barato de computação física e das redes de comunicação tinha colocado os meios de produção de bens intelectuais nas mãos de muita gente. As pessoas podem blogar, fazer filmes e distribuí-los, publicar seus próprios e-books — em alguns casos conquistando milhões de leitores antes que as editoras tradicionais sequer saibam da existência dos autores: "O resultado é que muito mais coisas que os seres humanos valorizam podem agora ser feitas por indivíduos que interagem uns com os outros socialmente, como seres humanos e seres sociais, e não como atores de mercado mediante o sistema de preços".[31]

Isso, raciocinava ele, leva à emergência de mecanismos que não são de mercado: ação descentralizada de indivíduos trabalhando por meio de formas de organização cooperativas e voluntárias. Estão se produzindo novas formas de economia "de igual para igual", nas quais o dinheiro ou está ausente ou não é a medida principal de valor. A Wikipédia é o melhor exemplo. Fundada em 2001, a enciclopédia escrita colaborativamente tem, no momento em que escrevo, 26 milhões de páginas e 24 milhões de pessoas registradas como colaboradoras e editoras — com cerca de 12 mil pessoas editando regularmente e 140 mil participando eventualmente.[32] A Wikipédia tem 208 empregados.[33] Os milhares de pessoas que a editam fazem isso de graça. Uma pesquisa descobriu que 71% delas o fazem por gostar da ideia de trabalhar a troco de nada e 63% porque acreditam que a informação deveria ser livre.[34] Com 8,5 bilhões de visualizações de páginas por mês, o site da Wikipédia é o sexto mais popular do mundo — logo acima da Amazon, a mais bem-sucedida empresa de e-commerce do planeta.[35] Segundo uma estimativa, se fosse gerida como um site comercial, a renda bruta da Wikipédia poderia ser de 2,8 bilhões de dólares por ano.[36]

No entanto, a Wikipédia não produz lucro nenhum. E, ao fazer isso, ela torna quase impossível a qualquer outra pessoa lucrar no mesmo espaço. Além do mais, é um dos mais valiosos recursos de aprendizado já inventados e tem (até agora) desafiado todas as tentativas de censura, distorção, "trollagem" e sabotagem, porque o poder de dezenas de milhões de olhos humanos é maior do que qualquer governo, espião, grupo de interesse ou sabotador pode enfrentar.

O princípio em que se baseia o funcionamento da Wikipédia é o mesmo que os programadores pioneiros do Código Aberto usaram na GNU e no Linux, mas aplicado a um produto de consumo de massa. Quando visitamos o site da Amazon e compramos uma câmera ou um livro, nossas escolhas registradas ajudam outros usuários a escolher. Na teoria econômica, isso é chamado de "externalidade positiva" — um benefício econômico não intencional.

Com a Amazon, é a corporação que colhe a maior parte dos benefícios, na forma de poder de compra e venda incrementado. Com a Wikipédia, só existe um benefício humano: nenhuma criança terá que sentar de novo numa biblioteca de cidadezinha, como eu fiz, perdida num labirinto de conhecimento medíocre e aleatório, aprisionado por sua vez para sempre em folhas de papel que jamais podem ser atualizadas e corrigidas sem a impressão de um livro completamente novo.

Benkler extrai a lição econômica de um fenômeno como a Wikipédia: a de que a rede torna possível organizar a produção de modo descentralizado e colaborativo, sem usar nem o mercado nem a hierarquia gerencial.

Economistas gostam de demonstrar a natureza arcaica de planejamento de comando com jogos mentais como "imagine se a União Soviética tentasse criar o Starbucks". Agora, eis um jogo mais intrigante: imagine se a Amazon, a Toyota ou a Boeing tentassem criar a Wikipédia.

Sem a produção colaborativa e o Código Aberto, haveria apenas duas maneiras de fazer isso: usando ou o mercado ou as estruturas de comando de uma corporação. Uma vez que há uns 12 mil escritores e editores ativos da Wikipédia, você poderia contratar esse número, e talvez se beneficiar do fato de alguns deles serem trabalhadores terceirizados das economias superexploradoras de trabalho do mundo, controladas por uma camada gerencial mais bem paga no sul dos Estados Unidos. Então poderia incentivá-los a escrever a melhor enciclopédia possível na rede. Você lhes daria metas, bônus, promoveria o trabalho em equipe por meio de círculos de qualidade etc.

Mas você não conseguiria produzir nada tão dinâmico quanto a Wikipédia. Fazer uma corporação de 12 mil funcionários produzir 26 milhões de páginas de Wikipédia seria tão fora de propósito quanto a União Soviética tentando criar sua própria versão do Starbucks. Uma fundação com 208 empregados sempre faria melhor. E, mesmo que você pudesse produzir algo tão bom quanto a Wikipédia, teria de enfrentar um enorme problema: a própria Wikipédia, seu maior concorrente, faz isso tudo de graça. Então talvez, em lugar de usar uma corporação para trazer à existência uma Wikipédia, você pudesse tentar usar forças de mercado para fazê-la existir. Afinal de contas, a escola de economia não nos ensina que o mercado é o sistema mais eficiente?

Talvez as pessoas pagassem pequenas quantias de dinheiro por pequenos nacos de conhecimento, ao mesmo tempo estando confortáveis com a ideia de que a informação permanece gratuita no domínio público. Talvez os acadêmicos, amadores e entusiastas que escrevem as páginas ficassem contentes em receber uma pequena quantia de dinheiro por contribuição.

Isso, na verdade, está mais de acordo com o que acontece de fato — mas não é dinheiro que os participantes estão intercambiando. Eles estão na prática trocando presentes. E, conforme os antropólogos perceberam há muito tempo, os presentes são apenas o símbolo físico de algo mais intangível: chame-o de benevolência ou felicidade.

A Wikipédia, como o Linux, é radical em dois sentidos. Primeiro, na natureza comunal do que é produzido: é livre para o uso, mas impossível de ser tomado, possuído ou explorado. Segundo, na natureza cooperativa do processo de produção: ninguém num escritório central decide sobre o que serão as páginas; os empregados da Wikipédia simplesmente regulam os padrões de criação e edição e defendem a plataforma como um todo contra a erosão por hierarquias de propriedade e gestão.

Benkler define isso como "produção por parceiros numa base comunal" — e o conceito desafia um pouco mais as certezas da teoria econômica dominante. Nada mudou quanto à humanidade. Só que nosso desejo humano de fazer amigos, de construir relacionamentos baseados em confiança e obrigações mútuas, satisfazendo necessidades emocionais e psicológicas, transbordou para a vida econômica.

No preciso momento da história em que se tornou possível produzir coisas sem o mercado ou a empresa, números significativos de pessoas passaram a fazê-lo.

Em primeiro lugar, o barateamento da potência dos computadores e do acesso à rede coloca a capacidade de produzir bens de informação nas mãos de muitas pessoas, não dos poucos. Depois, você precisa do que Benkler chama de "modularidade planejada": isto é, uma tarefa é desmembrada em partes pequenas o bastante para que as pessoas a completem por conta própria e em seguida submetam o resultado a uma rede mais ampla. Uma página da Wikipédia é um exemplo perfeito: adicionar um fragmento de informação ou deletar uma informação errada é uma tarefa modular que pode ser feita num banco de ônibus londrino com um smartphone, ou de um PC num cibercafé de uma favela de Manila.

Para Benkler, portanto, tecnologia barata e formas modulares de produção levaram-nos rumo ao trabalho colaborativo, fora do mercado. Não é uma moda passageira, argumenta ele, "mas um padrão sustentável de produção humana". Embora use as palavras "novo modo de produção", Benkler não diz que seja algo diferente de capitalismo. Sustenta, em vez disso, que levará a uma forma de capitalismo radicalmente diferente e mais sustentável. Ele prevê a redistribuição de riqueza e poder das empresas e elites dominantes para uma mistura mais ampla de indivíduos, redes de parceria e empreendimentos que possam se adaptar à nova situação.

O problema é que Benkler está descrevendo as novas formas

de infocapitalismo sem descrever sua dinâmica, que é necessariamente contraditória.

A tecnologia da informação desloca a força de trabalho para fora do processo de produção, reduz o preço de mercado de commodities, destrói alguns modelos de lucros e produz uma geração de consumidores psicologicamente afeitos a material gratuito. Mas na primeira década plena de sua existência ela ajudou a estimular uma crise global durante a qual os cidadãos mais pobres dos países em desenvolvimento foram reduzidos à condição de ter que vasculhar lixeiras, mesmo que tenham gasto os últimos centavos em créditos de celular.

O infocapitalismo é real, mas se analisarmos a coisa toda — a colisão de uma economia neoliberal com uma tecnologia de rede — teremos que concluir que ele está em crise.

A ECONOMIA DAS COISAS GRATUITAS

No final do século XIX, economistas começaram a notar que nem todos os efeitos do capitalismo podiam ser compreendidos mediante o ato de comprar e vender. Dado que as fábricas, em sua maioria, estavam então rodeadas por montes de entulhos e escória, favelas e rios fedorentos, era difícil não perceber que o capitalismo tem efeitos exteriores ao que é feito no mercado. Chamaram esses efeitos de "externalidades", e começou um debate acerca de como dar conta delas.

Primeiro eles se concentraram nas "más": se eu compro energia termoelétrica de um fornecedor e ela polui o ar, essa poluição é uma externalidade. A solução para externalidades más é fácil: você elabora um jeito de transferir o custo para o comprador e o vendedor. De modo que à usina de energia poluidora, por exemplo, você impõe uma taxa de poluição.

No entanto, há também as "boas" — como a diminuição dos custos de contratação que emerge quando negócios similares se aglomeram no mesmo bairro. Não há necessidade de solução para as externalidades boas, mas elas frequentemente aparecem como redução dos custos e da atividade.

Mas numa economia de informação as externalidades tornam-se a grande questão. No mundo antigo, os economistas classificavam a informação como um "bem público": os custos da ciência, por exemplo, eram arcados pela sociedade — de modo que todo mundo se beneficiava. Nos anos 1960, porém, os economistas começaram a entender a informação como uma commodity. Em 1962, Kenneth Arrow, o guru do pensamento econômico dominante, disse que numa economia de livre mercado o propósito de inventar coisas é criar direitos de propriedade intelectual. "Precisamente na mesma extensão em que se obtém êxito há uma subutilização da informação."[37]

Para quem pensa desse modo, o propósito de patentear a droga avançada contra o HIV Darunavir só pode ser o de manter seu preço em 1095 dólares por ano, o que é, segundo a definição dos Médicos sem Fronteiras, "proibitivamente caro". Existe a informação necessária para colocar milhões de pessoa sob esse tratamento avançado do HIV, mas graças à patente ela é subutilizada. Inversamente, pelo fato de a Índia ter impedido, como se sabe, as empresas farmacêuticas de impor patentes de vinte anos sobre outros tratamentos avançados do HIV, seu custo despencou desde o ano 2000, e a informação sobre como fazê-los tem sido amplamente utilizada.

Numa economia em que a informação está em toda parte, o mesmo acontece com as externalidades. Se examinarmos os gigantes do infocapitalismo, veremos que quase todo o seu modelo de negócios tem a ver com capturar efeitos colaterais externos positivos.

A Amazon funciona, por exemplo, oferecendo coisas para você comprar com base em suas escolhas anteriores — informações que você forneceu de graça e não tem mais como tirar de circulação. Todo o modelo de negócio é baseado na captura unilateral de externalidades pela Amazon. O mesmo funciona para supermercados também: ao agregar os dados de seus fregueses e impedir sua utilização por outros, grandes supermercados como o Walmart ou a Tesco conquistam uma enorme vantagem comercial.

Agora imagine que o Walmart ou a Tesco estivessem dispostos a publicar os dados de seus clientes (sem revelar suas identidades) de graça. A sociedade toda se beneficiaria: todo mundo, de fazendeiros a epidemiologistas, poderia explorar os dados para tomar decisões mais acuradas; consumidores individuais poderiam ver num relance se estão fazendo escolhas de compras racionais ou irracionais. Mas os supermercados perderiam sua vantagem de mercado; seria reduzida sua capacidade de manipular o comportamento do consumidor usando preços sugeridos, prazos de validade e ofertas de "dois pelo preço de um". O sentido central de seus vastos sistemas de comércio eletrônico é que os dados do consumidor são, como Arrow diria, "subutilizados".

Se formularmos a observação de Arrow de um modo diferente, suas implicações revolucionárias ficarão óbvias: se uma economia de livre mercado com propriedade intelectual leva à subutilização da informação, então uma economia baseada na plena utilização da informação não pode ter livre mercado nem direitos de propriedade intelectuais absolutos. E esta é simplesmente outra maneira de dizer o que Benkler e Drucker compreenderam: que a tecnologia da informação solapa algo de fundamental na maneira como o capitalismo funciona.

Mas o que ela cria em seu lugar? Para que o termo "pós-capitalismo" tenha sentido, seria preciso descrever exatamente como a tecnologia de rede desencadeia uma transição para outra coisa, e que aspecto teria a dinâmica de um mundo pós-capitalista.

Nenhum dos autores que examinei acima alcança isso — e por uma razão: nenhum deles está trabalhando com uma teoria integral do próprio capitalismo. Mas e se alguém tivesse antecipado a queda do capitalismo impulsionada pela informação? E se alguém tivesse previsto claramente que a capacidade de criar preços se dissolveria se a informação se tornasse distribuída coletivamente e incorporada em máquinas? Estaríamos provavelmente saudando como visionária a obra dessa pessoa. Na verdade alguém fez isso: seu nome é Karl Marx.

O INTELECTO GERAL

O cenário é Kentish Town, Londres, fevereiro de 1858, por volta de quatro da madrugada. Marx ainda é um homem procurado na Alemanha e passou dez anos cada vez mais deprimido com as perspectivas da revolução. Mas agora Wall Street desmoronou, há falências de bancos pela Europa e ele se esforça para terminar um livro há muito prometido sobre teoria econômica. "Estou trabalhando como um louco noite adentro", confidencia, "para ter pelo menos o esboço claro antes do dilúvio."[38]

Os recursos de Marx são limitados. Ele tem um passe para a Biblioteca Britânica, que lhe dá acesso aos dados mais recentes. Durante o dia, escreve artigos em inglês para o *New York Tribune*. À noite, ele vem preenchendo oito cadernos com um garrancho quase ilegível em alemão: observações soltas, ideias provisórias e notas para si mesmo.

Os cadernos, conhecidos coletivamente como *Grundrisse* (que se pode traduzir como "Esboços" ou "Fundamentos"), serão resgatados, mas não lidos, por Engels. Serão guardados no quartel-

-general do partido social-democrata alemão até a União Soviética comprá-los nos anos 1920. Só serão lidos na Europa Ocidental no final da década de 1960, e em inglês somente em 1973. Quando finalmente puderem ver o que Marx está escrevendo nesta noite fria de 1858, os estudiosos admitirão que aquilo "põe em xeque todas as interpretação sérias de Marx já concebidas".[39] O texto em questão é o *Fragmento sobre máquinas*.

O *Fragmento sobre máquinas* começa com a observação de que, à medida que se desenvolve, a indústria de larga escala muda as relações entre o trabalhador e a máquina. No início da indústria havia um homem, uma ferramenta trabalhada manualmente e um produto. Agora, em vez de uma ferramenta, o trabalhador "insere o processo da natureza, transformado num processo industrial, como um instrumento entre ele próprio e a natureza inorgânica, dominando-a. Ele se desloca para o lado do processo de produção em vez de ser seu principal ator".[40]

Marx tinha imaginado uma economia na qual o papel principal das máquinas era produzir, e o papel principal das pessoas era supervisioná-las. Foi claro em dizer que numa economia assim a principal força produtiva seria a informação. A potência produtiva de máquinas como a fiadora "automática" de algodão, o telégrafo e a locomotiva a vapor estava "fora de qualquer proporção com o tempo de trabalho direto gasto em sua produção, mas depende antes do estágio geral da ciência e do progresso da tecnologia, ou da aplicação dessa ciência à produção".[41]

Organização e conhecimento, em outras palavras, davam uma contribuição maior às forças produtivas do que o trabalho de fazer e operar as máquinas.

Levando em conta o que o marxismo iria se tornar — uma teoria da exploração baseada no roubo do tempo de trabalho —, esta é uma declaração revolucionária. Sugere que — uma vez que o conhecimento se torna, ele próprio, uma força produtiva, superando de longe o trabalho concreto gasto na criação de uma máquina — a grande questão deixa de ser salários versus lucros e passa a ser quem controla o "poder do conhecimento".

Agora Marx solta uma bomba. Numa economia na qual as máquinas fazem a maior parte do trabalho, na qual a labuta humana na verdade consiste em supervisionar, consertar e projetar as máquinas, a natureza do conhecimento encerrado no interior das máquinas deve, escreve ele, ser "social".

Vamos usar um exemplo moderno. Se, hoje, uma criadora de software usa uma linguagem de programação para escrever um código vinculando uma página da web a um banco de dados, estará claramente trabalhando com conhecimento social. Não estou falando aqui especificamente sobre programação de Código Aberto, mas apenas de um projeto comercial corriqueiro de software. Cada camada do processo foi criada pelo compartilhamento de informações, pela parceria, pela adaptação do código e das interfaces.

A programadora em si não detém a propriedade do código em que está trabalhando, obviamente. Mas do mesmo modo a empresa que a emprega não pode ser proprietária senão de uma fração dele. A empresa pode legalmente patentear cada parte do código que ela, a programadora, produz. Pode até obrigar a profissional a assinar um acordo dizendo que o que ela escreve em seu tempo livre pertence à empresa — mas o código ainda conterá milhares de bits de código prévio escritos por outras pessoas e que não podem ser patenteados.

Mais que isso, o conhecimento que foi necessário para produzir o código ainda está no cérebro da programadora. Ela pode, se as condições de mercado permitirem, mudar para outro local de trabalho e executar a mesma solução, se for preciso. Com a informação, uma parte do produto permanece com o trabalhador de uma maneira que não acontecia durante a era industrial.

O mesmo vale para a ferramenta que ela está usando: a linguagem de programação. Esta foi desenvolvida por dezenas de milhares de pessoas que contribuíram com seu conhecimento e experiência. Se a programadora baixar a atualização mais recente, ela certamente conterá mudanças baseadas em lições aprendidas por todos os outros que a usam.

Para completar, os dados do consumidor — o registro deixado por cada uma das interações com o site da rede — podem ser apossados inteiramente por uma empresa. No entanto, eles são produzidos socialmente: eu mando um link, você clica nele ou o compartilha no Twitter com 10 mil seguidores.

Marx não tinha como imaginar um servidor de internet. No entanto, pôde observar o sistema do telégrafo. Em 1858 o telégrafo, seguindo ao longo das ferrovias do mundo e terminando em cada estação de trens e sede de empresa, era o item mais importante de infraestrutura do planeta. Só a Grã-Bretanha ostentava uma rede com 1178 nós ao redor de Londres e outras centenas conectando a cidade, o Parlamento e as docas de Londres.[42]

Operadores de telégrafo eram altamente qualificados, mas, assim como o programador de software, o conhecimento necessário para operar uma chave elétrica era insignificante comparado ao conhecimento incorporado na vasta máquina transnacional que eles estavam na prática supervisionando.

As memórias de operadores de telégrafo mostram claramente a natureza social da tecnologia. A regra número um era de que você não podia mandar informações com uma rapidez maior do que a pessoa no outro lado da linha fosse capaz de recebê-las. Mas nos complexos sistemas telegráficos, em que salas cheias de emissores e receptores negociavam o uso das disputadas linhas com operadores muito distantes, "lidar com os egos fazia parte do trabalho de um operador tanto quanto lidar com uma chave elétrica. Operadores atenciosos e prestativos tornavam o trabalho mais fácil; os dominadores, arrogantes ou hipócritas tornavam-no mais difícil".[43] Seu trabalho era social, o conhecimento incorporado na máquina era social.

No *Fragmento sobre máquinas*, essas duas ideias — de que a força motriz da produção é o conhecimento e de que o conhecimento acumulado nas máquinas é social — levaram Marx às conclusões que se seguem.

Primeiro, num capitalismo altamente mecanizado, incrementar a produtividade mediante um melhor conhecimento é uma fonte muito mais atraente de lucro do que estender a jornada de trabalho ou acelerar a labuta: jornadas mais longas consomem mais energia, acelerar o trabalho força os limites da destreza e da resistência humanas. Mas uma solução oriunda do conhecimento é barata e ilimitada.

Segundo, argumentava Marx, o capitalismo movido pelo conhecimento não pode suportar um mecanismo de preços em que o valor de uma coisa é ditado pelo valor dos insumos necessários para produzi-la. É impossível avaliar insumos adequadamente quando eles vêm sob a forma de conhecimento. A produção movida pelo conhecimento tende à criação ilimitada de riqueza, independentemente do trabalho despendido. Mas o sistema capitalista normal é baseado em preços determinados por custos dos insumos, e parte da premissa de que todos os insumos provêm de um suprimento limitado.

Para Marx, o capitalismo baseado no conhecimento cria uma contradição — entre as "forças produtivas" e as "relações sociais". Estas formam as "condições materiais para mandar para os ares os alicerces do capitalismo". Além do mais, um capitalismo desse tipo é obrigado a desenvolver o poder intelectual do trabalhador. Isso tenderá a reduzir as horas de trabalho (ou deter a sua extensão), deixando tempo para que os trabalhadores desenvolvam talentos artísticos e científicos fora do trabalho, o que se torna essencial para o próprio modelo econômico. Por fim, Marx coloca em cena um novo conceito, que não aparece em nenhum outro lugar — nem antes nem depois — em todos os seus escritos: "o intelecto geral". Quando medimos o desenvolvimento da tecnologia, escreve ele, estamos medindo até que ponto "o conhecimento social geral tornou-se uma força produtiva [...] sob o controle do intelecto geral".[44]

As ideias esboçadas no *Fragmento* foram reconhecidas nos anos 1960 como uma completa mudança de rumo em relação ao marxismo clássico. No século XX, a esquerda tinha encarado o planejamento estatal como a rota para superar o capitalismo. Tinha partido da premissa de que as contradições internas do capitalismo repousavam sobre a natureza caótica do mercado, sobre sua incapacidade de satisfazer as necessidades humanas e sobre sua propensão para a crise catastrófica.

No *Fragmento* de 1858, porém, somos confrontados com um modelo diferente de transição: uma rota fundada no conhecimento para sair do capitalismo, no qual a principal contradição é entre tecnologia e o mecanismo de mercado. Nesse modelo, rascunhado no papel em 1858 mas desconhecido pela esquerda por mais de cem anos, o capitalismo entra em colapso porque não pode existir lado a lado com o conhecimento compartilhado. A luta de classes torna-se a luta dos indivíduos para serem humanos e instruídos durante seu tempo livre.

Foi o esquerdista italiano Antonio Negri que descreveu o *Fragmento sobre máquinas* como "Marx para além de Marx". Paolo Virno, um de seus parceiros teóricos, assinalou que as ideias do fragmento "não estão presentes em nenhum de seus outros escritos e na verdade parecem uma alternativa à fórmula habitual".[45]

A pergunta permanece: por que Marx não levou adiante essa ideia? Por que o intelecto geral desaparece como conceito, exceto nessa página não publicada? Por que esse modelo do mecanismo de mercado sendo dissolvido pelo conhecimento social foi deixado de lado na escrita do *Capital*?

A resposta óbvia — para além de todas as discussões textuais — é que o próprio capitalismo, na época, não avalizava essa proposição. Uma vez superado o pânico de 1858, a estabilidade retornou. A socialização do conhecimento inerente no telégrafo e na locomotiva a vapor não foi suficiente para lançar aos ares os alicerces do capitalismo.

Na década seguinte, Marx construiu uma teoria do capitalismo na qual os mecanismos de troca *não* são explodidos pela emergência de um intelecto geral, e na qual *nenhuma* menção é feita ao conhecimento como uma independente fonte de lucro. Em outras palavras, Marx recuou com relação às ideias específicas de seu *Fragmento sobre máquinas*.

A emergência do marxismo do século xx como uma doutrina de socialismo de Estado e transição movida pela crise não foi acidental: estava fundada no Marx do *Capital*.

Aqui, porém, não estou preocupado com a história do marxismo, mas com a seguinte questão: existe uma rota para o pós-capitalismo baseada na ascensão da tecnologia da informação? Fica claro pelo *Fragmento* que Marx havia pelo menos imaginado uma rota assim.

Ele imaginou a informação produzida socialmente sendo incorporada às máquinas. Imaginou isso gerando uma nova dinâmica, que destrói os velhos mecanismos de criação de preços e lucros. Imaginou o capitalismo sendo obrigado a desenvolver as capacidades intelectuais do trabalhador. E imaginou a informação sendo armazenada e compartilhada numa coisa chamada "intelecto geral" — que era a mente de todo o mundo conectada pelo conhecimento social, no qual cada aprimoramento beneficia a todos. Em resumo, ele havia imaginado algo parecido com o infocapitalismo em que vivemos.

Além disso, ele imaginara qual seria o principal objetivo da classe trabalhadora caso esse mundo chegasse a existir: ficar livre do trabalho. O socialista utópico Charles Fourier previra que trabalhar seria o mesmo que brincar. Marx discordava. Em vez disso, escreveu, a libertação só viria por meio do tempo livre: "O tempo livre transformou naturalmente seu detentor num sujeito diferente, e ele então entra no processo de produção direta como um sujeito diferente [...] em cuja cabeça existe o conhecimento acumulado da sociedade".[46]

Essa é possivelmente a ideia mais revolucionária que Marx chegou a ter: que a redução da labuta a um mínimo poderia produzir um tipo de ser humano capaz de colocar em ação todo o conhecimento acumulado da sociedade: uma pessoa transformada por vastas quantidades de conhecimento produzido socialmente e pela primeira vez na história com mais tempo livre do que tempo de trabalho. Não é assim tão grande a distância entre o trabalhador imaginado no *Fragmento* e a "pessoa instruída universal" antevista por Peter Drucker.

Marx, penso eu, abandonou esse pensamento experimental por considerá-lo de escassa relevância para a sociedade em que vivia. Mas tem uma relevância enorme para a nossa.

UM TERCEIRO TIPO DE CAPITALISMO?

Para os neoliberais, a emergência do infocapitalismo pareceu-lhes seu maior feito. Mal podiam conceber que ele pudesse conter falhas. Máquinas inteligentes, acreditavam eles, criariam uma sociedade pós-industrial na qual todo mundo realizaria trabalho de alto valor, baseado no conhecimento, e na qual todos os velhos conflitos sociais se extinguiriam.[47] A informação possibilitaria que o capitalismo idealizado nos manuais — com transparência, competição perfeita e equilíbrio — se tornasse realidade. No final dos anos 1990, a literatura *mainstream* — da revista *Wired* ao *Harvard Business Review* — estava repleta de descrições comemorativas do novo sistema. Mas havia um silêncio funesto sobre como ele funcionava.

Ironicamente, coube às pessoas que haviam redescoberto o *Fragmento sobre máquinas*, os discípulos de extrema esquerda de Antonio Negri, fazer a primeira tentativa de uma teoria do infocapitalismo, que eles chamaram de "capitalismo cognitivo".

O capitalismo cognitivo, dizem seus proponentes, é uma nova forma coerente de capitalismo: um "terceiro capitalismo", sucedendo ao capitalismo mercantil dos séculos XVII e XVIII, bem como ao capitalismo industrial dos últimos duzentos anos. É baseado em mercados globais, consumo financeirizado, trabalho imaterial e capital imaterial.

Yann Moulier-Boutang, um economista francês, acredita que a chave para o capitalismo cognitivo é a captura das externalidades. Ao usar aparelhos digitais, as pessoas tornam-se "coprodutoras" com as empresas com quem estão lidando: suas escolhas, seus aplicativos, suas listas de amigos no Facebook, a tudo isso a empresa que provê o serviço e colhe a informação pode atribuir valor monetário. "Capturar externalidades positivas", escreve Moulier-Boutang, "torna-se o problema número um do valor."[48]

No capitalismo cognitivo, a natureza do trabalho é transformada. O trabalho manual e a indústria não deixam de existir, mas muda seu lugar na paisagem geral. Pelo fato de o lucro provir crescentemente da captura do valor gratuito gerado pelo comportamento do consumidor, e pelo fato de que uma sociedade focada no consumo de massa precisa constantemente ser abastecida de café, bem tratada e atendida por *call centres*, a "fábrica" no capitalismo cognitivo é a sociedade como um todo. Para esses teóricos, "a sociedade como fábrica" é um conceito crucial — vital para o entendimento não apenas da natureza da exploração, mas também da resistência.

Para que um par de tênis Nike valha 179,99 dólares, é necessário que 465 mil trabalhadores em 107 fábricas no Vietnã, na China e na Indonésia produzam exatamente o mesmo modelo. Mas é necessário também que o logotipo da Nike faça esses pedaços de plástico, borracha e espuma valerem sete vezes o salário médio por hora nos Estados Unidos.[49] A Nike gasta 2,7 bilhões de dólares por ano para nos levar a acreditar justamente nisso (contra 13 bilhões de dólares gastos na fabricação propriamente dita de tênis e roupas) —, e esse orçamento de marketing compra muito mais do que anúncios no Superbowl.

Na verdade, desde que a Nike compreendeu e aceitou as regras do capitalismo cognitivo no início dos anos 2000, seus gastos com anúncios na TV e na imprensa caíram 40%. Em vez disso, o foco passou para produtos digitais: o Nike+, por exemplo, que usa um iPod para computar performances de corredores, registrou — e enviou os dados à Nike — 150 milhões de sessões individuais de jogging desde seu lançamento, em 2006.[50] Como todas as empresas, a Nike está no processo de se tornar, na prática, "informação + coisas".

Isso é o que os teóricos do capital cognitivo querem dizer com a "fábrica socializada". Não estamos mais num mundo de produção e consumo claramente delimitados, mas num mundo em que ideias, comportamentos e interações dos consumidores com a marca são cruciais para a geração de lucro; a produção e o consumo se misturam. Isso explica em parte por que as lutas contra o novo capitalismo se concentram frequentemente em questões dos consumidores, ou em valores associados à marca (por exemplo, responsabilidade social das empresas), e por que os que protestam comportam-se mais como as "tribos" nas estatísticas de marketing do que como um proletariado unificado. Para os teóricos do capital cognitivo — como para Drucker — a atividade primordial da nova força de trabalho é "a produção de conhecimento por meio do conhecimento".⁵¹

No entanto, a teoria do capitalismo cognitivo contém uma falha importante. Uma coisa seria dizer: "Um novo tipo de infocapitalismo tem nascido no seio do capitalismo industrial tardio". Mas os teóricos centrais do capitalismo cognitivo dizem o contrário: muitos deles acreditam que o capitalismo cognitivo já é um sistema em pleno funcionamento. Fábricas em Shenzhen, favelas em Manila, depósitos de metal reciclável em Wolverhampton, tudo isso pode ter o mesmo aspecto que tinha dez anos atrás — mas para esses teóricos suas funções econômicas já foram transformadas.

Essa é uma técnica comum no pensamento especulativo europeu: inventar uma categoria e aplicá-la a tudo, reclassificando assim todas as coisas existentes como subcategorias de sua nova ideia. Isso evita o trabalho de analisar realidades complexas e contraditórias.

Essa atitude leva os teóricos do capitalismo cognitivo a subestimar a importância da ascensão da produção industrial de velho estilo nos países do Bric (Brasil, Rússia, Índia e China), e alguns deles a minimizar o significado da crise financeira pós-2008, ou a vê-la apenas como problemas de dentição do sistema recém--nascido.

Na verdade, o sistema em que vivemos não é uma forma nova, coerente e em pleno funcionamento do capitalismo. Ele é incoerente. Seu caráter tenso, febril e instável vem do fato de que estamos vivendo numa era da rede lado a lado com a hierarquia, da favela lado a lado com o cibercafé — e para compreender a situação temos que vê-la como uma transição incompleta, não como um modelo acabado.

PÓS-CAPITALISMO: UMA HIPÓTESE

O debate sobre o pós-capitalismo percorreu um longo caminho desde Peter Drucker; no entanto, em outro sentido, não foi a parte alguma. Ele tem sido marcado pelo pensamento especulativo, pelo blá-blá-blá tecnológico e por uma tendência a declarar a existência do novo sistema em vez de explorar sua relação com velhas realidades.

Benkler, Kelly e Drucker declararam, cada um por seu turno, algo parecido com um "novo modo de produção", mas nenhum deles propôs uma explicação de como poderia ser a sua dinâmica. O economista radicado em Ontario Nick Dyer-Witheford, em seu livro de 1999 *Cyber-Marx*, produziu uma descrição especulativa decente de como poderia ser o aspecto do comunismo baseado na informação.[52] Mas o debate a respeito raramente alcançou o status de teoria econômica.

Jeremy Rifkin, um influente consultor de administração, chegou mais perto da descrição da realidade em curso em seu livro *The Zero Marginal Cost Society* [A sociedade de custo marginal zero], de 2014.[53] Rifkin argumenta que a produção cooperativa e o capitalismo têm dois sistemas diferentes: atualmente eles coexistem e até obtêm energia um do outro, mas em última instância a produção cooperativa vai reduzir o setor capitalista da economia a uns poucos nichos.

O insight mais radical de Rifkin foi compreender o potencial da Internet das Coisas. As empresas de consultoria mais entusiásticas — por exemplo, a McKinsey — avaliaram o impacto desse processo como de até 6 trilhões de dólares por ano, predominantemente nos ramos da saúde e da produção industrial. Mas a maior parte desses 6 trilhões de dólares vem da redução de custos e do aumento da eficiência: isto é, a Internet das Coisas contribui para reduzir o custo marginal de bens físicos e serviços

217

do mesmo modo que o "copiar e colar" reduz o custo dos bens de informação.

Rifkin assinala que o impacto de conectar cada pessoa e objeto numa rede inteligente poderia de fato ser exponencial. Poderia reduzir rapidamente o custo marginal da energia e de bens físicos da mesma maneira que a internet faz isso com produtos digitais.

Como todos os livros destinados às prateleiras de negócios das livrarias de aeroportos, porém, Rifkin é superficial quanto à dimensão social. Ele entende que um mundo de coisas gratuitas não pode ser capitalista; que as coisas gratuitas ou livres estão começando a impregnar o mundo físico tanto quanto o digital, mas a luta entre os dois sistemas é reduzida a uma luta entre modelos de negócios e boas ideias.

Travado entre teóricos sociais, advogados e visionários da tecnologia, o debate sobre o pós-capitalismo existe num universo paralelo ao debate entre economistas sobre a crise do neoliberalismo, e o debate entre historiadores sobre a problemática decolagem da quinta onda longa. Para avançar, precisamos entender como as novas ideias econômicas da infotecnologia, da crise pós-2008 e do padrão de longo ciclo podem se concatenar. O que se segue abaixo é uma primeira tentativa de fazer isso. É uma hipótese — mas se baseia em evidências e pode ser testada em confronto com a realidade.

Desde meados da década de 1990, uma revolução no modo como processamos, armazenamos e comunicamos informações criou os inícios de uma economia de rede. Essa revolução começou a corroer as relações tradicionais de propriedade das maneiras que se seguem.

Ela corrói o mecanismo de preços dos bens digitais, tal como entendido pela economia convencional, ao empurrar em direção a zero o custo de reprodução de bens de informação.

Ela acrescenta um alto conteúdo de informação aos bens físicos, sugando-os para o mesmo vórtice de preço zero dos bens puros de informação — e frequentemente, como no caso dos tênis, fazendo seu valor depender mais de ideias criadas socialmente (a marca) do que do custo físico de produção.

Ela torna necessária a financeirização, criando duas correntes de lucro que fluem da população em geral para o capital: como trabalhadores, produzindo bens, serviços e conhecimento; e como tomadores de empréstimos, gerando pagamentos de juros. Assim, se é correto dizer que "a sociedade como um todo se tornou uma fábrica", os mecanismos de exploração são ainda, antes de tudo, salários, só depois o crédito e por fim nosso conluio mental na criação do valor de marca, ou na concessão de externalidades para as empresas de tecnologia.

Ela está em vias de revolucionar a produtividade das coisas físicas, processos e matrizes energéticas, à medida que conexões de internet de máquina para máquina começam a superar em número as ligações de pessoa a pessoa.

Se a informação corrói o valor, as corporações estão respondendo com três tipos de estratégia de sobrevivência: a criação de monopólios sobre as informações e a defesa vigorosa da propriedade intelectual; a atitude de "patinar na beira do caos", tentando viver no hiato entre oferta expandida e preços em queda; e a tentativa de capturar e explorar a informação produzida socialmente, tal como dados do consumidor, ou mediante a imposição aos programadores de contratos estabelecendo que a empresa detém a propriedade do código que eles escrevem em seu tempo livre.

No entanto, lado a lado com a reação das empresas, estamos vendo a ascensão da produção que não é de mercado: redes de produção cooperativa distribuídas horizontalmente e sem administração centralizada, produzindo bens que são ou completamente gratuitos ou que — sendo de Código Aberto — têm um valor comercial muito limitado.

As coisas gratuitas produzidas de modo cooperativo expelem as commodities produzidas comercialmente. A Wikipédia é um espaço onde o comércio não pode operar; com o Linux e o Android há claramente exploração comercial, mas nas beiradas — não baseada na propriedade do produto principal. Está se tornando possível ser tanto produtor como consumidor no mesmo processo.

Em resposta, o capitalismo está começando a se reformatar como um mecanismo de defesa contra a produção cooperativa, por meio de infomonopólios, do enfraquecimento das relações salariais e da insistência irracional em modelos de negócios com alta emissão de carbono.

Formas de produção e troca que não são de mercado exploram a tendência humana básica a colaborar — a trocar presentes de valor intangível — que sempre existiu, mas nas margens da vida econômica. Isso é mais do que um mero reequilíbrio entre bens públicos e privados: é uma coisa inteiramente nova e revolucionária. A proliferação dessas atividades econômicas de não mercado está tornando possível a emergência de uma sociedade cooperativa e socialmente justa.

As rápidas mudanças na tecnologia estão alterando a natureza do trabalho, embaçando a distinção entre trabalho e lazer e convocando-nos a participar da criação de valor na nossa vida como um todo, não apenas no local de trabalho. Isso nos confere múltiplas personalidades econômicas, o que é a base econômica sobre a qual tem emergido um novo tipo de pessoa, com múltiplos "eus".[54] Esse novo tipo de pessoa, o indivíduo interligado, é o arauto e o sustentáculo da sociedade pós-capitalista que poderia emergir agora.

A direção tecnológica dessa revolução está em descompasso com sua direção social. Tecnologicamente, estamos nos encaminhando para bens de preço zero, trabalho imensurável, uma elevação exponencial da produtividade e a automação extensiva de processos físicos. Socialmente, estamos aprisionados num mundo de monopólios, de ineficiência, nas ruínas de um livre mercado dominado pelas finanças e pela proliferação de "empregos de mentira".

Hoje, a principal contradição no capitalismo moderno é entre a possibilidade de bens gratuitos e abundantes produzidos socialmente e um sistema de monopólios, bancos e governos esforçando-se para manter controle sobre o poder e a informação. Ou seja, tudo é permeado por uma luta entre rede e hierarquia.

Isso está acontecendo agora porque a ascensão do neoliberalismo rompeu os padrões normais de cinquenta anos do capitalismo. E essa é outra maneira de dizer que o ciclo de vida de 240 anos do capitalismo industrial pode estar se aproximando do fim.

Portanto, há duas possibilidades básicas à nossa frente. Ou uma nova forma de capitalismo cognitivo emerge de fato e se estabiliza — baseada numa nova combinação de firmas, mercados e colaboração em rede — e o que resta do sistema industrial encontra um lugar no seio desse terceiro capitalismo; ou a rede erode tanto o funcionamento como a legitimidade do sistema de mercado. Neste caso, acontecerá um conflito resultante da abolição do sistema de mercado e sua substituição pelo pós-capitalismo.

O pós-capitalismo pode assumir muitas formas diferentes. Saberemos que ele vingou se um grande número de bens tornar--se barato ou gratuito, mas as pessoas seguirem produzindo-os sem levar em conta forças de mercado. Saberemos que ele está em curso quando a relação indistinta entre trabalho e lazer, e entre horas e salários, tornar-se institucionalizada.

Pelo fato de sua precondição ser a abundância, o pós-capitalismo proporcionará espontaneamente alguma forma de justiça social — mas as formas e prioridades de justiça social serão negociáveis. Enquanto as sociedades capitalistas sempre tiveram que se preocupar com "canhão versus pão", as sociedades pós-capitalistas talvez venham a brigar em torno de crescimento versus sustentabilidade — ou do prazo para a consecução de metas sociais básicas, ou desafios como migração, emancipação das mulheres e envelhecimento demográfico.

Portanto temos que *esboçar* a transição para o pós-capitalismo. Pelo fato de a maioria dos teóricos do pós-capitalismos simplesmente declarar que ele existe, ou então prevê-lo como uma inevitabilidade, poucos consideraram os problemas da transição. Assim, uma das primeiras tarefas é delinear e testar um leque de modelos mostrando como tal economia de transição poderia funcionar.

Hoje estamos acostumados a ouvir a palavra "transição" para descrever tentativas locais de construir uma economia de baixo carbono: moedas locais, bancos de tempo, "cidades de transição" e coisas do tipo. Mas a transição, aqui, é um projeto maior.

Para fazê-la acontecer precisamos aprender as lições negativas da transição fracassada na URSS. Depois de 1928, a União Soviética tentou forçar o caminho para o socialismo mediante o planejamento centralizado. Isso produziu algo pior que o capitalismo, mas no interior da esquerda moderna há uma forte aversão a discutir isso.

Se quisermos criar uma sociedade pós-capitalista, teremos que saber em detalhes o que deu errado e compreender a diferença fundamental entre as formas espontâneas alheias ao mercado que venho descrevendo aqui e os Planos Quinquenais do stalinismo.

Para seguir em frente, precisamos saber como, exatamente, bens de informação corroem o mecanismo de mercado; o que poderia acontecer se essa tendência fosse fomentada, em vez de reprimida; e qual grupo social tem interesse em fazer a transição acontecer. Precisamos, em suma, de uma definição melhor de valor e de uma história mais detalhada do trabalho. O que se segue é uma tentativa de fornecê-las.

6. Rumo à máquina livre

Havia um acampamento de tendas, uma multidão ruidosa, uma nuvem de gás lacrimogêneo e uma pequena pilha de coisas gratuitas: assim estava o parque Gezi durante o protesto de 2013 em Istambul. O acampamento permitia às pessoas viver durante alguns dias exatamente como queriam; as coisas gratuitas eram o gesto definitivo de esperança.

No primeiro dia, a pilha era pequena: pacotes de salame, caixinhas de suco, alguns cigarros e aspirinas. No último dia, tinha se convertido numa instável pirâmide de tudo: comida, roupas, remédios e tabaco. Jovens a vasculhavam e saíam com os braços cheios, caminhando em grupos pelo parque e insistindo para que todos pegassem alguma coisa. Claro que nada daquelas coisas era realmente grátis — tinham sido trazidas e doadas. Mas aquilo simbolizava um desejo de viver numa sociedade em que algumas coisas básicas são compartilhadas.

E esse é um desejo antigo. Durante as primeiras décadas do século XIX, rodeada por um sistema determinado a pôr um preço em tudo, a esquerda formou comunidades utópicas baseadas no compartilhamento, na cooperação e no trabalho colaborativo. De modo geral fracassaram, pela razão primordial de que tudo era escasso.

Hoje, as coisas escassas não são tantas. A capacidade de as pessoas, numa metrópole como Istambul, erigirem uma montanha de comida grátis atesta isso. Os depósitos de material reciclável em cidades europeias também comprovam: em meio a coisas de fato imprestáveis, encontram-se pessoas descartando roupas aproveitáveis, livros seminovos, aparelhos eletrônicos que ainda funcionam — itens que outrora tiveram valor hoje não têm preço de venda e são cedidos para reciclagem ou compartilhados. A energia, evidentemente, continua escassa — ou melhor, continua escassa a energia baseada no carbono em que nos viciamos. Mas a commodity mais crucial da vida no século XXI não está escassa de modo nenhum: a informação é abundante.

O avanço da escassez rumo à abundância é um desenvolvimento significativo na história da humanidade, e a grande conquista do capitalismo da quarta onda. Mas é um grande desafio para a teoria econômica. O capitalismo nos fez ver o mecanismo de preços como a coisa mais orgânica, espontânea e seminal da vida econômica. Agora precisamos de uma teoria do seu desaparecimento.

Precisamos começar passando pela questão da oferta e da procura. O mecanismo oferta-e-procura funciona claramente: se mais fábricas de roupas são abertas em Bangladesh, roupas baratas ficam ainda mais baratas. E se a polícia prende traficantes de drogas pouco antes da abertura das casas noturnas, o ecstasy fica mais caro. Mas oferta e procura explicam apenas por que os preços flutuam. Quando a oferta e a procura são equivalentes, por que o preço não é zero? Obviamente não pode ser. Numa economia capitalista normal, baseada na escassez de bens e no trabalho, deve haver um preço mais intrínseco em torno do qual o preço de venda se move para cima ou para baixo. Neste caso, o que o determina?

Ao longo dos últimos duzentos anos, duas respostas totalmente diferentes foram apresentadas. Apenas uma delas pode estar certa. Infelizmente não é a que se ensina nos cursos de economia. Neste capítulo vou montar uma defesa sustentada de uma coisa chamada "teoria do valor-trabalho". Ela não é popular, porque não é muito útil para calcular e prever movimentos no interior de um sistema de mercado estável e em pleno funcionamento. Mas, em face da ascensão do infocapitalismo, que está corroendo mecanismos de preços, formas de propriedade e a conexão entre trabalho e salários, a teoria do valor-trabalho é a única explicação que não desmorona. É a única teoria que nos permite mostrar adequadamente onde o valor é criado numa economia do conhecimento e onde ele termina. Essa teoria nos diz como medir o valor numa economia em que máquinas podem ser construídas de graça e durar para sempre.

O TRABALHO É A FONTE DO VALOR

Em meio às lojas vazias na deteriorada rua principal de Kirkcaldy, Escócia, há uma filial da Gregg's. A Gregg's serve comida com alto teor de gordura a preços baixos e é um dos poucos locais movimentados na hora do almoço. Uma olhada no mapa da pobreza na Escócia fornece o contexto: a cidade é manchada de áreas de extrema privação e saúde precária.[1]

Na fachada da Gregg's há uma placa assinalando a casa onde Adam Smith escreveu *A riqueza das nações*. Ninguém dá muita atenção. Mas foi lá que, em 1776, os princípios econômicos do capitalismo foram estabelecidos pela primeira vez. Não estou muito seguro de que Smith iria gostar do aspecto atual de sua cidade natal, assolada pela desindustrialização, pelos salários baixos e pela doença crônica. Mas ele teria compreendido a causa. A fonte de toda riqueza, dizia Smith, é o trabalho.

"Não foi por ouro nem por prata, mas por trabalho que toda a riqueza do mundo foi originalmente adquirida", escreveu Smith, "e seu valor, para os que a possuem, é precisamente igual à quantidade de trabalho que ela pode capacitá-los a comprar ou comandar."[2] Essa é a teoria clássica do valor-trabalho: ela diz que o trabalho necessário para produzir um objeto determina quanto ele vale.

Há uma lógica crua nisso. Se você observar uma roda-d'água durante tempo suficiente, ela o ajudará a compreender a física. Se testemunhar operários transpirando treze horas por dia numa oficina fabril, como fez Smith, compreenderá que são os operários, não as máquinas, que produzem o valor agregado.[3]

Manuais convencionais lhes dirão que Smith julgava a teoria do valor-trabalho válida apenas para sociedades primitivas, e que quando se tratava do capitalismo o "valor" era o produto combinado de salários, capital e terra. Isso é incorreto.[4] A teoria do valor-trabalho de Smith era incoerente, mas numa leitura detalhada de *A riqueza das nações* o raciocínio é claro: o trabalho é a fonte do valor, mas o mercado só pode refletir isso grosso modo, mediante o que Smith chama de "barganha e negociação". Portanto, a lei opera sob a superfície numa economia capitalista plena. Lucros e rendimentos são deduções do valor produzido pelo trabalho.[5]

David Ricardo, o economista mais influente do início do século XIX, criou um modelo mais desenvolvido. Publicado em 1817, estabeleceu a teoria do valor-trabalho na mentalidade do público com a mesma firmeza com que a teoria da oferta e da procura está estabelecida agora. Ricardo, que testemunhara a grande irrupção do sistema de fábrica, ridicularizou a ideia de que máquinas eram a fonte da riqueza aumentada. As máquinas meramente transferem seu valor para o produto; só o trabalho acrescenta novo valor, disse ele.

A mágica do maquinário repousava na produtividade aumentada.[6] Se você pode usar menos trabalho para fazer alguma coisa, ela deve ser mais barata e lucrativa. Se você reduzir a quantidade de trabalho necessário para produzir chapéus, escreveu ele, "o preço deles cairá em última instância até seu preço natural, embora sua demanda possa ser dobrada, triplicada ou quadruplicada".[7]

Depois de Ricardo, a teoria do valor-trabalho tornou-se a ideia distintiva do capitalismo industrial. Foi usada para justificar lucros, que recompensavam o trabalho do dono da fábrica; foi usada para atacar a aristocracia fundiária, que vivia de rendas em vez de trabalhar; e foi usada para resistir às reivindicações trabalhistas por menos horas de trabalho e direitos sindicais, que elevariam o preço do trabalho a níveis "artificiais", isto é, acima do mínimo necessário para alimentar, vestir e alojar uma família operária.

No entanto, apesar de sua lógica ultracapitalista, a teoria do valor-trabalho mostrou-se subversiva. Ela criou um debate em torno de quem ganha o quê, debate que os donos de fábricas imediatamente começaram a perder. Sob a luz de velas dos pubs onde os primeiros sindicalistas se reuniam, David Ricardo ganhou subitamente todo um novo conjunto de seguidores.

Os intelectuais trabalhadores dos anos 1820 compreenderam a implicação revolucionária da teoria do valor-trabalho: se a fonte de toda a riqueza é o trabalho, então há uma questão legítima acerca de como essa riqueza deve ser distribuída. Assim como uma aristocracia rentista pode ser mostrada como um bando de parasitas da economia produtiva, também os capitalistas podem ser vistos como parasitas do trabalho de outros. Seu trabalho é necessário — mas o sistema fabril parece estar estruturado de modo a conceder-lhes recompensas excessivas.

"Além do conhecimento, da habilidade e do trabalho requeridos [para instalar uma fábrica], não há nada que o capitalista possa alegar para ter direito a uma parcela maior do resultado", escreveu em 1825 Thomas Hodgskin, um tenente da Marinha tornado socialista.[8]

À medida que sindicatos ilegais iam espalhando a doutrina do "socialismo ricardiano", o entusiasmo dos donos de fábricas pela teoria do valor-trabalho foi minguando. Na época em que as classes médias britânicas conquistaram o voto, em 1832, sua necessidade de justificar o capitalismo com qualquer tipo de teoria já havia evaporado. Salários, preços e lucros já não eram coisas a ser investigadas pela ciência social, simplesmente estavam lá para ser descritas e computadas. Ricardo estava excluído, mas tudo o que o substituiu foi a confusão teórica.[9]

Se, como resultado, o pensamento econômico de meados do século XIX reduziu-se a "descrever e computar", há um paralelo na ciência natural. Charles Darwin formulou a teoria da seleção natural em 1844 e Alfred Russel Wallace, três anos depois. No entanto, tamanhas eram suas implicações — principalmente a de jogar no lixo o mito da Criação — que ambos os cientistas recolheram-se a uma rotina de "coletar, nomear e categorizar" seus espécimes até 1858, quando os dois correram para publicar ao mesmo tempo uma teoria capaz de abalar o mundo.

Em economia, a teoria capaz de abalar o mundo chega com Marx. Argumenta-se com frequência que Marx se baseou nas teorias de Smith e Ricardo. Na verdade, ele as demoliu. Descreveu seu projeto como uma crítica da economia política: de Smith, de Ricardo, dos socialistas ricardianos, dos moralistas liberais e dos "contadores de feijão". Disse — muito antes de os economistas oficiais fazerem isso nos anos 1870 — que a versão de Ricardo da teoria do valor-trabalho era uma bagunça. Teria que ser reescrita a partir do zero.

Marx reconhecia na teoria do valor-trabalho, a despeito de todas as suas falhas, algo que poderia explicar tanto o modo de funcionamento do capitalismo como por que ele poderia um dia parar de funcionar. A versão que ele produziu é coerente e resistiu ao teste do tempo. Há milhares de acadêmicos estabelecidos — incluindo alguns dos estudiosos mais citados do mundo — que ensinam que ela é correta. O problema é que só alguns deles têm permissão para ensinar economia.

A TEORIA DO VALOR-TRABALHO EM NÚMEROS

Quando um comprador da Primark assina um contrato para 100 mil camisetas com uma fábrica em Bangladesh, isso é uma transação. Quando uma operária de Bangladesh chega à fábrica a cada manhã, esperando receber em troca 68 dólares mensais, isso também é uma transação.[10] Quando ela gasta um quinto de sua remuneração diária para comprar um quilo de arroz, isso também é uma transação.[11]

Quando fazemos transações, temos em mente uma vaga ideia de quanto vale um produto que compramos. Se a teoria do valor-trabalho estiver certa, julgamos inconscientemente o valor desse item em relação à quantidade de trabalho de outras pessoas que tal produto, ou serviço, contém.

O que se segue é uma explicação breve e simples da teoria do valor-trabalho. Versões longas e complicadas estão disponíveis, mas, para o propósito de entender como o pós-capitalismo poderia funcionar, é necessário apenas o básico.

O valor de uma commodity é determinado pela quantidade média de horas de trabalho necessárias para produzi-la.[12] Não é o número *real* de horas trabalhadas que fixa o valor, mas as horas "socialmente necessárias" de trabalho estabelecidas em cada indústria ou economia. Assim, a unidade básica de cálculo aqui pode ser resumida como "horas de trabalho socialmente necessário".

Se soubermos quanto custa uma hora de trabalho básico — em Bangladesh, o salário mínimo equivale a cerca de 28 centavos de dólar por hora —, poderemos expressá-lo em dinheiro. Aqui vou me restringir somente a horas.

Duas coisas contribuem para o valor de uma commodity: (a) o trabalho realizado no processo de produção (o que inclui comercialização, pesquisa, projeto etc.) e (b) todo o resto (maquinário, instalações, matéria-prima etc.). Ambas podem ser medidas em termos da quantidade de horas de trabalho que contêm.

A teoria do valor-trabalho trata máquinas, energia e matérias-primas como "trabalho cristalizado" — transferindo seu valor para o novo produto. Assim, se o algodão para uma roupa leva ao todo trinta minutos em média para ser colhido, fiado, tecido e transportado, ele transferirá esse valor para a camisa pronta. Mas com máquinas e outros grandes bens de capital o processo leva tempo; eles transferem seu valor em pequenos bocados. Assim, se uma máquina consumiu o equivalente a 1 milhão de horas de trabalho para ser feita e, ao longo de seu tempo de vida, ela fabricar 1 milhão de objetos, cada objeto transferirá uma única hora do valor da máquina para o seu valor final.

Enquanto isso, tratamos o trabalho real despendido no interior do processo de produção na firma como valor novo, acrescido do que Marx chamava de "trabalho vivo".

Esse processo subjacente — o tempo de trabalho determina a quantidade do novo valor — opera num nível profundo, por trás das costas dos trabalhadores, gerentes, atacadistas e lojistas da Primark. Quando negociamos um preço, ele pode ser influenciado por muitas outras coisas (oferta, procura, utilidade imediata, a oportunidade perdida se não comprarmos, o custo de gastar em vez de poupar), tudo o que Adam Smith resumia na sugestiva palavra "barganha". Num nível agregado, porém, o preço de todos os bens e serviços vendidos numa determinada economia é apenas uma expressão monetária de quanto trabalho foi preciso para produzi-los.

O problema é que só sabemos se pagamos o preço certo depois do evento. O mercado age como uma gigantesca máquina calculadora, recompensando aqueles que conjecturaram corretamente qual foi o custo socialmente necessário e penalizando aqueles que usaram trabalho em demasia.

Portanto, os preços sempre divergem do valor subjacente das coisas, mas são determinados em última instância por ele. E o valor é determinado pelo volume de trabalho necessário para produzir a commodity.

Mas o que determina o valor do trabalho? Em consonância com todo o resto, a resposta é: o trabalho de outras pessoas — a quantidade média de trabalho de que se precisa para cada operário se apresentar na porta da fábrica, pronto para trabalhar. Isso inclui o trabalho despendido na produção da comida que ele consome, da eletricidade que ele usa, das roupas que um operário veste e — à medida que a sociedade se desenvolve — a quantidade média de instrução, treinamento, cuidados de saúde e consumo de lazer necessários para que o operário faça seu trabalho.

Evidentemente, o custo médio de uma hora de trabalho muda de país para país. Essas diferenças são uma das razões pelas quais empresas transferem sua produção para outros países. Deixar uma criança numa creche no local de trabalho em Bangladesh custa o equivalente a 38 centavos de dólar por dia, enquanto em Nova York uma babá custa quinze dólares por hora.[13] Na última década, as cadeias de produção globais transferiram o trabalho da China para Bangladesh quando os trabalhadores na China conseguiram melhores níveis salariais, embora a produtividade em Bangladesh seja mais baixa. O trabalho bengali era tão barato que, por um tempo, compensou as ineficiências.[14]

Então de onde vem o lucro? Na teoria do valor-trabalho, o

lucro não é um roubo — como numa espoliação. Na média, o salário mensal de um trabalhador *irá* de fato refletir a quantidade de trabalho de outros necessária para produzir sua comida, suas necessidades de energia, suas roupas etc. Mas o empregador sai com alguma coisa a mais. Meu patrão pode me pagar o valor real das oito horas de trabalho que acabei de desempenhar, mas esse valor real talvez seja de apenas quatro horas.

Esse descompasso entre o que o trabalho humano consome e o que ele produz é o âmago da teoria, então vamos examinar um exemplo.

Nazma, na fábrica bengali de camisas, concorda em trabalhar por um salário que parece aproximadamente suficiente para pagar por um mês de comida, aluguel, lazer, transporte, energia, e assim por diante, mais um pouquinho a ser separado como poupança. Ela gostaria de ganhar mais, mas há uma faixa relativamente estreita de salários para o trabalho fabril, então ela tem uma percepção implícita muito clara da média salarial possível para alguém com suas habilidades.

Mas seu empregador não está comprando o trabalho dela *per se*: está comprando sua *capacidade* de trabalho.

Se esquecermos o dinheiro e medirmos tudo em "horas de trabalho necessário", poderemos ver como o lucro é gerado. Se o custo de colocar Nazma na porta da fábrica seis dias por semana é trinta horas de trabalho de outras pessoas espalhadas pelo conjunto da sociedade (para produzir sua comida, roupas, energia, creche, moradia e assim por diante), e ela trabalha sessenta horas por semana, seu trabalho está fornecendo o dobro de produção do que o que consome. Toda a vantagem vai para o empregador. De uma transação inteiramente justa brota um resultado injusto. É isso que Marx chama de "mais-valia", e é a fonte primordial do lucro.

Outra maneira de apresentar a questão é dizer: o trabalho é singular. De todas as coisas que compramos e vendemos, só o trabalho tem a capacidade de acrescentar valor. O trabalho é não apenas a medida do valor, mas o veio principal do qual o lucro é extraído.

Um indício da verdade dessa afirmação é que, onde quer que possam obter trabalho de graça — como no sistema prisional norte-americano ou nos campos de extermínio nazistas —, os capitalistas imediatamente se aproveitam dele. Outro indício repousa no fato de que, sempre que precisam pagar o trabalho abaixo do seu valor médio, como durante a ascensão da indústria exportadora chinesa, os administradores tratam de propiciar os bens necessários de forma coletiva: dormitórios, uniformes e cantinas. O trabalho de uma mão de obra alojada em dormitório é muito mais barato que a média social, que é baseada no custo de vida de uma família numa casa — e evidentemente trabalhadores num dormitório podem ser disciplinados mais facilmente.

Mas por que, se o valor semanal real do meu trabalho é de trinta horas do trabalho de outras pessoas, haveria eu de trabalhar sessenta horas? A resposta é: o mercado de trabalho nunca é livre. Ele foi criado mediante coerção e é recriado todos os dias por leis, regulações, proibições, multas e pelo medo do desemprego.

Na aurora do capitalismo, foram impostas jornadas de trabalho de catorze horas em média — não apenas a adultos, mas até a crianças de oito anos. Um rígido sistema de controle temporal foi implementado: tempo regulamentado para ir ao banheiro, multas por atraso, por defeitos em produtos ou por conversas, horário de entrada inflexível, prazos inalteráveis. Em todo lugar onde observamos o sistema de fábrica recém-criado — seja em Lancashire nos anos 1790, seja em Bangladesh nos últimos vinte anos — vemos a imposição dessas regras.

Mesmo em países avançados, o mercado de trabalho é construído patentemente sob coerção. Basta ouvir qualquer político fazendo um discurso sobre programas sociais: reduzir auxílios para desempregados e inválidos é concebido como meio de forçar as pessoas a aceitar salários com os quais não conseguem se sustentar. Em nenhum outro aspecto do mercado o governo nos coage a tomar parte; ninguém diz: "Você precisa patinar no gelo ou a sociedade vai entrar em colapso".

Trabalhar por um salário é o fundamento do sistema. Nós o aceitamos porque, como nossos antepassados aprenderam do modo mais doloroso, se você não obedecer, não come.

De modo que o nosso trabalho é precioso. Se você por acaso duvida, espie o que acontece no centro de atendimento de um varejista de comércio pela internet, ou num *call center*, ou na agenda de trabalho de um atendente domiciliar. Você verá o trabalho cronometrado e avaliado como se os minutos fossem ouro em pó. O que, para o empregador, eles de fato são. Evidentemente, na ponta do mercado de trabalho ocupada pelos profissionais altamente qualificados e de altos salários, os instrumentos de coerção não são o tempo e a disciplina, mas sim as metas e o controle de qualidade.

Há mais coisas a explorar na teoria do valor-trabalho, mas vamos fazer uma pausa. Já sabemos o suficiente para começar a atacá-la com as ferramentas disponíveis em cada departamento do pensamento econômico.

ALGUMAS OBJEÇÕES VÁLIDAS...

Eis por que eu gosto da teoria do valor-trabalho. Ela trata o lucro como se fosse produzido num lugar central no seio do capitalismo: o local de trabalho, não o mercado. E trata uma das coisas mais básicas que fazemos todos os dias — o trabalho — como algo importante para o pensamento econômico. Mas há também uma longa lista de objeções válidas à teoria do valor-trabalho:

Pergunta: *Por que precisamos de uma "teoria" de qualquer modo? Por que não os fatos simplesmente — como números do PIB, contabilidades de empresas, bolsa de valores etc.?*

Resposta: Porque queremos explicar a mudança. Na ciência, queremos ir além de uma fileira de borboletas pregadas com alfinete numa caixa de vidro; precisamos de uma teoria que explique por que cada subespécie tem um aspecto diferente. Queremos saber por que, durante 1 milhão de repetições de seus ciclos de vida normais, pequenas variações podem emergir e então, subitamente, ocorrer uma mudança colossal.

As teorias nos permitem descrever a realidade que não podemos ver. E nos permitem fazer previsões. Todas as formas de pensamento econômico aceitam a necessidade da teoria. Mas a dificuldade em encontrar uma, e encarar suas implicações, levou a economia, no final do século XIX, a afastar-se do método científico.

P: *Por que não conseguimos "ver" o valor, a mais-valia e o tempo de trabalho? Se eles não aparecem na contabilidade das empresas, e os economistas profissionais não os levam em conta, não serão então apenas um construto mental?*

R: Uma maneira mais sofisticada de expressar isso seria dizer, como fez nos anos 1960 a economista de Cambridge Joan Robinson, que a teoria do valor-trabalho é "metafísica", ou seja, um construto mental cuja existência nunca será desmentida. Para completar, ela disse o mesmo sobre a "utilidade" — a ideia-chave no pensamento econômico dominante —, mas admitia que a metafísica era melhor do que nada.[15]

No entanto, a teoria do valor-trabalho é mais do que metafísica. Claro que ela opera a um certo nível de abstração: isto é, partes da realidade são deixadas de lado. Por exemplo, é um modelo de um capitalismo puro, no qual todo mundo trabalha por salários; não há escravos, camponeses, gângsteres ou mendigos. Ela descreve um processo que funciona "atrás das costas" dos agentes econômicos: ninguém pode calcular se está despendendo mais ou menos tempo de trabalho do que o necessário — ainda que fazer uma conjectura razoável a respeito tenha se tornado crucial para administrar a produtividade.

Na teoria do valor-trabalho, o mercado é o mecanismo de transmissão entre esse processo profundo, insondável, e o resultado na superfície. Só o mercado pode mediar as escolhas individuais e conduzi-las a um efeito agregado; só o mercado pode nos dizer qual é o tempo de trabalho socialmente necessário. Nesse sentido, a teoria do valor-trabalho é a mais grandiosa teoria do mercado já escrita. Ela atribui ao mercado, e *apenas* ao mercado, o mecanismo de tornar concreta a realidade subjacente.

Portanto, sim, ela é abstrata — mas não mais abstrata do que o conceito de "mão invisível" de Adam Smith ou do que a teoria geral da relatividade de Einstein, proposta em 1916 mas só comprovada empiricamente nos anos 1960.

A questão permanece: ela é comprovável? Seria possível questionar a teoria do valor-trabalho em seus próprios termos, com evidências? Ela passaria no teste, estabelecido pelo filósofo Karl Popper, que diz que, se um único fato contrário for verdadeiro, a teoria será falsa?

A resposta é sim — desde que compreendamos a teoria completa. Se você pudesse dizer "o capitalismo é imune a crises", a teoria do valor-trabalho seria falsa. Se pudesse demonstrar que o capitalismo dura para sempre, seria falsa também. Porque, como estamos prestes a ver, a teoria do valor-trabalho descreve ao mesmo tempo tanto um processo cíclico regular como um processo que leva por fim a um colapso de longo prazo.

P: *Por que precisamos desse nível de abstração? Por que a teoria não pode ser construída coletando dados e ruminando-os? Por que deixar o mundo concreto para o pensamento econômico dominante?*

R: Em resposta a esta última pergunta: não deveríamos. Marx

reconhecia que, para ser rigorosa, a teoria do valor-trabalho deveria explicar a realidade no nível concreto. Ele se propôs a tentar desdobrar o modelo abstrato numa descrição mais concreta da economia real. Isso envolveu a introdução de um modelo da economia composto de dois setores (consumo e produção) no segundo volume do *Capital*, e de um sistema bancário no terceiro. Ao lado disso, ele tentou mostrar como os valores subjacentes se transformam em preços no nível concreto.

Há incoerências no modo como Marx elaborou esse assim chamado "problema de transformação", que levou a um debate de cem anos de duração sobre se a teoria é incoerente. Uma vez que esta é uma tentativa de aplicar a teoria toda a uma questão específica, não um manual sobre o marxismo, evitarei esse debate aqui, dizendo simplesmente que o "debate da transformação" foi resolvido (de modo satisfatório para mim) por um grupo de acadêmicos conhecidos como a escola "do sistema temporal único".*

A questão é que, mesmo em sua forma mais consistente, a teoria do valor-trabalho não será uma ferramenta prática para medir e prever movimentos de preços: é uma ferramenta mental para compreender o que são esses movimentos. Pertence a uma classe de ideias que Einstein descreveu como "teorias de princípios": teorias cuja meta é capturar a essência da realidade numa proposição simples, que pode ser eliminada da experiência cotidiana. Einstein escreveu que o objetivo da ciência é capturar a conexão entre todos os dados experimentais "em sua totalidade" — e fazer isso "usando um mínimo de conceitos e relações primordiais". Ele assinalou que quanto mais claros e logicamente unifica-

---

* Eles mostram que as supostas incoerências nos cálculos de Marx desaparecem quando compreendemos que esse processo acontece ao longo do tempo, não simultaneamente como se estivesse numa única coluna de uma planilha. (N. A.)

dos forem esses conceitos primordiais, mais divorciados eles estarão dos dados.[16]

Einstein acreditava que a verdade de uma teoria é, sem dúvida, afiançada pela sua capacidade de prever com sucesso a experiência. Mas a relação entre a teoria e a experiência só pode ser apreendida intuitivamente.

Por motivos que discutiremos posteriormente, o pensamento econômico dominante evoluiu para uma pseudociência que só é capaz de propiciar afirmações obtidas por meio de uma ruminação dos dados. O resultado é um esmerado conjunto de manuais que são coerentes em seu conteúdo, mas que continuamente fracassam em prever e descrever a realidade.

P: *Isso não é ideológico demais? A teoria do valor-trabalho não está contaminada demais de hostilidade ao capitalismo para ser de alguma utilidade?*

R: Sim, esse é um problema. Como resultado das batalhas ideológicas na economia desde a década de 1870, tem havido um diálogo de surdos. As consequências, que temos que superar hoje, foram a incoerência do pensamento econômico dominante e a falta de concretude do marxismo.

Você ouvirá com frequência economistas de esquerda tacharem o pensamento econômico *mainstream* de "inútil" — mas ele não é. Na verdade, uma vez entendidas suas limitações, a maior parte da teoria dos preços dominante mapeia muito bem a superfície da teoria do valor-trabalho.

O problema é que a economia *mainstream* não compreende suas próprias limitações. Quanto mais completa ela se tornou como disciplina acadêmica descrevendo uma realidade abstrata, estática e imutável, menos ela compreendeu a mudança. Para enxergar o porquê, abordaremos agora a principal fonte de mudança no capitalismo — a força que torna mais baratas as coisas caras e que agora começou a tornar gratuitas algumas coisas: a produtividade.

A PRODUTIVIDADE NA TEORIA DO VALOR-TRABALHO

De acordo com a teoria do valor-trabalho, há duas espécies de ganhos de produtividade possíveis. Na primeira, os trabalhadores se tornam mais qualificados. Assim, o trabalho de um operador de prensa de metal treinado tem mais valor que o trabalho de alguém que acabou de sair da fila de desempregados — seja porque ele faz uma coisa comum mais depressa e com menos defeitos, seja por sua habilidade de fazer uma coisa extraordinária que o trabalhador menos qualificado não é capaz de fazer.

Mas o custo de instruir e treinar trabalhadores qualificados é geralmente mais alto numa quantidade proporcional: o trabalho dele vale mais porque custou mais para ser produzido e mantido. Por exemplo, os rendimentos médios de profissionais de nível universitário nos países da OCDE são mais que o dobro dos rendimentos de pessoas com apenas uma educação básica, e 60% mais caros que os das que completaram apenas o ensino médio.[17]

A segunda espécie de ganho de produtividade é impulsionada por novas máquinas, ou por uma reorganização do processo de produção, ou por uma nova invenção. É o caso mais comum e Marx o aborda da forma que se segue.

Uma hora de trabalho sempre agrega o valor de uma hora aos produtos fabricados. Assim, o impacto de aumentar a produtividade é o de reduzir a quantidade de valor incorporado em cada produto.

Suponhamos que uma fábrica produza 10 mil peças de roupa por dia. Digamos que sua força de trabalho seja de mil pessoas de qualificação média trabalhando dez horas por dia. Então 10 mil horas de trabalho "vivo" estão entrando na produção diária. Vamos supor que, além de tudo isso, há 10 mil horas de trabalho "cristalizado" entrando na produção diária também — na forma de desgaste do maquinário, energia utilizada, tecidos e outras matérias-primas, custos de transporte etc. A produção diária total da fábrica, tal como medida em tempo de trabalho, consome portanto 20 mil horas de trabalho, metade vivo, metade cristalizado. Assim, cada peça de roupa contém duas horas de tempo de trabalho. No mercado, ela deve ser trocada pelo dinheiro equivalente a duas horas de trabalho.

Agora, vamos supor que seja introduzido um processo que dobra a produtividade do trabalho. Para cada lote de 10 mil peças de roupa temos ainda aproximadamente a mesma quantidade de trabalho cristalizado embutido (10 mil horas neste exemplo). Mas o trabalho vivo envolvido é reduzido para 5 mil horas. Agora, então, cada peça de roupa contém noventa minutos de tempo de trabalho.

Eis como o mercado recompensa você. Se sua fábrica for a primeira a fazer a mudança, as peças de roupa chegam a um mercado em que o tempo de trabalho socialmente necessário para fabricá-las é ainda de 20 mil horas. Esse é o preço que você deve conseguir no mercado. Mas você só precisou de 15 mil horas. Então a fábrica colhe o ganho de produtividade sob a forma de lucro aumentado. O chefe da fábrica reduz preços e amplia sua fatia de mercado ou abocanha o lucro acima da média representado pela diferença entre duas horas e noventa minutos. Por fim, a indústria como um todo acaba por copiar a inovação e o novo preço por peça de roupa passa a ser de noventa minutos de tempo de trabalho.*

Isso nos leva ao ponto principal. Para aumentar a produtividade, aumentamos a proporção do "valor máquina" em relação ao

---

* Um aspecto da teoria de Marx contraria a intuição: é certeza que a produtividade deve aumentar a "qualidade" do trabalho? Quase todas as novas máquinas e reorganizações do local de trabalho trazem novas qualidades a nosso trabalho. Mas insistir que o valor do trabalho permanece inalterado pelos ganhos de produtividade é só um modo de dizer que são *as máquinas, as técnicas gerenciais e o conhecimento* que trazem o ganho de produtividade, não uma mudança na qualidade do trabalho em si. Eles se tornam uma "força multiplicadora" do trabalho humano, que permanece a mesma coisa básica. (N. A.)

trabalho humano vivo empregado. Retiramos seres humanos do processo de produção e no curto prazo — ao nível da empresa ou do setor — os lucros sobem. Mas, como o trabalho é a única fonte de mais-valia, quando uma inovação se estende por todo o setor, e uma nova e mais baixa média social se estabelece, há menos trabalho e mais máquina; a parte da operação produzindo a mais-valia fica menor; e, se não houver controle, isso pressionará para baixo a taxa de lucro do setor.

A inovação, que é impulsionada pela necessidade de minimizar custos, maximizar resultados e utilizar recursos, traz de fato um aumento da riqueza material. E pode levar a uma elevação dos lucros. Mas, uma vez estendida a todo o setor, ela cria uma intrínseca e perene "tendência à queda da taxa de lucro" — se não for contrabalançada por outros fatores.

Apesar da aura de danação da frase marxista "tendência à queda da taxa de lucro", ela não é uma catástrofe real para o capitalismo. Como vimos no capítulo 3, esses fatores compensatórios são geralmente fortes o bastante para contrabalançar os efeitos da queda do conteúdo do trabalho — acima de tudo, mediante a criação de novos setores que demandam insumos de valor mais elevado —, seja na forma de commodities físicas de valor mais elevado ou pela criação de setores de serviço.

Assim, no modelo clássico de capitalismo delineado por Marx, a busca da produtividade eleva a riqueza material, mas causa repetidas crises de curto prazo e em seguida obriga a grandes mutações, por meio das quais o sistema tem que elevar voluntariamente o custo do trabalho. Se não puder tornar os trabalhadores ricos o bastante para comprar todos os bens, ou se não conseguir encontrar novos consumidores em novos mercados, essa escalada de valor da máquina versus valor de mercado leva a uma queda na taxa de lucro.

E foi esse o aspecto de todas as crises na era da escassez: desemprego em massa e fábricas ociosas por causa de um colapso na lucratividade, e tudo explicável usando a teoria do valor-trabalho. Mas a teoria pode ser usada também para explicar outra coisa, a saber: o que acontece quando produtos e novos processos podem ser feitos sem trabalho nenhum envolvido neles. Antes de explorar o assunto, porém, temos que lidar com a teoria alternativa de preços, proposta pelo pensamento econômico *mainstream*, conhecida como "utilidade marginal".

EVITANDO AS "COISAS FUTURAS"

Como Marx, os fundadores do pensamento econômico dominante começaram apontando furos na teoria de Ricardo. A explicação deste para o lucro era incoerente, diziam; nada seria capaz de fazê-la funcionar. A resposta deles foi deslocar a reflexão econômica para um terreno diferente — o dos movimentos observáveis dos preços, da oferta e da procura, das rendas, impostos e taxas de juros.

O que eles produziram foi a teoria da utilidade marginal: de que não há um valor intrínseco em coisa alguma, exceto o que um comprador pagará por ela num determinado momento. Léon Walras, um dos fundadores do marginalismo, insistia: "Os preços de venda dos produtos são determinados no mercado [...] em razão de sua utilidade e quantidade. Não há outras condições a ser levadas em conta, pois essas são as necessárias e suficientes".[18]

Essa teoria do valor baseada na "utilidade" havia sido considerada arcaica desde os tempos de Adam Smith. O fator crucial em seu renascimento foi o acréscimo do conceito de marginalidade. "A quantidade de valor é determinada não pela média, mas pela utilidade final ou marginal", escreveu William Smart, um divulgador inglês da teoria.[19] Marginal significa simplesmente que todo o valor está no "bocado extra" que você quer comprar, não no produto como um todo. Assim, o valor do último comprimido de ecstasy na casa noturna é mais alto que todos os outros.

Para os marginalistas, os julgamentos psicológicos cruciais que fazemos quando compramos coisas são redutíveis à seguinte pergunta: "Eu tenho necessidade de comprar essa próxima coisa — copo de cerveja, cigarro, preservativo, batom, corrida de táxi — mais do que de manter esta última nota de dez euros no meu bolso?".

William Stanley Jevons, o pioneiro inglês do marginalismo, demonstrou que em princípio esses julgamentos sutis sobre utilidade — que ele entendia como escolhas entre prazer e desprazer — podiam ser moldados usando o cálculo. A escala móvel de preços momentâneos era a única coisa necessária para calibrar oferta e procura. O único significado coerente do valor era a "proporção de troca"; ele propunha descartar de uma vez o termo "valor".

Ao que parece, os marginalistas estavam tentando libertar a economia da filosofia. Você não pode defender o capitalismo com o argumento de que ele é "natural", dizia Walras; a única justificativa deveria ser a de que é eficiente e aumenta a riqueza.

Mas há um elemento crucial de ideologia embutido no marginalismo: a asserção de que o mercado é "racional". Walras ficava revoltado com a ideia de que as leis econômicas funcionam independentemente da força de vontade humana. Isso equivalia a tratar a economia como zoologia e a raça humana como animais. "Lado a lado com as muitas forças cegas e inelutáveis do universo", escreveu ele, "existe uma força que é autoconsciente e independente, a saber: a vontade do homem."[20] A nova ciência da economia deveria assumir o mercado como uma expressão da nossa vontade racional coletiva, sustentava Walras. Mas ela devia ser matemática, descolando-se de um único salto de suas raízes éticas e filosóficas ao usar modelos abstratos e considerar todos os casos em forma idealizada.

O feito do marginalismo foi mostrar que mercados governados pela competição livre e perfeita deveriam alcançar "equilíbrio". Foi Walras que converteu isso numa lei demonstrável: já que todos os preços são o resultado de uma escolha feita por um indivíduo racional (comprar o batom ou manter a nota de dez euros?), quando o suprimento se esgota, a escolha racional é parar de tentar comprar o produto. Inversamente, se a oferta de uma coisa aumenta, torna-se racional para as pessoas começar a querê-la e também decidir qual é o preço que pagarão por ela. A oferta cria sua própria demanda, diz a teoria; um mercado operando livremente irá "clarear" até que a demanda corresponda à oferta, com os preços mudando em resposta a isso.

Como Marx, Walras estava trabalhando num alto nível de abstração. Seu modelo pressupõe que todos os agentes tenham uma informação perfeita, que não haja incerteza quanto ao futuro nem fatores externos influenciando o mercado (tais como monopólios, sindicatos, tarifas de importação etc.). Essas abstrações não são inválidas, desde que não se acredite que elas representam a realidade. A pergunta é: a utilidade marginal era a abstração *correta*?

Um primeiro indício de que não era apareceu na atitude dos marginalistas diante da crise. Eles estavam tão convictos da tendência intrínseca do capitalismo ao equilíbrio que concluíram que as crises só podiam ser produzidas por fatores não econômicos. Jevons, com toda a seriedade, sugeriu que a Longa Depressão, iniciada em 1873, foi simplesmente a última de uma série de flutuações regulares causadas por "alguma grandiosa e amplamente difundida influência meteorológica recorrente em períodos semelhantes" — isto é, por manchas solares.[21]

A teoria econômica dos manuais é hoje erigida sobre as descobertas do marginalismo. Mas, na busca da matemática que se sobrepusesse à "economia política", os marginalistas criaram uma disciplina que ignorava o processo de produção; reduziram a psicologia da negociação a um equilíbrio bidimensional entre prazer e desprazer; não viram nenhum papel especial para o trabalho;* desconsideraram a possibilidade de leis econômicas agirem num nível profundo, não observável, independente da vontade racional de seres humanos; e reduziram todos os agentes econômicos a negociadores, abstraindo as classes e outras relações de poder.

Em sua forma mais pura, o marginalismo negava não apenas a possibilidade da exploração, mas também a do lucro como um fenômeno específico. O lucro era meramente a recompensa pela utilidade de algo que o capitalista estava vendendo: sua expertise ou, em formas posteriores da teoria, sua abstinência — isto é, o "desprazer" que eles sofriam durante o ato de acumular seu capital. O marginalismo era, em suma, altamente ideológico. Introduziu uma cegueira diante dos problemas da distribuição e das classes que ainda prejudica o pensamento econômico profissional, e uma profunda falta de interesse pelo que se passa num local de trabalho.

O marginalismo emergiu porque tanto administradores como estrategistas governamentais precisavam de uma forma de economia que fosse maior que a mera contabilidade, mas menor que uma teoria da história; ela precisava descrever em detalhes o modo como funcionava o sistema de preços — e isso de uma maneira que não se interessasse nem um pouco pela dinâmica das classes ou pela justiça social.

Carl Menger, o economista austríaco, sintetizou a motivação psicológica intrínseca do marginalismo num ataque famoso a Smith e Ricardo. Eles estavam obcecados com "o bem-estar do

---

* O trabalho, refletia Jevons, é provavelmente uma mistura de prazer e desprazer, mas o medo de um desprazer maior — a fome — nos leva a trabalhar todo dia. (N. A.)

homem em abstrato, com coisas remotas, com coisas que ainda não existiam, com coisas futuras. Nesse esforço, [eles] negligenciaram os interesses vivos, constatáveis, do presente". O objetivo da economia, de acordo com Menger, deveria ser o estudo da realidade que o capitalismo produz espontaneamente, e defendê-la contra a "mania unilateralmente racionalista da inovação", que "contrariando a intenção de seus representantes leva inexoravelmente ao socialismo".[22]

A obsessão do marginalismo com o presente contínuo, sua hostilidade às coisas futuras, fez dele um modelo brilhante para entender formas de capitalismo que não se alteram, não sofrem mutações nem morrem.

Infelizmente, essas formas não existem.

POR QUE É IMPORTANTE...

Por que, na era dos grandes dados, do Spotify e da negociação de alta frequência, temos que ficar remexendo num debate de meados do século XIX?

Para começar, porque ele explica a teimosia da teoria econômica moderna em face do risco sistêmico. O professor de economia Steve Keen assinala que o marginalismo moderno — ao reduzir tudo à doutrina dos "mercados eficientes" — na verdade contribuiu para o colapso. Os economistas da tendência dominante tornaram "ainda pior uma sociedade já conturbada: mais desigual, mais instável e menos 'eficiente'".[23]

Mas há uma segunda razão, que tem a ver com a maneira como descrevemos a dinâmica do infocapitalismo. A emergência dos bens de informação desafia o marginalismo em seus próprios alicerces, porque sua premissa básica era a escassez, e a informação é abundante. Walras, por exemplo, foi categórico: "Não há produto nenhum que possa ser multiplicado ilimitadamente. Todas as coisas que fazem parte da riqueza social [...] existem apenas em quantidades limitadas".[24]

Vá dizer isso aos realizadores da série *Game of Thrones*: a versão pirata do segundo episódio de sua temporada de 2014 foi baixada ilegalmente por 1,5 milhão de pessoas nas primeiras 24 horas.[25]

Bens de informação existem em quantidades potencialmente ilimitadas e, quando é esse o caso, seu verdadeiro custo marginal de produção é zero. Para completar, o custo marginal de alguns elementos físicos da tecnologia da informação (armazenamento de memória e banda larga sem fio) também está despencando em direção a zero. Enquanto isso, o conteúdo de informação de outros bens físicos está se elevando, expondo mais commodities à possibilidade de que seus custos de produção comecem também a cair vertiginosamente. Tudo isso está erodindo o próprio mecanismo de preços que o marginalismo descreve tão perfeitamente.

A economia, no presente, consiste tanto de bens escassos como de bens abundantes; nosso comportamento é uma mistura das velhas escolhas de prazer-versus-desprazer, feitas de acordo com nosso próprio interesse, lado a lado com o compartilhamento e a cooperação, que aos marginalistas soam como sabotagem.

Mas numa economia da informação plena — em que muito da utilidade fosse propiciado por meio da informação e os bens físicos fossem relativamente abundantes — o mecanismo de preços, tal como descrito pelo marginalismo, iria desmoronar. Por ser uma teoria de preços, e só de preços, o marginalismo não consegue compreender um mundo de bens de preço zero, de espaço econômico compartilhado, de organizações alheias ao mercado e de produtos que não podem ter dono.

Mas a teoria do valor-trabalho consegue. Essa teoria, na verdade, prevê e calibra seu próprio encerramento e seu legado. Isto é, ela prevê uma colisão entre, de um lado, as formas sociais que impulsionam a produtividade e, de outro lado, a produtividade em si.

A teoria do valor-trabalho, tal como delineada por Marx, prevê que o automatismo pode reduzir a força de trabalho necessária a níveis tão baixos que o trabalho se tornaria opcional. Coisas novas que podem ser feitas com quantidade mínima de trabalho humano provavelmente vão acabar sendo gratuitas, compartilhadas e apropriadas coletivamente, diz a teoria. E está certa.

KARL MARX E AS INFOMÁQUINAS

Vamos reafirmar o que Marx chamou de "lei do valor". O preço de cada coisa na economia reflete a quantidade total de trabalho empregado para fazê-la. Os ganhos de produtividade derivam de novos processos, máquinas, reorganizações — e cada um desses elementos vem a um custo, em termos da quantidade de trabalho despendido para criá-lo. Na prática, ao criar novas necessidades, novos mercados e novas indústrias onde os custos da força de trabalho são elevados, de modo a haver mais salários para impulsionar o consumo, o capitalismo escapa da tendência da inovação a fazer encolher o conteúdo laboral da economia, e desse modo fazer encolher a fonte última de lucro.

A tecnologia da informação é apenas o último rebento do processo de inovação que dura 250 anos. Mas a informação injeta uma nova dinâmica. Porque com a infotecnologia você pode ter máquinas que não custam nada, duram para sempre e não quebram.

Se alguém tentasse vender para o chefe da fábrica bengali uma máquina de costura que dura para sempre ele provavelmente engasgaria com o café da manhã. No entanto, ele está bem feliz comprando softwares. O software é uma máquina que, uma vez construída, durará para sempre. Claro que ela pode ser ultrapassada por softwares mais novos, mas o mundo está cheio de velhos softwares que — se pudesse ser encontrado o equipamento certo para fazê-los rodar — teriam condições de funcionar para sempre. Uma vez incidido o custo do projeto, o custo de produção de um software se reduz ao custo do meio em que ele está armazenado ou através do qual ele flui: o disco rígido ou a rede de fibra ótica. Isso e mais sua atualização e manutenção.

E esses custos estão despencando exponencialmente. O custo de implantar 1 milhão de transistores num pedaço de silício caiu de um dólar para seis centavos em dez anos. Ao longo de mais ou menos o mesmo período, o custo de um gigabyte de armazenamento caiu de um dólar para três centavos; e o custo de uma conexão de banda larga de um megabit caiu de mil dólares no ano 2000 para 23 dólares hoje. A Deloitte, que fez esses cálculos, descreve a queda de preços da infotecnologia básica como exponencial: "O ritmo atual do avanço tecnológico é sem precedentes na história e não mostra sinais de que vai se estabilizar, como acabou acontecendo com outras inovações tecnológicas históricas, como a eletricidade".[26]

Tornou-se lugar-comum pensar a informação como "imaterial". Norbert Wiener, um dos fundadores da teoria de informação, afirmou uma vez: "Informação é informação, não é matéria nem energia. Nenhum materialismo que não admita isso poderá sobreviver nos dias de hoje".[27]

Mas isso é uma falácia. Em 1961, o físico da IBM Rolf Landauer provou logicamente que a informação é física.[28] Ele escreveu: "A informação não é uma entidade incorpórea, abstrata; ela está sempre atada a uma representação física. Isso enlaça o manuseio da informação a todas as possibilidades e restrições de nosso mundo físico real, a suas leis da física e seu depósito de partes disponíveis".[29]

Especificamente, ele mostrou que o processamento de informação consome energia e que deveria ser possível medir a quantidade de energia usada para suprimir um "bit" [partícula] de informação. Em 2012, uma equipe de cientistas erigiu um pequenino modelo físico para demonstrar a "Regra de Landauer".[30]

Portanto, a informação é um produto que custa energia para ser produzido e que existe como matéria. Bits ocupam espaço na realidade: consomem eletricidade, liberam calor e precisam ser armazenados em algum lugar. A famosa nuvem do Google é, na verdade, acres de espaço com ar-condicionado da propriedade do servidor.

Mas Wiener estava certo ao compreender que o produto de um processo de computação é qualitativamente diferente de outros produtos físicos.

O verdadeiro prodígio da informação não é o fato de ser imaterial, mas sim de erradicar a necessidade de trabalho numa escala incalculável. Ela faz todas as coisas que uma máquina faz: substitui o trabalho barato por trabalho qualificado; erradica totalmente o trabalho para algumas operações, tornando possíveis novas operações que nenhuma forma anterior de trabalho poderia ter conseguido. A nova informação produzida por um computador tem um valor de uso, ou uma utilidade, que ultrapassa largamente o de suas partes componentes.

Mas as quantidades de valor-trabalho incorporado nos produtos de informação não podem ser negligenciadas. E, uma vez que o conhecimento se torna realmente social — como Marx imaginou com o conceito do "intelecto geral" —, uma parte do valor é dada em colaboração, de graça, como se segue:

- Bens de informação geralmente alavancam o conhecimento científico em geral;
- Seus usuários contribuem em troca, de graça e em tempo real, com dados que permitem aprimorar a informação;
- Qualquer aprimoramento no conhecimento em algum lugar pode ser implementado em todas as máquinas em uso em todos os lugares, imediatamente.

Por exemplo, o Protocolo de Internet, inventado em 1974 e publicado gratuitamente, é um "padrão", não um produto. Mas não é a mesma coisa que, digamos, o padrão de segurança a que uma fábrica de roupas deve aderir. Está mais para a rede de energia elétrica de onde uma fábrica extrai sua potência: é materialmente útil. E é de graça.

O que acontece se inserirmos um tanto desse maquinário gratuito na teoria do valor-trabalho? Marx, hoje sabemos, tinha de fato refletido sobre isso.

Nos *Grundrisse*, Marx diz: se uma máquina custa o equivalente a cem dias de força de trabalho para ser feita, porém se esgota em cem dias, ela não está incrementando a produtividade. Muito melhor é ter uma máquina que custa cem dias de trabalho, mas demora mil dias para se esgotar. Quanto mais durável a máquina, menor será a quantidade do valor dela embutida em cada produto. Levando isso a seu extremo lógico, o que você idealmente quer é uma máquina que nunca se esgote, ou uma cuja substituição não custe nada. Marx compreendeu que, em termos econômicos, é a mesma coisa: "Se o capital pudesse obter o instrumento de produção a custo zero, qual seria a consequência? A mais-valia [seria aumentada], sem o menor custo para o capital". Ele arrola duas vias pelas quais, mesmo no século XIX, o capitalismo estava ganhando um empurrão gratuito desse tipo: pela reorganização do fluxo de trabalho e pelos avanços científicos. Marx escreve então: "Se as máquinas durassem para sempre, se não consistissem, elas mesmas, em material transitório que precisa ser reproduzido [...], então elas corresponderiam mais completamente à sua concepção".[31]

Deveríamos estremecer de assombro diante desse incrível insight, escrito à luz de um candeeiro em 1858: que a forma ideal de uma máquina é uma feita de material que não se desgasta, e que nada custa. Marx não está aqui falando do imaterial, mas de material não transitório: isto é, de algo que não se deteriora.

Máquinas em que partes do valor são proporcionadas por conhecimento social e ciência pública não são conceitos alheios à teoria do valor-trabalho. *São centrais a ela*. Mas Marx julgava que se elas existissem em grandes números explodiriam o sistema baseado em valores do trabalho — "lançá-lo-iam aos ares", como ele diz no *Fragmento sobre máquinas*.

O exemplo prático que Marx usa nos *Grundrisse* deixa claro: uma máquina que dure para sempre, ou que possa ser feita sem trabalho, não pode acrescentar hora nenhuma de trabalho ao valor dos produtos que ela faz. Se uma máquina dura para sempre, ela transfere uma quantidade de valor-trabalho próxima de zero ao produto, até a eternidade, e o valor de cada produto é, dessa forma, reduzido.*

Evidentemente, na realidade, máquinas físicas ainda não duram para sempre; mas o que temos visto nos últimos quinze anos são máquinas cuja utilidade deriva da informação utilizada para operá-las, projetá-las ou construí-las. E apenas a teoria do valor-trabalho pode compreender de modo adequado o que significa economicamente quando o mundo dos objetos físicos se torna transbordante de informação.

QUANDO AS MÁQUINAS PENSAM

Em 1981, trabalhei por alguns meses como operador de prensa numa pequena fábrica de equipamentos próxima do rio Mersey. A máquina de prensa trabalhava com uma mistura de eletricidade e ar comprimido: quando você empurrava uma ala-

---

* Marx escreve: "Suponha que um capitalista investe $ 1.000, incluindo $ 200 em maquinário, e aufere $ 50 por ano. Em quatro anos, o maquinário estará pago e, a partir de então, em termos de valor, é como se o capital equivalesse a apenas $ 800". (N. A.)

vanca, ela fazia uma peça baixar até um disco de metal, calcando-o num molde. Meu trabalho era colocar o disco sobre o molde, empurrar a alavanca e tirar meus dedos do caminho antes que a peça descesse. Era trabalho sem qualificação, com umas dez repetições por minuto, e sempre havia um número enorme de discos com defeito. Não havia mecanismo algum de feedback na prensa; e nada era automatizado, exceto seu movimento único de martelagem. Acima de mim havia dois reguladores de máquina, homens semiqualificados que ajustavam a peça na máquina e a realinhavam a cada poucas horas. Na sala seguinte, ficavam os metalúrgicos especializados que faziam as peças. Eles nunca falavam conosco. No entanto, o que todos nós compartilhávamos era isto: sem a habilidade de nossos dedos e um olho atento a eventuais defeitos, ao perigo inerente e a processos imperfeitos, nada funcionaria na fábrica.

Hoje em dia, a estamparia de metais é quase totalmente automatizada. A operação é simulada primeiro num computador, com milhares de pontos de dados sobre o metal moldado matematicamente, de modo a compreender a pressão aplicada sobre o metal. Então um projeto em 3-D é inserido diretamente num computador, que controla a máquina. O molde e a ferramenta que pressiona o disco são com frequência muito mais intrincados do que aqueles que eu usava em 1981; e agora eles são posicionados por raios laser, proporcionando uma precisão bem maior. Se algo dá errado, o computador que controla a máquina fica sabendo. Quando a peça sai da máquina, é recolhida por um robô, analisada e colocada precisamente onde deve ir em seguida. E, quando a ferramenta precisa ser trocada, um braço de robô faz isso.

Tais máquinas podem concluir em uma hora o que fazíamos em um dia, e ainda sem defeitos e sem pontas de dedos caídas acidentalmente no chão — porque não há operários. O que torna isso possível são numerosas aplicações de infotecnologia: análise computadorizada e projeto em 3-D na preparação; feedback e análise em tempo real durante o processo; e armazenamento de dados para auxiliar em futuros refinamentos do processo. Os pesquisadores agora se concentram em meios de automatizar a produção das próprias ferramentas e até mesmo de substituir o trabalho humano no projeto usando modelos de computador.

Portanto a máquina toda está transbordando de informação e o mesmo vale para o produto: fábricas automatizadas requerem que mesmo as pequenas peças sejam identificáveis individualmente, mediante etiquetas e números. A impressora pode acrescentá-los também.

Atravessamos uma revolução numa das operações mais básicas no capitalismo industrial: a modelagem do metal. Mas ninguém se preocupou em teorizá-la — a literatura acadêmica sobre a estampagem de metal automatizada pertence aos departamentos de engenharia, não ao pensamento econômico.[32]

E isso porque, como já vimos, ninguém sabe como medir economicamente o valor da informação. Você pode enxergar o impacto de comprar uma prensa automática na capacidade inicial de uma empresa; pode avaliar os projetos em 3-D e os programas customizados de computador como ativos, mas, como a pesquisa do SAS Institute mostrou, você estará basicamente conjecturando.

A teoria do valor-trabalho nos capacita a fazer algo melhor do que conjecturar: ela nos permite pensar no software como uma máquina; a informação (projetos em 3-D, programas, relatórios de monitoramento), como trabalho cristalizado, tanto quanto as ferramentas e os moldes de metal. E ela nos permite investigar o processo pelo qual o efeito de "custo marginal zero" dos bens de pura informação transborda para o mundo dos produtos físicos e das máquinas que os fazem.

Minha oficina de estamparia de metal no início dos anos 1980 contava com uma equipe de uns 25 trabalhadores. Para uma operação de tamanho similar, hoje, seriam necessários menos de cinco. A diferença crucial é feita pelos softwares, pelos sensores a laser e pela robótica.

O valor desse software industrial depende inteiramente da lei de patentes que impede que ele seja usado e replicado de graça. Embora ele seja mais difícil de piratear do que, digamos, o DVD de um filme comercial, o princípio permanece o mesmo: o custo de reprodução de um software industrial é zero; o valor adicional está contido no trabalho feito para acoplá-lo a máquinas e processos específicos.

Embora uma oficina industrial tenha os mesmos cheiros e sons que tinha trinta anos atrás, ela hoje é tão diferente daquela em que trabalhei quanto uma faixa do iTunes é de um disco de vinil.

A MÁQUINA LIVRE NUMA ECONOMIA MISTA

Vimos o que acontece se você injeta produtos de custo marginal zero no modelo de preços: ele desmorona. Precisamos agora delinear o que acontece se você injeta máquinas livres e gratuitas no ciclo de investimento do capital.

Em benefício da clareza, estou usando aqui um modelo ultrabásico, com todos os riscos de simplificação demasiada que o acompanham.

Digamos que haja quatro linhas numa planilha representando os insumos para uma economia em termos de valor-trabalho. As unidades podem ser milhões de horas de tempo de trabalho. Digamos que o trabalho transferido para o produto final no Período n. 1 se pareça com isto:
- Capital: 200
- Energia: 200

- Matérias-primas: 200
- Trabalho: 200

A linha do capital da planilha é sempre diferente na teoria do valor-trabalho, porque as máquinas transferem seu valor para o produto ao longo de vários anos, enquanto nas outras três linhas o valor é consumido no período corrente. Então essa linha de capital poderia representar o maquinário etc. custando mil, fatiados em duzentas unidades de valor a cada ano na produção total ao longo de um período de cinco anos.

Agora vamos fazer uma coisa drástica na linha do capital: vamos supor que ela represente uma única máquina que dura para sempre. Na teoria do valor-trabalho isso imediatamente corta para zero, para sempre, o trabalho transferido da linha do capital. Não importa de quanto foi o desembolso inicial (em termos de horas gastas para fazer a máquina), se ela dura para sempre, transfere quase nenhum valor — porque mesmo 1 bilhão dividido por "para sempre" é zero.

O total de horas de trabalho transferidas por todos os fatores de produção ao produto final cai agora para seiscentas horas (marxistas perspicazes perceberão que não estou incluindo o lucro neste modelo, mas vejam abaixo).

Agora vamos desenrolar a planilha no tempo: no Período n. 2, o efeito-zero na linha do capital transborda e reduz o número de horas de trabalho transferidas para o produto final — porque as horas necessárias para reproduzir a força de trabalho são reduzidas. Se você mantiver esse modelo funcionando, sem fazer nada para contrabalançar a pressão para baixo dos insumos do trabalho, muito em breve não serão apenas os custos do capital que serão zerados, mas também os custos de trabalho/matéria-prima cairão rapidamente. Claro que numa economia real as máquinas não duram para sempre. Mas, na medida em que estão impregnadas de informação, uma parte do trabalho despendido para fazê-las cessa de circular da velha maneira. O valor evapora.

Vamos deslocar essa planilha para um estágio final, ao longo de vários períodos de tempo em que o capital e o trabalho encolheram em direção ao custo marginal zero de reprodução. Agora o trabalho despendido é principalmente concentrado no fornecimento de energia e matérias-primas físicas. Se isso acontecesse na vida real, pelo fato de a lei do valor operar sob a superfície, seria possível ao sistema de preços seguir normalmente, tentando calcular a utilidade marginal das coisas. À medida que os preços caíssem, as corporações poderiam reagir tentando impor preços fixados de forma monopolista — para impedir que o valor incorporado na máquina e o de seu produto caíssem em direção a zero. Mas o pensamento econômico dominante ficaria desconcertado. Teria a impressão de que fatias inteiras da atividade econômica estavam sendo "roubadas" da estrutura normal do mercado.

E, ainda que estejamos distantes da pura economia da informação esboçada grosseiramente aqui, já podemos sentir esses efeitos na realidade: monopólios estão se erguendo para impedir que softwares e bens de informação se tornem gratuitos; padrões de contabilidade são falseados à medida que as empresas recorrem a conjecturas para definir o valor. Há tentativas de estimular o aumento salarial, conquanto a maior parte dos insumos ao trabalho possam agora ser produzidos com menos trabalho.

Em seu primeiro grande estudo macroeconômico sobre a internet, em 2013, a OCDE admitiu: "Se o impacto da internet sobre transações de mercado e valor agregado tem sido indubitavelmente de amplas consequências, seu efeito nas interações fora do mercado [...] é ainda mais profundo. Interações de não mercado são largamente caracterizadas pela ausência de um mecanismo de preços e de equilíbrio de mercado". O marginalismo não fornece nenhum sistema métrico, nenhum modelo para compreender como uma economia de preços se torna uma economia substancialmente de não preço. Assim se expressa a equipe da OCDE: "Pouca atenção tem sido dada às interações de não mercado, uma vez que poucas mensurações bem definidas e bem fundamentadas — se é que alguma — têm sido adotadas de modo geral".[33]

Vamos admitir, então, que apenas o marginalismo nos capacite a erigir modelos de preços numa sociedade capitalista em que tudo é escasso. Em compensação, insistimos: só a teoria do valor-trabalho nos permite construir modelos em que os efeitos do custo zero começam a cair em cascata, da informação para dentro da esfera das máquinas e produtos, e daí para os custos do trabalho.

Uma vez que você introduz máquinas e produtos livres e gratuitos num modelo de capitalismo que se desenrola no tempo, mesmo num modelo cru como este, o efeito é tão eletrizante quanto a introdução do número zero na matemática.

A planilha de quatro linhas esboçada acima deveria de fato ter uma linha extra para os lucros e, em vez de simplesmente declinar, cada valor deveria crescer talvez 3% ao ano, representando o crescimento do PIB. Mas suponha que você acrescentou de fato o lucro e o crescimento. Uma vez que o efeito do custo marginal zero entra em cena, teria de haver lucros e crescimento tremendos para compensar o eventual impacto nos custos do trabalho. Em outras palavras, teria que haver novas revoluções industriais a cada quinze anos, um crescimento nominal muito rápido e firmas monopolistas ainda maiores.

Mas isso não pode acontecer.

O capitalismo funcionou enquanto o capital podia se deslocar, quando a inovação tecnológica trazia custos mais baixos num setor, para setores com maiores salários, lucros mais elevados e insumos de custo mais alto. O capitalismo não se autorreproduz desse modo quando o resultado é custo zero.

Esse modelo simplificado também nos permite ver realmente como a teoria econômica, numa sociedade de custo de produção zero, passa rapidamente a se concentrar em energia e matérias-primas: elas se tornam o setor em que a escassez ainda reina. Mais tarde, exploraremos de que maneira um esboço como este do desaparecimento do valor da força de trabalho poderia se traduzir num esquema real de estratégias para a transição; e de que maneira questões em torno da energia se encaixam nele. Por ora, contudo, vamos observar como o capitalismo poderia evoluir para fazer frente a esses desafios econômicos.

QUE CARA TERIA O INFOCAPITALISMO?

A ascensão da informação livre e das máquinas gratuitas é nova. Mas o barateamento dos insumos por meio da produtividade é tão velho quanto o próprio capitalismo. O que impede o capitalismo de ser uma corrida sistêmica para o fundo do poço é a criação de novos mercados, novas necessidades e a elevação da quantidade de tempo de trabalho socialmente necessário para satisfazer tais necessidades (roupas da moda em vez de farrapos, TVs em vez de revistas); isto por sua vez eleva a quantidade de tempo de trabalho incorporado em cada máquina, produto ou serviço.

Se esse reflexo inerente pudesse funcionar adequadamente, em face da revolução informática, o que teríamos seria um infocapitalismo pleno. Mas eis como ele teria que funcionar.

Teria que deter a queda dos preços dos bens de informação, mediante uma prática monopolista de fixação de preços: pense na Apple, na Microsoft e na Nikon/Canon com anabolizantes. O sistema teria que maximizar a captura de externalidades pelas corporações. Cada interação — entre produtor e consumidor, entre consumidor e consumidor, entre amigo e amigo — teria que ser explorada em busca de valor. (Em termos da teoria do valor-trabalho, nossa atividade não laboral teria que ser convertida em trabalho fornecido de graça à corporação.) Um infocapitalismo florescente poderia talvez procurar manter artificialmente preços altos para a energia e matérias-primas físicas, mediante o armazenamento escondido e outros comportamentos monopolistas, de modo que o custo delas implicasse elevação do tempo de trabalho médio necessário para reproduzir a força de trabalho. Crucialmente, ele teria que criar novos mercados para além da produção, no campo dos serviços. A história de 250 anos do capitalismo tem girado em torno do deslocamento das forças de mercado para setores em que elas não existiam antes. O infocapitalismo teria que levar isso ao extremo, criando novas formas de microsserviços de pessoa a pessoa, pagos por meio de micropagamentos, e predominantemente no setor privado.

E por fim, para o infocapitalismo vingar, ele teria que encontrar trabalho para milhões de pessoas cujos empregos foram automatizados. Não poderiam ser empregadas majoritariamente em trabalhos mal pagos, porque o mecanismo tradicional de escape precisa que os custos da força de trabalho subam: a vida humana tem que se tornar mais complexa, necessitando de mais insumos de trabalho, não menos, como nas quatro ondas cíclicas ascendentes descritas pela teoria dos ciclos longos.

Se todas essas coisas pudessem acontecer, o infocapitalismo poderia decolar. Os elementos de uma solução assim existem em economias modernas: a Apple é a clássica firma monopolista de preços, o modelo comercial da Amazon é a estratégia clássica de captura de externalidades; a especulação em torno de commodities, a clássica maneira de elevar os custos de energia e matérias-primas acima de seu valor; ao mesmo tempo, a emergência de microsserviços pessoais — cuidadores de cães, salões de manicure, assistentes pessoais — mostra o capitalismo comercializando atividades que costumávamos proporcionar por meio da amizade ou da informalidade.

Mas há claros obstáculos estruturais para que isso funcione. Primeiro, a rota normal de fuga — a inovação cria novas tecnologias caras que substituem a infotecnologia — está obstruída. A informação não é uma tecnologia aleatória que meramente apareceu e que pode ser deixada de lado como a máquina a vapor. Ela investe toda inovação futura com a dinâmica do preço zero: biotecnologia, viagem espacial, reconfiguração cerebral ou nanotecnologia, além de coisas que não podemos sequer imaginar. O único meio pelo qual se poderia remover o efeito da informação dessas tecnologias vindouras seria, como no romance de ficção científica *Duna*, de Frank Herbert, banir os computadores e substituí-los por caros especialistas humanos em cálculos.

O segundo obstáculo é a escala do redesenho da força de trabalho. Na época de Marx, havia 82 mil funcionários de escritório nos Estados Unidos, 0,6% da força de trabalho. Em 1970, às vésperas da revolução infotecnológica, havia 14 milhões — quase um em cada cinco trabalhadores.[34] Hoje, apesar da automatização e do desaparecimento de todos os tipos de trabalho intelectual — tais como caixa de banco, estenógrafo, operador de calculadora e por aí afora —, "auxiliar de escritório e administração" segue sendo a maior categoria profissional nos Estados Unidos, com 16% da força de trabalho.[35] A segunda categoria mais numerosa é "vendas", com 11%.

Em 2013, um estudo da Oxford Martin School indicou que 47% de todos os empregos nos Estados Unidos eram suscetíveis de automação. Desses, eram os administrativos e de vendas que corriam o risco mais alto. O estudo previa duas ondas de computadorização ao longo dos próximos vinte anos: "Na primeira onda, vemos que a maioria dos trabalhadores em ocupações de transporte e logística, junto com o grosso dos funcionários de escritério e administração, mais a mão de obra em ocupações de produção, têm grande probabilidade de ser substituídos por investimento em computação".[36]

Na segunda onda, tudo o que depende de destreza dos dedos, observação, feedback ou trabalho num espaço exíguo é robotizado. O estudo concluía que os empregos mais a salvo da automação eram os de serviço em que é necessária uma alta compreensão das interações humanas — enfermagem, por exemplo — e empregos que requerem criatividade.

O estudo provocou um clamor em conformidade com as conhecidas afirmações dos subconsumistas: os robôs vão matar o capitalismo, porque criarão desemprego em massa e o consumo entrará em colapso. É um perigo real. Para vencê-lo, o capitalismo teria que expandir enormemente o setor de serviços humanos. Teríamos que transformar muito do que fazemos corriqueiramente de graça em trabalho remunerado. Lado a lado com o trabalho sexual, talvez pudéssemos ter "trabalho afetivo": pode-se ver o início disso agora na namorada de aluguel, no passeador profissional de cachorro, na faxineira, no jardineiro, no fornecedor de bufê e no assistente pessoal. Pessoas ricas já estão rodeadas desses servos pós-modernos, mas substituir 47% de todos os empregos dessa maneira iria demandar a comercialização em massa da vida humana comum.

E aqui nos deparamos com o terceiro obstáculo — aquilo que o filósofo André Gorz chamou de "limites da racionalidade econômica".[37] Num certo nível, a vida humana e suas interações resistem à comercialização. Uma economia em que um grande número de pessoas realiza microsserviços umas para as outras pode existir, mas como forma de capitalismo ela seria altamente ineficiente e intrinsecamente de baixo valor.

Você poderia pagar por serviços domésticos, transformar todas as relações sexuais em trabalho pago, mamães com seus filhinhos no parque poderiam cobrar um centavo umas das outras cada vez que elas assumissem a tarefa de empurrar os balanços. Mas seria uma economia em revolta contra o progresso tecnológico.

O capitalismo antigo, quando empurrou as pessoas para dentro das fábricas, teve que transformar partes amplas do modo de vida fora do mercado num crime grave: se você perdia o emprego, era preso por vadiagem; se caçava livremente, como seus antepassados sempre fizeram, isso era um delito punível com a forca. O equivalente hoje seria não apenas injetar o comércio nos poros profundos da vida cotidiana, mas tornar crime a resistência a isso. Você poderia ser obrigado a punir as pessoas que se beijam de graça do mesmo modo que eram punidos os caçadores clandestinos no século XIX. É impossível.

Portanto, o verdadeiro perigo inerente à robotização é algo maior do que o desemprego em massa: é a exaustão da tendência de 250 anos do capitalismo de criar novos mercados onde os antigos estão esgotados.

E há ainda um outro obstáculo: os direitos de propriedade. Para capturar as externalidades numa economia carregada de informação, o capital tem que estender seus direitos de propriedade a novas áreas; tem que possuir nossas *selfies*, nossas *playlists*, não apenas nossos trabalhos acadêmicos publicados, mas também a pesquisa que fizemos para escrevê-los. No entanto, a própria tecnologia nos dá os meios de resistir a isso, tornando essa perspectiva impossível a longo prazo.

Então o que temos na realidade é um infocapitalismo forcejando para existir.

Deveríamos estar atravessando uma terceira revolução industrial, mas ela empacou. Aqueles que põem a culpa de seu fracasso numa política frouxa, numa estratégia de investimento insatisfatória e na arrogância das finanças estão confundindo os sintomas com a doença. Os que tentam continuamente impor normas legais colaborativas por sobre estruturas de mercado estão deixando de ver o ponto central da questão.

Uma economia baseada na informação, com sua tendência a produtos de custo zero e frágeis direitos de propriedade, não pode ser uma economia capitalista.

A utilidade da teoria do valor-trabalho é esclarecer isso: ela nos permite utilizar o mesmo sistema métrico para a produção do mercado e a produção fora do mercado de um modo que os economistas da OCDE não poderiam fazer. Crucialmente, ela nos capacita a delinear o processo de transição de modo que saibamos o que estamos tentando alcançar: um mundo de máquinas livres, bens básicos de preço zero e um mínimo de tempo necessário de trabalho.

A próxima pergunta é: quem vai fazer isso acontecer?

7. Encrenqueiros maravilhosos

Em 1980 o intelectual francês André Gorz anunciou que a classe trabalhadora estava morta. Estava permanentemente dividida como grupo social, despossuída culturalmente e seu papel como agente de progresso social tinha chegado ao fim.

A ideia veio espetacularmente fora de hora. De lá para cá, a força de trabalho global dobrou de tamanho. As transferências de operações para o exterior, a globalização e a entrada de antigos países comunistas no mercado mundial aumentaram para mais de 3 bilhões o número de trabalhadores assalariados.[1] No processo, mudou o significado de ser trabalhador. Por cerca de 150 anos, a palavra "proletariado" significou uma força de trabalho manual predominantemente branca e masculina situada no mundo desenvolvido. Ao longo dos últimos trinta anos, ela se tornou uma força de trabalho multicolorida e majoritariamente feminina, centrada no sul global.

No entanto, em um sentido Gorz estava certo. Nos mesmos trinta anos, assistimos a uma queda vertiginosa da filiação a sindicatos, ao declínio do poder de negociação dos trabalhadores no mundo desenvolvido e a uma queda dos salários em relação ao PIB. Esta, em última instância, é a causa do problema lamentado por Thomas Piketty: a incapacidade dos trabalhadores de defender seu quinhão do produto total, e a ascensão da desigualdade.[2]

Lado a lado com a fraqueza material, o movimento trabalhista sofreu um colapso ideológico — um colapso sentido tão agudamente nas fábricas de Nairóbi e Shenzhen quanto nas cidades do cinturão de ferrugem da Europa e da América. O revés político da esquerda depois de 1989 foi tão completo que, como escreveu o filósofo Fredric Jameson, ficou mais fácil imaginar o fim do mundo do que o fim do capitalismo.[3] Dito de maneira mais brutal, tornou-se impossível imaginar *esta* classe trabalhadora — desorganizada, escravizada pelo consumismo e pelo individualismo — derrubando o capitalismo. A velha sequência — greves de massa, barricadas, sovietes e governo da classe operária — parece utópica num mundo onde o ingrediente crucial, a solidariedade no local de trabalho, caiu fora sem pedir licença.

Os otimistas no meio da esquerda responderam que as derrotas eram meramente cíclicas. Era plausível: a história do movimento operário mostra padrões claros de formação e decomposição que acompanham de perto os longos ciclos de Kondratiev.

Mas eles estavam errados. Esta é uma mudança estratégica. Aqueles que se mantêm apegados à ideia de que o proletariado é a única força capaz de impulsionar a sociedade para além do capitalismo estão ignorando dois traços fundamentais do mundo moderno: que a rota para o pós-capitalismo é diferente; e que o agente da mudança passou a ser, potencialmente, cada indivíduo sobre a terra.

A nova força de trabalho — em fábricas de Bangladesh e da China — está sendo formada mediante um processo tão duro quanto o que os trabalhadores ingleses sofreram duzentos anos atrás. Quem pode esquecer o contrato emitido em fábricas da Foxconn, fornecedora da Apple, na China, em 2010, obrigando trabalhadores a assinar uma promessa de não cometer suicídio devido ao estresse no local de trabalho?[4]

No entanto, desta vez, o processo de industrialização não está conseguindo varrer para longe as teias de aranha sociais e ideológicas da vida pré-industrial. Rivalidades étnicas, redes locais, fundamentalismo religioso e crime organizado são os obstáculos que os organizadores da mão de obra encontram constantemente no sul global — e não conseguem transpor. E ao lado desses velhos problemas há um novo fenômeno: o que eu chamei de "a pegada expandida do indivíduo" e naturalmente a capacidade das pessoas conectadas em rede de manter múltiplas identidades.[5]

E, embora essa nova força de trabalho do sul global fosse originalmente destinada a ser periférica em relação ao núcleo da força de trabalho do capitalismo ocidental 25 anos atrás, hoje também ela está dividida entre núcleo e periferia. Quando a Organização Internacional do Trabalho examinou a mão de obra do sul global por estratos de renda, descobriu que cada faixa de rendimentos (de dois dólares por dia a cinco vezes isso) continha a mesma percentagem de trabalhadores industriais, o que quer dizer que o setor industrial moderno inclui tanto trabalhadores pobres e precários como aqueles com status melhor e rendimentos mais elevados. A fábrica na Nigéria é tão estratificada por qualificação e renda quanto suas fábricas irmãs em Colônia ou Nashville.

O velho movimento operário florescia na coesão. Prosperava em economias locais que eram primordialmente industriais e em comunidades com tradições políticas que podiam absorver e sobreviver às mudanças tecnológicas. O neoliberalismo estilhaçou essas comunidades nas nações desenvolvidas e tornou difícil erigi-las no mundo fora delas.

No subsolo do trabalho precário, da pobreza extrema, da mão de obra imigrante e das condições miseráveis de moradia, tem sido impossível desenvolver no sul global alguma coisa que se pareça com a coletividade e a consciência do movimento operário ocidental em seu apogeu. Somente onde uma elite nacional tem uma base de apoio organizada nos sindicatos ele exerce a mesma influência que desfrutava no século XX: a Argentina sob os Kirchner, por exemplo, ou a África do Sul sob o Congresso Nacional Africano. Enquanto isso, no mundo desenvolvido, apesar de um núcleo duro de ativistas sindicais permanecer apegado aos velhos métodos e cultura, uma classe emergente de jovens trabalhadores precários acha mais fácil — como em Atenas em dezembro de 2008 — ocupar edifícios e promover motins do que ingressar num sindicato.

André Gorz, que estava errado em muitas coisas, estava certo quanto ao porquê disso. *O trabalho — a atividade definidora do capitalismo — está perdendo sua centralidade tanto para a exploração como para a resistência.*

O rápido aumento da produtividade propiciado pelos computadores e pela automação, sustentava Gorz, trouxe a esfera do que está *fora* do trabalho para o campo de batalha primordial. Todas as utopias baseadas no trabalho estão liquidadas, disse ele, sobretudo o marxismo. No lugar delas, deveria haver novas utopias — pelas quais se combateria sem o cobertor confortável das certezas históricas e sem a ajuda de uma classe designada como o agente inconsciente da salvação. Era uma mensagem sombria e ligeiramente louca de ouvir enquanto as pessoas se davam os braços nos piquetes dos anos 1980. Mas o insight de Gorz pode hoje ser alicerçado em algo mais construtivo do que a desilusão.

Como vimos, a tecnologia da informação expele o trabalho da produção, destrói mecanismos de preços e promove formas de troca fora do mercado. Em última instância, ela vai erodir por completo o vínculo entre trabalho e valor.

Assim sendo, então há algo no atual declínio do trabalho organizado que não é simplesmente cíclico ou produto de um revés, mas histórico como foi sua ascensão há duzentos anos. Se o capitalismo deve ter um início, um meio e um fim, o mesmo vale para a história do trabalho organizado.

Como na natureza — e na lógica dialética —, o fim é geralmente um momento de "transfiguração", um conceito que combina a destruição de uma coisa e sua simultânea sobrevivência como outra coisa. Embora não esteja morta, a classe trabalhadora está atravessando um momento de transfiguração. Ela sobreviverá numa forma tão diferente que provavelmente parecerá outra coisa. Como sujeito histórico, está sendo substituída por uma população diversa e global cujo campo de batalha são todos os aspectos da sociedade — não apenas o trabalho — e cujo estilo de vida não tem a ver com solidariedade, mas com a impermanência.

Os que primeiro detectaram tais indivíduos conectados em rede tomaram-nos erroneamente por niilistas que não poderiam jamais efetuar a mudança. Na direção contrária, argumentei (em *Why It's Kicking Off Everywhere* [Por que está eclodindo em toda parte], 2012) que a nova onda de conflitos iniciada em 2011 é um sinal de que esse grupo luta de fato, encarnando valores similares e tecnologicamente determinados, em todos os lugares em que vai para a rua.

Sendo assim, torna-se necessário dizer uma coisa que muitos na esquerda considerarão dolorosa: o marxismo errou quanto à classe trabalhadora. O proletariado foi a coisa mais próxima de um sujeito histórico esclarecido, coletivo, que a sociedade humana já produziu. Mas duzentos anos de experiência mostram que ele estava preocupado em "viver apesar do capitalismo", não em derrubá-lo.

Os trabalhadores foram empurrados para a ação revolucionária por crises sociais e políticas, frequentemente provocadas pela guerra e por uma repressão intolerável. Nas raras ocasiões em que chegaram ao poder, não puderam evitar que ele fosse usurpado por elites atuando sob uma bandeira falsa. A Comuna de Paris de 1871, Barcelona em 1937, as revoluções russa, chinesa e cubana, todas elas demonstram isso.

A literatura da esquerda está abarrotada de escusas por essa história de duzentos anos de derrotas: o Estado era forte demais, a liderança fraca demais, a "aristocracia operária" influente demais, o stalinismo assassinou os revolucionários e suprimiu a verdade. No fim das contas, as desculpas se reduzem a duas: más condições ou maus líderes.

O movimento operário criou um espaço para a ventilação de valores humanos no seio de uma sociedade desumana. Produziu, das profundezas da miséria, artífices do que hoje chamamos de "encrenca maravilhosa": mártires, autodidatas e santos seculares. Mas, longe de ser a portadora inconsciente do socialismo, a classe operária era consciente do que desejava, e expressava isso em suas ações. Queria uma forma mais suportável de capitalismo.

Isso não era produto de atraso mental. Era uma estratégia explícita baseada em algo que a tradição marxista jamais poderia entender e aceitar: a persistência da habilidade, da autonomia e do status na vida da classe operária.

Uma vez compreendido o que de fato aconteceu ao trabalho ao longo dos quatro longos ciclos do capitalismo industrial, o significado da sua transformação no quinto ciclo fica claro. A infotecnologia torna possível a abolição do trabalho. Só o que impede isso é a estrutura social que conhecemos como capitalismo.

1771-1848: A FÁBRICA COMO CAMPO DE BATALHA

A primeira fábrica verdadeira foi construída em Cromford, Inglaterra, em 1771. Ainda se pode ver o pedestal de pedra onde foi instalada a primeira máquina. Para qualquer estudioso de ciências humanas, aquele abafado salão de pedra deveria ser terra consagrada. É o lugar em que a justiça social deixou de ser um sonho e se tornou, pela primeira vez na história humana, uma possibilidade pela qual se podia combater.

Nos anos 1770, o galpão estava cheio de mulheres e crianças, trabalhando em meio a uma densa poeira de algodão, proibidas de falar, cuidando de complexas máquinas de fiar operadas por homens adultos conhecidos como "fiandeiros". Todo mundo na fábrica tinha sido obrigado a aprender a nova cultura do trabalho: seguir o relógio do empregador em vez do relógio do corpo; atenção estrita à tarefa; a natureza inflexível das instruções e a necessidade de se arriscar a sofrer ferimentos sérios durante treze horas por dia. Todos os outros grupos da sociedade tinham raízes, culturas e tradições, mas a mão de obra fabril não tinha nenhuma dessas coisas — era nova e única. Pelos primeiros trinta anos, isso permitiu que o sistema fosse operado de um modo que destruía impiedosamente a vida humana.

Mas os trabalhadores reagiram com luta. Organizaram-se; construíram uma cultura de autoinstrução e, tão logo a fase ascendente do primeiro ciclo longo começou a ratear (em 1818-9), eles empreenderam greves de massa que vinculavam questões salariais com questões de democracia, lançando a Grã-Bretanha numa crise política de vinte anos, que presenciaria repetidas eclosões de violência revolucionária.

Marx e Engels, escrevendo mais de vinte anos depois do início desse movimento, no início da década de 1840, encontraram na classe operária uma solução pronta para um problema filosófico. Os esquerdistas alemães de classe média haviam se tornado comunistas entusiásticos: queriam uma sociedade sem classes, baseada na ausência de propriedade, religião e total liberdade em relação ao trabalho. De repente, na classe trabalhadora, Marx descobria uma força que podia fazer isso acontecer.

Marx sustentava que era a extrema negatividade da vida dos trabalhadores que lhes conferia seu destino histórico. A ausência de propriedade; a ausência de ofício, instrução, religião e vida familiar — e sua completa alienação com relação à sociedade respeitável — tornavam o proletariado, no esquema marxista, o arauto de um novo sistema social. Ela iria primeiro adquirir consciência de classe, depois tomar o poder — para abolir a propriedade, terminar com a alienação do trabalho e inaugurar o comunismo.

Um resumo melhor do relacionamento do proletariado com o destino seria: é complicado.

Os trabalhadores certamente se tornaram conscientes de seus interesses coletivos. Mas então, mesmo em meio à situação inteiramente negativa dos anos 1810, eles criaram algo positivo: não uma "consciência socialista", mas um movimento revolucionário republicano, imbuído dos princípios do aprendizado, do humanismo e da autoajuda.

Em 1818, os fiandeiros de algodão de Manchester fizeram greves de massa. Então, durante 1819, por todo o norte da Inglaterra, operários instauraram clubes e escolas noturnas, debateram política, elegeram delegados para comitês municipais e formaram grupos de mulheres. Desses encontros, no verão de 1819, lançaram um movimento de massa pela democracia: assembleias públicas não oficiais para eleger membros não oficiais do Parlamento. Quando 100 mil trabalhadores se congregaram no St. Peter's Field em Manchester, em 16 de agosto de 1819, desafiando a lei, foram esmagados por uma carga de cavalaria.

O Massacre de Peterloo marcou o verdadeiro início do movimento operário industrial. Promoveu também a primeira tentativa de lidar com a perturbação social por meio da automação.

Na teoria, a maioria dos fiandeiros tinha de ser homens, porque a máquina de fiar, conhecida como "mula", precisava de mãos fortes para puxar e empurrar um conjunto de fusos para a frente e para trás, quatro vezes por minuto. Na prática, porém, havia mulheres fortes o bastante para fazer isso. O verdadeiro propósito era social: era mais fácil impor a disciplina na fábrica por meio de uma camada de operários homens, rudes e mais bem pagos, do que lidar diretamente com mulheres e crianças.[6]

No início dos anos 1820, porém, quando os homens qualificados tinham se tornado militantes, a única solução era automatizar seu trabalho e fazê-los desaparecer. Em 1824, uma "fiadeira automática" foi patenteada, e em pouco tempo milhares estavam em ação. Os empregadores anunciavam que no futuro as máquinas seriam operadas inteiramente por mulheres e crianças, uma vez que "os operários nada têm a fazer senão ficar observando seus movimentos".[7]

Aconteceu exatamente o oposto.

Fiandeiros homens realizaram repetidas greves a partir de 1819 contra o trabalho feminino. Eles se recusavam a instruir moças a fazer os trabalhos que davam acesso a uma qualificação mais elevada, e insistiam que seus próprios filhos fossem escolhidos. Durante as décadas de 1820 e 1830, a minoria de mulheres que mantiveram seus empregos de fiandeiras foi afastada deles; nos anos 1840, a predominância masculina era completa. E, como mostrou a historiadora Mary Friefeld, as novas máquinas não aboliram a necessidade de uma habilidade mais elevada; elas simplesmente criaram uma nova habilidade técnica para substituir a antiga: "Uma tarefa altamente complexa tinha sido substituída por outra, enquanto as funções de controle de qualidade e supervisão mental permaneceram inalteradas".[8]

Descrevi demoradamente esse episódio porque ele se repetiria muitas vezes ao longo dos dois séculos seguintes. A verdadeira história do trabalho não pode ser escrita como "economia mais tecnologia"; ela envolve a interação da tecnologia com organizações criadas por trabalhadores e envolve a criação de relações de poder baseadas em idade, gênero e etnia.

Mais especificamente, esse estudo de caso destrói um passagem muito apreciada de *O capital* — pois Marx, escrevendo na década de 1850, usaria a fiandeira automática como o principal exemplo da tendência do capitalismo a substituir o trabalho qualificado por máquinas para suprimir a força de trabalho. "As máquinas", escreveu, "são a arma mais poderosa para eliminar as greves [...]. Mencionaríamos sobretudo a fiandeira automática [...]."[9]

Podemos detectar a origem da confusão em seu colaborador, Friedrich Engels. Quando ele chegou a Manchester, em 1842, toda a força de trabalho da cidade fizera uma greve geral e saíra derrotada. Com a ajuda de sua amante operária Mary Burns, Engels (então com 22 anos) visitou fábricas, cortiços e entrepostos de algodão para coletar subsídios para a primeira obra séria de sociologia materialista: *A situação da classe trabalhadora na Inglaterra*.

Como antropólogo, Engels compreende corretamente muita coisa: as condições dos cortiços e favelas, a quase total ausência de crença religiosa e deferência entre os trabalhadores, sua tendência à bebida, ao ópio e ao sexo casual. O que ele interpreta errado é o impacto da fiandeira automática. Escreveu:

> Cada aprimoramento das máquinas [...] transforma o trabalho de homens plenamente adultos em mera supervisão, o que uma mulher frágil ou uma criança pode fazer do mesmo modo e de fato faz por metade ou mesmo um terço do salário [...]. Homens adultos são cada vez mais suplantados, e não voltam a ser empregados nem mesmo com o crescimento da indústria.[10]

Engels, é preciso dizer em sua defesa, estava colhendo evidências junto a fiandeiros radicais que, sob condições de declínio e derrota após a greve de 1842, estavam sendo despedidos. No entanto, o impacto de longo prazo da automação foi, em última instância, reforçar o trabalho dos fiandeiros homens e aumentar o seu número.[11] Numerosos estudos, sobretudo do professor William Lazonick, da Universidade de Massachussetts, mostram de que modo a qualificação, a predominância masculina e uma intrincada estrutura de poder entre os trabalhadores homens sobreviveram à ofensiva da mecanização.[12]

Assim, o primeiro contato do marxismo com a classe operária organizada deu origem a um grande mal-entendido, não apenas acerca da qualificação mas também ao tipo de consciência política que ela produz.

Marx sustentava que os trabalhadores aboliriam a propriedade porque careciam de propriedade; aboliriam a estratificação social porque não podiam beneficiar-se dela — e o fariam sem a necessidade de construir uma economia alternativa no seio do velho sistema.

No entanto, a história do movimento operário inglês anterior a 1848 simplesmente não corrobora isso. É uma história de afirmação, da sobrevivência e evolução da qualificação da mão de obra; de assembleias de massa, círculos de estudo, armazéns cooperativos. Acima de tudo, ela produziu uma cultura vibrante da classe operária — de canções, poesia, folclore, jornais e livrarias. Em suma, houve um "um" onde a filosofia marxista disse que deveria haver um "zero".

O que isso significa precisa ser enfrentado diretamente por qualquer pessoa que queira defender o pensamento materialista acerca da história: Marx estava errado quanto à classe operária. Estava errado ao pensar que a automatização destruiria a qualificação e ao dizer que o proletariado não poderia produzir uma cultura duradoura no interior do capitalismo. Eles produziram uma em Lancashire antes mesmo que ele se formasse na universidade.

Marx, como discípulo de Hegel, sempre insistiu que o objeto de estudo da ciência social deveria ser "a coisa como um todo": a coisa num processo de devir e morte; a coisa em suas contradições; a coisa oficial mas também a coisa subjacente, oculta. Ele seguiu rigorosamente esse método com relação ao capitalismo, mas não quando se tratou de analisar a classe trabalhadora.

A *antropologia* da classe operária de Engels em 1842 é detalhada, complexa e específica. A *teoria* marxista do proletariado não é: ela reduz toda uma classe a uma categoria filosófica. E essa teoria estava destinada a ser totalmente desmentida.

1848-98: HOMENS VERSUS MÁQUINAS

No final do século XIX, os sindicatos tinham se entranhado no tecido industrial. Em sua maior parte, eram comandados por trabalhadores qualificados com uma inclinação para a moderação, mas ferozmente zelosos de sua autonomia no local de trabalho.

O livro de Engels sobre a classe operária inglesa só foi publicado na Grã-Bretanha em 1892, época em que já era uma peça de museu. O prefácio dele à primeira edição no Reino Unido reconhecia isso, permanecendo como um insight brilhante sobre a natureza adaptativa do capitalismo e, ao mesmo tempo, como um ato de autoengano quanto às fontes da moderação entre os trabalhadores.

Na Grã-Bretanha, depois do malogro do republicanismo radical em 1848, a forma estável de organização operária foram os sindicatos organizados por trabalhadores qualificados. Onde quer que o sistema fabril tenha vingado — particularmente na metalurgia e na mecânica — o trabalhador autônomo qualificado tornou-se a norma. O radicalismo e o socialismo utópico foram colocados de lado.

Engels racionalizou isso primeiro por meio da economia. Depois de 1848, com novos mercados, novas tecnologias e suprimento expandido de dinheiro, ele reconheceu a decolagem de "uma nova era industrial" — o que Kondratiev chamaria de segundo ciclo longo — que vigoraria até os anos 1890. E identificou uma coisa crucial a seu paradigma tecnológico: a cooperação entre trabalho e capital.

O sistema era agora tão lucrativo que os patrões ingleses não precisavam mais usar os métodos de *Oliver Twist*. A jornada de trabalho estava limitada a dez horas, o trabalho infantil tinha sido reduzido, doenças motivadas pela pobreza eram erradicadas pelo planejamento urbano. Agora, escreveu Engels, os empregadores estavam aptos "a evitar escaramuças desnecessárias, a aceitar a existência e a força dos sindicatos".[13]

A força de trabalho britânica se expandira, passando a incluir milhões de trabalhadores sem qualificação, pobres e precários. Mas Engels reconhecia um "permanente aperfeiçoamento" para dois grupos específicos: os operários fabris e aqueles "dos grandes sindicatos" — querendo com isto dizer trabalhos qualificados dominados por homens adultos.

Engels dizia que os trabalhadores tinham se tornado moderados porque "compartilhavam os benefícios" do poder imperial britânico. Não apenas os trabalhadores qualificados — que ele descrevia como "uma aristocracia operária" —, mas também a grande massa do povo, que Engels considerava também beneficiária da queda dos preços reais resultante do Império Britânico. No entanto, ele julgava que a vantagem competitiva da Grã-Bretanha era temporária e que esse privilégio dos qualificados também seria temporário.

Enquanto isso, entre os trabalhadores do restante do mundo desenvolvido, ele só conseguia ver níveis pré-1848 de rebelião e alienação. De modo que Engels, no final dos anos 1880, começa a empreender uma segunda tentativa de explicar a não emergência do comunismo da classe operária: a Grã-Bretanha havia subornado seus trabalhadores graças ao exercício de seu poder imperial; mas, quando o restante do mundo alcançasse o nível da Grã--Bretanha, a moderação desapareceria.

Era uma interpretação quase totalmente errada da situação. Qualificação, passividade e moderação política estavam difundidas por *toda* a mão de obra do mundo desenvolvido durante a segunda metade do século XIX. Poderíamos recorrer a inúmeros estudos de caso — alguns dos mais detalhados foram escritos no Canadá.

O estudo de Gregory Kealey sobre os tanoeiros de Toronto mostra como, em cada oficina, o sindicato estabelecia o preço da mão de obra. Não havia negociação de salários. Os tanoeiros se reuniam, apresentavam uma lista de preços e os patrões tinham que aceitar ou então dar início a um locaute. A exemplo dos operários qualificados de todos os lugares, embora a semana de trabalho fosse de seis dias, eles tiravam regularmente uma "Segunda--feira Azul" — isto é, um dia de folga extraoficial depois de se embriagar na noite de domingo.

Tinham total autonomia sobre seu trabalho. Possuíam suas próprias ferramentas — aliás, a expressão usada para uma greve era "tirar as ferramentas da oficina". Controlavam rigorosamente o acesso ao aprendizado. Refreavam a produção nas fases de declínio econômico, para manter os salários elevados. Conseguiam tudo isso por meio de reuniões secretas, cumprimentos maçônicos, juramentos, rituais e solidariedade total.

E o sindicato era apenas a camada básica de uma complexa tapeçaria de instituições. "A cultura do trabalhador do século XIX", escreve Bryan Palmer num estudo sobre os operários em Hamilton, Ontário, abarcava uma rica vida associativa, institucionalizada na sociedade de amigos, no instituto de mecânica, nas irmandades esportivas, nas companhias do fogo [isto é, brigadas voluntárias contra incêndios] e nos clubes operários. Complementando essas relações formais havia laços menos estruturados mas igualmente tangíveis de vizinhança, local de trabalho ou parentesco, que se manifestavam na intimidade do compartilhamento do balde de cerveja, ou na beligerância da festa do *charivari*.[14]

No local de trabalho, o controle informal — não apenas dos salários, mas do próprio trabalho — estendia-se até mesmo às indústrias mais novas.[15]

Esses níveis extraordinários de controle informal dos trabalhadores não eram residuais, eles foram de fato *criados* pelos novos processos tecnológicos de meados do século. As tecnologias típicas da segunda onda longa — telégrafo, locomotivas a vapor, estampagem, metalurgia, indústria pesada — eram fortemente manuais, o que significa que a mão forte e o cérebro experiente eram vitais. "O cérebro do administrador está sob o boné do operário", dizia um slogan da classe trabalhadora que refletia a realidade. Para evitar que a qualificação ultrapassasse constantemente a automação, os patrões precisariam de uma "máquina pensante", alertou o líder do sindicato dos tanoeiros de Toronto.[16] Mas isso demoraria mais cem anos para acontecer.

Mesmo durante a fase descendente do segundo ciclo longo, depois de 1873, quando os administradores tentaram impor trabalho desqualificado e automação, fracassaram em grande parte. Conforme Kealey conclui acerca da mão de obra qualificada de Toronto nos anos 1890: "Eles tinham se confrontado com a máquina e vencido".[17] Na década de 1890, a existência de uma camada qualificada, privilegiada e organizada de trabalhadores era um traço geral do capitalismo — não o resultado da vantagem competitiva de uma nação. O impacto conjunto de autonomia dos operários qualificados, a "rica vida associativa" e ascensão de partidos social-democratas forçariam o capitalismo a uma nova adaptação. Tendo "se confrontado com a máquina e vencido", o trabalhador organizado iria se confrontar, na primeira metade do século XX, com o administrador científico, o burocrata e — por fim — o guarda do campo de concentração.

1898-1948: PEGUE UM LINGOTE E ANDE

Em 1898, no pátio de carregamento da Bethlehem Steel na Pensilvânia, um administrador chamado Frederick Winslow Taylor apareceu com uma nova solução para o problema centenário da autonomia do operário qualificado.

"Pegue um *pig* e ande", disse Taylor a seus trabalhadores — sendo um *pig* um lingote de ferro de quarenta quilos. Estudando não apenas o tempo que eles levavam para mover o ferro, mas também o movimento detalhado de seus corpos, Taylor mostrou de que modo tarefas industriais poderiam tornar-se modulares. Os trabalhos poderiam ser decompostos em etapas passíveis de ser aprendidas, e assim designados a trabalhadores menos qualificados do que aqueles que então os realizavam.

Os resultados de Taylor foram impressionantes: a produtividade quase quadruplicou. O incentivo foi um aumento salarial, de 1,15 dólar para 1,85 dólar por dia.[18] A "ciência", de acordo com a precária descrição do próprio Taylor, parece ter incluído a instauração de um administrador controlando rigidamente os períodos de descanso do trabalhador e até a velocidade de seus passos. Taylor escreveu que o tipo de homem talhado para tal trabalho era "tão estúpido e impassível que, em sua constituição mental, se assemelha mais com o boi do que qualquer outro tipo". Com base em tais insights nasceu a administração científica. Agora Taylor aplicava seus métodos a outros locais de trabalho. Numa fábrica de rolimãs, ele introduziu mudanças no processo que permitiram um corte de mão de obra de 120 para 35 trabalhadores com a mesma produção e qualidade aprimorada. Observou: "Isso envolveu a dispensa de muitas das moças mais inteligentes, aplicadas e confiáveis, meramente porque elas não possuíam a qualidade da percepção rápida seguida pela pronta ação".[19]

No aspecto exterior, o taylorismo tinha a ver com tempo e dinheiro. Mas seu verdadeiro propósito era a seleção e estratificação da mão de obra, criando uma camada de trabalhadores mais instruídos para checar, organizar e treinar as camadas mais baixas, e assim impor um rígido controle administrativo. Isso, jactava-se Taylor, "tornava impossíveis os problemas trabalhistas de toda ordem ou mesmo uma greve".[20] Todo o projeto era concebido como um ataque contra a autonomia dos trabalhadores qualificados. A meta era afastar o trabalho mental o máximo possível do trabalho manual.

Embora nunca tivesse ouvido falar de Taylor, em 1913 Henry Ford lançou a segunda grande inovação necessária para possibilitar o trabalho semiqualificado: a linha de produção. Na Ford, como na Bethlehem Steel, os salários eram aumentados em troca de submissão absoluta. Uma impiedosa política de contratações antissindical assegurava o controle administrativo. Três quartos da mão de obra inicial da Ford eram imigrantes de primeira geração, esmagadoramente jovens.

Taylor, Ford e aqueles que os seguiram redesenharam, na prática, a classe trabalhadora. A camada do trabalhador manual qualificado sobreviveria — com construtores de máquinas operatrizes constituindo seu núcleo. Mas haveria também agora uma elite dos colarinhos-brancos no seio da classe trabalhadora, que devia seus salários mais elevados ao novo sistema, no qual a administração estava no controle. Entrar na camada do colarinho--branco poderia ser conseguido por mérito, não apenas graças a laços familiares e sete anos de aprendizado, como tinha sido o caso entre os mecânicos e fiandeiros — e, em certas indústrias, um trabalho de colarinho-branco era mais aberto a mulheres.

Trabalhadores semiqualificados trouxeram uma diferença crítica ao processo de inovação: eles iriam geralmente adaptar suas habilidades às novas máquinas sem as restrições impostas por sindicatos profissionais. Haveria ainda trabalhadores gerais não qualificados, mas o centro de gravidade da classe trabalhadora havia se movido para cima, em direção aos trabalhadores manuais semiqualificados.

Se tudo isso foi concebido para induzir à passividade, fracassou. O que ninguém previa era que essa classe trabalhadora remodelada viria a ser instruída, radicalizada e politizada. O "boi estúpido" de Taylor aprenderia por conta própria a ler — não apenas romances baratos, mas filosofia. Os secretários administrativos e as telefonistas se tornariam agitadores e educadores em partidos socialistas de massas.

Os fatos crus da insurreição operária dos anos 1900 são impressionantes. Um sucesso eleitoral do SPD [Partido Social-Democrata] alemão deu-lhe 31% dos votos em 1903. Um movimento operário clandestino no império czarista criou conselhos (sovietes) de trabalhadores e milícias armadas em 1905. A indústria francesa foi paralisada por greves em 1905-6, enquanto a filiação a sindicatos dobrou em uma década. Os Estados Unidos assistiram à triplicação da densidade sindical em dez anos, ainda que a força de trabalho em si tenha crescido cerca de 50%.[21]

Cidades operárias tornaram-se centros de uma cultura sofisticada — de clubes, bibliotecas, corais e enfermarias, de estilo de vida específico dos trabalhadores e, sobretudo, de resistência dentro das fábricas. De 1910 a 1913, trabalhadores sem qualificação desencadearam uma onda de greves que se espalhou pelo globo e ficou conhecida como a Grande Inquietação. No centro dela, surgiu a batalha pelo controle. O sindicato dos mineiros galeses delineou uma estratégia que estava sendo perseguida em toda parte: "Cada indústria completamente organizada, em primeiro lugar, para lutar, para conquistar o controle e então administrar essa indústria [...], deixando que os próprios homens determinem sob que condições e de que maneira o trabalho deve ser feito".²²

Era como se, por meio de sua ofensiva contra o controle dos locais de trabalho pelos antigos artífices, Taylor e Ford tivessem criado uma nova e mais sofisticada demanda pelo controle democrático no seio da força de trabalho.

O que deteve a Grande Inquietação foi uma combinação de declínio econômico, iniciado em 1913, e níveis elevados de repressão. Quando eclodiu a guerra, em agosto de 1914, deu a impressão de que a coisa toda tinha sido apenas um lampejo. Antes de abordarmos o que ocorreu em seguida, devemos perguntar como os marxistas daquela era entenderam essa nova configuração da classe trabalhadora. Em resumo, eles não entenderam.

LÊNIN E OS ARISTOCRATAS

Em 1902, o revolucionário russo exilado Vladimir Lênin escreveu um panfleto que, embora pouco influente em sua época, iria ter grande significado para o pensamento da extrema esquerda do século XX. Em *O que fazer?*, Lênin declarava abertamente que os operários eram incapazes de compreender o papel atribuído a eles no projeto marxista. A consciência socialista "teria que ser levada a eles de fora". "A história de todos os países mostra que a classe operária, exclusivamente por seus esforços, é capaz de desenvolver apenas consciência sindical", escreveu.[23] O movimento operário, disse ele, teria que ser "desviado" de seus caminhos espontâneos moderados e conduzido para a tomada do poder. Isso se coloca em total contradição com o entendimento de Marx sobre a classe operária. Para Marx, a classe operária era o agente completo da história; para Lênin, era mais uma espécie de reagente — necessitando do partido de vanguarda intelectual para pôr em movimento o processo histórico.

Mas em 1914 Lênin tinha um novo problema a enfrentar: por que os trabalhadores — que eram tão ferozes em sua defesa de salários e da democracia durante a Grande Inquietação — ou se entusiasmavam ou ficavam paralisados pelo patriotismo que se seguiu à eclosão da guerra?

Para explicar isso, Lênin retomou a teoria da "aristocracia operária" de Engels, que ele virou do avesso. Em vez de abolir a elite qualificada na Grã-Bretanha, disse Lênin, a corrida por colônias por parte de todos os países industriais tornara a aristocracia operária o traço permanente do capitalismo moderno. Eles eram a fonte de patriotismo e moderação que poluíam o movimento operário. Felizmente, um contingente maior de operários não qualificados permanecia em condições de fornecer a matéria-prima para a revolução. A divisão política entre reforma e revolução, sustentava Lênin, era o resultado material dessa estratificação da classe operária.

Àquela altura, Lênin estava bem longe tanto de Marx como de Engels. Para Marx, a classe operária é capaz de se tornar comunista espontaneamente; para Lênin, não. Para Marx, a qualificação está destinada a desaparecer mediante a automação; para Lênin, o privilégio dos qualificados, no âmbito doméstico, é o resultado permanente do colonialismo externo.

Em Lênin, não há discussão alguma da base econômica ou técnica dos privilégios da camada qualificada: é como se eles simplesmente fossem recompensados pelos capitalistas com altos salários como uma questão de estratégia política. Na verdade, como vimos, àquela altura a verdadeira estratégia dos capitalistas estava concentrada em *destruir* o privilégio e a autonomia da camada qualificada.

Em 1920, Lênin reformulou a teoria da aristocracia operária, chamando seus componentes de "os verdadeiros agentes da burguesia no movimento operário [...] os arautos do reformismo e do chauvinismo".[24] Mas isso era uma coisa bizarra de se escrever em 1920. Na época, a classe operária estava metida havia quatro anos numa onda de lutas revolucionárias *lideradas* pelos operários qualificados. Entre 1916 e 1921, a classe operária desencadeou um ataque frontal ao controle administrativo. Ele atingiria proporções revolucionárias na Alemanha, na Itália e na Rússia, e níveis pré-revolucionários na Grã-Bretanha, na França e em partes dos Estados Unidos. Em todos os casos, as lutas eram comandadas pela assim chamada "aristocracia operária".

Eu reluto em reforçar a indústria antiLênin. O próprio homem demonstrou ser um revolucionário competente, ignorando na prática muitas limitações de sua própria teoria. Contudo, a teoria do reformismo da aristocracia operária é uma bobagem. A fonte do patriotismo é, infelizmente, o patriotismo, devido ao fato de que, se as classes são essenciais, as nações também o são. Em seus cadernos do cárcere, o comunista italiano Antonio Gramsci reconheceu que as sociedades capitalistas desenvolvidas têm camadas e mais camadas de mecanismos de defesa. O Estado, escreveu ele, era "apenas uma trincheira avançada; atrás dela ergueu-se uma sucessão de fortalezas e linhas de defesa". E uma das mais fortes linhas de defesa é a capacidade do capitalismo de conceder reformas.[25]

A teoria de 1902 contém, porém, um grão de verdade, ainda que não palatável para a maioria dos marxistas. Para compreendê--lo, precisamos observar o desenrolar de um drama global sem precedentes.

UMA TERRÍVEL BELEZA: 1916-39

Em 1916 as engrenagens da máquina de guerra tinham começado a se soltar. A Revolta da Páscoa em Dublin — comandada por uma aliança de socialistas e nacionalistas — fracassou completamente. Mas disparou o tiro de largada para cinco anos de inquietação mundial. O poeta Yeats captou sua significação global quando escreveu sobre os homens comuns que a lideraram: "Tudo mudou completamente. Uma terrível beleza nasceu".[26]

O Primeiro de Maio de 1916 viu a mão de obra fabril de Berlim em greve contra a guerra, brigando com a polícia e liderada por um novo tipo de ativista sindical: o representante de fábrica, eleito pela base, independente dos líderes sindicais pró-guerra e geralmente um socialista de esquerda. Em Glasgow, os membros de um novo grupo de representantes de fábrica, o Clyde Workers Committee, foram presos em massa depois de comandar greves pelo controle operário da indústria de armas.[27]

Em fevereiro de 1917, uma onda de greve nas fábricas de armas de Petrogrado, na Rússia, propagou-se até se tornar uma revolução em âmbito nacional que obrigou o czar a abdicar, levando ao poder um governo provisório de liberais e socialistas moderados (Kondratiev virou ministro da Agricultura). Os trabalhadores russos criaram duas novas formas de organização: o comitê de fábrica e o soviete, este último um conselho, eleito geograficamente, de operários e soldados delegados. E por meio do telégrafo, do telefone e mesmo de sinais de rádio do Exército, a agitação global começou a se alimentar de si mesma. Em maio de 1917, o Exército francês se amotinou. De 113 divisões, 49 sofreram defecções e nove ficaram incapazes de combater.

Esses eventos eram configurados por uma nova sociologia do local de trabalho e uma nova espécie de guerra. De Seattle a Petrogrado, à medida que os homens trabalhadores eram convocados para o Exército, empregadores recrutavam mulheres e adolescentes sem qualificação para trabalhar em estaleiros e fábricas pesadas lado a lado com os homens qualificados remanescentes, cujos empregos os dispensavam do serviço militar.

Com os sindicatos apoiando o esforço de guerra, e portanto opondo-se às greves, os delegados de fábrica tornaram-se um fenômeno que pipocava praticamente por toda parte; eram saídos da camada qualificada, mas preparados para organizar mulheres e rapazes, por cima das velhas fronteiras hierárquicas, em "sindicatos industriais". Quando as revoluções irromperam, os delegados de fábrica formavam sua liderança ancorada nas bases.

Paralelamente a isso, outra radicalização tinha lugar nas trincheiras, liderada por rapazes que tinham descoberto a crueldade da guerra em escala industrial. Tinham visto destruídas noções de coragem, nação e "virilidade" — noções absolutamente centrais à cultura do trabalho antes de 1914.

Então aconteceu um colapso generalizado da ordem no local de trabalho. Em junho de 1917, Petrogrado tinha 367 comitês de fábrica representando 340 mil operários. Na fábrica de equipamentos Brenner, por exemplo, o comitê resolveu: "Em vista da recusa da direção em prosseguir com a produção, o comitê operário decidiu, em assembleia geral, cumprir as ordens e seguir trabalhando".[28] Nenhum programa bolchevique jamais postulara o controle operário. Lênin era cauteloso quanto a isso, tentando inicialmente explicá-lo como "um veto dos trabalhadores contra a administração" e mais tarde, como veremos, tornando-o ilegal.

A segunda grande potência a desmoronar foi a Alemanha; a classe operária alemã, tendo tentado sem sucesso impedir o início da guerra, ocasionou o seu fim. Em novembro de 1918, ativistas de esquerda na Marinha Imperial Alemã organizaram um motim que, em 24 horas, obrigou os navios a voltar ao porto e enviou milhares de marinheiros rebeldes através da Alemanha em caminhões armados. Entre seus objetivos primordiais estava uma torre de rádio em Berlim, a partir da qual eles pretendiam se comunicar com os marinheiros revolucionários de Kronstadt, na Rússia.

Por toda a Alemanha foram formados comitês fabris e conselhos semelhantes aos sovietes. Em 48 horas de motim, eles tinham forçado um armistício, a abdicação do kaiser e a instauração de uma república. Foi só ao aderir à revolução no último momento que os líderes moderados do partido socialista dominante evitaram uma revolução ao estilo russo.

Então, em 1919, uma greve de massa na Itália levou a um movimento coordenado de operários da indústria automobilística em Turim, Milão e Bolonha. Eles ocuparam fábricas e — mais significativamente na Fiat, em Turim — tentaram manter a produção acontecendo sob seu controle, com a ajuda de aliados entre os técnicos.

Esses eventos revelam uma sociologia muito mais interessante do que aquela que Lênin imaginou. Em primeiro lugar, trabalhadores qualificados eram centrais. Lutavam pelo controle de um modo novo, explícito. O sociólogo do local de trabalho Carter Goodrich, observando o fenômeno na Grã-Bretanha, chamou-o de "controle contagioso":

> O velho controle corporativo quase necessariamente implica pequenos grupos de trabalhadores qualificados; os defensores do controle contagioso são, em sua maior parte, ou membros de sindicatos industriais [isto é, formados em cada indústria] ou firmes

defensores do sindicalismo industrial; o temperamento das velhas corporações é monopolista e conservador; o destes últimos, propagandista e revolucionário.[29]

A camada qualificada se deslocara, em outras palavras, para além do "puro sindicalismo de categoria profissional". Mas, ao mesmo tempo, seus membros permaneciam acautelados contra aqueles que pregavam uma revolução política do tipo tudo ou nada. Seu objetivo era o controle do local de trabalho e a criação de uma sociedade paralela no interior do capitalismo.

Pelos vinte anos seguintes, esses delegados de fábrica se tornariam os perenes eleitores flutuantes da extrema esquerda — constantemente buscando uma terceira via entre a insurreição e a reforma. Eles compreendiam (por viver no meio deles) que a maioria dos operários não estava disposta a abraçar imediatamente o comunismo, que muitas sociedades ocidentais tinham uma resiliência política que Lênin não suspeitara, e que eles, os militantes, iriam precisar de estratégias de sobrevivência: fortalecer a autonomia da classe operária, aprimorar sua cultura e defender os ganhos já conquistados.

A história das dissensões internas da maioria dos partidos comunistas no período entreguerras é um confronto recorrente entre os leninistas, tentando impor esquemas inspirados por Moscou, táticas e linguagem dessa tradição, e os representantes de fábrica militando na tentativa de criar uma sociedade alternativa a partir de dentro.

E aqui está o grão de verdade contido em *O que fazer?* — Lênin estava errado ao dizer que os trabalhadores não poderiam avançar espontaneamente para além do sindicalismo reformista. E estava certo ao dizer que o comunismo revolucionário não era sua ideologia espontânea. Sua ideologia espontânea tinha a ver com controle, solidariedade social, autoeducação e criação de um mundo paralelo.

Mas o capitalismo não podia conceder isso: o terceiro ciclo longo estava prestes a começar seu declínio, e de modo espetacular. Depois da quebra de Wall Street de 1929, governos do mundo todo impuseram o desemprego em massa, reduções de gastos sociais e cortes de salários da classe trabalhadora. Onde os riscos eram mais elevados, e a classe trabalhadora mais forte, as elites dirigentes concluíram que ela tinha que ser esmagada.

O cenário estava montado para o evento decisivo da história de duzentos anos do trabalho organizado: a destruição do movimento operário alemão pelo fascismo. O nazismo foi a solução final do capitalismo para o poder dos trabalhadores organizados: em 1933, sindicatos foram tornados ilegais e os partidos social-democratas, destruídos. A catástrofe se repetiu em outros países. Em 1934, o movimento operário na Áustria foi aniquilado numa guerra civil de quatro dias. Depois na Espanha, entre 1936 e 1939, o general Franco desfechou guerra total contra os operários organizados e os camponeses radicais, deixando 350 mil mortos. Na Grécia, a ditadura de Metaxas instaurada em 1936 colocou fora da lei não apenas partidos socialistas e sindicatos, mas também a música popular associada à cultura da classe trabalhadora. O movimento operário na Polônia, na Hungria e nos Estados bálticos — incluindo o massivo movimento operário judeu — foi primeiro suprimido por governos de direita e depois exterminado pelo Holocausto.

Apenas em três economias avançadas as organizações operárias sobreviveram e cresceram nos anos 1930: na Grã-Bretanha e seu império, na França e nos Estados Unidos. Nas últimas duas, os anos 1936-7 assistiram a uma eclosão de ocupações de fábricas nas quais a questão principal era o controle.

Os trabalhadores que combatiam o fascismo eram da geração com mais consciência de classe, com instrução mais elevada e maior disposição para o autossacrifício de toda a história de duzentos anos do proletariado. Mas a primeira metade do século XX foi o definitivo laboratório de testes da teoria marxista da classe operária — e ela saiu reprovada. Os trabalhadores queriam algo maior que o poder: queriam o controle. E o quarto ciclo longo iria, por um tempo, proporcioná-lo.

O MASSACRE DAS ILUSÕES

Em 2012, fui a um cemitério em Valência para visitar as valas comuns das vítimas de Franco. Nos anos que se seguiram à queda de Franco, as famílias dessas vítimas tinham erigido pequenas lápides individuais contendo fotografias em sépia dos assassinados. Quando tentei tirar uma foto com meu iPhone, o aplicativo da câmera reconheceu seus rostos como humanos, colocando à volta de cada um deles um quadradinho verde.

Eram em grande parte homens e mulheres de meia-idade: funcionários, advogados, lojistas. Muitos dos homens e mulheres mais jovens tinham sido mortos ou executados no campo de batalha. As valas comuns eram para os que tinham restado e que foram fuzilados aos montes entre 1939 — quando a guerra civil terminou — e 1953 —, quando o regime ficou sem ter mais a quem matar.

George Orwell, que lutou ao lado deles, assombrou-se com o idealismo daqueles rostos. Eram, escreveu, "a flor da classe trabalhadora europeia, fustigada pela polícia de todos os países [...]. Agora, como tantos milhões, apodrecendo em campos de trabalhos forçados".[30] E essa cifra não era uma hipérbole. O gulag soviético continha 1,4 milhão de prisioneiros, dos quais cerca de 200 mil eram mortos a cada ano. Pelo menos 6 milhões de judeus foram mortos nos campos de concentração nazistas, e estima-se que 3,3 milhões de prisioneiros de guerra russos morreram em campos alemães entre 1941 e 1945. A própria guerra espanhola deixou talvez 350 mil mortos.[31]

A escala da mortandade durante a Segunda Guerra Mundial é difícil de ser concebida. Assim, seu impacto sobre a política e a sociologia da classe trabalhadora foi objeto de um silêncio aterrorizado. Mas vamos rompê-lo. A maioria dos judeus mortos na Europa Oriental era de comunidades operárias politizadas. Muitos eram adeptos ou de partidos sionistas de esquerda, pró--soviéticos, ou do antissionista *Bund*. O Holocausto exterminou toda uma tradição política no movimento operário global no período de três anos.

Na Espanha, os sindicatos, cooperativas e milícias da esquerda foram destruídos pelo assassinato em massa — e suas tradições, suprimidas até os anos 1970. Enquanto isso, na Rússia, o movimento operário clandestino foi exterminado pelo gulag e pelas execuções em massa.

O que Orwell chamou de "a flor da classe trabalhadora europeia" foi esmagada. Mesmo se fosse apenas uma questão de números, esse massacre de trabalhadores politizados — somado a 10 milhões de pessoas mortas por ação militar — já seria um ponto de inflexão na história da força de trabalho organizada. Mas o que houve foi igualmente um massacre de ilusões. Conforme a Segunda Guerra Mundial se aproximava, a extrema esquerda — os trotskistas e anarquistas — tentavam manter a velha linha internacionalista: nenhum apoio a guerras entre potências imperialistas, manutenção da luta de classes em curso em cada país. Mas, em maio de 1940, a guerra era um fato maior que a luta de classes.

À medida que as potências aliadas entravam em crise, com tendências pró-nazistas emergindo entre as classes dirigentes na Holanda, França e Grã-Bretanha, foi ficando claro para qualquer família trabalhadora com um rádio que a própria sobrevivência da sua cultura dependia da derrota militar da Alemanha. A política operária se tornaria dependente de uma vitória militar dos aliados. Depois da guerra, aqueles que sobreviveram ao morticínio, conscientes de quão perto a força de trabalho organizada se aproximara da total aniquilação, buscavam agora uma acomodação estratégica.

1948-89: O TRABALHO SE TORNA "ABSURDO"

A Segunda Guerra Mundial foi pontuada por levantes operários — mas de um tipo diferente dos de 1917-21. Começando com a greve geral holandesa em 1941 e atingindo um clímax que derrubou Mussolini em 1943-4, foram ações antifascistas, não primordialmente anticapitalistas. Onde as revoltas operárias ameaçaram os planos aliados — como fizeram tanto em Varsóvia como em Turim em 1944 —, os generais simplesmente retiveram o avanço militar até que a *Wehrmacht* terminasse seu serviço. Depois disso, os partidos comunistas entraram em cena para limitar toda ação à restauração da democracia apenas.

Não houve repetição de 1917-21. Mas temores de uma repetição assim levariam a um salto no padrão de vida dos trabalhadores e a uma inclinação na balança da distribuição de riqueza em favor deles.

Na primeira fase, a rápida expulsão das mulheres da força de trabalho industrial no pós-guerra — tal como descrita no documentário *The Life and Times of Rosie the Riveter* (1980) — permitiu uma elevação dos salários masculinos, causando um estreitamento das diferenças salariais entre operários e classe média. O sociólogo C. Wright Mills observou que nos Estados Unidos, em 1948, enquanto a renda dos colarinhos-brancos tinha dobrado em dez anos, a dos operários manuais triplicara.[32]

Além disso, os aliados impuseram na prática estados de bem-

-estar social, direitos sindicais e constituições democráticas à Itália, à Alemanha e ao Japão, como uma punição a suas elites e um obstáculo a seu reerguimento como potências fascistas.

O pós-guerra viu a criação de uma camada de garotos da classe trabalhadora formar-se na universidade por meio da educação subsidiada. Políticas empreendidas para promover o pleno emprego, junto com trocas de força de trabalho comandadas pelo Estado, ensino profissionalizante e regras de demarcação profissional, aumentaram ainda mais o poder de negociação dos trabalhadores. Como resultado, assim que o crescimento deslanchou nos anos 1950, a participação dos salários no PIB na maioria dos países subiu significativamente acima dos níveis pré-guerra, enquanto a quota de tributos das classes altas e médias também subiu, para financiar programas de saúde e bem-estar.

A troco de quê? Os trabalhadores abandonaram as ideologias de resistência que os haviam sustentado na terceira onda longa. O comunismo, a social-democracia e o sindicalismo tornaram-se — a despeito do que pudesse dizer a retórica — ideologias de coexistência com o capitalismo. Em muitas indústrias os líderes sindicais viraram, na prática, um braço da administração.

É aí que começa a memória viva dos atuais trabalhadores do mundo desenvolvido: com previdência social, saúde, educação gratuita, projetos públicos de moradia e com direitos trabalhistas coletivos consagrados em lei. Durante sua fase ascendente, o quarto ciclo longo propiciaria melhoras materiais com as quais as gerações anteriores só podiam sonhar.

Mas para sobreviventes do período pré-guerra era como acordar num pesadelo. Em 1955, o sociólogo norte-americano Daniel Bell sustentou que "o proletariado está sendo substituído por um salariado, com uma consequente mudança na psicologia dos trabalhadores". Notando a massiva ascensão dos trabalhadores de colarinho branco em comparação com os de uniforme azul,

Bell — àquela altura um esquerdista — alertou: "Esses grupos assalariados não falam a linguagem operária. Nem se pode dirigir a eles nos termos da velha consciência de classe".[33] O teórico social Herbert Marcuse concluiu, em 1961, que a nova tecnologia, os bens de consumo e a liberação sexual tinham enfraquecido decisivamente o divórcio entre o proletariado e o capitalismo. "O novo mundo do trabalho tecnológico impõe assim um enfraquecimento da posição negativa da classe trabalhadora: esta não parece mais ser a contestação viva da sociedade estabelecida."[34]

Na Itália, uma pesquisa pioneira do ativista de fábrica Romano Alquati descobriu que novos níveis de automação no local de trabalho haviam deixado os trabalhadores apartados da fábrica como alguma forma de arena para a expressão política. Para a geração que derrubara Mussolini, as fábricas tinham sido um icônico campo de batalha. Mas entre os jovens a palavra "absurdo" era o termo mais usado para descrever o processo de produção. Eles se queixavam de uma "sensação de ridículo que cercava a vida deles".[35]

O efeito mais tangível dessa nova sociologia do trabalho foi o declínio global nos padrões de votação baseados em classe social, celebremente ilustrado pelo Índice Alford.[36] O historiador Eric Hobsbawm, examinando o processo mais tarde, declarou que "a marcha dos trabalhadores à frente" foi interrompida no início dos anos 1950. Ele citou o declínio de um "estilo comum de vida proletária", a elevação sem precedentes do número de mulheres trabalhando e a substituição de grandes locais de trabalho por uma extensa cadeia de pequenos fornecedores. Crucialmente, Hobsbawm notou que as novas tecnologias dos anos 1950 e 60 haviam não apenas expandido a camada de funcionários administrativos, mas também desvinculado os salários elevados da habilidade manual. Ao assumir duas funções ou dois empregos, fazendo horas extras de trabalho duro no sistema por empreitada, um operário semiqualificado poderia ganhar quase tanto quanto um eletricista ou um técnico tarimbados.[37]

O impacto conjunto dessas mudanças foi que, da guerra até o final da década de 1960, as batalhas operárias foram, como lamentou Alquati, "sempre funcionais ao sistema. Sempre atomizadas, sempre cegas".[38] Gorz escreveu, de modo pessimista, que o local de trabalho no pós-guerra "nunca produzirá aquela cultura da classe operária que, junto com um humanismo da força de trabalho, constituiu a grande utopia dos movimentos socialista e sindical até os anos 1920".[39]

É espantoso como muitos dos teóricos do "declínio da classe operária" tinham uma experiência pessoal do movimento em seu ápice pré-guerra: Marcuse havia sido eleito para um soviete de soldados em Berlim em 1919; Hobsbawm entrara no partido comunista alemão por meio de seu departamento estudantil em 1932; Bell aderiu aos Jovens Socialistas nos cortiços de Nova York no mesmo ano; Gorz testemunhara a insurreição operária em Viena. A desilusão deles era produto de um conhecimento empírico de longa duração.

Olhando retrospectivamente, podemos ver com mais clareza as mudanças às quais eles estavam reagindo.

Primeiro, a classe trabalhadora se expandiu. Grandes parcelas dos assalariados estavam em empregos de escritórios perfeitamente opacos e subalternos, obtendo remuneração menor do que trabalhadores manuais e tendo que se submeter a uma disciplina e a uma rotina sem sentido. Trabalhadores de colarinho branco ainda eram, definitivamente, trabalhadores. O nível de sua alienação foi bem captado pelos romances populares dos anos 1950: *Billy Liar* retrata um funcionário de funerária; Joe Lampton, em *Almas em leilão*, é um contador num conselho local.

Em seguida, a estratificação alterou a consciência dessa classe trabalhadora expandida. Trabalhadores de escritório, mesmo sindicalizados ou espoliados, não pensam nem agem como trabalhadores manuais. E os jovens trabalhadores manuais, eles próprios alienados do trabalho e da cultura à sua volta, também passaram a formular uma espécie diferente de consciência rebelde — como captou à perfeição outro romance popular nos anos 1950, *Sábado à noite, domingo de manhã*. O acesso a bens de consumo não reprimiu a militância. Foi uma mudança substancial, mas inteiramente cabível no interior da cultura operária. Mas a automação desencadeou uma mudança psicológica de longo prazo. Se o trabalho parecia "absurdo, ridículo e aborrecido" aos operários da Fiat que Alquati entrevistou no início dos anos 1960, havia uma razão mais profunda. Os níveis de automação da época eram rudimentares, mas avançados o bastante para ilustrar o que seria o futuro do trabalho. Ainda que a realidade de uma fábrica dirigida por computador estivesse décadas adiante, e a robotização ainda mais distante, os operários compreendiam que essas coisas não eram mais ficção científica, mas nítidas possibilidades. Viria um tempo em que o trabalho manual não seria mais necessário.

Sutilmente, a percepção do que significava ser "um trabalhador" mudou. O que unia os jovens operários nos anos 1950, acreditava Gorz, era a sua alienação do trabalho: "Em resumo, para a massa operária não é mais a força dos trabalhadores que constitui a utopia norteadora, mas sim a possibilidade de cessar de funcionar como trabalhadores; a ênfase é menos numa libertação no seio do trabalho e mais numa libertação com relação ao próprio trabalho".[40]

Greves ocorrem em meio ao proletariado ampliado dos escritórios quando a crise começou no final dos anos 1960, mas elas quase nunca alcançaram os níveis de paralisação total em fábricas, portos e minas. Quando o fizeram, essas greves assumiram a escala de confrontos com o Estado, que a maioria dos trabalhadores de escritórios não estava preparada para levar até as últimas consequências.

Os teóricos do declínio foram desafortunados. Daniel Bell tornou-se um neoconservador. Marcuse, Mills e Gorz propugnavam uma Nova Esquerda baseada nas lutas de grupos oprimidos, não de operários. Foi nisso que viemos parar — mas apenas depois de duas décadas nas quais essa nova classe trabalhadora desafiou os teóricos do declínio, empreendendo uma rebelião que levou partes do mundo desenvolvido à beira do caos.

Nós, militantes das décadas de 1970 e 1980, zombávamos daqueles que haviam declarado mortas as velhas formas da luta de classes, mas eram eles que tinham vislumbrado o futuro.

1967-76: A DÉCADA QUENTE

Os anos 1967 a 1976 viram o capitalismo ocidental em crise e ações grevistas desorganizadas numa escala sem precedentes. A despeito de seus carros, televisores, hipotecas e roupas caras, os trabalhadores ocuparam as ruas. Partidos social-democratas guinaram à esquerda e grupos revolucionários ganharam apoio no interior das fábricas, onde recrutavam milhares de membros.

Entre os donos do poder, houve sérios temores de uma revolução operária; com certeza na França e na Itália — e, em seus pesadelos mais profundos, também na Grã-Bretanha e nas cidades negras dos Estados Unidos. Sabemos como terminou — com derrota e automação —, mas, para responder à pergunta "por quê?", quero começar com minha própria experiência.

Em 1980, o TUC [Trades Union Congress, central sindical britânica] publicou um livro de fotografias de arquivo.[41] Quando o levei para casa e mostrei para minha avó, uma foto deixou-a mesmerizada e fisicamente abalada. Era a imagem de uma garota nua numa tina de lata, em algum momento antes de 1914. "Você não precisa me contar a respeito", disse ela. "Atravessei três meses da greve de 1926 e me casei durante a greve de 1921." Ela nunca demonstrara conhecimento dessas duas grandes greves de mineiros, nem jamais falara sobre isso com meu pai. A tina de lata desencadeou lembranças de pobreza; a pobreza desencadeou a lembrança de 1926, quando uma greve geral de nove dias evoluiu para uma greve de mineiros de três meses — durante a qual, conforme revelava agora, minha avó passara fome.

Todo o período pré-1939 era para ela um arquivo lacrado: extrema penúria, humilhação, violência, bebês nascidos mortos, dívidas e duas greves gigantescas que ela tentara esquecer. Havia nisso mais do que um trauma obliterado. Enquanto folheávamos juntos aquelas fotos de marchas da fome, barricadas e minas de carvão ocupadas, tive a certeza de que aquelas imagens eram até mais chocantes para minha avó do que para mim.

Nascida em 1899, ela atravessara duas guerras mundiais, uma Depressão e o apogeu da "vida proletária comum" de Hobsbawm. Mas, à parte suas próprias lembranças, ela não tinha nenhum conhecimento geral dos eventos, nem tampouco compreensão de seu significado. No entanto, estava tomada por uma compulsiva ideologia da rebelião. A consciência de classe, no caso da minha avó, era formada unicamente a partir da experiência: por meio de conversas, da escuta e observação. Discussões nos pubs, slogans rabiscados nos muros, ações tomadas. As cidades operárias estavam tão apartadas do mundo em que os jornais eram escritos, ou em que os boletins radiofônicos eram emitidos, que a ideologia burguesa mal as tocava.

A lógica e os detalhes eram importantes para questões práticas: como podar roseiras, treinar um cachorrinho, construir uma bomba de morteiro (coisa que ela me ensinou quando eu tinha cinco anos, usando material roubado da fábrica em que trabalhara durante a guerra). Mas a consciência de classe era pré-lógica e implícita. Era comunicada por meio de ditados, canções, suspiros, linguagem corporal e atos constantes de microssolidariedade. Era uma solidariedade preservada ao longo de gerações, graças a uma estabilidade industrial e geográfica.

Ela conhecia a história de sua família a partir dos nomes na contracapa de sua Bíblia, remontando a 1770. Eram todos tecelões de seda ou algodão, incluindo sua própria mãe solteira. Nenhum deles vivera a mais de oito quilômetros do local onde ela nascera. Em sua própria vida ela mudara de casa apenas três vezes, sempre para lugares próximos.

Portanto, quando os sociólogos perguntam qual a importância do "modo de vida comum do proletariado" e de sua geografia física para a consciência de classe antes de 1945, minha resposta é: uma importância decisiva.

Embora parecesse aos jovens trabalhadores dos anos 1960 que eles viviam no seio de uma cultura estável de duzentos anos, os alicerces desta mudavam tão rapidamente que, quando eles tentaram mover as alavancas tradicionais da solidariedade e da luta, nos anos 1970 e 1980, elas não funcionaram.

A mudança central — como documentou brilhantemente Richard Hoggart em seu estudo de 1957 *The Uses of Literacy* [Os usos de saber ler e escrever] — era a injeção de instrução formal na vida da classe trabalhadora: informação, lógica e a capacidade de questionar tudo. A complexidade mental não era mais privilégio do professor fabiano* ou do agitador comunista com seu jornal cheio da retórica de Moscou. Era acessível a todos.[42]

Para a geração de meu pai, o conhecimento chegava à comu-

---

* Referência à Sociedade Fabiana, fundada em Londres em 1884, com o intuito de defender a justiça social e a elevação da classe trabalhadora por meio de reformas das instituições. (N. T.)

nidade operária do pós-guerra não apenas por meio do sistema educacional ampliado e da biblioteca pública, mas também da televisão, do jornal tabloide, do cinema, do livro barato e das letras de canções populares, que em algum momento no final dos anos 1950 começou a assumir a condição de poesia da classe operária. E era conhecimento sobre um mundo que de repente se tornara complexo. A mobilidade social aumentava. A mobilidade geográfica aumentava. O sexo — um tabu no discurso da classe trabalhadora antes da guerra — estava por toda parte. E agora, à beira de outra crise, a maior inovação tecnológica de todas estava se espalhando: a pílula anticoncepcional, receitada pela primeira vez em 1960, mas predominantemente legalizada para o uso por mulheres solteiras durante o final da década de 1960 e início da de 70, produzindo o que os economistas Akerlof, Yellen e Katz chamaram de "um choque de tecnologia reprodutiva".[43] As mulheres ingressaram com força na educação superior: por exemplo, 10% dos estudantes de direito nos Estados Unidos em 1970 eram mulheres — número que subiu para 30% dez anos mais tarde. E, com o controle sobre a escolha do momento para a gravidez, estava montado o cenário para um crescimento decisivo da participação feminina na força de trabalho.[44]

Em suma, o que emergiu foi um novo tipo de trabalhador. A geração que iria mover a guerra de classes nos anos 1970 começou com rendimentos mais altos, níveis mais elevados de liberdade pessoal, laços sociais fragmentários e muito mais acesso à informação. Contra as crenças dos teóricos do declínio, nada disso serviria de obstáculo à sua luta. Mas está aí, em última instância, o porquê da sua derrota.

O modelo pós-industrial, de mercado livre, que destruiu a força econômica dessa geração de trabalhadores e a narrativa tradicional baseada no trabalho, tinha ruído. Uma nova estratégia capitalista emergira. Havia também a emergência de uma nova espécie de consciência rebelde, que não era mais negativa, espontânea ou uniforme, mas sim baseada em educação formal e mais dependente dos canais de comunicação de massa controlados pela elite. Para complicar, temos que levar em conta o peso morto tanto do stalinismo como da social-democracia, que atuaram virtualmente em tempo integral durante a rebelião dos anos 1970 para canalizar a luta de classes para uma política parlamentar e de compromisso. Por fim, os trabalhadores foram contidos pelo conhecimento de que as revoluções das décadas de 1920 e 1930 haviam fracassado, e de que o fascismo só foi derrotado com a ajuda do capitalismo democrático.

Cada uma das economias avançadas atravessou uma extrema guerra de classes do final dos anos 1960 a meados dos 1970. Vamos tomar a Itália como exemplo, pois é um dos casos mais documentados e discutidos, também porque deu origem a algumas das conclusões mais precoces sobre como se segue em frente a partir de uma derrota.

ITÁLIA: UM NOVO TIPO DE CONTROLE

Em 1967 o milagre econômico italiano tinha transferido 17 milhões de trabalhadores do sul agrário e pobre para as metrópoles industriais do norte. Um déficit de moradias levava muitos dos novos trabalhadores migrantes a dormir em seis ou oito num quarto, em cortiços precários, com os serviços públicos sobrecarregados. Mas as fábricas tinham um design moderno, tecnologia de ponta e havia um elã associado ao trabalho nelas.

Os salários reais tinham subido 15% na década encerrada em 1960.[45] As grandes marcas industriais investiam pesadamente em cantinas, clubes esportivos e sociais, fundos de previdência e macacões sob medida. Num nível de cúpula industrial, os sindicatos e administradores acertavam conjuntamente os índices salariais, as metas de produção e as condições de trabalho. Mas no chão de fábrica "o absolutismo da administração é a regra", relatou um estudo.[46] Essa combinação de salários em ascensão no trabalho e condições miseráveis fora dele foi o primeiro impacto do boom. Um segundo impacto foi o aumento drástico do número de estudantes. Em 1968, havia 450 mil estudantes — o dobro de uma década antes. A maioria vinha de famílias operárias e sem dinheiro. Encontraram as universidades cheias de manuais inúteis e regras arcaicas. O historiador Paul Ginsborg escreveu: "A decisão de permitir livre acesso a um sistema universitário tão grosseiramente inadequado significava simplesmente o mesmo que introduzir nele uma bomba-relógio".[47] Uma analogia melhor talvez fosse com um "detonador". As ocupações estudantis eclodiram no final de 1967, rebentando em violência de rua ao longo do ano seguinte. Lado a lado com elas começou uma onda de ações grevistas operárias que culminaria no "Outono Quente" de 1969.

Na Pirelli Bicocca, em Milão, operários em greve formaram um "comitê unitário de base" — completamente independente do sindicato. À medida que a ideia do comitê de base se espalhava, o mesmo acontecia com novos tipos de ação industrial: greves sequenciais de uma hora em diferentes departamentos, greves com ocupação, operações-tartaruga destinadas a reduzir a produtividade e greves espalhadas por meio de marchas de um departamento a outro, numa assim chamada "cobra". Um operário da Fiat descreveu uma: "Partimos; éramos apenas sete. E, quando chegamos ao escritório central onde estava reunida a diretoria, estávamos em cerca de 7 mil. [...] Na próxima vez, começaremos com 7 mil e terminaremos com 70 mil, e isso será o fim da Fiat".[48]

O Partido Comunista Italiano apressou-se para criar comitês de negociação locais, mas em muitas fábricas os operários rejeitaram isso, afugentando os comunistas com a palavra de ordem "Somos todos representantes".

Num bar perto da fábrica da Fiat Mirafiori em Turim, estudantes iniciaram uma "assembleia operário-estudantil". Em 3 de julho de 1969, eles marcharam a partir da fábrica e travaram uma batalha com a polícia, em torno da questão dos aumentos de aluguéis, gritando um slogan que poderia servir de resumo do novo estado de espírito: "O que queremos? Tudo!".

O grupo esquerdista Lotta Continua sintetizou o que os próprios grevistas julgavam estar atravessando: "Eles estão começando lentamente a se libertar. Estão destruindo dentro da fábrica a autoridade constituída".[49]

Se tais acontecimentos tivessem sido limitados a uns poucos subúrbios irascíveis num país permanentemente caótico, teriam um valor de curiosidade e nada mais. Mas a agitação italiana era sintomática de uma mudança que ocorria por todo o mundo desenvolvido: 1969 seria apenas o começo de um período de luta econômica contagiosa, que transbordou continuamente para o conflito político e que iria desencadear toda uma reconsideração do modelo econômico do Ocidente.

É importante compreender a sequência de eventos, porque na literatura popular o colapso do keynesianismo frequentemente é reduzido a um único momento. Em 1971, a longa revolta do pós-guerra perdeu força. Mas o fim das taxas de câmbio fixas, paradoxalmente, deu a cada país a capacidade de "dissolver" as pressões de salário e produtividade ao permitir que a inflação subisse. Então, com a elevação drástica do preço do petróleo em 1973, que desencadeou uma inflação de dois dígitos, a velha relação entre salários, preços e produtividade simplesmente desmoronou.

Nos países da OCDE, pagamentos redistributivos — suplementos de renda familiar, benefícios previdenciários e coisas do tipo —, que mantiveram uma média de 7,5% do PIB durante os anos do boom, alcançaram 13,5% em meados dos anos 1970. O gasto público — que tinha sido em média de 28% do PIB nos anos 1950 — agora atingia 41%.[50] A fatia da riqueza total que ia para os lucros industriais despencou 24%.[51]

Para conter a militância operária, os Estados elevaram a níveis recorde os gastos com programas sociais e trouxeram representantes dos trabalhadores para o governo. Na Itália isso ocorreu no contexto do "compromisso histórico" de 1976, que pôs fim ao período de agitação, atando o Partido Comunista e seus sindicatos a um governo liderado pelos conservadores. O mesmo processo básico pode ser verificado no Pacto de Moncloa espanhol, de 1978, no "contrato social" dos governos Wilson-Callaghan (1974-9) e em numerosas tentativas dos sindicatos norte-americanos de firmar um acordo estratégico com a administração Carter.

No final dos anos 1970, todos os atores no velho sistema keynesiano — o trabalhador organizado, o administrador paternalista, o político do bem-estar social e o mandachuva da corporação estatal — estavam amarrados juntos numa tentativa de salvar o sistema econômico em ruínas.

O processo de produção padronizada da era pós-guerra — fora os rígidos controles científicos de gerenciamento em que se baseava — acabou criando uma força de trabalho que ele não era capaz de controlar. O mero fato de que ações do tipo "trabalhar para gerir" tenham se tornado a forma mais eficaz de sabotagem conta a verdadeira história. Eram os operários que governavam realmente o processo de produção. Qualquer proposta de resolução de problemas macroeconômicos sem a anuência deles era descabida.

Em reação, uma nova raça de políticos conservadores decidiu que o sistema todo teria que ser desmantelado. O segundo choque do petróleo, depois da revolução iraniana de 1979, deu a eles a oportunidade. Ele desencadeou uma nova e profunda recessão, e dessa vez os trabalhadores viram-se diante de corporações e políticos determinados a tentar algo diferente: desemprego em massa, fechamento de fábricas, cortes salariais e redução dos gastos públicos.

Tiveram também que encarar a emergência de uma coisa para a qual não haviam se preparado suficientemente nos anos de radicalismo: uma parte da força de trabalho tendia a alinhar-se com políticos conservadores. Trabalhadores brancos do sul levaram Reagan ao poder; muitos operários qualificados britânicos, cansados do caos, guinaram para os conservadores em 1979 e deram a Thatcher dez anos no governo. O aberto conservadorismo da classe operária nunca fora embora: o que ela sempre quer é ordem e prosperidade, e em 1979 não via mais isso ser proporcionado pelo modelo keynesiano.

Em meados dos anos 1980, a classe operária do mundo desenvolvido tinha caminhado, no espaço de quinze anos, da passividade para as greves e lutas semirrevolucionárias e, por fim, para a derrota estratégica.

O capitalismo ocidental, que coexistira com a mão de obra organizada e fora moldado por ela durante quase dois séculos, não podia mais conviver com uma cultura de solidariedade e resistência da classe operária. Por meio da transferência da produção para outras regiões, da desindustrialização, de leis antissindicais e de uma incessante guerra ideológica, essa cultura seria destruída.

REBELDES DIGITAIS, ESCRAVOS ANALÓGICOS

Depois de mais de trinta anos de recuo e atomização, a classe trabalhadora sobrevive, mas substancialmente transformada.

No mundo desenvolvido, o modelo centro-periferia, concebido primeiramente no Japão, tornou-se a norma, substituindo a oposição "qualificado versus sem qualificação" como a divisão mais importante no seio da classe operária. A mão de obra do centro tem sido capaz de manter ocupação estável e permanente, com benefícios não salariais agregados ao emprego. A periferia entra ou como trabalhadores temporários agenciados ou por meio de uma rede de firmas contratadoras. Mas o centro está encolhendo: sete anos depois da crise pós-2008, um contrato permanente com um salário decente é, para muita gente, um privilégio inatingível. Fazer parte do "precariado" é uma realidade concreta para cerca de um quarto da população.

Para ambos os grupos, a flexibilidade se tornou o atributo-chave. Entre trabalhadores qualificados, dá-se grande valor à capacidade de reinventar a si próprio, de alinhar-se com objetivos empresariais de curto prazo, de esquecer facilmente velhas habilidades e aprender novas, de estar conectado em rede e, acima de tudo, de vestir a camisa da firma pela qual você trabalha. Essas qualidades, que seriam rotuladas com o termo "fura-greves" numa gráfica em Toronto em 1890, são obrigatórias desde os anos 1990 — se você quiser permanecer no centro.

Para a mão de obra periférica, a flexibilidade depende em primeiro lugar do caráter geral e abstrato do seu trabalho: já que boa parte dele é automatizada, você precisa ser capaz de aprender rápido um processo automatizado e seguir uma fórmula. Se isso frequentemente pode envolver trabalho manual maçante e desagradável — digamos, cuidados domiciliares com intervalos de quinze minutos entre os turnos em troca de salário mínimo —, nos casos extremos envolve submissão do comportamento pessoal e emocional à disciplina do trabalho. Na rede de fast-food Pret A Manger, os funcionários são instados a sorrir e agir com entusiasmo, além de incentivados a "tocar uns aos outros". A lista oficial de atividades proibidas inclui trabalhar "apenas pelo dinheiro" e "complicar demais as coisas". Um funcionário relatou:

"Depois de um dia de experiência, seus colegas de trabalho decidem no voto quanto você se encaixa no perfil; se seu desempenho não transparecer entusiasmo, eles te mandam embora com algumas libras".[52]

A força de trabalho de todos os países desenvolvidos está agora fortemente orientada para os serviços. Somente nos gigantes exportadores — Alemanha, Coreia do Sul e Japão — a mão de obra industrial chega perto de 20% do total; para o restante dos países economicamente avançados, ela fica entre 10% e 20%.[53]

Também no mundo em desenvolvimento apenas cerca de 20% da força de trabalho é industrial.[54] Se a mão de obra global chega a aproximadamente 3 bilhões, e na Ásia e na América Latina é comum as pessoas trabalharem em grandes unidades de produção, qualquer ideia de que a globalização simplesmente transferiu para o sul global o modelo fordista/taylorista é ilusória.

A fatia dos salários no PIB global está numa tendência declinante. Nos Estados Unidos, ela atingiu um pico de 53% em 1970 e agora caiu para 44%. Embora o efeito seja mais brando em países com um modelo voltado para a exportação, o impacto social tem sido o de empurrar a mão de obra para um comportamento financeirizado. E, conforme vimos na parte I, a proporção de lucros gerados pelo consumo e empréstimos da classe trabalhadora aumentaram em relação aos gerados pelo trabalho.[55]

Costas Lapavitsas, professor de economia na Escola de Estudos Orientais e Africanos da Universidade de Londres, chama isso de "expropriação financeira", e seu impacto na autoimagem da classe trabalhadora tem sido profundo.[56] Para muitos trabalhadores, sua relação física e ideológica primordial com o capital se dá através do consumo e da tomada de empréstimos, não do trabalho.

Isso joga nova luz na tendência do capitalismo pós-1989 a embaralhar os limites entre trabalho e lazer. Em alguns setores, nem todos de alto valor agregado, cada vez mais é preciso escolher entre atingir a meta e administrar a vida pessoal no ambiente de trabalho (e-commerce, mídias sociais, relacionamentos amorosos). O que acontece é que o trabalhador passa a responder a e-mails em casa, trabalhar durante viagens, cumprir longas horas para atingir as metas definidas.

No trabalho altamente concentrado na informação, especialmente com a difusão de aparelhos de smartphone, o tempo livre e o de trabalho estão substancialmente embaralhados. Num período relativamente curto, isso afrouxou o vínculo entre salários e jornada de trabalho. No caso do trabalhador de alto valor ele é pago, na prática, para existir, para contribuir com suas ideias na empresa e atingir as metas propostas.

Paralelamente, a geografia da vida da classe trabalhadora também se transformou. A nova norma são os longos deslocamentos desde periferias que não guardam nenhuma relação específica com o emprego. Tomar condução para o trabalho originalmente requeria que as pessoas recriassem uma comunidade física por meio de organizações não trabalhistas: o ginásio de esportes, a creche, a quadra de boliche etc. Com a ascensão da infotecnologia, uma parcela dessa atividade de constituição de comunidade deslocou-se para a internet, ocasionando um isolamento físico ainda maior. Como resultado, a velha solidariedade — em que os laços do local de trabalho eram reforçados por uma comunidade socialmente coesa — existe de modo muito mais esporádico do que em qualquer outra época na história do capitalismo.

Para a mão de obra mais jovem e precária o que importa, em vez disso, é a proximidade urbana; eles tendem a se aglomerar nos centros das cidades, aceitando um espaço de moradia drasticamente reduzido em troca de uma proximidade física com a rede de contatos necessária para encontrar parceiros, trabalho esporádico e entretenimento. Suas lutas — em lugares como a Exárchia em Atenas, ou na revolta estudantil de 2010 em Londres — tendem a colocar o foco no espaço físico.

Na tentativa de compreender essas transformações qualitativas na vida dos trabalhadores, os sociólogos se concentraram primeiramente no espaço. Barry Wellman historiou a mudança de comunidades baseadas no grupo para redes físicas e depois para redes digitais, batizando o resultado de "individualismo em rede"[57] e associando-o explicitamente a uma flexibilidade maior do trabalho. O professor Richard Sennett, da London School of Economics, começou enquanto isso a estudar as novas características de uma força de trabalho *hi-tech*.[58] Se o trabalho recompensa o desapego e a submissão superficial, se prefere a adaptabilidade de valores à habilidade, se prefere a atuação em rede à lealdade, isso cria, segundo Sennett, um novo tipo de trabalhador: ele(a) está focado(a) no curto prazo, tanto na vida como na profissão, e não tem compromisso com hierarquias e estruturas, tanto no trabalho como no ativismo.

Sennett e Wellman observaram, ambos, a tendência de pessoas adaptadas a esse estilo de vida em rede a adotar múltiplas personalidades, tanto na realidade como on-line. Sennett escreve: "As condições de tempo no novo capitalismo criaram um conflito entre personalidade e experiência, com a experiência do tempo desarticulado ameaçando a capacidade das pessoas de inserir suas personalidades em narrativas continuadas".[59]

O trabalhador da era keynesiana tinha uma personalidade única: no trabalho, no bar local, no clube, na arquibancada do futebol, eles eram a mesma pessoa em essência. O indivíduo conectado em rede cria uma realidade mais complexa: ele(a) leva vidas paralelas no trabalho, em numerosas subculturas fragmentárias e on-line.

Uma coisa é documentar essas mudanças; o desafio é compreender seu impacto sobre a capacidade humana de lutar contra a exploração e a opressão. Michael Hardt e Antonio Negri sintetizaram bem isso em seu livro de 2012, *Declaração*:

> O centro de gravidade da produção capitalista não reside mais na fábrica, mas se deslocou para fora de seus muros. A sociedade tornou-se uma fábrica [...]. Com essa mudança, o contrato primordial entre capitalista e trabalhador também muda [...]. A exploração hoje é baseada primordialmente não na troca (igual ou desigual), mas na dívida.[60]

Se, nos anos 1970, Negri e a esquerda italiana foram prematuros em declarar "morto" o local de trabalho como fórum para a luta de classes, e "a sociedade inteira" como o novo palco, hoje eles estão corretos.

Qual é o futuro da classe trabalhadora, se o infocapitalismo prosseguir pelos mesmos trilhos?

Em primeiro lugar, a atual divisão global de trabalho só pode ser vista como transicional. A força de trabalho do sul global vai alcançar padrões de vida mais altos e em algum ponto o capital vai reagir introduzindo uma automação maior e perseguindo uma produtividade mais elevada nos mercados emergentes. Isso colocará os trabalhadores da China e do Brasil na mesma trajetória geral da mão de obra do mundo rico, que é a de se tornar dominados pelos serviços, divididos entre um núcleo qualificado e o "precariado", com ambas as camadas vendo o trabalho parcialmente desvinculado dos salários. Além disso, como sugere a Oxford Martin School, são os empregos de baixa qualificação do setor de serviços que sofrem o risco mais alto de automação total nas próximas duas décadas. A classe trabalhadora global não está destinada a permanecer dividida para sempre em drones fabris na China e projetistas de games nos Estados Unidos.

No entanto, a luta no local de trabalho já não é o único drama, nem o mais importante. Em muitas cidades industriais e comerciais pelo mundo afora, o indivíduo conectado em rede não é mais uma curiosidade sociológica, é o arquétipo. Todas as qualidades que os sociólogos dos anos 1990 observaram na força de trabalho tecnológica — volatilidade, associação espontânea em rede, personalidades múltiplas, laços frouxos, desapego, subserviência aparente escondendo um rancor violento — tornaram-se as qualidades definidoras de um ser humano jovem e economicamente ativo.

E — apesar das condições opressivas no trabalho — você pode encontrá-los até mesmo na China, cuja mão de obra fabril supostamente seria o alter ego do consumidor passivo ocidental. A partir de meados da primeira década do século XXI, cibercafés com centenas de monitores foram abertos nos distritos operários das cidades que produzem para exportação. Sociólogos que entrevistaram os jovens trabalhadores migrantes na época descobriram que eles usavam a internet para duas coisas: construir conexões com outros trabalhadores de suas cidades de origem e relaxar as tensões jogando games on-line. Para jovens que até então só tinham dormido numa fazenda ou num alojamento de fábrica, o cibercafé era transformador. "Nosso chefe de seção é um sujeito durão. Mas, quando o encontro no cibercafé, não sinto medo dele", contou uma operária aos pesquisadores em 2012. "Ali ele não tem direito nenhum de me controlar. É só um usuário da internet, assim como eu."[61]

Isso agora soa pré-histórico. Os smartphones colocaram o cibercafé em cada bolso de macacão de operário chinês. Conexões de internet móvel superaram as conexões fixas na China em 2012, e agora estão acessíveis a 600 milhões de pessoas. E internet móvel significa redes sociais. Em 2014, 30 mil operários da fábrica de calçados Yue Yuen em Shenzhen realizaram a primeira grande greve que usou mensagens em grupos on-line e microblogs como ferramentas de organização. As redes locais, que em forma análoga serviam para recrutar e dividir empregos informalmente numa única fábrica, agora estavam sendo usadas para checar índices salariais e condições de trabalho, bem como espalhar informações pelas indústrias como um todo.

Para horror das autoridades chinesas, os operários fabris de Shenzhen utilizavam a mesmíssima tecnologia dos estudantes liberais e conectados em rede que em 2014 realizaram os protestos pela democracia conhecidos como Occupy Central em Hong Kong.

Se aceitarmos que a principal rachadura no mundo moderno é entre redes e hierarquias, então a China está sentada bem em cima dela. E os trabalhadores chineses — que no momento parecem rebeldes digitais, ainda que escravos analógicos — estão no coração do fenômeno da rebelião em rede. Esses movimentos pela internet são a evidência de que um novo sujeito histórico já existe. Não é simplesmente a classe trabalhadora sob uma aparência diferente: é a humanidade conectada em rede.

E esse é o antídoto ao pessimismo da geração de Gorz. Com a morte da "verdadeira" classe operária, concluía Gorz, a principal força motriz anticapitalista havia desaparecido. Se você quisesse um pós-capitalismo, deveria persegui-lo como a uma utopia: uma boa ideia, que poderia ou não vingar, e sem nenhuma força importante na sociedade para encarnar seus valores.

Nos últimos vinte anos, o capitalismo formou uma nova força social que será sua coveira, assim como tinha formado o proletariado industrial no século XIX. São os indivíduos conectados em rede que têm acampado nas praças das metrópoles, obstruído postos de perfuração petrolífera, tocado punk rock nos telhados de catedrais russas, brandido desafiadoras latas de cerveja na cara do islamismo no gramado do parque Gezi, levado 1 milhão de pessoas para as ruas do Rio e de São Paulo e que agora organizam greves em massa pelo sul da China.

Eles são a classe trabalhadora "contradita" — aprimorada e substituída. Podem não ter a mínima noção de estratégia, a exemplo dos operários do início do século XIX, mas já não são mais submissos ao sistema: estão enormemente insatisfeitos com ele. São um grupo cujos interesses diversos convergem para a necessidade de fazer o pós-capitalismo acontecer, de forçar a revolução infotecnológica a criar uma nova espécie de economia, na qual tanto quanto possível o que se produz é grátis, para uso colaborativo comum, revertendo a maré da desigualdade. O neoliberalismo só pode lhes oferecer um mundo de crescimento estagnado e falência do Estado: austeridade até a morte, mas com uma versão atualizada do iPhone a cada poucos anos. E a liberdade que eles tanto apreciam é cerceada pelo Estado neoliberal — das técnicas de vigilância em massa da NSA [Agência de Segurança Nacional dos Estados Unidos] às da polícia chinesa da internet. Sobre a cabeça deles, a política em muitos países ficou infestada por uma máfia cleptocrática, cuja estratégia é oferecer crescimento ao preço da supressão da liberdade e do aumento da desigualdade.

Essa nova geração de pessoas ligadas em rede compreende que está atravessando uma terceira revolução industrial, mas está começando a perceber por que ela empacou: com o sistema de crédito falido, o capitalismo não é capaz de sustentar a escala de automação que é possível e a destruição de empregos ocasionada pelas novas tecnologias.

A economia já está produzindo e reproduzindo um estilo de vida e uma consciência conectados em rede, em desacordo com as hierarquias do capitalismo. O apetite por uma mudança econômica radical é claro.

A próxima pergunta é: o que temos que fazer para alcançá-la?

PARTE III

O aumento global da riqueza talvez significasse a destruição — na verdade em certo sentido foi a destruição — da sociedade hierárquica.

Emmanuel Goldstein, em George Orwell, *1984**

---

* G. Orwell, *1984*. São Paulo: Companhia das Letras, 2009.

8. Sobre transições

Pode ser um choque descobrir que o capitalismo não existiu sempre. Economistas apresentam "o mercado" como o estado natural da humanidade. Documentários de TV recriam em detalhes fantásticos as pirâmides egípcias ou Pequim sob os imperadores, mas encobrem os sistemas econômicos totalmente diferentes que as construíram. "Eles eram exatamente como nós", papais dizem confiantemente a seus filhos enquanto perambulam pela exposição dedicada a Herculano no Museu Britânico — até se deparar com uma estátua de Pã estuprando uma cabra, ou com o afresco de um casal fazendo um *ménage à trois* com seu escravo.

Quando a gente se dá conta de que o capitalismo, em outros tempos, não existiu — seja como uma economia, seja como um sistema de valor —, emerge um pensamento mais chocante: talvez ele não dure para sempre. Sendo assim, temos que assimilar o conceito de transições, perguntando: o que constitui um sistema econômico e como um deles dá lugar a outro?

Nos capítulos precedentes, mostrei como a ascensão da tecnologia da informação abalou as instituições básicas do capitalismo: preço, propriedade e salários. Sustentei que o neoliberalismo era uma falsa aurora; que a crise pós-2008 é produto de falhas no seio do modelo econômico que frustram a exploração de novas tecnologias e a decolagem de uma quinta onda longa.

Tudo isso torna possível o pós-capitalismo, mas não temos nenhum modelo para a transição. O stalinismo nos deixou com um projeto para o desastre; o movimento Occupy surgiu com algumas boas ideias parciais; o assim chamado movimento P2P (*peer-to-peer*)* desenvolveu modelos colaborativos em pequena escala; ao mesmo tempo, ambientalistas desenvolveram caminhos para a transição a uma economia de zero carbono, mas tendem a vê-los como separados da sobrevivência do capitalismo.

Portanto, quando se trata de planejar a transição de uma forma de economia a outra, tudo o que temos é a experiência de dois eventos muito diferentes: a ascensão do capitalismo e o colapso da União Soviética. Neste capítulo, vou me concentrar no que podemos aprender de ambos; e na última parte do livro tentarei aplicar tais lições para traçar um "esboço de projeto" para encaminhar a economia para além do capitalismo.

Vinte e cinco anos de neoliberalismo obrigaram nosso pensamento sobre mudanças a ficar pequeno. Mas, se somos audaciosos o bastante para imaginar que podemos salvar o planeta, devemos também imaginar que podemos nos salvar de um sistema econômico que não funciona. Na verdade, o estágio da imaginação é crucial.

---

* *Peer-to-peer*: literalmente, "par a par", mas a tradução mais correta seria "ponto a ponto", pois se refere a um sistema de redes de computadores em que cada ponto (ou *nó*) funciona tanto como usuário quanto como servidor, possibilitando compartilhamentos de serviços e dados sem um servidor central. (N. T.)

UM BOLCHEVIQUE EM MARTE

No romance clássico de ficção científica de Alexander Bogdanov, *Estrela vermelha* (1909), o herói — um organizador do partido bolchevique russo — é levado a Marte numa espaçonave. Depara-se com fábricas marcianas modernas e impressionantes, mas a coisa mais assombrosa é o que ele vê na sala de controle: um monitor em tempo real fornece informações instantâneas sobre carências de força de trabalho em cada fábrica do planeta, junto com uma relação dos setores onde há excesso de mão de obra. O objetivo é que os trabalhadores se dirijam voluntariamente para onde são necessários. Como não há carência de produtos, a demanda não é mensurada. Não há dinheiro, tampouco: "Cada um pega o que precisar, nas quantidades que desejar", explica o guia marciano. Os trabalhadores, controlando grandes máquinas, mas sem tocar nelas, também fascinam nosso terráqueo: "Eles parecem ser curiosos, observadores instruídos que não faziam parte realmente do que acontecia ao seu redor [...]. Para um forasteiro, os fios conectando os cérebros delicados dos homens com os órgãos indestrutíveis das máquinas eram sutis e invisíveis".[1]

Em *Estrela vermelha*, Bogdanov não apenas imaginou o modo como uma economia pós-capitalista poderia funcionar, mas também que tipo de pessoa seria necessária para torná-la possível — trabalhadores da informação, com os cérebros conectados por algo "sutil e invisível". Mas, ao retratar o futuro comunista, ele estava desafiando as convenções de seu tempo: todas as alas do socialismo se opunham a discutir castelos no ar. Mas aquilo não era uma mera extravagância.

Bogdanov, um médico, era um dos 22 membros fundadores do bolchevismo. Tinha sido preso e exilado, comandara o partido no soviete de Petrogrado, editara seu jornal, gerenciara seus fundos e organizara a elevação destes — por meio de assaltos a bancos. É Bogdanov que vemos jogando xadrez com Lênin na famosa fotografia da escola de quadros do partido em Capri em 1908.[2] Mas, um ano depois daquela foto, Bogdanov seria expulso do partido de Lênin. Ele formara uma oposição a Lênin, baseada em divergências que prefiguravam a tragédia prestes a se desenrolar.

A revolução de 1905, dizia Bogdanov, mostrou que os trabalhadores não estavam preparados para governar a sociedade. Por acreditar que a sociedade pós-capitalista deveria ser uma sociedade do conhecimento, ele alertava que qualquer tentativa de criá-la por meio de uma ação revolucionária cega só poderia levar ao poder uma elite tecnocrática. Para evitar isso, dizia Bogdanov, "uma nova cultura proletária precisa ser disseminada entre as massas, uma ciência proletária deve se desenvolver, uma filosofia proletária deve ser pensada".[3]

Tudo isso era anátema para Lênin. O marxismo tornara-se uma doutrina de iminente catástrofe e revolução, na qual os trabalhadores fariam a revolução acontecer a despeito das ideias e preconceitos que tinham na cabeça. Bogdanov cometeu também a temeridade de sugerir que o marxismo deveria adaptar-se aos novos modos de pensar da ciência. Ele previu que a força de trabalho mental substituiria a força de trabalho manual; que todo o trabalho se tornaria tecnológico. Uma vez que isso acontecesse, nossa compreensão do mundo teria que ir além dos métodos dialéticos de pensamento que Marx herdara da filosofia. A ciência substituiria a filosofia, anteviu Bogdanov; e passaríamos a ver a realidade como "redes de experiência" conectadas. Ciências separadas se tornariam parte de uma "ciência organizacional universal" — o estudo de sistemas.

Por ter se tornado, na prática, o primeiro teórico de sistemas e por seu alerta premonitório sobre o que poderia acontecer na Rússia, Bogdanov foi expulso — numa turbulenta reunião no apartamento de Lênin em Paris, em 1909. Meses depois, seu romance *Estrela vermelha* foi publicado e circulou amplamente entre trabalhadores russos. À luz do que aconteceu de fato sob o stalinismo, sua abordagem da economia pós-capitalista é perspicaz.

No romance, o comunismo marciano é baseado na abundância: há mais do que o suficiente de tudo. A produção se realiza com base em computação instantânea e transparente da demanda. O consumo é livre e gratuito. Funciona porque há uma psicologia de massa de cooperação entre os trabalhadores, baseada em sua instrução elevada e no fato de que seu trabalho é primordialmente mental. Eles trafegam entre os gêneros masculino e feminino, mantêm-se calmos e abnegados em face da tensão e do perigo, levando uma vida emocional e cultural exuberante.

O resumo que Bogdanov faz da história pregressa também é provocador: Marte foi industrializada sob o capitalismo; começou uma luta pelo controle da indústria, seguida por uma revolução — amplamente pacífica, porque foi conduzida por operários em vez de camponeses. Tinha havido um período de cem anos de transição durante o qual a necessidade de trabalho foi progressivamente erodida, com uma redução da jornada compulsória de trabalho de seis horas diárias para zero.

Para qualquer pessoa com conhecimento do marxismo ortodoxo, é fácil ler nas entrelinhas de *Estrela vermelha*. Bogdanov estava usando o romance para esboçar uma alternativa completa à ideia que iria dominar a extrema esquerda no século xx. Ele advoga a maturidade tecnológica como precondição para a revolução, a derrubada pacífica dos capitalistas por meio de acordo e compensação, um foco na tecnologia como meio de reduzir o trabalho a um mínimo e uma insistência inflexível na ideia de que é a própria humanidade que precisa ser transformada, não apenas a economia. Além disso, um tema importante em *Estrela vermelha* é que a sociedade pós-capitalista tem que ser sustentável para o planeta. Os marcianos cometem suicídio voluntariamente quando percebem que são em número excessivo para o planeta suportar. E quando seus recursos naturais escasseiam, eles começam um cruciante debate sobre a possibilidade de colonizar a Terra.

Se você está pensando: "O que a Rússia teria se tornado se Lênin tivesse sido atropelado por um bonde quando estava a caminho da reunião em que expulsaram Bogdanov?", não é o primeiro a fazer isso. Há toda uma literatura de "e se?" concentrada em Bogdanov — e com motivo. Embora ele não pudesse imaginar um computador, imaginou o tipo de comunismo que a sociedade baseada em trabalho mental, sustentabilidade e pensamento conectado em rede poderia produzir.

Depois de 1909, Bogdanov afastou-se do ativismo e passou dez anos escrevendo um livro pioneiro sobre teoria de sistemas. Nos primeiros anos da União Soviética, ele formou uma organização cultural de trabalhadores — a *Proletkult* — que foi fechada à força depois que se aliou a um grupo de oposição que defendia o controle operário.[4] Ele retornou à medicina e morreu em 1928, depois de se submeter a uma transfusão de sangue experimental.[5]

Quando começaram a construir o socialismo por decreto nos anos 1930, planejadores soviéticos gostavam de citar *Estrela vermelha* como sua inspiração.[6] Mas àquela altura os fatos e a utopia tinham se divorciado.

O PESADELO RUSSO

A Revolução Russa deu errado em etapas. Sob condições de guerra civil, de 1918 a 1921, bancos e grandes indústrias foram nacionalizados, a produção era dirigida por comissários (com sindicatos submetidos a disciplina militar), comitês de fábricas foram proibidos e as colheitas simplesmente eram confiscadas dos camponeses. Como resultado, a produção caiu a 20% de seu nível pré-guerra, a fome se espalhou pelo campo e o rublo desmoronou; algumas empresas recorreram ao escambo e os salários passaram a ser pagos em mercadorias.

Em março de 1921, a URSS foi obrigada a mudar para uma forma de socialismo de mercado conhecido como "Nova Política Econômica". Permitir que os camponeses mantivessem e comercializassem suas safras reavivou a economia, mas criou dois perigos que os atormentados revolucionários da Rússia tiveram dificuldade em compreender. Primeiro, canalizou dinheiro para os camponeses em melhores condições econômicas, conhecidos na gíria como *kulaks*, e deu ao setor agrícola um poder de embargo sobre a velocidade do desenvolvimento industrial — resumido no slogan "socialismo em ritmo de lesma". Segundo, solidificou uma burocracia privilegiada no comando de fábricas, de organizações de distribuição, do Exército, da polícia secreta e dos departamentos governamentais.

Contra os camponeses ricos e os burocratas, a classe trabalhadora russa pressionava por mais democracia, pela rápida industrialização mediante um planejamento central e por uma sanção rigorosa contra os especuladores. Logo essa luta em três frentes na sociedade se refletiu no interior do próprio Partido Comunista.

Irrompeu uma disputa de facções, entre uma oposição de esquerda, liderada por Trótski, defendendo mais democracia e planejamento; uma ala pró-mercado liderada por Bukharin, que queria retardar a industrialização, dizendo aos camponeses "enriqueçam"; e no centro o próprio Stálin, defendendo os interesses da burocracia.

Em novembro de 1927, num desfile de celebração do aniversário da revolução, cerca de 20 mil apoiadores da facção de esquerda carregaram faixas reivindicando que o partido eliminasse os *kulaks*, especuladores e burocratas. Quando várias fábricas de

Moscou saíram às ruas para juntar-se a eles, a polícia atacou e houve em seguida confrontos de rua.

Stálin expulsou Trótski e os líderes da esquerda, mandando-os para o exílio forçado. Então, numa daquelas reviravoltas que Orwell mais tarde parodiaria em *1984*, Stálin implementou o programa da esquerda — mas numa forma muito mais extrema, com máxima violência e brutalidade. Em 1928 foi a vez de Bukharin ser expurgado, junto com a direita de orientação pró-mercado do partido. Os *kulaks* foram "liquidados" num programa de coletivização forçada de suas fazendas. As estimativas variam, mas uma combinação de fome com fuzilamentos em massa no campo matou cerca de 8 milhões de pessoas em três anos.[7]

A escala da ambição de Stálin no primeiro Plano Quinquenal (1928-32) ficou patente em sua declaração: "Estamos cinquenta ou cem anos atrás dos países avançados. Precisamos superar essa distância em dez anos. Ou fazemos isso ou eles nos esmagam".[8]

Os números oficiais mostram um massivo crescimento da produção durante o primeiro Plano Quinquenal: o dobro da produção de carvão, aço e petróleo; projetos colossais de infraestrutura concluídos antes do prazo. Mas, diferentemente do que ocorria no mundo de ficção científica de *Estrela vermelha*, os planejadores enfrentavam dois obstáculos absolutos. A economia ainda era dominada pela agricultura, e a base técnica do setor industrial era frágil e tinha sido solapada por dez anos de caos. Longe de planejar numa situação de abundância, Stálin impôs o planejamento a uma sociedade com altos níveis de escassez e um sistema agrícola semifeudal. Para fazer qualquer tipo de progresso, ele precisava de um processo brutal de realocação: do campo para a indústria e do consumo para os setores produtores de maquinaria pesada. As metas industriais foram cumpridas, mas ao custo de fome em massa, execuções em massa, condições escravistas de trabalho em muitos lugares e, no final, mais uma crise econômica.[9]

A URSS não alcançou o Ocidente em dez anos. Mas em 1977 seu PIB per capita era 57% do dos Estados Unidos — o que a colocava no nível da Itália. De 1928 até o início da década de 1980, o crescimento médio na URSS, de acordo com uma pesquisa encomendada pela CIA, foi de 4,2%. "Isso claramente se apresenta como um recorde de crescimento sustentado", concluíram analistas da RAND Corporation.[10] Mas o crescimento soviético jamais foi impulsionado pela produtividade. O estudo da RAND descobriu que apenas um quarto do crescimento da URSS era alavancado por uma tecnologia melhor, com os três quartos restantes devidos a elevação de insumos — de máquinas, matérias-primas e energia. Depois de 1970, não houve crescimento algum de produtividade: se fosse preciso dobrar o número de pregos produzidos, abria-se uma nova fábrica de pregos ao lado da antiga — a produtividade estava fora da agenda.

Os economistas chamam isso de "crescimento extensivo" — em oposição ao crescimento intensivo que de fato gera riqueza. A médio prazo, um sistema baseado no crescimento extensivo não tem como sobreviver. É provável que, com uma produtividade agonizante, o sistema soviético tivesse desmoronado a certa altura por seus problemas internos, mesmo se não tivesse sido confrontado com a pressão do Ocidente nos anos 1980.

Uma lição — formulada precocemente por anarquistas, socialistas agrários como Kondratiev e marxistas dissidentes como Bogdanov — era a seguinte: "Não tomar o poder num país atrasado". Uma segunda lição é: compreender que planejamento é conjectura. Como mostrou o economista Holland Hunter ao esmiuçar os números soviéticos, as metas do primeiro Plano Quinquenal nunca seriam possíveis sem uma queda de 24% no consumo.[11] Os planejadores soviéticos estavam voando às cegas: conjecturando em torno de uma meta, puxando-a para o alto para manter a pressão sobre seus subordinados para que a cumprissem e — quando fracassavam — gastando enormes esforços tentando remediar a situação ou escondê-la. Recusavam-se a reconhecer que mesmo economias de transição têm leis objetivas: dinâmicas que operam por trás das costas dos agentes econômicos e desconcertam sua vontade consciente. "É impossível estudar a economia soviética tomando a causalidade como eixo", anunciava o manual econômico do partido em meados dos anos 1920.[12] No mundo de fantasia do stalinismo, até mesmo causa e efeito eram irrelevantes.

Pelo fato de o crescimento soviético ter suplantado o do Ocidente por um tempo, a teoria econômica keynesiana manteve um respeito profundo pela economia planejada. Foram os profetas do neoliberalismo — Mises e Hayek — que desde o começo previram seu caótico fim. Se quisermos conceber um projeto de transição rumo ao pós-capitalismo hoje, temos que levar a sério as críticas de Hayek e Mises. Eles foram, no auge da sua mordacidade, não apenas críticos da realidade soviética; insistiam que — mesmo num país desenvolvido — todas as formas de planejamento estão fadadas ao fracasso.

O DEBATE SOBRE O CÁLCULO

É estranho, mas é verdade: a possibilidade do socialismo foi em outros tempos um postulado da teoria econômica *mainstream*. Pelo fato de considerarem que o mercado era a expressão perfeita da racionalidade humana, os marginalistas não tinham problema nenhum — desde que se tratasse apenas de um experimento mental — com a ideia de que um Estado onisciente pudesse alcançar os mesmos resultados do mercado perfeito. "Ambos os sistemas não são diferentes na forma e levam ao mesmo ponto", escreveu o economista italiano Vilfredo Pareto num célebre manual. "O resultado é extremamente notável."[13]

Em 1908, seu colega Enrico Barone escreveu um tratado detalhado de como um Estado socialista poderia calcular de antemão exatamente os mesmos resultados que o mercado atinge cegamente. Barone mostrou que seria possível descobrir, usando equações lineares, as formas mais eficientes de produção, consumo e troca. "Seria um trabalho tremendo, gigantesco [...] mas não uma *impossibilidade*", escreveu.[14]

Esse era um artigo de fé para os marginalistas: na teoria, um plano perfeito — feito por um Estado com perfeito conhecimento e a capacidade de calcular em tempo real — era tão bom quanto um mercado perfeito.

Mas havia uma armadilha. Em primeiro lugar, assim como o mercado, o Estado não pode calcular de antemão o que é necessário. De modo que cada plano anual é, na prática, um experimento — e não numa escala pequena, mas sim muito grande. O mercado pode se corrigir em tempo real; o plano demoraria mais tempo. Um regime coletivista seria tão anárquico quanto o mercado, mas numa escala maior, segundo Barone. E na prática o Estado nunca pode ter um conhecimento perfeito, nem fazer as estimativas com rapidez suficiente, portanto todo o debate permaneceu, literalmente, acadêmico.

Foi a agitação de 1917-21 que fez do tema da "previsão socialista" uma questão concreta para a economia. Em 1919, a Alemanha e a Áustria tinham iniciado suas desafortunadas políticas de "socialização", a jovem economia soviética de guerra estava sendo saudada como uma forma de comunismo — e na efêmera república soviética da Baviera tinha-se discutido seriamente a tentativa de abolir o dinheiro sem perda de tempo. Economias planejadas não eram mais um experimento mental, e sim uma possibilidade iminente, buscada com algum fanatismo.

Esse era o contexto do livro de Ludwig von Mises, *Economic Calculation in the Socialist Commonwealth* [Cálculo Econômico na Comunidade Socialista], de 1920. O mercado, disse Mises, age como uma máquina calculadora: as pessoas fazem escolhas, compram e vendem coisas a um determinado preço, e o mercado avalia se suas escolhas foram corretas. Com o tempo, isso garante a alocação mais racional de recursos escassos. Quando você elimina a propriedade privada e começa a planejar, a máquina de calcular pifa: "Sem cálculo econômico, não pode haver economia. Assim, num Estado socialista em que a busca do cálculo econômico é impossível, não pode haver economia nenhuma, em nossa acepção do termo".[15]

Quanto à determinação da extrema esquerda de abolir o dinheiro, Mises explicou que não importava. Se você continua usando o dinheiro enquanto esmaga o mecanismo de mercado através do planejamento, reduz a capacidade do dinheiro de emitir sinais de preço. Mas se você abole o dinheiro, abole a fita métrica da oferta e da procura: a distribuição passa a ser uma questão de pura conjectura. "Desse modo", disse Mises, "na comunidade socialista cada mudança econômica torna-se uma tarefa cujo êxito não pode nem ser estimado de antemão nem determinado retrospectivamente mais tarde. Só o que há é um tatear na escuridão."[16]

Mises atacava três fraquezas cruciais do planejamento diante da realidade: um Estado não pode calcular tão velozmente quanto um mercado; um Estado não pode recompensar a inovação; e, quando se trata de distribuir capital entre setores importantes, sem um sistema financeiro isso se torna aleatório e de difícil manejo. Mises previu que, como resultado, o planejamento levaria ao caos, especificamente à superprodução de mercadorias inferiores que ninguém queria. Funcionaria por um tempo, porque a "lembrança" dos preços adequados estaria gravada no sistema, mas, logo que essa lembrança se dissipasse, o sistema se desintegraria no caos. Pelo fato de sua previsão ter se provado correta tanto pela vida como pela morte da economia soviética, seu livro tornou-se um texto sagrado para a direita defensora do livre mercado. Mas não foi enormemente influente em sua época.

Foi só nos anos 1930, em meio à Depressão, ao fascismo e ao segundo Plano Quinquenal da URSS, que o debate sobre o cálculo socialista decolou. A URSS era ineficiente por todas as costumeiras razões citadas, disse o discípulo de Mises, Friedrich Hayek: nenhuma escolha por parte do consumidor, alocação atabalhoada de recursos, nenhuma recompensa pela inovação. Mas, em relação ao ponto central de Mises — a incapacidade do Estado de calcular tão bem quanto o mercado —, Hayek recuou. Um Estado socialista *podia* sim refletir eficazmente o mercado, como dissera Barone, desde que tivesse as informações corretas. O problema é que ele nunca seria capaz de fazer os cálculos com rapidez suficiente.

O professor da London School of Economics Lionel Robbins, colaborador de Hayek, lamentou que, para calcular adequadamente o plano, "seria necessário formular milhões de equações com base em milhões de dados estatísticos, baseados por sua vez em outros milhões de cômputos individuais. Quando as equações fossem resolvidas, as informações sobre as quais elas se baseavam teriam ficado obsoletas e seria preciso calculá-las de novo".[17]

Isso provocou uma mudança brusca. O economista polonês de esquerda Oskar Lange observou que Hayek e Robbins tinham, na prática, feito uma grande concessão à esquerda.[18]

Lange fazia parte de uma escola de socialistas moderados que rejeitavam o marxismo e acreditavam que o socialismo poderia ser implementado usando os princípios da teoria da utilidade marginal. Ele mostrou que, se você preserva um mercado consumidor e deixa as pessoas escolherem onde trabalhar, mas planeja a produção de todos os bens, então o processo de tentativa e erro numa economia socialista não é nada diferente, conceitualmente, daquele que opera por meio dos preços. Em vez de ser indicadas mediante os movimentos de preços, as necessidades não satisfeitas da economia são indicadas por meio da escassez ou da superprodução de determinados bens. O conselho central de abastecimento simplesmente reorganiza quotas de produção em resposta a isso.

A maioria dos observadores independentes julgou que Lange tinha demonstrado sua tese. Depois da guerra, até mesmo o perito da CIA em economia soviética concluiu: "Claro que o socialismo pode funcionar [...]. Quanto a isso, Lange com certeza é convincente".[19]

No entanto, precisamos revisitar o debate sobre o cálculo por uma razão que deveria ser óbvia: a tecnologia está hoje corroendo o mecanismo de preços sem a ascensão paralela de uma economia planejada. E supercomputadores, aliados a grande quantidade de dados, estão trazendo a nosso alcance o tipo de cálculo em tempo real que Robbins julgava impossível. Robbins falava em 1 milhão de milhões de milhões. Isso é um petabyte, que por acaso é a unidade que usamos para medir a performance de um supercomputador: petabytes de instruções por segundo. Isso reavivou entre esquerdistas a ideia de que "o planejamento poderia funcionar" — desde que se pudesse resolver o problema do cálculo por meio da tecnologia. Na verdade, porém, não há um problema de cálculo numa economia pós-capitalista — por uma razão que foi sugerida por Mises em 1920.

No "debate sobre o cálculo" dos anos 1930, ambos os lados rejeitavam a teoria do valor-trabalho. Tanto Lange, o socialista, como Hayek, o ultracapitalista, acreditavam que a utilidade marginal era a única explicação do que cria valor. Portanto, para ambos os lados, a ideia de uma *transição* — na qual um sistema baseado na escassez dá lugar a um sistema baseado na abundância — é um território inexplorado. Se o capitalismo e o socialismo de estado são apenas dois modos diferentes de alocar bens racionalmente até que se alcance o equilíbrio, a transição entre eles é meramente um desafio técnico, não uma revolução.

Mas, como Mises já havia observado, se a teoria do valor-trabalho estiver correta, não há problema de cálculo nenhum. Os problemas de alocação de bens, decisão de prioridades e recompensa de gente que inova podem ser todos capturados no interior de um sistema baseado em valores do trabalho, porque tudo pode ser mensurado de acordo com a mesma fita métrica. O socialismo era possível, admitia Mises, mas só se houvesse "uma unidade reconhecível de valor, que permitisse o cálculo econômico numa economia em que nem o dinheiro nem a troca estavam presentes. E só o trabalho pode ser concebivelmente considerado como tal".[20]

No entanto, Mises descartava a teoria do valor-trabalho pelos motivos-padrão aceitos em Viena nos anos 1920: ela não pode ser usada para medir diferentes níveis de qualificação, nem para aplicar um valor de mercado a recursos naturais. Essas duas objeções são facilmente suplantadas: são, na verdade, interpretações erradas da teoria marxista. Marx explicou com clareza como o trabalho altamente qualificado pode ser mensurado como um múltiplo do de baixa qualificação — e que o valor-trabalho incorporado em matérias-primas era simplesmente o trabalho necessário para extraí-las e transportá-las.

E a obra de Mises sobre o cálculo contém um segundo insight valioso: não é o comércio entre empresas o verdadeiro mediador de oferta e procura numa economia de mercado, e sim o sistema financeiro — que coloca um preço no capital. Esse foi um insight perspicaz, que tem relevância hoje: se quisermos uma economia pós-capitalista, não apenas precisamos de algo melhor do que o mercado para distribuir bens, mas precisamos também de algo melhor do que o sistema financeiro para alocar capital.

TRANSIÇÕES TÊM SUA PRÓPRIA DINÂMICA

Foi só a oposição de esquerda russa — sobretudo seu principal economista, Evgeny Preobrazhensky — que compreendeu a centralidade da teoria do valor-trabalho na transição. Para eles, a meta da transição era muito simplesmente uma oferta crescente de coisas gratuitas, abundantes, e a erosão do "trabalho necessário" como padrão de medida das trocas. Como em *Estrela vermelha*, os primeiros planejadores soviéticos almejavam produzir tanto quanto possível para que o trabalho fosse desvinculado dos salários e da capacidade de consumir. Em termos marxistas, isso era entendido como "abolição da lei do valor".

Mas a esquerda russa só poderia alcançar isso promovendo a indústria pesada e o controle estatal. No início dos anos 1920, havia uma carestia de tudo: para produzir bens de consumo era preciso ter indústria pesada e eletrificação; para alimentar as pessoas era preciso industrializar a agricultura. Por isso, eles fomentaram a concentração de recursos nos setores que se tornariam icônicos na propaganda soviética — usinas elétricas, siderúrgicas, grandes maquinários. No entanto, mostraram uma grande percepção de que o equilíbrio dificilmente seria alcançado e de que o planejamento provavelmente seria anárquico.

Em termos econômicos, a coisa mais importante que os trotskistas russos nos legaram foi provavelmente a ideia de que uma fase de transição gera sua própria dinâmica; nunca é simplesmente o definhamento de um sistema e a ascensão de outro.

Trótski sustentava que, na primeira fase da transição de estilo soviético, uma economia privada e um setor de consumo tinham que ser mantidos. Era muita pretensão considerar que o planejamento poderia, em tal estágio, alocar melhor que o mercado os bens de consumo. Além disso, o rublo teria que permanecer não permutável no mercado mundial. Para completar, todos os planos eram efetivamente hipóteses. "O plano", disse Trótski, "é verificado e, em grau considerável, realizado através do mercado".[21]

Fazer até mesmo o mais bruto ajuste requer retorno de informação em tempo real. Mas numa sociedade fortemente burocrática, onde divergir era receber uma passagem só de ida para o gulag, tal retorno era sufocado. Daí a ênfase de Trótski em reavivar a democracia no local de trabalho. Precisava-se de um plano que fluísse: uma combinação de planejamento e mercado, com dinheiro usado como meio de troca e também como depositário de valor. E precisava-se de democracia operária.

O dinheiro, dizia Preobrazhensky, funcionaria normalmente nos setores em que não era possível planificar, enquanto no setor planificado da economia o dinheiro começaria a funcionar como um instrumento técnico de contabilidade. E, se o objetivo era fazer o planejamento engolfar o mercado, podia-se esperar que o mercado constantemente "poluísse" o planejamento.

Numa passagem memorável, cuja relevância para o século XXI ficará clara, Trótski escreveu:

> Se existisse uma mente universal [...] que pudesse registrar simultaneamente todos os processos da natureza e da sociedade, que pudesse dimensionar a dinâmica de sua movimentação, que pudesse antever os resultados de suas interações — tal mente, decerto, poderia traçar a priori um plano econômico impecável e exaustivo, começando com o número de hectares de trigo até o último botão de um colete.[22]

A ausência de tal "mente universal", disse ele, requeria em vez disso a promoção da democracia operária — que tinha sido abolida. Somente se seres humanos com liberdade de expressão se convertessem nos sensores e mecanismos de resposta para o sistema de planificação essa máquina bruta de cálculo poderia funcionar.

Preobrazhensky, Trótski e seus colaboradores foram os últimos marxistas com algum poder político que conceberam a transição em termos de valor-trabalho. Preobrazhensky foi executado em 1936 e Trótski, assassinado em 1940. Mas as ideias deles contêm poderosas implicações para o mundo que presenciamos hoje. Sob o neoliberalismo, o setor do mercado é imensamente mais complexo do que era nos anos 1920 e 30. Os Estados Unidos em 1933 eram amplamente diferentes da Rússia em 1933 — mas estavam mais próximos entre si do que os Estados Unidos de hoje dos Estados Unidos de trinta anos atrás. Hoje o setor do consumo é não apenas muito maior, mas também mais atomizado. A produção e o consumo se sobrepõem — e a economia já inclui bens de informação cujo custo marginal de produção é zero. Também temos a "fábrica social" de Negri para dar conta: uma sociedade de consumo altamente financeirizada e matizada, na qual o que compramos se tornou uma questão de identidade.

Em vista disso, a primeira lição é: o setor do mercado é muito mais complexo e, portanto, mais difícil de moldar ou aperfeiçoar mediante o planejamento.

Em seguida, temos que levar em conta o setor estatal. O Estado moderno como provedor de serviços é volumoso em comparação com qualquer Estado capitalista nos anos 1930. Quer ele gaste sua receita tributária em serviços fornecidos por empresas privadas, quer diretamente em ações estatais, o Estado empurra a verdadeira economia privada — empresas privadas produzindo para indivíduos empregados na iniciativa privada — para um espaço menor. Além disso, a economia ponto a ponto é ampla, embora não seja medida em termos de lucro e PIB. Portanto, a segunda lição é: qualquer tentativa de se mover para além do mercado partirá de um lugar diferente do que teria havido nos anos 1930.

Mas podemos aprender tanto com o debate sobre o cálculo como com os especialistas em planejamento da esquerda russa, se soubermos lê-los adequadamente. Antes disso, porém, precisamos entender que, mesmo com os melhores supercomputadores e a maior produção de dados, o planejamento não é a rota primordial para transcender o capitalismo.

O ATAQUE DOS CIBERSTALINISTAS

Ao longo dos últimos vinte anos, Paul Cockshott e Allin Cottrell — um cientista da computação e um professor de economia — trabalharam incansavelmente em torno de um problema que achávamos que não tínhamos: como planejar uma economia. Embora não muito conhecido, o trabalho deles é rigoroso e executa um serviço inestimável; é um manual daquilo que não deveríamos fazer.

Cockshott e Cottrell sustentam que aprimoramentos no poder da computação, aliados à aplicação da matemática avançada e da teoria da informação, eliminam, em princípio, a objeção de Hayek/Robbins: de que o planejador jamais poderia ter uma informação em tempo real melhor que a do mercado. Mais que isso, diferentemente da esquerda no debate sobre o cálculo, eles dizem que o modelo de computação de que precisaríamos para uma produção planificada deveria usar a teoria do valor-trabalho em vez de tentar simular os resultados de oferta e procura.

Isso marca um distanciamento crucial com relação à obra de Lange. Cockshott e Cottrell compreendem que a teoria do valor--trabalho nos proporciona um padrão de medida pelo qual tanto as interações de mercado como as de não mercado podem ser mensuradas, e um modo de calibrar a transição. Eles veem o processo de planificação como algo similar a um programa modular de computador. Ele cotejaria as demandas de consumidores e produtores; formularia metas; calcularia de antemão as implicações em termos de recursos; verificaria a viabilidade do plano; e instruiria produtores e fornecedores de serviços a atingir as metas.[23]

Mas, diferentemente da esquerda russa dos anos 1920, Cockshott e Cottrell não veem o plano como provisório, ou como algo para o setor estatal executar sozinho; ele tem que ser delineado e testado em detalhes, ao nível de cada empresa e de produtos individuais.

Uma vez eliminado o mercado, argumentam eles, não há outros sinais em que se possa basear o administrador de uma fábrica, ou de uma clínica, ou de um café. Eles precisam saber exatamente o que deveriam estar produzindo. É deles, em outras palavras, a metodologia para um plano completamente prescritivo, como imaginado (e ridicularizado) por Trótski na década de 1930.

Historicamente, claro, um planejamento sofisticado a esse nível é algo que a União Soviética jamais atingiu: nos anos 1980 havia na URSS 24 milhões de produtos diferentes, mas todo o aparato de planejamento só era capaz de rastrear os preços e quantidades de 200 mil deles, e o plano central vigente, de apenas 2 mil. Em consequência, as fábricas atingiam as metas para o pequeno número de bens que se esperava que elas produzissem e satisfaziam todas as outras demandas de modo caótico, ou simplesmente não satisfaziam.[24]

No modelo de Cockshott e Cottrell, o dinheiro existe na forma de "fichas de trabalho" que são pagas a cada pessoa de acordo com a quantidade de trabalho que ela exerça, menos uma taxa mínima por serviços estatais. Isso dá margem de escolha ao consumidor. Sempre que a oferta e a procura por determinado produto se desequilibra, os planejadores centrais ajustam o preço para alcançar um reequilíbrio de curto prazo. Então, durante um período mais longo, eles comparam os preços impostos por um setor, ou unidade de produção, à quantidade real de trabalho que esse setor ou unidade está realizando. Na etapa seguinte do plano, eles impulsionam a produção nas áreas em que os preços são mais altos que o trabalho utilizado e assim os rebaixam. O planejamento é "iterativo": é ajustado o tempo todo. Mas não é mera tentativa e erro: Cockshott e Cottrell acreditam que as entradas e saídas podem ser calculadas de antemão, e propõem um algoritmo detalhado para fazer isso.

O desafio da computação é, primeiro, calcular qual deveria ser o valor de uma hora de trabalho. Isto é — quanto trabalho entra em cada produto, tal como se fosse arrolado numa planilha gigante. Os pesquisadores sustentam que isso é factível com um supercomputador, mas apenas se ele usar técnicas de processamento de dados que priorizem as informações mais relevantes.

Para Cockshott e Cottrell, calcular o valor de uma hora de trabalho é a parte difícil. O plano em si — a alocação de recursos — é um cálculo mais fácil de fazer, porque você não dirige o programa às cegas. Você faz a ele perguntas factíveis como: quanto de um produto será vendido este ano; quantos dos vários insumos nós usamos normalmente; qual é a variação sazonal, qual a demanda esperada, quanto devemos encomendar com base na experiência passada? Eles concluem: "Com computadores modernos, é possível conceber a computação de uma lista de valores de trabalho atualizada diariamente e a preparação de um novo plano perspectivo semanalmente — um pouco mais depressa do que uma economia de mercado é capaz de reagir".[25]

Numa ambiciosa aplicação desses princípios, Cockshott e Cottrell propuseram um esboço para uma economia planejada na União Europeia. Explicaram não apenas como seria calculado o plano, mas também de que modo seria necessário reestruturar a economia para implementá-lo. E é aqui que as hipóteses por trás da metodologia deles ficam claras: por maior que seja a antipatia deles pelo que deu errado nos anos 1930, esta ainda é uma forma de ciberstalinismo.

No modelo deles, a "desmercadorização" da Europa seria impulsionada primordialmente não pela nacionalização, mas pela reforma do sistema monetário de modo a fazer o dinheiro começar a refletir o valor-trabalho.[26] Cédulas de dinheiro teriam sobreimpressa uma "cifra de valor-trabalho", possibilitando que as pessoas vissem o descompasso entre o que lhes estava sendo pago por seu trabalho e o que se cobrava delas pelos produtos. Com o tempo, os autores esperam que as pessoas escolham produtos mais próximos a seu verdadeiro valor; a escolha do consumidor torna-se um mecanismo para espremer o lucro para fora do sistema. Uma lei proibindo a exploração permitiria aos trabalhadores bater-se contra o excesso de lucratividade; a meta final seria erradicar completamente o lucro. A atividade bancária deixaria de ser um meio de acumular capital, o que seria feito pelo Estado, usando tributação direta. A indústria das finanças seria liquidada.

O enorme serviço que Cockshott e Cottrell prestam aqui não é o que pretendiam. Eles mostram que, para planejar integralmente uma economia desenvolvida do início do século XXI, ela teria que ser despojada de sua complexidade, ver as finanças eliminadas por completo e ter uma mudança radical de comportamento imposta ao nível do consumo, da democracia no local de trabalho e do investimento.

De onde viriam o dinamismo e a inovação não é mencionado. Nem de que modo o enormemente ampliado setor cultural se encaixaria. Na verdade, os pesquisadores fazem questão de frisar que, dada sua complexidade diminuída, uma economia planificada precisaria de menos cálculos do que uma economia de mercado.

Mas aí é que está o problema. Para que o plano funcione, a sociedade nesse projeto tem que retroceder à condição de "planificável". Os trabalhadores interagem com todos os aspectos do plano de Cockshott e Cottrell por meio de "seu" local de trabalho — então o que acontece com o trabalhador precário com três empregos? Ou com a mãe solteira que trabalha fazendo sexo virtual pela internet? Eles não podem existir. Do mesmo modo, a complexidade financeira que veio a caracterizar a vida moderna tem que desaparecer — e não gradualmente. Não pode haver cartões de crédito nesse mundo; nada de empréstimos de curto prazo; provavelmente um setor de comércio pela internet muito reduzido. E claro que não há estruturas em rede nesse modelo e nada de bens gratuitos produzidos de modo cooperativo.

Embora os pesquisadores critiquem a estupidez dogmática do planejamento soviético, sua visão de mundo segue sendo a de uma sociedade hierárquica, de produtos físicos, de um sistema simples em que o ritmo de mudança é lento. O modelo que eles produziram é a melhor demonstração até agora de por que qualquer tentativa de usar o planejamento estatal e a eliminação do mercado como caminho para o pós-capitalismo está bloqueada.

Felizmente, outro caminho se abriu. Para segui-lo precisamos explorar um microprocesso espontâneo, multifacetado, não um plano. Nossa solução tem que se conectar confortavelmente com um mundo de redes, bens de informação, complexidade e mudança exponencial.

Evidentemente, no caminho para o pós-capitalismo, teremos necessidade de planejamento. Amplas partes do mundo capitalista já são, na prática, planejadas — do traçado urbano e projetos de construção às cadeias integradas de abastecimento de um grande supermercado. O que torna isso possível é o avanço no poder de processamento, o uso de grandes volumes de dados e o rastreamento de objetos e componentes individuais — usando códigos de barra ou etiquetas RFID. Essa parte de nosso projeto que requer planejamento estará bem equipada por causa disso.

Mas a natureza da sociedade moderna modifica o problema. Numa sociedade complexa, globalizada, em que o trabalhador é também o consumidor de serviços financeiros e de microsserviços de outros trabalhadores, o plano não pode sobrepujar o mercado, a menos que haja um recuo da complexidade e um retorno à hierarquia. Um plano computadorizado, ainda que medisse tudo com base no valor-trabalho, poderia dizer à indústria de calçados que produzisse calçados, mas não poderia dizer a Beyoncé que produzisse um álbum-surpresa comercializado apenas pela mídia social, como ela fez em 2013. O plano tampouco estaria preocupado com a coisa mais importante na nossa economia moderna: os bens gratuitos. Tal plano veria o tempo gasto na curadoria de uma página da Wikipédia, ou na atualização do Linux, exatamente da mesma maneira que o mercado o vê: como um desperdício impossível de ser mensurado.

Se a ascensão da economia conectada em rede está começando a dissolver a lei do valor, o planejamento tem que ser o acessório de algo mais abrangente.

André Gorz escreveu uma vez que a fonte da superioridade do capitalismo sobre o socialismo soviético era sua "instabilidade, sua diversidade [...], seu complexo caráter multiforme, comparável ao de um ecossistema, que continuamente desencadeia novos conflitos entre forças parcialmente autônomas que não podem nem ser controladas nem colocadas de uma vez por todas a serviço de uma ordem estável".[27]

O que estamos tentando construir deveria ser ainda mais complexo, mais autônomo e mais instável.

Mas a mudança de um sistema econômico a outro leva tempo. Se a tese do pós-capitalismo estiver certa, o que estamos prestes a vivenciar será mais como a transição do feudalismo para o capitalismo do que como a que os planejadores soviéticos tencionavam. Será longa; haverá confusão; e no processo o próprio conceito de um "sistema econômico" terá que ser redefinido.

E é por isso que, sempre que quero parar de ser marxista demais quanto ao futuro, penso em Shakespeare.

GRANDE MUDANÇA: SHAKESPEARE VERSUS MARX

Se você pudesse assistir às peças históricas de Shakespeare em sequência, começando com *Rei John* e terminando com *Henrique VIII*, pareceria à primeira vista uma série dramática do Netflix sem um enredo central: assassinatos, guerras e caos — tudo no interior de uma escaramuça aparentemente sem sentido entre reis e duques. Mas, logo que você entende o que significa um "modo de produção", o sentido fica claro. O que você está vendo é o colapso do feudalismo e a emergência do capitalismo em sua fase inicial.

O modo de produção é uma das ideias mais poderosas saídas do pensamento econômico marxista. Ela influenciou um amplo leque de pensadores da história e acabou por moldar nossa visão do passado. Seu ponto de partida é a pergunta: em que se baseia o sistema econômico vigente?

O feudalismo era um sistema baseado em obrigações: camponeses eram obrigados a entregar parte de sua produção ao senhor de terras e a cumprir serviço militar por ele; o senhor de terras, por sua vez, era obrigado a pagar tributos ao rei e a fornecer um exército quando lhe fosse exigido. Na Inglaterra das peças históricas de Shakespeare, porém, a mola mestra daquele sistema tinha se quebrado. Na época em que Ricardo III estava massacrando seus rivais na vida real, a rede de poder baseada na obrigação tinha sido contaminada pelo dinheiro: arrendamentos pagos em dinheiro, serviço militar pago com dinheiro, guerras combatidas com a ajuda de uma rede bancária transfronteiriça que se estendia a Florença e Amsterdam. Os reis e duques de Shakespeare matavam uns aos outros porque o dinheiro tinha tornado suscetível de ser derrubado todo poder baseado na obrigação.

Shakespeare conseguiu chegar à essência disso muito antes que as palavras "feudalismo" e "capitalismo" sequer fossem inventadas. A diferença marcante entre suas peças históricas e as comédias e tragédias é que as últimas descrevem a sociedade contemporânea em que vivia sua plateia. Nas comédias e tragédias estamos de repente num mundo de banqueiros, mercadores, empresas, soldados mercenários e repúblicas. O cenário típico dessas peças é uma próspera cidade mercantil, não um castelo. O herói típico é uma pessoa cuja grandeza é essencialmente burguesa e feita por si, seja mediante a coragem (Otelo), a filosofia humanista (Próspero) ou o conhecimento da lei (Portia em *O mercador de Veneza*).

Mas Shakespeare não fazia ideia de onde aquilo iria levar. Ele via o que aquele novo tipo de economia estava fazendo ao caráter humano: fortalecendo-nos com o conhecimento, no entanto deixando-nos suscetíveis à cobiça, à paixão, à dúvida e à loucura do poder numa nova escala. Mas demoraria mais 150 anos até que o capitalismo mercantil, baseado no comércio, na conquista e na escravidão, tivesse pavimentado o caminho para o capitalismo industrial.

Se interrogarmos Shakespeare por meio de seus textos, perguntando-lhe "O que há entre o passado e o tempo em que você está vivendo?", a resposta implícita é "ideias e comportamento". Os seres humanos dão mais valor uns aos outros; o amor é mais importante que o dever familiar; valores humanos como verdade, rigor científico e justiça merecem que se morra por eles — muito mais do que por hierarquia e honra.

Shakespeare é uma formidável testemunha do momento em que um modo de produção começa a vacilar e outro começa a emergir. Mas também precisamos de Marx. Numa visão materialista da história, a diferença entre o feudalismo e o capitalismo inicial não é só de ideias e comportamentos. As mudanças no sistema social e econômico são cruciais. E, em sua raiz, a mudança é impelida por novas tecnologias.

Para Marx, um modo de produção descreve um conjunto de relações econômicas, leis e tradições sociais que formam o substrato "normal" de uma sociedade. No feudalismo, o conceito de poder senhorial e obrigação permeia tudo. No capitalismo, a força equivalente é o mercado, a propriedade privada e os salários. Para compreender um modo de produção, outra pergunta esclarecedora é: "O que se reproduz espontaneamente?". No feudalismo, é o conceito de vassalagem e obrigação; no capitalismo, é o mercado.

E é aqui que o conceito de modo de produção se torna desafiador: as mudanças são tão enormes que nunca estamos comparando duas coisas similares. Portanto, quando se trata do sistema econômico que substitui o capitalismo, não devemos esperar que ele se baseie em algo tão puramente econômico como o mercado, nem em algo tão claramente coercitivo como o poder feudal.

Para Marx, o conceito de modo de produção levou a uma sequência histórica rigorosa: há várias formas pré-capitalistas de sociedade, nas quais os ricos ficam ricos por meio da violência legalmente autorizada; e há o capitalismo, em que os ricos ficam ricos por meio da inovação técnica e do mercado; por fim, há o comunismo, em que a humanidade em seu conjunto fica mais rica porque há abundância em vez de escassez. Essa sequência é vulnerável a críticas a partir de dois ângulos. Primeiro, ela pode soar quase como uma mitologia: o destino humano parece pré-programado para acontecer em três estágios lógicos. Segundo, quando usada por historiadores que olham para trás, pode levar à aplicação de rótulos simples a sociedades complexas, ou à atribuição de motivos econômicos que simplesmente não existiam.

Mas, se evitarmos o mito da inevitabilidade e sustentarmos simplesmente que "deve vir um tempo em que haja relativa abundância, comparada com a escassez que movimentou todos os modelos econômicos precedentes", então Marx estava apenas dizendo a mesma coisa que Keynes disse no início dos anos 1930: um dia haverá bens suficientes para satisfazer a todos, e o problema econômico estará resolvido. "Pela primeira vez desde sua criação", escreveu Keynes, "o homem estará frente a frente com seu problema real e permanente: como usar sua liberdade depois de superadas as preocupações econômicas prementes [...], como viver sábia e agradavelmente bem."[28]

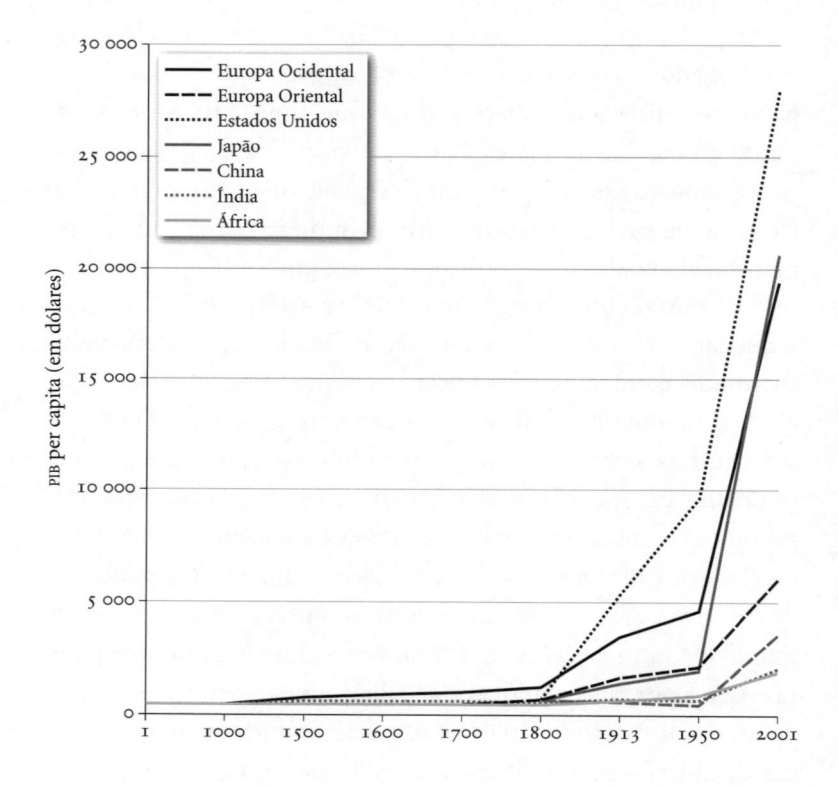

Na verdade, essa visão de três fases da história mundial é sustentada por dados que possuímos hoje (e que Marx e Keynes não possuíam) sobre população e PIB. Até por volta do ano 1800, apenas a Europa Ocidental vivenciou uma elevação tangível do PIB per capita, principalmente depois da conquista das Américas; em seguida, com a Revolução Industrial, o crescimento per capita saltou espetacularmente na Europa e na América do Norte até por volta de 1950, quando sua taxa de aceleração cresceu novamente. Hoje, como mostra o gráfico, os índices de PIB per capita estão subindo em todo o mundo. O estágio em que as linhas se tornam quase verticais é aquele que Keynes e Marx se permitiram imaginar — e que deveríamos imaginar também.[29]

IMPULSOS DE TRANSIÇÃO

O que causou o colapso do feudalismo e a ascensão do capitalismo? Naturalmente isso é tema de um gigantesco debate histórico. Mas, se pensarmos que a transição para o pós-capitalismo será de magnitude similar, então há lições a aprender quanto à interação entre fatores internos e externos; o papel da tecnologia versus a importância das ideias; e por que as transições são tão difíceis de entender quando estamos no meio delas.

Armados de um novo saber, fornecido por geneticistas e epidemiologistas, bem como por historiadores sociais, podemos arrolar quatro causas prováveis para o fim do feudalismo.

Até por volta de 1300, a agricultura feudal tinha sido dinâmica, elevando o PIB per capita na Europa Ocidental mais depressa do que em qualquer outra região. Mas crises de penúria, iniciadas na primeira década do século XIV, indicavam um declínio na eficiência dos sistemas feudais de uso da terra: a produtividade não era capaz de acompanhar o crescimento da população. Então, em 1345, o rei inglês Eduardo III deixou de pagar as dívidas de seu país, liquidando os banqueiros florentinos que lhe haviam emprestado dinheiro. Embora controlável, esse foi apenas um sintoma de um mal-estar geral, e um alerta de que a crise numa parte da Europa feudal poderia espalhar-se para todas as outras partes.

Em 1347, o bacilo *Yersinia pestis* abateu-se sobre a Europa. Em 1353, a peste negra tinha matado pelo menos um quarto da população europeia.³⁰ Para aqueles que a vivenciaram, a experiência foi espiritualmente transformadora — como testemunhar o fim do mundo. Seu impacto econômico foi brutal: o suprimento de mão de obra entrou em colapso. De repente trabalhadores rurais, que até então tinham sido os mais baixos entre os de baixo, puderam exigir remuneração melhor.

Terminada a peste, irrompeu uma onda de conflitos econômicos: revoltas camponesas na França e na Inglaterra, rebeliões de trabalhadores nas importantes cidades manufatureiras de Gante e Florença. Os historiadores chamam isso de "crise geral do feudalismo". Embora as revoltas tenham fracassado, o equilíbrio econômico agora pendia a favor do trabalhador urbano e do camponês. "Os arrendamentos agrícolas desmoronaram depois da peste negra e os salários nas cidades subiram para duas e até três vezes os níveis anteriores", de acordo com o historiador David Herlihy.³¹

Com os preços da lã elevados, muitos proprietários de terra trocaram as lavouras pelos pastos de ovelhas — e, diferentemente do trigo, a lã era para o comércio, não para o consumo. A velha tradição de camponeses serem obrigados a prestar serviço militar foi substituída cada vez mais pela guerra feita por mercenários a soldo. E, com a escassez de trabalhadores, começaram a ser inventados mecanismos para economizar mão de obra.

Basicamente, o rato que trouxe a peste negra a Cádiz em 1347 precipitou um choque externo que ajudou a esfacelar um sistema enfraquecido internamente.

O segundo impulso para a mudança foi o crescimento da atividade bancária. Os bancos já haviam se tornado o modo infalível de acumular uma fortuna no espaço não documentado entre as classes oficiais do feudalismo: nobreza, cavaleiros, pequena nobreza, clero etc. Os Medici criaram uma superempresa transnacional no século xv, e a família Fugger de Augsburgo sobrepujou-os quando sua influência entrou em declínio.

A atividade bancária não apenas injeta sistematicamente crédito na sociedade feudal, ela injeta uma rede alternativa de poder e sigilo. As famílias Fugger e Medici exerciam um poder não oficial sobre reis por meio dos negócios — ainda que suas atividades fossem consideradas quase anticristãs. Todos os envolvidos agiram em conluio na criação de uma forma sub-reptícia de capitalismo no seio da economia oficialmente feudal.

A terceira grande alavanca para o capitalismo deslanchar foi a conquista e pilhagem das Américas, com início em 1503. Isso criou um afluxo de dinheiro para não aristocratas muito acima de qualquer coisa gerada internamente pelo crescimento orgânico do mercado, no interior do feudalismo tardio. Num único carregamento, os conquistadores roubaram 1,3 milhão de onças de ouro do Peru. O enorme volume de riqueza importada para a Europa no início da Era Moderna impulsionou forças de mercado, manufaturas e atividade bancária. E fortaleceu o poder de Estados monárquicos sobre as velhas cidades independentes e os agora empobrecidos nobres em seus castelos.

Por fim, houve a imprensa. Gutenberg colocou a primeira impressora em uso em 1450. Nos cinquenta anos seguintes, 8 milhões de livros foram impressos — mais do que todos os escribas da cristandade tinham conseguido produzir desde os tempos romanos. Elizabeth Eisenstein, a grande historiadora social da imprensa, ressalta a natureza revolucionária da oficina tipográfica em si: ela reunia eruditos, sacerdotes, escritores e operários num ambiente comercial que nenhuma outra situação social no interior do feudalismo teria propiciado. Livros impressos instauraram o conhecimento e a autoria verificáveis. Serviram de combustível à ascensão do protestantismo, da revolução científica e do humanismo. Se a catedral medieval era plena de significado — uma enciclopédia em pedra —, a imprensa destruiu a necessidade dela. A imprensa transformou o modo como os seres humanos pensam.³² O filósofo Francis Bacon escreveu em 1620 que a imprensa, a pólvora e a bússola "mudaram todo o aspecto e o estado das coisas no mundo inteiro".³³

Se aceitarmos a abordagem dos quatro fatores exposta acima, a dissolução do feudalismo não é primordialmente uma história de tecnologia. É uma interação complexa entre economia claudicante e choques externos. Essas novas tecnologias teriam sido inúteis sem um novo modo de pensar e os abalos externos que permitiram o florescimento de novos comportamentos.

Quando contemplamos a possibilidade de transição para além do capitalismo, temos que esperar uma interação complexa similar entre tecnologia, luta social, ideias e choques externos. Mas nossa mente hesita diante da enormidade da coisa; exatamente como acontece quando nos mostram o tamanho da nossa galáxia no universo. Temos uma tendência fatal a tentar encaixar a dinâmica da transição em categorias simples e em cadeias simples de causa e efeito.

A explicação marxista clássica do que destruiu o feudalismo era: "suas contradições" — a luta de classes entre campesinato e nobreza.³⁴ Para historiadores materialistas posteriores, porém, a ênfase era na falência e estagnação do velho sistema, ensejando uma "crise geral". Perry Anderson, o historiador da Nova Esquerda, tirou disso uma importante conclusão geral: de que o sintoma-chave de uma transição de modo de produção não é a erupção vigorosa do novo modelo econômico. "Pelo contrário, as forças produtivas tendem tipicamente a empacar e retroceder no interior das relações existentes de produção."³⁵

Quais são as outras lições gerais que podemos tirar?

Primeiro, de que diferentes modos de produção se estruturam em torno de diferentes coisas: o feudalismo era um sistema econômico estruturado em costumes e leis relacionados com a obrigação. O capitalismo era estruturado por algo puramente econômico: o mercado. Podemos prever daí que o pós-capitalismo — cuja precondição é a abundância — não será simplesmente uma forma modificada de uma complexa sociedade de mercado. Mas só podemos começar a vislumbrar imagens de como ele será. Não quero que isso sirva de pretexto: os parâmetros econômicos gerais de uma sociedade pós-capitalista por volta do ano 2075, por exemplo, estarão claros a partir do próximo capítulo. Mas, se tal sociedade se estrutura em torno da libertação humana, coisas não econômicas, imprevisíveis, começarão a moldá-la. Talvez, por exemplo, a coisa mais óbvia para o Shakespeare de 2075 venha a ser a total reviravolta nas relações de gênero, ou sexualidade, ou saúde. Talvez nem existam mais dramaturgos: talvez o próprio tecido dos meios que usamos para contar histórias se modifique — assim como aconteceu com a geração de Shakespeare quando os primeiros teatros públicos foram construídos.

O marxismo, com sua insistência no proletariado como condutor da mudança, tendeu a ignorar a pergunta: como os humanos terão de se modificar para que o pós-capitalismo possa emergir? No entanto, quando estudamos a transição do feudalismo para o capitalismo, essa é uma das questões mais óbvias.

Pense na diferença entre, digamos, o Horácio em *Hamlet*, de Shakespeare, e um personagem como Daniel Doyce em *A pequena Dorrit*, de Dickens. Ambos são personagens secundários para o herói usar como uma caixa de ressonância, ambos carregam consigo uma obsessão característica de sua respectiva época: Horácio é obcecado pela filosofia humanista, Doyce é obcecado em patentear sua invenção. Não pode haver um personagem como Doyce em Shakespeare; no máximo ele teria uma ponta como figura cômica da classe trabalhadora. No entanto, na época em que Dickens descreveu Daniel Doyce, todos os seus leitores deviam conhecer alguém como ele. Assim como Shakespeare não poderia ter imaginado Doyce, tampouco nós somos capazes de imaginar o tipo de seres humanos que a sociedade vai produzir quando a preocupação econômica não for mais central para a vida.

Vamos reafirmar o que sabemos sobre o modo como ocorreu a última transição e explicar detalhadamente os paralelos.

O modelo feudal de agricultura colidiu primeiro com os limites ambientais e então com um enorme choque externo: a peste negra. Depois disso, houve um choque demográfico: escassez de trabalhadores rurais, o que elevou sua remuneração e tornou impossível impor o velho sistema feudal de obrigação. A falta de mão de obra também tornou necessária a inovação tecnológica. As novas tecnologias que sustentaram a ascensão do capitalismo mercantil foram aquelas que estimularam o comércio (a imprensa e a contabilidade), a criação de riqueza comercializável (a mineração, a bússola, embarcações rápidas) e a produtividade (a matemática e o método científico).

Presente ao longo de todo o processo está algo que parece acessório ao velho sistema — dinheiro e crédito —, mas que está destinado a tornar-se a base do novo sistema. Muitas leis e costumes são de fato moldados em torno da omissão do dinheiro; no alto feudalismo, o crédito é visto como pecado. Assim, quando o dinheiro e o crédito invadem as fronteiras e criam um sistema de mercado, parece uma revolução. Em seguida o novo sistema ganha energia extra com a descoberta de uma fonte virtualmente ilimitada de riqueza desimpedida nas Américas.

Uma combinação de todos esses fatores tomou um conjunto de pessoas que tinham sido perseguidas ou marginalizadas sob o feudalismo — humanistas, cientistas, artesãos, jurisconsultos, pregadores radicais e dramaturgos boêmios como Shakespeare — e colocou-as à frente de uma transformação social. Em momentos-chave, ainda que de modo hesitante no início, o Estado deixou de obstruir a mudança e passou a promovê-la.

Não haverá paralelos exatos na transição para o pós-capitalismo, mas os paralelos aproximados estão aí.

A coisa que está corroendo o capitalismo, mal levada em conta pelo pensamento econômico dominante, é a informação. O equivalente da imprensa e do método científico é a tecnologia da informação e seu transbordamento para todas as outras formas de tecnologia, da genética aos serviços de saúde, da agricultura ao cinema.

O equivalente moderno da longa estagnação do feudalismo tardio é o empacado quinto ciclo de Kondratiev, em que, em vez de rapidamente eliminar o trabalho por meio da automação, estamos reduzidos a criar empregos de mentira mal remunerados, e muitas economias estão estagnadas.

E o equivalente da nova fonte de riqueza ilimitada? Não é exatamente riqueza: são as externalidades — as coisas e a qualidade de vida gratuitas geradas pela interação em rede. É a emergência da produção exterior ao mercado, da informação não apropriável, das redes cooperativas e dos empreendimentos sem diretoria administrativa. A internet, diz o economista francês Yann Moulier-Boutang, é "tanto o barco como o oceano" para as conquistas modernas de um novo mundo. Na verdade, ela é o barco, a bússola, o oceano e o mundo.

Os choques externos de nossa época são claros: esgotamento das fontes de energia, mudança climática, envelhecimento populacional e migração. Eles estão alterando a dinâmica do capitalismo e tornando-o impraticável a longo prazo. Ainda não tiveram o mesmo impacto que a peste negra — mas qualquer desastre financeiro poderia facilmente desencadear um massacre nas altamente frágeis sociedades urbanas que criamos. Como o Katrina demonstrou em Nova Orleans, em 2005, não é necessária a peste bubônica para destruir a ordem social e a estrutura funcional de uma cidade moderna.

Uma vez compreendida dessa maneira a transição, a necessidade não é de um supercomputado Plano Quinquenal, mas de um projeto modular, gradual e iterativo. Sua meta deveria ser a de expandir as tecnologias, modelos de negócios e comportamentos que dissolvem as forças de mercado, erradicam a necessidade do trabalho e fazem a economia mundial progredir em direção à abundância. Isso não significa dizer que não podemos adotar ações urgentes para mitigar o risco ou enfrentar injustiças candentes. Mas significa, sim, que temos que compreender a diferença entre objetivos estratégicos e ações de curto prazo.

Nossa estratégia deveria ser a de moldar o resultado do processo que começou espontaneamente de maneira a torná-lo irreversível e fazer com que renda frutos socialmente justos tão depressa quanto possível. Isso envolverá uma mistura de planejamento, provisão estatal, mercados e produção cooperativa. Mas deve ser deixado espaço também para os equivalentes modernos de Gutenberg e Colombo. E para o Shakespeare moderno.

A maioria dos esquerdistas do século XX acreditava que não podia se dar ao luxo de uma transição controlada. Era para eles um artigo de fé que nada do sistema vindouro poderia existir no interior do velho — embora, como venho mostrando, os trabalhadores sempre tenham mantido o desejo de criar uma vida alternativa a despeito do capitalismo. Como resultado, uma vez desaparecida a possibilidade de uma transição de estilo soviético, a esquerda moderna ficou preocupada apenas em opor-se a determinadas coisas: a privatização da saúde, a redução dos direitos sindicais, o fraturamento hidráulico, e assim por diante.

Hoje temos que reaprender a fazer coisas positivas: construir alternativas no interior do sistema; usar o poder governamental de um modo radical e disruptivo; e concentrar nossas ações no caminho da transição — não na defesa miúda de elementos aleatórios do velho sistema.

Os socialistas do início do século XX estavam absolutamente convencidos de que nada de preliminar era possível no interior do velho sistema. "O sistema socialista", insistiu certa vez Preobrazhensky categoricamente, "não pode ser construído molecularmente no interior do mundo do capitalismo."[36] A coisa mais corajosa que uma esquerda maleável poderia fazer é abandonar tal convicção. É inteiramente possível construir os elementos do novo sistema molecularmente no seio do antigo. Nas cooperativas, nas uniões de crédito, nas redes ponto a ponto, nas empresas sem diretoria e nas economias paralelas, subculturais, tais elementos já existem. Temos que parar de vê-los como experimentos esquisitos; temos que fomentá-los com uma direção tão vigorosa como a que o capitalismo usou para tirar os camponeses das terras ou para destruir o trabalho artesanal no século XVIII.

Por fim, temos que aprender o que é urgente e o que é importante, e que às vezes ambos não coincidem.

Se não fosse pelos choques externos que nos aguardam nos próximos cinquenta anos, poderíamos nos dar ao luxo de levar as coisas devagar: o Estado, numa transição benigna, agiria como o principal facilitador da mudança por meio da regulação. Mas a enormidade dos choques externos significa que algumas das ações que realizarmos têm que ser imediatas, centralizadas e drásticas.

9. O motivo racional para o pânico

Em qualquer lugar que eu vá, faço perguntas sobre economia — e recebo respostas sobre o clima. Em 2011, nas Filipinas, encontrei lavradores sem-terra vivendo em favelas rurais. O que tinha acontecido? "Os tufões", era a resposta. "Com mais tufões, o arroz não vinga. Não há dias de sol suficientes entre o plantio e a colheita."

Na província de Ningxia, na China, separada do deserto de Gobi por montanhas peladas, encontrei criadores de ovelhas que tinham se tornado dependentes de comprimidos químicos depois que os pastos morreram à sua volta. Quando, em 2008, cientistas percorreram as montanhas para descobrir o que acontecera com as 144 nascentes e córregos marcados no mapa, eles relataram: "Com a mudança climática e a deterioração do meio ambiente, as áreas montanhosas do sul não têm mais nascentes e córregos".[1]

Em Nova Orleans, em 2005, assisti à desintegração da ordem social de uma já frágil cidade moderna do país mais rico do mundo. A causa próxima foi um furacão; o problema subjacente era o fracasso da infraestrutura da cidade em lidar com uma mudança nos padrões climáticos, bem como a inabilidade da empobrecida estrutura social e racial da cidade para sobreviver ao golpe.

Há uma discussão descabida entre economistas e ecologistas em torno de qual crise é mais importante — a da biosfera ou a da economia? A resposta materialista é que seus destinos estão interligados. Só conhecemos o mundo natural ao interagir com ele e transformá-lo: a natureza nos produziu desse modo. Mesmo que, como sustentam alguns defensores da "ecologia profunda", o mundo pudesse estar bem melhor sem nós, é a nós que cabe a tarefa de salvá-lo.

No mundo engravatado das cúpulas sobre o clima, reina uma calma complacente. O foco é em cenários de "o que *vai* acontecer", a catástrofe climática que nos espera se deixarmos que as temperaturas globais subam mais do que dois graus Celsius acima dos níveis pré-industriais. Mas nos lugares periféricos do mundo a catástrofe já está acontecendo. Se déssemos ouvidos àqueles cuja vida está sendo destruída por inundações, desmatamento e desertos crescentes, compreenderíamos melhor o que vem por aí: o desarranjo absoluto do mundo.

O quinto relatório do IPCC (Painel Intergovernamental sobre Mudanças Climáticas), publicado em 2013, declara inequivocamente que o planeta está esquentando. "Desde os anos 1950", dizem os mais respeitados cientistas do clima do mundo, "muitas das mudanças observadas são sem precedentes não em décadas, mas em milênios. A atmosfera e os oceanos se aqueceram, a quantidade de neve e gelo diminuiu, [o] nível do mar subiu e a concentração de gases de efeito estufa aumentou."[2] O IPCC está convencido de que isso é causado primordialmente pelo fato de os seres humanos usarem o carbono para incrementar o crescimento econômico — tanto que nesse relatório ele elevou de "provável" para "muito provável" a possibilidade de temperaturas mais altas, maior frequência de dias quentes e de ondas de calor serem causadas pelo homem. Cientistas não usam tais termos levianamente: eles são o equivalente a um aumento qualitativo em seu grau de certeza.

Sendo nosso ecossistema tão complexo, não podemos vincular cada desarranjo do clima a uma causa humana com 100% de certeza. Mas podemos estar razoavelmente certos, diz o IPCC, de que situações climáticas extremas — ciclones, inundações, tufões, secas — aumentarão na segunda metade do século.

Em sua atualização de 2014, o IPCC alertou taxativamente: o fracasso em interromper a elevação das emissões de carbono aumentará a probabilidade de "graves, generalizados e irreversíveis impactos sobre pessoas e ecossistemas". Isso, vale lembrar, faz parte de um relatório de cientistas. Eles não assinam embaixo de palavras como "graves, generalizados e irreversíveis" antes de pesá-las com cuidado.

Se você é um economista *mainstream*, o que vem por aí soará como um "choque exógeno", uma fonte suplementar de caos no seio de uma situação já caótica. Para camponeses nas Filipinas, afro-americanos na Luisiana e o povo da província de Ningxia, o choque já está acontecendo.

Autoridades e ONGs dedicadas ao clima vêm produzindo numerosos cenários a respeito do que precisamos fazer para deter o desastre. Mas, se eles concebem a terra como um sistema complexo, tendem a conceber a economia como uma máquina simples, com entradas e saídas, uma demanda de energia e uma mão controladora racional — o mercado. Quando eles falam de "transição", referem-se à evolução programada da política energética para queimar menos carbono, usando um mecanismo de mercado modificado.

Mas a própria economia é complexa; assim como a meteorologia durante a estação dos furacões, ela é propensa a reações que se precipitam descontroladamente e a respostas complexas dos agentes. A exemplo do clima, a economia se move por meio de uma mistura de ciclos de longo e curto prazos. Mas, como venho mostrando, esses ciclos levam a mutações e, em última instância, a rupturas ao longo de períodos de cinquenta a quinhentos anos.

Neste livro, tenho evitado até agora trazer como argumento a crise climática. Eu queria mostrar como a colisão entre a tecnologia da informação e as estruturas de mercado está, por si só, levando-nos em direção a um importante ponto de inflexão. Mesmo se a biosfera se mantivesse estável, nossa tecnologia ainda assim estaria nos empurrando para além do capitalismo.

Mas o capitalismo industrial fez, no espaço de duzentos anos, o clima se aquecer em 0,8 grau Celsius, e com certeza fará a temperatura média em 2050 ser dois graus superior à média pré-industrial. Qualquer projeto de superação do capitalismo precisa moldar suas prioridades em torno do desafio urgente da mudança climática. Ou reagimos em tempo e enfrentamos o problema de maneira relativamente ordenada, ou não o fazemos — e advém o desastre.

Tornou-se corriqueiro rir dos absurdos dos que negam a mudança climática, mas há uma lógica na reação deles. Eles sabem que a ciência do clima destrói sua autoridade, seu poder e seu mundo econômico. De certa forma, eles perceberam que, se a mudança climática é real, o capitalismo está no fim.

Os verdadeiros absurdistas não são os negadores da mudança climática, mas os políticos e economistas que acreditam que os mecanismos de mercado existentes podem interromper essa mudança, que o mercado deve estabelecer os limites da ação do clima e que o mercado pode ser estruturado para proporcionar o maior projeto de reengenharia que a humanidade já tentou.

Em janeiro de 2014, John Ashton, um diplomata de carreira e ex-representante especial do governo britânico sobre mudança climática, apresentou a dura realidade ao 1%: "O mercado deixado por conta própria não vai reconfigurar o sistema energético e transformar a economia no espaço de uma geração".[3]

De acordo com a Agência Internacional de Energia, mesmo que se realizem todos os planos anunciados de redução de emissões, mesmo que toda a tributação do carbono e todas as metas renováveis sejam alcançadas — isto é, se os consumidores não se rebelarem contra impostos mais altos e o mundo não se desglobalizar —, as emissões de CO_2 ainda subirão por volta de 20% até 2035. Em vez de limitar o aquecimento do planeta a uma elevação de apenas dois graus, a temperatura subirá 3,6 graus.[4]

Confrontados com um claro alerta de que um planeta de 4,5 bilhões de anos está sendo desestabilizado, aqueles que estão no poder decidiram que uma doutrina econômica de 25 anos detinha a solução. Resolveram incentivar o uso mais baixo de carbono racionando-o, tributando-o e subsidiando as alternativas. Já que o mercado é a expressão suprema da racionalidade humana, acreditaram que ele estimularia a alocação correta de recursos para atingir a meta de dois degraus no máximo. Era pura ideologia e provou-se um erro completo.

Para permanecer abaixo do teto de dois graus, nós — como população global — precisamos queimar não mais do que 886 bilhões de toneladas de carbono entre os anos 2000 e 2049 (de acordo com a Agência Internacional de Energia). Mas as companhias globais de petróleo e gás declararam a existência de reservas de 2,8 trilhões de toneladas de carbono, e suas ações são valorizadas como se tais reservas fossem queimáveis. Conforme a Carbon Tracker Initiative [Rastreador de Carbono] alertou os investidores: "Eles precisam entender que 60% a 80% das reservas de carvão, petróleo e gás de firmas registradas não são queimáveis"[5] — isto é, se nós as queimarmos, a atmosfera se aquecerá num grau catastrófico.

No entanto, os preços crescentes da energia são um sinal do

mercado. Eles dizem a empresas de energia que é uma boa ideia investir em meios novos e mais caros de encontrar carbono. Em 2011, elas investiram 674 bilhões de dólares na exploração e no processamento de combustíveis fósseis: plataformas de alcatrão, fraturamento hidráulico e depósitos de petróleo no fundo do mar. Então, com o aumento das tensões globais, a Arábia Saudita decidiu derrubar o preço do petróleo, com o objetivo de destruir as novas indústrias norte-americanas de hidrocarboneto, e ainda levando a Rússia de Putin à falência no processo.

Isso também agiu como um sinal do mercado a motoristas norte-americanos: comprem mais carros, percorram mais milhas. Claramente, em algum lugar, o mercado como mecanismo emissor de sinais tinha dado errado.

Encaremos a coisa como um problema de investimento: ou as empresas globais de petróleo e gás valem muito menos que suas ações indicam, ou ninguém acredita que iremos reduzir nosso uso do carbono. As avaliações do mercado de ações dos duzentos maiores queimadores de carbono totalizam 4 trilhões de dólares; muito desse valor poderia ser perdido se nos convencêssemos a parar de queimar carbono. Não é alarmismo de suscetíveis ONGs climáticas. Em 2014, o diretor do Bank of England, Mark Carney, alertou os gigantes mundiais dos seguros de que, se o teto dos dois graus for significativamente estourado, isso "ameaçará a viabilidade de seu modelo de negócios".[6]

A lição é: uma estratégia conduzida pelo mercado quanto à mudança climática é pensamento utópico.

Quais são os obstáculos a uma estratégia que não seja conduzida pelo mercado? Primeiro o poder do lobby dos queimadores de carbono. Entre 2003 e 2010, grupos de lobby de negação da ameaça climática receberam 558 milhões de dólares de doadores nos Estados Unidos. A ExxonMobil e as ultraconservadoras Indústrias Koch foram grandes doadores até 2007, quando houve um tangível desvio para fundos canalizados por meio de grupos anônimos, sob a pressão do escrutínio jornalístico.[7] A consequência? O mundo gasta cerca de 544 bilhões de dólares subsidiando a indústria do combustível fóssil.[8] Mas essa é só a parte mais óbvia da insânia climática. Depois de não concordar com um caminho global para a meta dos dois graus na Cúpula de Copenhague, empresas de energia realinharam seus esforços de modo a pressionar governos nacionais por resultados específicos, sempre com o objetivo de postergar a introdução de metas de redução de carbono, ou de isentar algumas firmas.

No entanto, uma ação forte e positiva pode funcionar. Na Alemanha, o súbito fechamento do programa nuclear em 2011, depois de Fukushima, combinado com investimento pesado em energia renovável, fez com os serviços públicos de energia o que uma aplicação mais rigorosa das metas de redução de carbono faria às forças de mercado: despedaçou-os.

No sistema alemão, geradores eólicos, solares e outros de energia renovável têm a primeira oportunidade de fornecer energia. Se houver sol, e uma saudável brisa, como havia em 16 de junho de 2013, eles podem suprir metade de toda a demanda. Naquele dia, os produtores de gás e carvão — que não são capazes de ajustar facilmente a produção de suas estações geradoras, mas apenas de ligá-las e desligá-las — foram forçados a pagar cem euros por megawatt à rede de eletricidade alemã para tirar de suas mãos a eletricidade indesejada. O preço da energia de carbono tinha ficado negativo. Como resumiu a revista *The Economist*: "Para as empresas de energia estabelecidas [...] isso é um desastre [...]. Você não pode gerir um negócio de verdade, no qual os consumidores pagam por serviços de acordo com o que consomem, se os preços forem negativos".[9]

Em muitos países, a política energética está paralisada — não apenas pelo poder dos lobbies do petróleo e do gás, mas também pela dificuldade de forçar uma mudança de comportamento usando forças de mercado — por exemplo, elevando preços — em vez de empreender um redesenho racional de todo o sistema.

Para os defensores de um capitalismo verde, é mais fácil imaginar o fim do mundo do que imaginar uma economia de não mercado e de baixo consumo de carbono.

Então precisamos imaginar melhor.

COMO EVITAR O DESASTRE CLIMÁTICO

A ciência do clima nos diz que, para conter a elevação de temperatura na faixa dos dois graus, precisamos reduzir à metade até 2050 a quantidade de CO_2 que queimamos. A Agência Internacional de Energia deixou clara a importância do cronograma: "Se as emissões não chegarem ao pico por volta de 2020 e não declinarem continuamente a partir de então, alcançar a redução necessária de 50% por volta de 2050 se tornará muito mais custoso. Na verdade, a oportunidade poderá ser completamente perdida".[10] Quanto mais demorar para as emissões chegarem ao pico, mais difícil será reduzi-las à metade.

Em reação, várias campanhas e unidades de pesquisa projetaram cenários para mostrar tecnicamente como essa redução de 50% poderia ser alcançada. Embora divirjam quanto à mistura de alternativas de energia e ao modo como delineiam a eficiência energética, elas têm uma coisa em comum: quase todos esses cenários concluem que será mais barato a longo prazo seguir um modelo de baixo carbono.

O Cenário Mapa Azul da Agência Internacional de Energia, que reduz pela metade as emissões de CO_2 em 2050, vê o mundo gastando 46 trilhões de dólares a mais em investimentos energéticos do que gastaria se nada mudasse. Mas, pelo fato de esse cenário envolver uma queima menor de combustíveis, mesmo pela estimativa mais conservadora, ele pouparia 8 trilhões de dólares.

O Greenpeace, cujo Cenário de Revolução Energética é tomado como ponto de referência no debate industrial mais amplo, pretende atingir a meta sem nenhuma usina de energia nuclear e menos ênfase na captação e armazenamento de carbono, de tal maneira que, em 2050, 85% de toda a energia seja produzida com tecnologias de energia eólica, de ondas, solar e de biomassa. Mesmo aqui, porém, com custos de investimentos diretos muito mais altos e uma mudança social maior, o mundo economiza dinheiro no fim das contas.[11] Em todos os cenários em que a queima de carbono cai pela metade, há um efeito colateral benéfico, porque a transição cria novos empregos. Construir e manter máquinas para gerar eletricidade a partir das ondas, do vento ou da energia solar é uma solução tecnologicamente mais avançada que queimar gás ou carvão.

Salvar o planeta, então, é tecnologicamente factível e economicamente racional, mesmo quando se mede em termos financeiros. O que atravanca o caminho é o mercado.

Isso não quer dizer que não tenhamos conseguido nada. Se descontarmos a China — que distorceu os números globais ao construir centenas de termoelétricas movidas a carvão nos anos 2000 —, o volume de capacidade geradora provindo em rede de fontes renováveis ultrapassou o dos combustíveis fósseis em 2009. É um claro sinal de que a intervenção estatal no mercado — por meio de incentivos financeiros às fontes renováveis e de metas para redução de emissões de carbono — pode funcionar.

O problema é, primeiro, que a transição conduzida pelo mercado é demasiado lenta e demasiado vulnerável à pressão dos consumidores (que naturalmente querem energia barata) e de produtores de combustível fóssil. Em segundo lugar, à medida que cresce a pressão política sobre os governos, a energia torna-se uma questão geopolítica. O movimento da Alemanha contra a energia nuclear veio ao custo de dar à Rússia o poder de manter a economia alemã como refém durante a crise da Ucrânia. A mudança norte-americana para o fraturamento hidráulico — além de seus impactos ambientais — alterou o equilíbrio global de forças de modo tão significativo que a retaliação saudita fez cair mais do que pela metade o preço do petróleo no espaço de um ano.

Vistas no quadro das tensões geopolíticas, as perspectivas para um acordo na COP (Conferência das Partes) em Paris, em dezembro de 2015, não parecem muito positivas. Cada vez mais, as conversas sobre o clima travadas nessas conferências se assemelham aos tratados de paz que pavimentaram o caminho para a Segunda Guerra Mundial.

Enquanto isso, até mesmo radicais do movimento ambientalista estão confusos com relação aos mercados. O Greenpeace, por exemplo, compara a China com a Europa da seguinte maneira: a determinação da China de usar o carvão como combustível para o crescimento econômico aumentou as emissões, enquanto a privatização na Europa e nos Estados Unidos os levou a mudar para o gás, que é menos danoso que o carvão. Eles veem isso como uma prova de que um mercado consegue melhores resultados, no que diz respeito ao carbono, do que um controle centralizado.[12]

No entanto, para atingir as metas críticas de emissões vamos ter que usar algum controle centralizado. Os governos — ao nível de nação e de região — precisarão tomar o controle, e provavelmente a propriedade, de todos os grandes produtores de carbono. À medida que a rede de distribuição de energia se torna "inteligente", usando tecnologia para prever e equilibrar oferta e procura, faz sentido que a rede energética se torne um recurso público.

Se um mecanismo de preços influenciado pelo mercado não pode alcançar a mistura certa de investimento em fontes renováveis, energia nuclear e queimadores residuais de carbono, então isso terá que ser feito com o Estado tendo a propriedade, o controle direto e estabelecendo as metas. Essa é a conclusão máxima que temos que extrair dos comentários de John Ashton citados acima: se o mercado não está funcionando, então, dada a urgência, é preciso tentar a alocação estatal.

Tecnicamente, se você usar planejamento em vez de incentivos de mercado, será mais fácil criar uma mistura de "carga de base" de potência gerada por energia nuclear e carbono mais limpo, com o restante vindo de fontes renováveis: de acordo com os cenários do Greenpeace, da Agência Internacional de Energia e de outras variantes, é disso que se precisa para alcançar a meta dos dois graus.

Um sistema de baixo carbono e a tentativa de criar uma economia que não seja de mercado são claramente interdependentes. Mas, se há muitos caminhos rumo a uma economia pós-capitalista, as variáveis potenciais do que podemos fazer para enfrentar a emergência climática são limitadas.

Há, em resumo, uma base lógica para o pânico quanto à mudança climática — e essa base aumenta ainda mais quando levamos em conta a inter-relação entre o clima e a outra grande variável sem controle: a população.

UMA BOMBA-RELÓGIO DEMOGRÁFICA

Ficar velho era um privilégio negado à maioria dos nossos ancestrais. Se fizermos um passeio pela história urbana — seja em Manchester, Chicago ou Shanghai —, vale a pena lembrar, enquanto espiamos o interior das velhas moradias industriais, que a expectativa de vida dos que moravam ali era de quarenta anos ou menos.[13] Vá a uma cidade de siderurgia ou mineração, da Virgínia Ocidental ao norte da China, e você verá florestas de lápides assinalando a morte de operários na faixa dos cinquenta anos — não no passado distante, mas na era pós-1945. Nos primeiros anos do capitalismo, o que matava era a vida urbana insalubre. No século XX, eram as doenças industriais crônicas, o estresse, a má alimentação e a poluição.

Agora, porém, temos um novo problema: o envelhecimento demográfico. Não há ativistas estendendo faixas em prédios para protestar contra o envelhecimento, não há ministérios do envelhecimento, nem simpósios científicos prestigiosos ou negociações globais. No entanto esse é, potencialmente, um choque externo tão grande quanto a mudança climática — e seu impacto será econômico de modo muito mais imediato.

As projeções da ONU são incontestáveis. A população mundial, hoje acima de 7 bilhões, aumentará para 9,6 bilhões até 2050, com quase todo o crescimento ocorrendo no sul global. Em 2050 haverá mais gente em países em desenvolvimento do que a população total da terra hoje. Portanto, a história futura da humanidade será contada predominantemente em cidades como Manila, Lagos e Cairo.

Globalmente, vai aumentar a proporção de pessoas idosas em relação àquelas em idade de trabalhar. Em 1950, 5% da população mundial tinha mais de 65 anos; em meados do século XXI essa parcela será de 17%. Mas é no mundo rico que os problemas de envelhecimento se tornarão um abalo.

Aqui, o problema crucial é o do "rácio de dependência etária": o número de pessoas aposentadas em relação ao número daquelas em idade de trabalhar. Na Europa e no Japão, há atualmente três trabalhadores para cada aposentado. Em 2050 a proporção será de um para um. E, apesar de a maioria dos países em desenvolvimento continuarem a ter populações predominantemente jovens, a China vai contra a tendência devido a sua política do filho único. Em 2050, a China será a "mais idosa" das grandes economias do mundo, com uma projeção de média de idade de 53 anos.[14]

O crescente desequilíbrio etário é irreversível. Não é causado apenas pelo fato de as pessoas viverem mais graças a melhores condições de saúde e rendas mais altas; o principal motivo do desequilíbrio é a queda das taxas de nascimento, à medida que as mulheres ganham controle de seus corpos mediante a contracepção, e que a educação, os avanços nos direitos humanos e a urbanização dão a elas mais independência.

O economista da UBS George Magnus diz que sociedades que envelhecem rapidamente "nos presenteiam com uma ameaça existencial aos modelos sociais e econômicos que construímos depois da Segunda Guerra Mundial".[15] No mundo desenvolvido, a mudança demográfica causará impacto em três áreas críticas da vida econômica: mercados financeiros, gastos públicos e migração.

Durante o boom do pós-guerra, planos de aposentadoria privados, corporativos e estatais cresceram enormemente. Embora às vezes incluíssem apenas uma minoria da força de trabalho, esses planos — nos quais uma poupança deduzida do salário era completada por contribuições empresariais e investida no mercado de ações — tornaram-se o esteio principal do sistema financeiro. Antes da globalização, tais planos investiam geralmente em títulos da dívida de seu próprio país e nas ações de grandes companhias em seu mercado de ações nacional, com uma pequena porção alocada taticamente para suprir necessidades previstas. Com lucrativos incentivos fiscais e filiação obrigatória em alguns países, era a forma suprema do que Marx chamou de "comunismo capitalista".

Mas na era do *fiat money* as coisas mudaram. O uso repetido de cortes na taxa de juros quando o crescimento ficava lento fez do investimento em ações uma aposta de mão única, elevando continuamente o valor do mercado de capitais. O resultado foi que, mesmo quando assomou o problema demográfico, administradores de fundos calcularam que o sistema financeiro ainda honraria seus compromissos. Alguns chegaram a declarar que as projeções eram tão positivas que era seguro para o empregador tirar "férias da contribuição" — deixando apenas a força de trabalho entrar com o dinheiro.

O primeiro país a entrar no redemoinho da ressaca do boom foi o Japão. O índice Nikkei 250 de maiores empresas triplicou de valor entre 1985 e 1990. Então começou uma quebra, e nos dez anos seguintes seu valor caiu pela metade.

No Ocidente, com crescimento do PIB acima da média no final dos anos 1990, os mercados de capitais se ergueram de novo. O índice FTSE* subiu de 3 mil em 1995 para um pico de 6930 em dezembro de 1999. O índice norte-americano Standard & Poor's 500 triplicou no mesmo período; o índice alemão DAX quadruplicou. Se verificarmos os gráficos de longo prazo desses índices desde 2000, veremos um desenho de três montanhas pontiagudas com encostas íngremes. No intervalo de quinze anos, os preços das ações atravessaram duas vezes o boom e a queda, com a recuperação em curso — mesmo que alimentada por trilhões de dólares artificiais — empurrando-os pouco acima do valor que alcançaram em 2000.

A quebra das empresas pontocom foi o primeiro sinal de alarme. Onde foi possível, as empresas esforçaram-se para reduzir suas responsabilidades previdenciárias, transferindo a futuros aposentados benefícios menores, fechando planos para novos trabalhadores — e às vezes abrindo falência sob a pressão. Na busca por retornos mais altos para seus investimentos, fundos de

---

* É um índice calculado pela empresa independente FTSE, de propriedade conjunta do jornal britânico *The Financial Times* e da Bolsa de Valores de Londres (London Stock Exchange). (N. T.)

pensão agora se diversificaram, colocando dinheiro em fundos de cobertura, imóveis, *private equity** e commodities. O objetivo em todos os casos era completar o que faltava. Conhecemos o resultado. Das espetaculares implosões de fundos de cobertura que deram início ao congelamento do crédito de agosto de 2007 à subida dos preços de commodities que desencadearam a Primavera Árabe, esses grandes investidores institucionais tornaram-se coletivamente — às vezes sem querer — alavancas cruciais de instabilidade.

Na esteira do desastre, o típico grande fundo de pensão investe 15% de seu dinheiro em alternativas às ações (isto é, bens de raiz ou commodities) e empresta mais do que 55% de seu dinheiro a governos na forma de títulos, o que, sob a flexibilização quantitativa, paga juro zero ou negativo.

Ao todo, cerca de 50 trilhões de dólares são mantidos em fundos de pensão, fundos de seguros e reservas públicas de previdência nos países da OCDE, bem acima do PIB anual conjunto deles. Por todas as razões examinadas no capítulo 1 — isto é, um modelo econômico falido, mantido por aparelhos —, a avaliação mais recente descreve o risco para tal dinheiro como "elevado" e os compromissos com aposentadoria como "aumentados".[16]

O problema não é a posição atual dos 50 trilhões de dólares. O problema é que uma população que envelhece significa uma força de trabalho potencialmente menor, crescimento mais baixo e produção mais baixa per capita. Embora o quadro varie de um país para outro — com alguns países desenvolvidos pequenos, como a Noruega, extremamente bem providos —, a situação global é sombria: ou os idosos aposentados precisam viver com muito menos, ou o sistema financeiro precisa proporcionar retor-

---

* Expressão sem correspondente direto em português, é uma atividade financeira realizada por instituições que investem sobretudo em empresas ainda não registradas em bolsas de valores, para impulsionar seu desenvolvimento. (N. T.)

nos espetaculares. Mas, para proporcionar retornos espetaculares, ele precisa se tornar mais global e correr mais riscos. Se uma parte maior da provisão de aposentadorias pudesse ser transferida para a esfera pública, bancada pela tributação, o impacto desse dilema seria atenuado. Em vez disso, o que o corre é o oposto.

A segunda área em que podemos ter certeza de encarar a pressão negativa do envelhecimento populacional é a dívida pública. Uma população envelhecida impulsiona a demanda por despesas de saúde, aposentadorias públicas e assistência de longo prazo. Em 2010 a Standard & Poor's calculou que, a menos que os governos pelo mundo afora controlassem a provisão de pensões públicas, suas dívidas, por volta de 2050, afundariam o mundo.

Desde então, os governos de fato reduziram drasticamente seus compromissos previdenciários: ficou mais difícil credenciar-se aos benefícios, elevou-se a idade para a aposentadoria e em muitos países a inflação corroeu os valores. Quando, depois desse extermínio de compromissos, a S&P recalculou o estrago potencial, descobriu que a dívida líquida média dos países desenvolvidos tinha uma projeção de chegar a 220% do PIB em 2050, com os grandes países em desenvolvimento portando dívidas médias de 130%. O Japão ainda lidera a turma em 2050, com 500% (comparados com os 250% atuais), e os Estados Unidos estarão diante de uma pilha de dívidas três vezes maior que os 17 trilhões de dólares atuais.

Nessa projeção, o envelhecimento demográfico está destinado a tornar as finanças estatais insustentáveis em todo o mundo desenvolvido. Analistas da S&P preveem que em 2050, mesmo com os cortes nas pensões e aposentadorias, 60% de todos os países do mundo terão classificação de risco abaixo do grau de investimento: para quem não quiser correr o risco de perder seu dinheiro, será um suicídio emprestar a eles.

Já está entrando em pânico? A parte mais assustadora vem agora.

Mais de 50% do dinheiro de toda a previdência privada está atualmente investido na dívida pública. Além disso, tipicamente dois quintos disso são de dívida externa. Não importa quanto um fundo de pensão de empresa pareça seguro agora, se 60% dos títulos de todos os países se tornar sucata — de tal maneira que emprestar a eles torna-se uma proposição maluca —, o sistema de previdência privada não vai sobreviver.

Enquanto isso, o impacto social das medidas tomadas até agora, diz a S&P, "já colocaram o relacionamento entre o Estado e o eleitorado sob pressão e estão submetendo a coesão social a um duro teste".[17] Por todo o mundo, Estados rasgaram a última parte do acordo tácito que fizeram com seus cidadãos durante o boom do pós-guerra: de que ou o mercado ou o Estado proporcionaria uma vida decente aos idosos. O impacto dessa promessa quebrada será sentido por décadas, não apenas por anos. Quando os governos alegam que estabilizaram suas finanças elevando a idade para a aposentadoria, ou desvinculando da inflação o valor dos pagamentos aos aposentados, é como se uma pessoa se congratulasse por comprar um plano de dieta: o sofrimento começa ao implementá-lo.

O resultado, conforme expressam economistas do FMI, "tem pouca probabilidade de ser social e politicamente sustentável".[18]

Ainda não levamos em consideração o impacto da migração. Em 2013, viajei para o Marrocos e a Grécia para ouvir histórias de migrantes tentando se mudar, ilegalmente, para a Europa. Do Marrocos, eles tentavam escalar uma cerca de arame laminado de três metros de altura e saltar para o enclave espanhol de Melilla; na Grécia, suportavam meses dormindo ao relento enquanto rondavam ancoradouros de balsas em busca de uma carona para o norte da Europa. A insegurança de sua vida cotidiana tornava-os sujeitos a extorsão, assalto, violência sexual e pobreza extrema. No momento da esperada travessia, eles frequentemente arriscavam a vida.

Perguntei-lhes por que, em face dessas rotas de trânsito hostis e do racismo que eles encontrariam na Europa, eles persistiam durante meses ou até anos em tentar a travessia. Comparado com a vida que eles tinham deixado para trás nos países de onde vinham, morar num chão de concreto num cortiço de Tânger ou dormir com mais quatro pessoas num quarto de um alojamento clandestino em Marselha era inequivocamente melhor.

O que eu vi naquele verão, porém, não foi nada comparado com o que vem por aí. Em 2050, haverá no mundo 1,2 bilhão de pessoas a mais do que hoje em idade de trabalho — a maioria delas vivendo no tipo de circunstância de que estavam fugindo aqueles migrantes.

Em Oujda, no Marrocos, conheci dois pedreiros do Níger na faixa dos vinte e poucos anos, morando ao relento, vivendo de donativos de uma mesquita. O Níger é um país tão subdesenvolvido que não é frequente encontrar seus habitantes nas margens das estradas do mundo. Quando conversei com eles, e dei uma olhada nas projeções da ONU para o seu país, a escala do que vem por aí ficou clara.

Em 2050, a população do Níger terá subido dos atuais 18 milhões para 69 milhões de habitantes. O Chade, o país que eles haviam atravessado, verá sua população triplicar, atingindo 33 milhões. O Afeganistão, cujos problemas empurraram seus cidadãos para sistemas de tráfico de pessoas que cruzam a Grécia, a Turquia e a Líbia, terá uma aumento populacional de 30 milhões para 56 milhões.

Espantosamente, metade de todo o crescimento populacional projetado entre hoje e 2050 terá lugar em apenas oito países,* seis dos quais na África subsaariana.[19] Para encontrar trabalho, as

---

* Nigéria, Tanzânia, Congo, Etiópia, Uganda, Níger, além da Índia e dos Estados Unidos. (N. A.)

pessoas dos países do boom populacional migrarão para as grandes cidades; a área rural, como vimos, já está sob a opressão das mudanças climáticas. Nas cidades, muitos irão engrossar a população favelada mundial, que já chega a 1 bilhão de pessoas — e um número cada vez maior vai tentar a migração ilegal para o mundo rico.[20]

O economista do Banco Mundial Branko Milanovic, pesquisando a enorme e crescente desigualdade em países em desenvolvimento, chama isso de um "mundo não marxista" no qual a localização, não a classe social, é responsável por dois terços de toda a desigualdade.[21] Sua conclusão: "Ou os países pobres se tornam ricos ou as pessoas pobres vão migrar para países ricos".

Mas, para os países pobres ficarem ricos, eles precisam se libertar da chamada "armadilha da renda média" — na qual os países tipicamente se desenvolvem até certo ponto e então empacam; tanto porque eles têm que competir com as velhas potências imperiais como também porque suas elites corruptas sufocam a emergência de instituições modernas eficientes. Apenas treze países entre cem rotulados como de "renda média" em 1960 tinham alcançado a renda alta em 2012. Foram predominantemente os Tigres Asiáticos, liderados pela Coreia do Sul, que ignoraram o regime de desenvolvimento imposto pelo sistema global e construíram incansavelmente sua própria indústria e infraestrutura com políticas econômicas nacionalistas.

Como escreve George Magnus, da UBS, os obstáculos não são apenas econômicos: "Fica cada vez mais difícil elevar a renda per capita quando se é um país de renda média, e [...] fazer isso não tem a ver com traçar linhas numa planilha, mas sim com os benefícios econômicos gerados por uma evolução contínua, inclusive das instituições".[22] Mas os países onde o crescimento populacional é maior são aqueles com as instituições mais corruptas e ineficientes.

Se a mudança climática, o envelhecimento demográfico e a

escassez de empregos no mundo em desenvolvimento não estivessem interagindo com um modelo econômico estagnado e frágil, os problemas talvez pudessem ser resolvidos separadamente. Mas o fato é que estão. E o resultado provavelmente vai colocar o conjunto do sistema global sob pressão e a própria democracia em perigo.

UMA ELITE GLOBAL QUE NÃO QUER VER

"A nossa é uma época essencialmente trágica, por isso nos recusamos a encará-la tragicamente. O cataclismo aconteceu, estamos em meio às ruínas [...]. Precisamos viver, não importa quantos céus tenham desabado."[23] D. H. Lawrence estava descrevendo a aristocracia inglesa depois de 1918, com sua ideologia esfacelada, recolhendo-se num mundo de residências majestosas e modos arcaicos. Mas a descrição poderia ser aplicada igualmente à elite moderna depois da catástrofe de 2008: uma aristocracia financeira determinada a seguir vivendo como se as ameaças delineadas acima não fossem reais.

No final do século XX, uma geração de empreendedores, políticos, barões da energia e banqueiros cresceu no que parecia ser um mundo sem atrito. Ao longo dos cem anos anteriores, mais ou menos, seus antecessores tiveram que assistir à desintegração de uma ordem construída com esmero, juntamente com suas ilusões. Da França Imperial em 1871 até a queda do Vietnã e o colapso do comunismo, a primeira lição de diplomacia para aqueles nascidos antes de 1980 foi: coisas ruins acontecem; os eventos podem submergir você.

Por volta do ano 2000, a sensação era diferente. Talvez não tenha sido o "fim da história", mas para a geração que erigiu a ordem neoliberal parecia que a história, no mínimo, tornara-se controlável. Cada crise financeira poderia ser resolvida com expansão monetária; cada ameaça terrorista, obliterada com um ataque de drone. O movimento operário como variável independente em política tinha sido suprimido.

O subproduto psicológico nas mentes da elite dirigente era a ideia de que não há situações impossíveis; há sempre escolhas, mesmo que algumas delas se revelem duras. Há sempre uma solução, e ela geralmente é o mercado.

Mas esses choques externos deveriam ser o sinal de alarme. A mudança climática não nos propicia uma escolha de rotas de mercado ou de não mercado para atingir a meta de emissões de carbono. Ela impõe ou a substituição ordenada da economia de mercado ou seu colapso caótico em fases abruptas. Populações em envelhecimento trazem o risco de abarrotar os mercados financeiros do mundo, e alguns países terão que mover uma guerra social contra seus próprios cidadãos só para se manter solventes. Se isso acontecer, fará o que ocorreu na Grécia depois de 2010 parecer nada mais que uns poucos verões ruins.

Nos países mais pobres, o impacto combinado de crescimento populacional, corrupção institucional, desenvolvimento distorcido e efeitos climáticos criará, com certeza, dezenas de milhões de pessoas pobres ou sem-terra, cuja opção mais lógica será migrar.

Já é possível ver os reflexos defensivos no Ocidente desenvolvido: as cercas de arame laminado e as expulsões no enclave hispano-africano de Melilla; a violação da lei pela Marinha australiana ao abordar barcos de migrantes da Indonésia; a arriscada investida dos Estados Unidos no fraturamento hidráulico com o intuito de tornar-se autossuficiente em energia; os preparativos rivais da Rússia e do Canadá para deixar forças militares de prontidão no Ártico; a determinação da China em monopolizar os metais de terras-raras vitais para a eletrônica moderna. Os temas comuns dessas respostas são um afastamento da colaboração multilateral e uma tentativa de autossuficiência.

Tendemos a ver o perigo à globalização como nacionalismo *econômico*, em que a população de uma ou mais economias avançadas não aceita a austeridade e obriga sua classe política — como nos anos 1930 — a buscar uma solução do tipo "empobreça seu vizinho" para a crise. Mas os choques externos criam uma dimensão de instabilidade que transcende a pura rivalidade econômica. A busca de autossuficiência energética está criando mercados globais regionalizados de energia. O impasse diplomático da Rússia com o Ocidente em torno da Ucrânia e sua ameaça contínua de privar a Europa de gás irão, mesmo que esta não se confirme, levar a Europa a buscar sua autossuficiência.

Enquanto isso, a balcanização do mercado global de energia é espelhada por um processo similar na internet.

Praticamente um a cada cinco seres humanos tem que aturar o fato de ter suas informações filtradas através dos ridículos controles instalados pelos comunistas chineses. Um político é preso por corrupção? Naturalmente seu nome desaparece dos mecanismos de busca. Se acontece de esse nome rimar com a palavra usada para macarrão instantâneo (como foi o caso com Zhou Yongkang em 2014), essa palavra desaparece também, assim como a marca mais popular do produto.[24]

Agora a internet corre o risco de uma fragmentação maior, à medida que Estados reagem às revelações de vigilância cibernética em massa por parte da Agência de Segurança Nacional dos Estados Unidos. Além disso, 2014 viu vários governos, inclusive os da Turquia e da Rússia, tentarem suprimir dissidências obrigando as empresas da internet a se registrar como entidades submetidas a seus sistemas legais domésticos, franqueando-as à censura política formal e informal.

Portanto, a primeira fase do colapso do sistema global se

manifesta por meio do colapso da informação e da energia. Mas uma fragmentação de âmbito nacional também está na agenda. Cobri em primeira mão o referendo sobre a independência da Escócia em 2014. Ao contrário dos mitos difundidos pela mídia, aquilo não foi uma onda nacionalista, mas um movimento plebeu de tendência esquerdista. Tendo a oportunidade de romper com um Estado neoliberal comprometido com a austeridade pela próxima década, o povo escocês chegou muito perto de fazer isso e, no processo, abalar a mais antiga economia capitalista do mundo. À medida que o sistema político espanhol se aprofunda na crise, o ímpeto para a independência catalã pode crescer (ele está estancado no momento pela ascensão súbita do Podemos). E qualquer acidente político pode levar ao colapso do próprio projeto da União Europeia. Quando um partido de extrema esquerda venceu a eleição na Grécia, todas as instituições da União Europeia o atacaram como glóbulos brancos atacam um vírus. No momento em que escrevo, a crise grega está em pleno curso — mas ela vai parecer fichinha se, como é totalmente possível, a extrema direita chegar ao poder na França.

Em Pequim, Washington e Bruxelas, tudo indica que os próximos cinco anos verão os velhos dirigentes tentarem uma última vez fazer o velho sistema funcionar. Mas, quanto mais longe nós formos sem dar fim ao neoliberalismo, mais suas crises contingentes começarão a colidir e fundir-se com as crises estratégicas que venho esboçando aqui.

Por si só, a emergência do infocapitalismo já teria proporcionado uma série de consequências. Seria possível — simplesmente — imaginar uma economia ocidental estagnada, mantida viva com dívida elevada, com bancos socorridos do naufrágio e dinheiro emitido generosamente, se não fosse pela crise demográfica. Seria possível — sem a mudança climática — imaginar uma via para a transição pós-capitalista conduzida pela expansão gradual e espontânea de trocas fora do mercado e produção cooperativa lado a lado com um sistema vacilante por conta de suas contradições internas. Mais Wikipédias, mais Linux, mais remédios genéricos e ciência pública, a adoção gradual de formas de trabalho de Código Aberto — e talvez um freio legislativo aos infomonopólios. Este é o cenário de livro de autoajuda para o pós-capitalismo: uma boa ideia, implementada num ambiente livre de crises e num ritmo determinado por nós mesmos.

Mas os choques externos demandam uma ação centralizada, estratégica e rápida. Tal ação só pode ser organizada pelo Estado — e pelos Estados atuando em conjunto. A rigidez da meta climática e a clareza dos meios tecnológicos de enfrentá-la demandarão mais planejamento e mais propriedade estatal do que qualquer pessoa espera ou mesmo deseja. A possibilidade de um mundo no qual 60% dos Estados estão falidos pelo custo de suas populações envelhecidas significa que precisamos de soluções estruturais, não meramente financeiras.

Mas as ilusões gestadas durante os últimos 25 anos alimentam nossa paralisia. Confrontados com metas de emissão de carbono, nós as contornamos, pagando para que se plantem árvores no deserto dos outros em vez de mudar nosso próprio comportamento. Confrontados com a evidência de que o mundo está envelhecendo, gastamos 36 bilhões de dólares por ano em cirurgias plásticas.[25] Se você colocasse os níveis de risco evidenciados neste capítulo diante dos olhos de qualquer presidente de grande empresa, qualquer gênio da informática, qualquer equipe de testes num escritório de engenharia, qualquer analista quantitativo de um banco, eles diriam: "É preciso agir já!". Atenuar o risco urgentemente.

Se você usasse o método que os engenheiros usam — análise da causa profunda — para perguntar por que três fraturas sistêmicas (financeira, climática e demográfica) estão acontecendo ao mesmo tempo, rapidamente localizaria a causa delas: um sistema econômico em desequilíbrio com seu ambiente e insuficiente para satisfazer as necessidades de uma humanidade em rápida transformação.

No entanto, dizer "é preciso agir já" quanto ao clima, ao sistema financeiro pervertido ou à aritmética impossível da dívida pública é tido como revolucionário. É algo que esburaca a quimera da elite de Davos, envenena a atmosfera nas marinas de iates mediterrâneas e perturba o silêncio no mausoléu político que é o quartel-general comunista da China. Pior: destrói a ilusão mantida por milhões de pessoas de que "tudo vai ficar bem". E para ativistas significa algo de que eles justamente têm pavor: o engajamento no *mainstream*, o envolvimento com estratégia política, com um duradouro projeto estrutural mais concreto do que "um outro mundo é possível".

Em face dessa situação, precisamos de "reformismo revolucionário". Só o fato de exprimir as palavras em voz alta já é perceber quão profundamente elas desafiam ambos os lados da realidade política. Diga-as a um social-democrata engravatado e ele estremecerá; diga-as num acampamento do Occupy e os ativistas estremecerão — por razões exatamente opostas.

O pânico seria racional diante desses desafios, mas as mudanças sociais, tecnológicas e econômicas em curso significam que podemos enfrentá-los, se formos capazes de compreender o pós-capitalismo ao mesmo tempo como um processo de longo prazo e como um projeto urgente.

Portanto, precisamos injetar nos movimentos ecológicos e por justiça social coisas que por 25 anos pareceram propriedade exclusiva da direita: autocontrole, confiança e esquema.

10. Projeto Zero

Se você acredita que existe um sistema melhor que o capitalismo, então os últimos 25 anos devem ter-lhe dado a sensação — como escreve Alexander Bogdanov em *Estrela vermelha* — de "ser um marciano perdido na Terra". Você tem uma visão clara de como deveria ser a sociedade, mas não os meios para chegar lá.

No romance de Bogdanov, os marcianos decidem eliminar a humanidade porque nos mostramos incapazes de alcançar a sociedade pós-capitalista que eles já possuem. Essa era a metáfora de Bogdanov para o desespero que se seguiu ao fracasso da revolução de 1905.

As possibilidades traçadas neste livro deveriam proporcionar um antídoto a tal desespero. Para compreender por quê, atualizemos a metáfora de Bogdanov: suponhamos que os marcianos de fato chegassem à nossa órbita, prontos para nos reduzir a pedacinhos. Que tipo de economia eles veriam?

Um exercício mental semelhante foi feito em 1991 por Herbert Simon, economista premiado com o Nobel, num famoso trabalho de pesquisa intitulado "Organizações e Mercados". Simon propôs que os marcianos que chegassem veriam três tipos de coisas em nossa economia: organizações, que teriam o aspecto de grandes bolhas verdes; mercados, que pareceriam finas linhas vermelhas entre as bolhas verdes; e um conjunto de linhas azuis dentro das organizações, mostrando sua hierarquia interna. Para onde quer que olhassem, disse Simon, os marcianos veriam um sistema cuja cor dominante era o verde. A mensagem que mandariam a seu planeta natal diria: esta é uma sociedade feita primordialmente de organizações, não de mercados.[1]

Era um ponto de vista altamente político a ser defendido, no ano em que o triunfo do mercado foi declarado. A preocupação de toda a vida de Simon era entender como funcionavam as organizações. Seu estudo foi usado para demonstrar que, a despeito de toda a retórica sobre mercados livres, o sistema capitalista é primordialmente feito de organizações que planejam e alocam bens internamente, de maneiras não conduzidas diretamente por forças de mercado.

Contudo, se desenvolvido com mais realismo, o modelo de Simon demonstra algo mais: como o neoliberalismo abriu a possibilidade do pós-capitalismo. Acrescentemos alguns detalhes:

1. A rotação de cada bolha verde (organização) determina seu tamanho; o dinheiro envolvido em cada transação determina a espessura das linhas vermelhas entre elas.

2. As linhas azuis, que mostram a hierarquia interna de uma firma, têm que terminar em pontinhos também — os trabalhadores: baristas, programadores de computador, engenheiros aeronáuticos, empregados de fábricas de camisas. Simon não sentiu a necessidade de colocar trabalhadores no modelo separadamente, mas nós sentimos. Vamos convertê-los em pontos azuis.

3. Para ser realista, cada ponto azul está também no centro de uma teia de finas linhas vermelhas — conectando cada assalariado (como consumidor) a varejistas, bancos e empresas de serviços.

4. A esta altura, o globo já se apresenta bem mais vermelho do que na descrição original de Simon. Há trilhões de linhas finas vermelhas.

5. Agora acrescentemos a dimensão do tempo: o que acontece durante um ciclo típico de 24 horas? Se esta é uma economia capitalista normal, notamos os pontos azuis (a força de trabalho) oscilar para dentro e para fora das organizações uma vez por dia. Ao deixar o trabalho, eles começam a traçar linhas vermelhas — gastando seus salários; quando entram no local de trabalho, tendem a deixar de fazê-lo. Esta é uma economia capitalista em 1991, não esqueça.

Por fim, avancemos o modelo no tempo, de 1991 aos dias atuais. O que acontece no quadro?

Primeiro, aparecem muito mais linhas vermelhas minúsculas. Uma moça deixa sua fazendinha em Bangladesh para trabalhar numa fábrica — seu salário gera uma nova linha vermelha; ela paga a uma babá local para cuidar de seus filhos, gerando uma nova transação de mercado: mais uma linha vermelha. O chefe dela ganha o suficiente para contratar um plano de saúde e pagar juros a um banco por um empréstimo que lhe permite mandar o filho à faculdade. Globalização e mercados livres geram mais linhas vermelhas.

Em segundo lugar, as bolhas verdes se fragmentam, formando bolhas verdes menores à medida que firmas e Estados terceirizam operações secundárias. Alguns dos pontos azuis se tornam verdes — isto é, trabalhadores passam a ser autoempregados. Nos Estados Unidos, 20% da força de trabalho compõe-se agora de "empresários" autoempregados. Eles também geram mais linhas vermelhas.

Em terceiro lugar, as linhas vermelhas tornam-se mais longas, estendendo-se por todo o globo. E não param quando as pessoas vão para o trabalho: compra e venda acontecem agora digitalmente, tanto dentro como fora da jornada de trabalho.

Por fim, aparecem as linhas amarelas.

"O quê?!", diz o comandante da frota marciana. "Que linhas amarelas?"

"É interessante", diz o economista da nave. "Detectamos todo um novo fenômeno. As linhas amarelas parecem mostrar pessoas intercambiando bens, trabalho e serviços, mas não através do mercado e não no interior de organizações típicas. Boa parte do que eles estão fazendo parece ser feito de graça, portanto não temos ideia da grossura que essas linhas deveriam ter."

Suponhamos, agora, que haja um atirador marciano com o dedo no gatilho, como no romance de Bogdanov, pedindo permissão para aniquilar a humanidade como punição por sua incapacidade de alcançar o comunismo.

Muito provavelmente, a resposta do comandante da frota é: "Espere! Essas linhas amarelas são interessantes".

CINCO PRECEITOS PARA A TRANSIÇÃO

As linhas amarelas nesse construto são apenas um modo de tentar visualizar bens, trabalho e serviços fornecidos colaborativamente, fora do mercado. São tênues — mas indicam que uma nova rota para sair do capitalismo se abriu, baseada na promoção e no fomento da produção e das trocas de não mercado, impulsionadas pela tecnologia da informação.

Até este ponto, venho tratando o pós-capitalismo como um processo emergindo espontaneamente. O desafio é transformar esses insights num projeto.

Quase tudo que está promovendo a mudança é concebido como um projeto: a Wikipédia, o Código Aberto, padrões abertos de informação, instalações de energia de baixo carbono. Mas poucos se deram ao trabalho de perguntar como seria um projeto de alto nível se quisermos conduzir a economia mundial para além do capitalismo.

Em parte, isso é porque muitos, na velha esquerda, estão contagiados pelo mesmo desespero do marciano perdido de Bogdanov. Outros — no movimento ambientalista, ou em ONGs, ou ativistas comunitários e economistas do compartilhamento — estão tão determinados a evitar "grandes narrativas" que se aferram a reformas radicais de pequena escala.

Neste capítulo, tentarei esmiuçar o que um projeto pós-capitalista de larga escala poderia envolver. Eu o chamo de Projeto Zero — porque suas metas são: um sistema de energia de zero carbono; a produção de máquinas, produtos e serviços com custo marginal zero; e a redução do tempo de trabalho necessário para o mais próximo possível de zero. Antes de começar, precisamos esboçar alguns preceitos baseados no conhecimento extraído de fracassos passados.

O primeiro preceito é *entender as limitações da força de vontade humana* em face de um sistema complexo e frágil. Os bolcheviques não conseguiram entender isso; para ser justo, a maioria dos políticos tradicionais do século XX não conseguiu. Agora entendemos bem. A solução é testar todas as propostas em pequena escala e simular muitas vezes seu impacto macroeconômico virtualmente antes de tentá-las em larga escala.

Evgeny Preobrazhensky, o economista soviético assassinado, previu que, quando as forças de mercado começassem a desaparecer, a economia se tornaria uma disciplina para desenhar o futuro, e não apenas analisar o passado. "É uma ciência inteiramente diferente", disse ele, "é tecnologia social."[2]

Há um toque horripilante nessa frase, evocando os perigos de tratar a sociedade como uma máquina. Mas a descrição de Preobrazhensky das ferramentas que a "tecnologia social" iria usar foi clarividente e sutil. Ele clamava por um "sistema nervoso extremamente complexo e ramificado de antevisão social e orientação planejada". Atenção para os termos: antevisão e orientação, não comando e controle. E atenção para a analogia: um sistema nervoso, não uma hierarquia. Tudo o que os soviéticos tinham era comando, controle e hierarquia burocrática, mas nós temos a rede. Quando se trata de organizar a mudança, a rede pode funcionar melhor do que uma hierarquia, mas apenas se respeitarmos a complexidade e a fragilidade que vêm com ela.

O segundo preceito para delinear a transição é *sustentabilidade ecológica*. Os choques externos discutidos no capítulo 9 provavelmente nos atingirão em sequência: cortes de energia localizados e de curto prazo na próxima década; desafios relacionados ao envelhecimento e à migração ao longo dos próximos trinta anos; e as consequências catastróficas da mudança climática depois disso. A tarefa é desenvolver tecnologias que respondam a esses problemas por meio de crescimento sustentável; não temos que retroceder no desenvolvimento para salvar o planeta.

O terceiro preceito em que desejo insistir é: *a transição não tem a ver apenas com economia*. Terá que ser uma transição *humana*. Os novos tipos de pessoas sendo criadas pelas economias de rede vêm com novas inseguranças e novas prioridades. Já dispomos de uma percepção de nós mesmos que difere daquela de nossos avós.[3] Nossos papéis como consumidores, amantes, comunicadores são tão importantes para nós como nosso papel no trabalho. Portanto, o projeto não pode ser baseado puramente em justiça econômica e social.

O escritor francês André Gorz estava certo quando disse que o neoliberalismo destruiu a possibilidade de uma utopia baseada no trabalho. Mas ainda enfrentaremos um desafio similar àquele que as primeiras repúblicas soviéticas enfrentaram com os operários: grupos sociais específicos podem ter prioridades de curto prazo que colidem com as prioridades mais amplas da economia e do ecossistema. É para isso que servem as redes: para discutir as coisas em detalhes e traçar as possibilidades alternativas. Precisaremos de novas formas de democracia para arbitrar a disputa entre reivindicações legítimas. Mas não vai ser fácil.

Um quarto preceito deveria ser: *atacar o problema a partir de todos os ângulos*. Com a emergência das redes, a capacidade de ação significativa não está mais restrita a Estados, corporações e partidos políticos; indivíduos e agrupamentos temporários de indivíduos podem ser agentes de mudança igualmente poderosos.

No momento, a comunidade de pensadores e ativistas em torno do movimento colaborativo está fortemente concentrada em projetos experimentais de pequena escala — uniões de crédito ou cooperativas, por exemplo. Quando pensam no Estado, é com referência a leis que protejam e ampliem o setor colaborativo. Com exceção de pensadores como Michel Bauwens[4] e McKenzie Wark,[5] poucos se deram ao trabalho de perguntar como seria o aspecto de um sistema inteiramente novo de governança e regulação nesse novo modo de produção.

Diante disso, deveríamos alargar nosso pensamento de modo que possam ser encontradas soluções por meio de uma mistura de experimentos de pequena escala, modelos testados que possam ser ampliados e ação dos Estados de cima para baixo.

Assim, se a solução nas finanças é criar um sistema bancário diverso e socializado, instaurar uma união de crédito ataca o problema a partir de uma direção, tornar ilegais certas formas de especulação ataca-o de outro lado, enquanto a mudança de nosso próprio comportamento financeiro ataca-o de um terceiro ângulo.

O quinto preceito para uma transição bem-sucedida é que deveríamos *maximizar o poder da informação*. A diferença entre um aplicativo de smartphone atual e os programas dos PCs de vinte anos atrás é que os aplicativos modernos autoanalisam e combinam dados de desempenho. Quase tudo no seu telefone e no seu computador manda de volta informações sobre suas escolhas para um dono de corporação. Em breve, a informação estará fluindo a partir de medidores de energia elétrica "inteligentes", cartões magnéticos de transporte público e carros controlados por computador. Os dados agregados de nossa vida — que logo incluirão nossa velocidade automotiva, dieta semanal, massa corporal e frequência cardíaca — poderiam ser, por si sós, uma "tecnologia social" tremendamente poderosa.

Uma vez deslanchada a Internet das Coisas, estamos no verdadeiro ponto de decolagem da economia da informação. A partir daí, o preceito-chave é criar controle social democrático sobre a informação agregada, impedindo sua monopolização ou mau uso por Estados e corporações.

A Internet das Coisas comporá uma vasta "máquina" social. Seu poder analítico, por si só, poderia otimizar recursos numa escala que reduz significativamente o uso de carbono, matérias-primas e trabalho. Tornar "inteligentes" a rede energética, a malha rodoviária e o sistema tributário são apenas as coisas mais óbvias da lista de tarefas. Mas o poder dessa vasta máquina emergente não repousa apenas em sua capacidade de monitorar e coletar informações. Ao socializar o conhecimento, ela também tem o poder de amplificar os resultados da ação coletiva.

Os socialistas da belle époque viam monopólios e cartéis com bons olhos: acreditavam que o controle social centralizado seria simples se dominassem esses espaços. Nosso projeto é descentralizar o controle — e não poderia haver ferramenta melhor do que a vasta máquina de informação que está sendo criada.

Assim que nos apoderarmos dela, poderemos colocar grande parte da realidade social sob controle colaborativo. Por exemplo, na epidemiologia, o foco agora é em romper o círculo vicioso que produz pobreza, raiva, estresse, famílias atomizadas e saúde ruim.[6] Esforços para mapear esses problemas e mitigá-los constituem a atividade de ponta da medicina social. Quão mais potente seria essa medicina se a pobreza e as doenças que assolam comunidades pobres pudessem ser mapeadas, compreendidas e atacadas colaborativamente em tempo real — com a participação em nível micro dos atingidos?

Maximizar o poder e o caráter aberto da informação precisa tornar-se um instinto embutido no projeto.

METAS MAIS ELEVADAS

Com os preceitos acima em mente, quero oferecer não um programa político, mas algo que está mais para um projeto de processamento distribuído. É um conjunto de tarefas interligadas, modulares, não lineares, que conduzem a um resultado provável. A tomada de decisões é descentralizada; as estruturas necessárias para anunciá-las emergem durante o próprio anúncio; os objetivos se desenvolvem em resposta às informações em tempo real. E, de acordo com o preceito da precaução, deveríamos usar a nova geração de ferramentas de simulação para formatar virtualmente cada proposta antes de colocá-la em prática.

Se pudéssemos escrever o restante deste capítulo como anotações em post-its coladas num quadro branco, isso expressaria melhor o caráter modular e a interdependência da proposta. O melhor método para fazer um projeto de processamento distribuído é um pequeno grupo assumir uma tarefa, trabalhar nela por um tempo, documentar o que fez e partir para outra coisa.

Na falta de anotações em post-its, vou fazer uma lista. As metas mais elevadas de um projeto pós-capitalista deveriam ser:

1. Reduzir rapidamente as emissões de carbono, de modo que o aquecimento do planeta não passe de dois graus Celsius até

2050, evitar uma crise energética e atenuar o caos provocado por eventos climáticos.

2. Estabilizar o sistema financeiro entre hoje e 2050 mediante a sua socialização, de modo que o envelhecimento populacional, a mudança climática e o peso ameaçador da dívida pública não se combinem para desencadear um novo ciclo de expansão e colapso, destruindo a economia mundial.

3. Proporcionar altos níveis de prosperidade material e bem-estar à maioria das pessoas, primordialmente ao priorizar as tecnologias ricas em informação para resolver grandes desafios sociais, tais como a saúde pública precária, a dependência da previdência social, a exploração sexual e a educação de baixa qualidade.

4. Direcionar a tecnologia para a redução do trabalho necessário, de modo a promover a rápida transição para uma economia automatizada. Com o tempo, o trabalho será voluntário, as commodities básicas e os serviços públicos serão gratuitos e a gestão econômica se tornará primordialmente uma questão de energia e recursos, não de capital e trabalho.

Em terminologia de games, essas são as "condições da vitória". Podemos não alcançar todas, mas — como todos os gamers sabem — muita coisa pode ser conseguida mesmo sem uma vitória total.

Na perseguição de tais metas, será importante, em todas as mudanças econômicas que fizermos, emitir *sinais transparentes*. Um dos aspectos mais poderosos do sistema de Bretton Woods era as regras explícitas que ele guardava. Em contraste, ao longo dos 25 anos de vigência do neoliberalismo, a economia global foi dirigida com base em regras implícitas ou, como é o caso na Zona do Euro, em regras que são sempre rompidas.

O sociólogo Max Weber acreditava que a ascensão do capitalismo não foi impulsionada pela tecnologia, mas por um "novo espírito" — uma nova *atitude* em relação às finanças, às máquinas e ao trabalho, não pelas coisas em si. Mas, para que um novo espírito de pós-capitalismo deslanche, precisamos nos concentrar onde as externalidades estão sendo geradas e distribuídas, além de propagar ativamente uma compreensão dos fenômenos. Precisamos responder: o que está acontecendo com o benefício social que as interações em rede produzem e que a contabilidade capitalista geralmente não consegue ver? Onde ele se encaixa?

Tomemos um exemplo concreto. As cafeterias hoje em dia frequentemente anunciam: "Nossos grãos são orgânicos" — ou seja, é assim que estamos servindo um produto socialmente melhor. O que eles querem dizer no subtexto indiretamente é: "E você está pagando um pouco mais pelo fator 'satisfação pessoal'". Mas o sinal é apenas parcialmente transparente.

Agora imagine de novo a cafeteria como uma cooperativa, pagando bem seus funcionários, investindo os lucros em atividades que promovem coesão social, ou educação, ou reabilitação de ex--presos, ou uma saúde pública melhor. O importante é indicar — de modo tão claro como faz a etiqueta de "orgânico" no café — que bem social está sendo produzido e quem se beneficiará dele.

É mais do que um gesto: é um sinal transparente, assim como o canhão postado junto ao portão da fábrica de algodão de Cromford, na Inglaterra, em 1771, era um sinal transparente. Você poderia colocar um letreiro dizendo: "Vendemos café para ter lucro e isso nos ajuda a oferecer aconselhamento psicossocial de graça".

Ou, a exemplo da rede de bancos populares de alimentos patrocinada pelo Syriza na Grécia, você poderia continuar fazendo isso em silêncio.

O que se segue é meu melhor palpite sobre como seria um esboço de projeto, se quisermos seguir esses preceitos e almejar essas cinco metas mais elevadas. Eu ficaria muito feliz em vê-lo rapidamente bombardeado e revisado pela sabedoria de multidões enraivecidas.

MOLDAR PRIMEIRO, AGIR DEPOIS

Primeiro, precisamos de uma simulação de computador aberta, acurada e abrangente da realidade econômica vigente. As fontes poderiam ser os modelos que os macroeconomistas usam — em bancos, no FMI e na OCDE — e modelos climáticos que geram o cenário da Agência Internacional de Energia e outros cenários. Mas o desequilíbrio deles é espantoso.

Os modelos climáticos tendem a simular a atmosfera usando matemática avançada, mas simulam a economia como um trenzinho de brinquedo. Enquanto isso, a maioria dos simuladores econômicos construídos profissionalmente, conhecidos como modelos DGSE [Dinâmicos Estocásticos de Equilíbrio Geral], é construída com base na dupla falácia de que o equilíbrio é provável e de que todos os agentes na economia estão fazendo escolhas simples de prazer-versus-desprazer.

Por exemplo, o modelo mais avançado da Zona do Euro adotado pelo Banco Central Europeu inclui apenas três tipos de "agentes" — famílias, firmas e o banco central. Como mostram os eventos em curso, poderia ter sido útil incluir em tal modelo alguns fascistas, ou oligarcas corruptos, ou vários milhões de eleitores dispostos a colocar a esquerda radical no poder.

Levando em conta que estamos há décadas na era da tecnologia da informação, é espantoso que — como aponta o professor de matemática de Oxford J. Doyne Farmer — não haja modelo nenhum que capte a complexidade econômica do modo como computadores são usados para simular a meteorologia, a população, as epidemias ou os fluxos de tráfego.[7]

Além disso, o planejamento e a projeção capitalistas são geralmente impossíveis de ser avaliados: quando um grande projeto de infraestrutura começa a produzir resultados, dez ou vinte anos depois que seu impacto foi originalmente previsto, não há mais nenhuma pessoa ou organização por perto para tirar conclusões. Assim, a maior parte das projeções econômicas sob o capitalismo de mercado é, na prática, algo próximo da especulação.

Portanto, uma das medidas mais radicais — e necessárias — que poderíamos tomar é criar um instituto ou rede global para simular a transição de longo prazo para além do capitalismo. Começaria pela tentativa de construir uma simulação precisa de economias tal como elas existem hoje. Seu funcionamento seria de Código Aberto: qualquer um poderia usá-la, qualquer um poderia sugerir aperfeiçoamentos e os resultados seriam acessíveis a todos. Teria muito provavelmente que usar um método chamado "modelagem baseada em agentes" — isto é, usando computadores para criar milhões de trabalhadores, domicílios e firmas virtuais, e deixando-os interagir espontaneamente, dentro de limites realistas. Mesmo hoje tal modelo seria capaz de obter dados em tempo real. Sensores meteorológicos, monitores de transporte urbano, redes de energia, dados demográficos baseados em códigos postais e ferramentas de gestão de redes de abastecimento de grupos globais de supermercados estão fornecendo dados econômicos relevantes em tempo real. Mas a recompensa — uma vez que cada objeto na terra seja computável, inteligente e fornecedor de informações — é um modelo econômico que não só simula a realidade, mas de fato a representa. Os agentes modelados virtualmente acabam sendo substituídos por dados minuciosos da realidade, exatamente como acontece com computadores meteorológicos.

Quando formos capazes de aprender assim a realidade econômica, será possível planejar grandes mudanças de forma sensata e responsável. Do mesmo modo que engenheiros aeronáuticos simulam milhões de diferentes cargas de pressão sobre a cauda de um jato, seria possível simular milhões de variações do que acontece quando se reduz o preço de um par de tênis Nike a um ponto entre os 190 dólares atuais e seu preço de custo, que provavelmente não chega a vinte dólares.

Faríamos perguntas laterais ao nosso supercomputador: Os jovens ficarão deprimidos se a marca Nike desaparecer? A indústria esportiva global sofrerá se os gastos de marketing da Nike acabarem? A qualidade decai quando não há um valor de marca a manter no processo de produção? E qual seria o impacto sobre o clima? No intuito de promover sua marca, a Nike trabalhou duro para reduzir emissões de carbono. Poderíamos decidir que manter o preço dos tênis Nike é uma boa coisa. Ou não.

É para isso, e não para o planejamento meticuloso dos ciberstalinistas, que um Estado pós-capitalista usaria a computação de altíssimo desempenho. E quando dispuséssemos de previsões confiáveis poderíamos agir.

O WIKI-ESTADO

O campo de atuação mais desafiador é o Estado; precisamos pensar assertivamente sobre seu papel na transição para o pós-capitalismo.

O ponto de partida é: Estados são enormes entidades econômicas. Empregam globalmente cerca de meio bilhão de pessoas e, de acordo com uma estimativa, correspondem em média a 45% da atividade econômica em termos de PIB (de 60% na Dinamarca a 25% no México). Além disso, por conta do que eles optam por buscar atingir e dos sinais que fornecem sobre seu comportamento futuro, podem ter uma influência decisiva sobre os mercados.

No projeto socialista, o Estado via a si próprio como a nova forma econômica. No pós-capitalismo, ele tem que agir mais como a equipe da Wikipédia: fomentar as novas formas econômicas até o ponto em que elas possam deslanchar e operar organicamente. Como na velha visão do comunismo, o Estado tem que "encolher" — mas aqui o encolhimento econômico tem que ser central e prioritário, tanto quanto as funções de imposição da lei e defesa.

Há uma mudança que qualquer pessoa no comando de um Estado poderia implementar imediatamente, e de graça: desligar a máquina da privatização neoliberal. É um mito a tese de que o Estado é passivo no neoliberalismo; na verdade, o sistema neoliberal não pode existir sem intervenção constante e ativa do Estado para promover a marketização, a privatização e os interesses do capital financeiro. Ele invariavelmente desregulamenta as finanças, obriga o governo a terceirizar serviços e permite que a saúde, a educação e o transporte públicos se deteriorem, empurrando as pessoas para os serviços privados. Um governo que encarasse seriamente o pós-capitalismo daria um sinal claro: não haveria nenhuma iniciativa de expansão das forças de mercado. Simplesmente por tentar isso, os esquerdistas relativamente convencionais do Syriza, na Grécia, foram abertamente sabotados. O Banco Central Europeu suscitou uma corrida aos bancos gregos e, como preço para interrompê-la, exigiu mais privatização, mais terceirização, mais degradação dos serviços públicos.

A ação seguinte que o Estado poderia empreender é o remodelamento dos mercados para favorecer resultados sustentáveis, colaborativos e socialmente justos. Se você subsidiar fortemente os painéis de energia solar, as pessoas irão instalá-los em seus telhados. Mas se você não especificar que eles precisam vir de uma fábrica com padrões sociais elevados, os painéis serão feitos na China, gerando menos benefícios sociais amplos além da troca de energia. Incentivando a criação de sistemas de energia locais, de modo que o excesso de potência gerada possa ser vendido a empreendimentos nas proximidades, você cria externalidades positivas suplementares.

Precisamos de uma nova compreensão do papel do Estado numa economia que inclui estruturas capitalistas e pós-capitalistas. Ele deve agir como um propiciador de novas tecnologias e modelos de negócios, mas sempre com um olho no modo como eles se encaixam nos objetivos e preceitos estratégicos traçados anteriormente.

Projetos ponto a ponto, modelos colaborativos de negócios e atividades não lucrativas são geralmente de pequena escala e frágeis. Toda uma comunidade de economistas e ativistas cresceu em torno deles, mas a verdadeira matéria-prima é tão magra, comparada com o setor de mercado, que uma das primeiras coisas que se precisa fazer é limpar uma clareira na selva capitalista para que essas novas plantas possam crescer.

No projeto pós-capitalista, o Estado precisa também coordenar e planejar a infraestrutura: hoje isso é feito aleatoriamente e sob pesada pressão política do lobby do carbono. No futuro, poderia ser feito de modo democrático e com resultados radicalmente diferentes. Da habitação popular em cidades assoladas pelo desenvolvimento especulativo a ciclovias, passando pelas instalações de saúde pública, até mesmo os projetos mais progressistas de infraestrutura são moldados em torno dos interesses dos ricos — e partem do pressuposto de que o mercado vai durar para sempre. Em consequência, o planejamento de infraestrutura continua sendo uma das disciplinas menos transformadas pelo pensamento conectado em rede. Isso precisa mudar.

Além disso, dada a natureza global do problema que enfrentamos, o Estado tem que ser "dono" da agenda de respostas aos desafios da mudança climática, do envelhecimento demográfico, da segurança energética e da migração. Vale dizer que, quaisquer que sejam as ações de nível micro que adotamos para aliviar esses riscos, só os governos nacionais e acordos multilaterais podem resolvê-los de fato.

A questão mais premente, se os Estados quiserem ajudar a impulsionar a transição para um novo sistema econômico, é a dívida. No mundo de hoje, os países desenvolvidos estão paralisados pelo tamanho de suas dívidas. Estas, como vimos no capítulo 9, tendem a se tornar estratosféricas como resultado do envelhecimento populacional. Com o tempo, há o perigo de que a austeridade e a estagnação façam encolher o tamanho das economias das quais tem que sair o pagamento das dívidas. Por conta disso, os governos têm que fazer algo claro e progressista quanto às dívidas. Eles poderiam cancelá-las unilateralmente — e em países como a Grécia, onde elas são insolvíveis, isso talvez seja necessário. Mas a consequência seria a desglobalização, já que países e investidores credores da dívida caloteada retaliariam, cortando o acesso ao mercado ou chutando os países endividados para fora de várias zonas de moeda e comércio.

Uma parte do dinheiro da flexibilização quantitativa [criação de um volume significativo de dinheiro novo por um banco, autorizada pela autoridade econômica central] poderia ser usada para comprar e liquidar as dívidas — mas mesmo essa chamada "monetarização" do débito, usando os 12 trilhões de dólares criados até agora, não reduziria suficientemente as dívidas soberanas globais em comparação com o PIB, uma vez que elas estão em 54 trilhões de dólares e continuam subindo, e o montante global de todas as dívidas já se aproxima dos 300 trilhões de dólares.

Seria mais sensato combinar cancelamentos controlados de dívidas com uma política global de dez a quinze anos de "repressão financeira": isto é, estimular inflação, manter taxas de juros mais baixas que a taxa de inflação, eliminar a capacidade das pessoas de direcionar dinheiro para investimentos não financeiros ou offshores, e desse modo corroer a dívida mediante a inflação, cancelando a parte restante.

Para ser brutalmente claro, isso reduziria o valor de ativos em fundos de pensão e, por conseguinte, a riqueza material das classes médias e dos idosos; e ao impor controles de capital você estaria desglobalizando parcialmente as finanças. Mas este é apenas um modo controlado de fazer o que o mercado fará de modo caótico se, como prevê a S&P, 60% de todos os países virem suas dívidas reduzidas a sucata por volta de 2050. Em condições próximas à estagnação e taxas zero de juros de longo prazo, a renda gerada por investimentos em fundos de pensão já é, em qualquer caso, mínima.

Mas o Estado não é nem metade da história.

EXPANDIR O TRABALHO COLABORATIVO

Para promover a transição, precisamos de uma virada decisiva rumo a modelos colaborativos de negócios. Alcançar isso requer a remoção das relações desiguais de poder que sabotaram esses modelos no passado.

As clássicas cooperativas de trabalhadores sempre fracassaram porque não tinham acesso ao capital e, quando a crise batia, elas não tinham como convencer seus membros a aceitar salários mais baixos ou a trabalhar menos horas. Cooperativas modernas bem-sucedidas, como a Mondragon na Espanha, funcionam porque têm o apoio de caixas econômicas locais e porque são estruturas complexas — capazes de realocar trabalhadores de um setor a outro, ou atenuar o subemprego temporário mediante gratificações fora do mercado para os demitidos. A Mondragon não é nenhum paraíso pós-capitalista, mas é a exceção que ilustra a regra: se observarmos uma lista das trezentas maiores cooperativas do mundo, muitas delas são simplesmente caixas de auxílio mútuo que resistiram à aquisição por parte de uma corporação. Em muitos aspectos, elas praticam o jogo da exploração financeira — ainda que com uma consciência social.

Numa transição baseada na conexão em rede, modelos de negócios colaborativos são a coisa mais importante que podemos cultivar. Eles também precisam evoluir, porém. Não basta que sejam atividades não lucrativas; a forma pós-capitalista de cooperativa tentaria expandir a atividade fora do mercado, sem controle gerencial e não baseada no dinheiro, contra a base de atividade de mercado de onde ela parte. O que precisamos é de cooperativas em que a forma legal é sustentada por uma verdadeira forma colaborativa de produção ou consumo, com claros resultados sociais.

Do mesmo modo, não devemos fetichizar o aspecto não lucrativo das coisas. Pode haver lucro para empréstimos ponto a ponto, companhias de táxi e aluguel de imóveis para temporada, por exemplo, mas teriam que operar sob regulamentações que limitassem sua capacidade de contribuir para a injustiça social.

E no âmbito governamental poderia haver uma Secretaria da Economia de Não Mercado, encarregada de fomentar todos os negócios em que são produzidos bens gratuitos — ou em que o compartilhamento e a colaboração são essenciais — e maximizar o volume da atividade econômica que tem lugar fora do sistema de preços. Com incentivos relativamente pequenos, isso poderia criar grandes sinergias e reestruturar a economia.

Por exemplo, muitas pessoas formam empresas *startup** — das quais uma em cada três fracassa — porque o sistema tributário incentiva as *startups*. Frequentemente, elas criam negócios com mão de obra barata — como unidades de fast-food, empreiteiras e lojas de franquia — porque, mais uma vez, o sistema favorece uma economia de mão de obra barata. Se remodelarmos o sistema tributário de modo a recompensar a criação de produção não lucra-

---

* De modo geral, uma empresa *startup* é um empreendimento de um grupo relativamente pequeno de pessoas num ramo de atividade com aparente potencial de crescimento e alto grau de incerteza. (N. T.)

tiva e cooperativa, e remodelarmos as regulações empresariais de modo a tornar mais difícil criar negócios que paguem salários baixos, mas muito fácil criar negócios que paguem salários dignos, poderemos alcançar uma grande mudança com pouca despesa.

Grandes corporações poderiam também ser muito úteis para impulsionar a mudança, até por seu mero tamanho: o McDonald's, por exemplo, é a trigésima oitava maior economia do mundo — maior que a do Equador — e também é o maior distribuidor de brinquedos dos Estados Unidos. Além disso, uma a cada oito pessoas nos Estados Unidos trabalhou para o McDonald's. Imagine se, no dia de admissão de novos funcionários, o McDonald's tivesse que lhes dar um curso de uma hora sobre sindicalismo. Imagine se a Walmart, em vez de aconselhar as pessoas a pedir benefícios trabalhistas suplementares para reduzir a folha salarial, informassem-nas sobre como elevar seus salários. Ou imagine simplesmente se o McDonald's parasse de distribuir brinquedinhos de plástico.

O que poderia induzir as corporações a fazer coisas assim? Resposta: lei e regulamentação. Se municiássemos legalmente a força de trabalho das corporações globais com fortes direitos trabalhistas, seus proprietários seriam obrigados a promover modelos econômicos de altos salários, alto crescimento e alta tecnologia, e não o contrário. As corporações baseadas em baixos salários, baixa qualificação profissional e baixa qualidade que floresceram desde os anos 1990 só existem porque o espaço para elas foi impiedosamente cavado pelo Estado. Tudo o que precisamos fazer é reverter esse processo.

Pode parecer radical tornar ilegais certos modelos de negócios, mas foi o que aconteceu com a escravidão e o trabalho infantil. Essas restrições, a despeito dos protestos dos donos de fábricas e senhores de terras, na verdade normatizaram o capitalismo e o forçaram a deslanchar.

Nosso objetivo seria o de normatizar o pós-capitalismo: privilegiar a rede *wi-fi* de acesso gratuito na aldeia de montanha em detrimento dos direitos dos monopólios de telecomunicações. A partir de mudanças pequenas assim, novos sistemas podem se desenvolver.

SUPRIMIR OU SOCIALIZAR MONOPÓLIOS

A criação de monopólios para resistir à queda dos preços em direção a zero é o mais importante reflexo de defesa do capitalismo contra o pós-capitalismo.

Para promover a transição, esse mecanismo de defesa tem que ser eliminado. Onde fosse possível, os monopólios seriam tornados ilegais e regras contra fixação de preços seriam impostas com rigor.

Durante 25 anos, o setor público foi obrigado a terceirizar e se romper em pedaços; agora seria a vez de monopólios como Apple e Google. Onde fosse disfuncional quebrar um monopólio — como por exemplo com um fabricante de aviões ou uma companhia de abastecimento de água — a solução defendida cem anos atrás por Rudolf Hilferding seria suficiente: propriedade pública.

Sempre que implementada em sua forma original — isto é, a empresa pública sem fins lucrativos —, a propriedade pública proporcionou enormes benefícios sociais ao capital barateando custos de produção do trabalho. Na economia pós-capitalista, ela poderia proporcionar isso e mais. O objetivo estratégico — reluzindo em letras grandes numa tela de PowerPoint em cada sala de diretoria do setor público — seria baratear o custo de necessidades básicas, de modo que o total de tempo de trabalho socialmente necessário pudesse cair e mais bens pudessem ser produzidos de graça.

Se o provimento realmente público de água, energia, moradia, transporte, saúde, infraestrutura de comunicações e educação fosse introduzido numa economia neoliberal, soaria como uma revolução. Privatizar esses setores ao longo dos últimos trinta anos foi o meio pelo qual os neoliberais bombearam lucratividade de volta ao setor privado: em países desprovidos de indústrias produtivas, tais monopólios de serviços constituem o cerne do setor privado e, com os bancos, a espinha dorsal do mercado de ações.

E prover esses serviços a preço de custo, socialmente, seria um ato estratégico de redistribuição, amplamente mais eficaz que o aumento real de salários.

Em resumo: sob um governo que abraçasse o pós-capitalismo, o Estado, o setor privado e as empresas públicas poderiam ser levados a perseguir objetivos radicalmente diferentes com mudanças de custo relativamente baixo rumo à normatização, escorado por um programa radical de encolhimento da dívida.

Não é nessa área, porém, que emergem verdadeiras formas econômicas pós-capitalistas. Assim como o Estado britânico fomentou o crescimento do capitalismo industrial no início do século XIX instituindo novas regras, hoje uma mistura de governo e corporações altamente regulamentadas criaria apenas a moldura do próximo sistema econômico, não sua substância.

QUE AS FORÇAS DE MERCADO DESAPAREÇAM

Numa sociedade altamente conectada em rede e orientada para o consumo, na qual as pessoas têm necessidade de um modelo econômico centrado no indivíduo, os mercados não são o inimigo. Esta é a maior diferença entre um pós-capitalismo baseado na tecnologia da informação e um pós-capitalismo baseado em planejamento autocrático. Não há razão alguma para abolir os mercados por decreto, desde que sejam abolidos os desequilíbrios básicos de poder que a expressão "livre mercado" mascara.

Uma vez que as firmas sejam proibidas de estabelecer preços monopolísticos, e que uma renda básica universal esteja disponível (*ver a seguir*), o mercado passa a ser na prática o transmissor do efeito "custo marginal zero", que se manifesta como tempo de trabalho decrescente no conjunto da sociedade.

Mas, de modo a controlar a transição, precisaríamos enviar ao setor privado sinais claros, entre os quais um dos mais importantes é este: o lucro deriva do empreendedorismo, não do rentismo.

O ato de inovar e criar — seja um novo tipo de motor de jato, seja uma faixa de *dance music* — tem sido recompensado, até agora, pela capacidade da firma de colher ganhos de curto prazo, por conta de vendas maiores ou custos menores. Mas as patentes e a propriedade intelectual estariam destinadas a definhar rapidamente. Este princípio já é reconhecido na prática, apesar dos protestos de advogados de Hollywood e gigantes farmacêuticos. Patentes de remédios expiram depois de vinte anos, muitas vezes enfraquecendo antes disso por causa da produção em países onde a patente não é reconhecida, ou então porque — como no caso do HIV — os detentores da patente concordam em permitir o uso de drogas genéricas em face da premente necessidade humana.

Simultaneamente, seria promovido o uso intensificado das licenças de Creative Commons — em que inventores e criadores abdicam voluntariamente de alguns direitos de antemão. Se, como sugerido acima, os governos insistissem que os resultados de pesquisas bancadas pelo Estado fossem essencialmente livres e gratuitos no momento do uso — levando para a esfera pública tudo o que é produzido com financiamento público —, o equilíbrio da propriedade intelectual no mundo iria pender rapidamente do uso privado para o comum. Pessoas movidas apenas pela recompensa material seguiriam criando e inovando — porque o mercado ainda recompensaria o empreendedorismo e o talento. Mas, como convém a uma sociedade em que o ritmo de inovação está se tornando exponencial, o período de recompensa está se tornando mais curto.

O único setor em que é imperativo suprimir por completo as forças de mercado é o da energia limpa. Para enfrentar a mudança climática com ações urgentes, o Estado deveria assumir a propriedade e o controle da rede de distribuição de energia, além de todos os grandes fornecedores de energia baseada no carbono. Essas corporações já estão condenadas, pois a maior parte de suas reservas não pode ser queimada sem destruir o planeta. Para incentivar investimento de capital em energias renováveis, essa tecnologia seria subsidiada e as empresas que a fornecessem permaneceriam fora da propriedade estatal onde fosse possível.

Isso poderia ser feito mantendo o preço da energia alto para os consumidores, de modo a reduzir a demanda e forçá-los a mudar de comportamento. Reformular a maneira como se consome energia é igualmente importante. O objetivo seria decentralizar o consumo do mercado energético, para impulsionar tecnologias que combinam calor, força e geração local de energia.

Em cada estágio, a eficiência energética seria recompensada e a ineficiência, punida — do projeto, isolamento e aquecimento das instalações às redes de transporte. Há um amplo leque de técnicas comprovadas a escolher, mas, por meio da descentralização e da permissão para que comunidades locais mantenham os ganhos de eficiência que produzirem, as forças de mercado no varejo do mercado de energia poderão ser usadas para atingir uma meta definida e mensurável.

Mas, para além da energia e dos serviços públicos estratégicos, é importante que seja deixado um amplo espaço para o que Keynes chamava de "espírito animal" do inovador. Uma vez que a tecnologia da informação permeia o mundo físico, cada inovação nos traz mais perto do mundo de trabalho necessário zero.

SOCIALIZAR O SISTEMA FINANCEIRO

A grande obra seguinte de tecnologia social teria como foco o sistema financeiro. A complexidade financeira está no coração da vida econômica moderna. Isso inclui instrumentos financeiros como futuros e opções, e mercados globais de 24 horas de alta liquidez. Inclui também a nova relação que temos, como trabalhadores e consumidores, com o capital financeiro. É por essa razão que a cada crise financeira os Estados são obrigados a elevar a garantia emergencial implícita que afiança bancos, fundos de pensão e seguradoras. Moralmente, se os riscos são socializados, então as recompensas também deveriam ser. Mas não há necessidade de abolir toda a complexidade financeira. Onde mercados financeiros complexos levam à especulação e tornam desnecessariamente alta a velocidade do dinheiro, eles podem ser domesticados. As seguintes medidas seriam mais eficazes se adotadas globalmente, mas é mais provável, dado o cenário esmiuçado no capítulo 1, que Estados individuais tenham que implementá-las, e com alguma urgência. São elas:

1. Nacionalizar o banco central, estabelecendo para ele uma meta específica de crescimento sustentável e uma meta de inflação na faixa alta da média recente. Isso proporcionaria as ferramentas para estimular uma forma socialmente justa de repressão financeira, orientada para a meta de um cancelamento controlado da enorme dívida pendente. Numa economia global composta de Estados, ou de blocos de moedas, isso irá causar antagonismo, mas em última instância, como sob Bretton Woods, se uma economia o fizer, outros países terão que segui-la.

Além de suas funções clássicas — política monetária e estabilidade financeira —, um banco central deveria ter uma meta de sustentabilidade: todas as decisões seriam projetadas tendo em vista seus impactos climáticos, demográficos e sociais. Seus dirigentes teriam, é claro, que ser democraticamente eleitos e fiscalizados.

A política monetária dos bancos centrais — talvez o instrumento mais poderoso de estratégia no capitalismo moderno — se tornaria aberta, transparente e controlada politicamente. Nos últimos estágios da transição o banco central e o dinheiro teriam um papel diferente, do qual voltarei a falar.

2. Reestruturar o sistema bancário em direção a uma mistura de: ações de serviços públicos com taxas niveladas de lucro; bancos locais e regionais sem fins lucrativos; uniões de crédito e emprestadores ponto a ponto; e um abrangente provedor estatal de serviços financeiros. O Estado se colocaria explicitamente como emprestador de último recurso para esses bancos.

3. Deixar um espaço bem regulamentado para atividades financeiras complexas. O objetivo seria assegurar que o sistema financeiro global pudesse, a curto ou médio prazo, retornar a seu papel histórico: alocar eficientemente capital entre firmas, setores, poupadores e emprestadores etc. As regulações seriam bem mais simples do que os Acordos de Basileia III, porque seriam sustentadas por uma rigorosa repressão ao crime e por códigos profissionais na atividade bancária, na contabilidade e na lei. Os princípios diretores seriam a recompensa à inovação e a penalização e desestímulo ao comportamento especulativo. Por exemplo, seria considerado uma violação da ética profissional um contador juramentado ou advogado registrado propor um esquema de sonegação tributária, ou um fundo de cobertura estocar urânio num depósito para fazer subir seu preço imediato.

Em países como Reino Unido, Singapura, Suíça e Estados Unidos, com setores financeiros orientados globalmente, os governos poderiam oferecer um acordo pelo qual, em recompensa por integrar-se de modo claro e transparente à economia nacional e suas regras, alguns empréstimos de emergência seriam acessíveis às firmas remanescentes de alto risco e finalidades lucrativas. Aquelas que não se integrassem e não se tornassem transparentes seriam tratadas como o equivalente financeiro da Al-Qaeda. Depois de uma oferta adequada de anistia, seriam perseguidas e eliminadas.

Essas medidas estratégicas de curto prazo poderiam desarmar a bomba-relógio das finanças globais, mas ainda não constituem um projeto para um verdadeiro sistema financeiro pós--capitalista.

Um projeto pós-capitalista não buscaria — como fazem os fundamentalistas do dinheiro — o fim do sistema bancário de reservas fracionárias. Em primeiro lugar, se isso fosse tentado como um remédio de curto prazo para a financeirização, ocasionaria uma queda drástica da demanda. Também precisamos da criação de crédito e de um suprimento ampliado de dinheiro para abater a enorme dívida que está sufocando o crescimento.

O objetivo mais imediato é salvar a globalização matando o neoliberalismo. Um sistema bancário socializado e um banco central sintonizado com a sustentabilidade poderiam fazer isso usando *fiat money* — o que, como discutimos no capítulo 1, funciona enquanto as pessoas acreditam na credibilidade do Estado.

No entanto, durante a longa transição para o pós-capitalismo, um elaborado sistema financeiro chegará a um beco sem saída. A criação de crédito funciona apenas se fizer o setor de mercado crescer — de modo que o que toma empréstimo possa pagá-lo com juros. Se o setor de não mercado começa a crescer mais depressa que o de mercado, a lógica interna da atividade bancária pode desmoronar. A esta altura, se quisermos manter uma economia complexa, em que o sistema financeiro atue como uma câmara de compensação em tempo real para uma porção de necessidades, então o Estado (por meio do banco central) terá que assumir a tarefa de criar dinheiro e conceder crédito, como apregoam os defensores do chamado "dinheiro positivo".[8]

Mas a intenção aqui não é alcançar algum tipo de capitalismo de Estado místico e estável. A intenção é promover a transição a uma economia em que muitas coisas são gratuitas, e em que os retornos de investimentos vêm numa mistura de dinheiro e formas não monetárias.

Ao final do processo, décadas adiante, dinheiro e crédito teriam um papel muito menor na economia, mas as funções de contabilidade, compensação e mobilização de recursos proporcionadas atualmente por bancos e mercados financeiros teriam que existir numa forma institucional diferente. Esse é um dos maiores desafios para o pós-capitalismo.

Eis aqui como penso que poderia ser resolvido.

O objetivo é manter mercados complexos, líquidos, em instrumentos negociáveis, ao mesmo tempo em que se elimina a possibilidade de que haja sempre retorno em forma monetária (porque o sistema de lucro e propriedade desaparece). Um modelo poderia ser o que aconteceu com o carbono.

Embora a criação de um mercado de carbono não tenha alcançado um progresso suficiente contra a mudança climática, ele não foi inútil. No futuro talvez vejamos todos os tipos de instrumentos socialmente benignos ser intercambiados — resultados na área da saúde, por exemplo. Se o Estado pode criar um mercado de carbono, pode criar um mercado de qualquer coisa. Ele pode usar forças de mercado para a mudança de comportamento, mas em última instância deve vir um tempo em que ele confira a esses instrumentos — que formam na prática uma moeda paralela — um poder de compra maior que o do dinheiro propriamente dito.

À medida que as pessoas se livrem do dinheiro — porque o setor de mercado vai sendo substituído pela produção colaborativa —, é possível que elas aceitem o que é na prática uma "moeda tecnológica provisória" até o momento em que passe a existir um sistema de compra e venda de bens e serviços administrado pelo Estado, como Bogdanov conjecturou em *Estrela vermelha*.

A curto prazo, a intenção não é reduzir a complexidade — como querem os fundamentalistas do dinheiro — nem simplesmente estabilizar a atividade bancária, mas promover a forma mais complexa de finança capitalista compatível com o direcionamento da economia rumo à automação elevada, ao trabalho reduzido e à abundância de bens e serviços baratos ou gratuitos.

Com a energia e a atividade bancária socializadas, a meta a médio prazo seria preservar um setor privado tão amplo quanto possível no mundo não financeiro e mantê-lo aberto a um leque diversificado e inovador de firmas.

O neoliberalismo, com sua alta tolerância em relação aos monopólios, sufocou na prática a inovação e a complexidade. Rompendo os monopólios tecnológicos e subjugando os bancos, poderíamos criar um espaço ativo para empresas menores que os substituíssem e realizassem — finalmente — a promessa não cumprida da infotecnologia.

O setor público poderia, se desejássemos, terceirizar funções para o setor privado, desde que este não tivesse permissão para competir por meio de salários e condições diferenciais. Um subproduto do fato de promover a competição e a diversidade no setor de serviços é que, já que não se pode baixar implacavelmente salários, teria de haver uma onda de inovação técnica, cujo resultado seria reduzir o número de horas de trabalho na sociedade como um todo.

E isso nos leva ao que é provavelmente a maior mudança estrutural necessária para fazer o pós-capitalismo acontecer: uma renda básica universal garantida pelo Estado.

PAGAR UMA RENDA BÁSICA A CADA UM

A renda básica, como diretriz, não é assim tão radical. Vários projetos-piloto e esboços foram tentados, frequentemente pela direita, algumas vezes pela centro-esquerda, como um substituto da bolsa-pobreza, com custos administrativos menores. Mas, no projeto pós-capitalista, o propósito da renda básica é radical: (a) formalizar a separação entre trabalho e salários; (b) subsidiar a transição para uma semana, jornada ou vida de trabalho mais curta. O efeito seria o de socializar os custos da automação.

A ideia é simples: toda pessoa em idade de trabalhar recebe do Estado uma renda básica incondicional, financiada pela tributação, e ela substitui o seguro-desemprego. Outras formas de políticas sociais para necessidades básicas — tais como bolsa-família, bolsa-invalidez ou ajuda-maternidade — continuariam existindo, mas seriam complementos menores à renda básica.

Por que pagar às pessoas simplesmente por existirem? Porque precisamos acelerar radicalmente o progresso tecnológico. Se, como sugere o estudo da Oxford Martin School, 47% de todos os empregos numa economia avançada serão redundantes devido à automação, então o resultado sob o neoliberalismo será um precariado enormemente expandido.

Uma renda básica bancada por impostos cobrados à economia de mercado dá às pessoas a chance de conquistar posições na economia de não mercado. Permite-lhes prestar trabalho voluntário, instaurar cooperativas, editar a Wikipédia, aprender a usar software de desenho em 3-D ou simplesmente existir. Propicia-lhes espaçar períodos de trabalho; empreender uma entrada tardia ou uma saída precoce da vida de trabalho; entrar e sair mais facilmente de empregos estressantes, de alta intensidade. O custo fiscal disso seria alto: eis por que todas as tentativas de implementar a medida separadamente de um projeto geral de transição têm grande probabilidade de fracassar, a despeito do número crescente de monografias acadêmicas e congressos globais dedicados ao tema.[9]

Como exemplo concreto, a folha de benefícios sociais do Reino Unido é de 160 bilhões de libras por ano, dos quais talvez 30 bilhões sejam direcionados aos inválidos, grávidas, enfermos, e assim por diante. Os beneficiários mais pobres são os aposentados, que recebem cerca de 6 mil libras por ano de pensão básica. Dar a 51 milhões de adultos 6 mil libras por ano, como seria de direito, custaria 306 bilhões de libras — o que é quase o dobro do gasto social atual. Isso poderia ser suportável se fosse abolida toda uma faixa de isenções tributárias e, ao mesmo tempo, fossem empreendidas mudanças redutoras de outros gastos públicos, mas representaria de todo modo uma demanda significativa de recursos.

Uma renda básica diz, na prática, que não há horas de trabalho suficientes para todos, portanto precisamos injetar fluidez no mecanismo que as aloca. Tanto o advogado como a professora de creche precisam ser capazes de trocar horas de trabalho intenso por horas de tempo livre pagas pelo Estado.

Suponha que, no Reino Unido, fixemos a renda básica em 6 mil libras e elevemos o salário mínimo para 18 mil libras anuais. As vantagens de trabalhar permanecem claras, mas há também vantagens a ser conseguidas deixando de trabalhar: poder cuidar dos filhos, escrever poesia, voltar para a faculdade, cuidar de sua doença crônica ou participar de grupos de estudo com outros como você.

Sob esse sistema, não haveria estigma algum associado a não trabalhar. O mercado de trabalho seria arranjado em favor dos empregos bem pagos e dos empregadores bons pagadores.

A renda básica universal, então, é um antídoto ao que o antropólogo David Graeber chama de "empregos de mentirinha": os empregos mal remunerados no setor de serviços que o capitalismo deu um jeito de criar nos últimos 25 anos, que pagam pouco, aviltam o trabalhador e provavelmente não precisariam existir.[10] Mas é apenas uma medida de transição a ser adotada no primeiro estágio do projeto pós-capitalista.

O objetivo supremo é reduzir a um mínimo as horas necessárias para produzir o que a humanidade precisa. Uma vez que isso aconteça, a base tributária no setor de mercado da economia seria pequena demais para pagar pela renda básica. Os próprios salários seriam cada vez mais sociais — na forma de serviços fornecidos coletivamente — ou desapareceriam.

De modo que, como iniciativa pós-capitalista, a renda básica é o primeiro benefício na história cuja medida de sucesso é ela se reduzir a zero.

A REDE DESATRELADA

No projeto socialista, devia haver um longo estágio inicial em que o Estado tinha que eliminar o mercado pela força; o resultado, supostamente, seria a redução gradual das horas de trabalho necessárias para manter e abastecer a humanidade. Então o progresso tecnológico poderia começar a fazer algumas coisas a um custo insignificante ou de graça, e seria possível passar à fase dois: "comunismo".

Estou seguro de que os trabalhadores da geração de minha avó se preocupavam mais com a fase um do que com a fase dois — e isso era lógico. Numa economia baseada primordialmente em bens físicos, o meio de tornar mais baratas as casas era o Estado construí-las, ser seu proprietário e oferecê-las cobrando um aluguel baixo. O custo disso era a uniformidade: você era proibido de manter a casa por conta própria, ou de melhorá-la, ou mesmo de pintar a porta de uma outra cor. Para minha avó, que tinha morado num cortiço malcheiroso, ser impedida de pintar a porta não era uma preocupação importante.

No projeto pós-capitalista, a tarefa da primeira fase é proporcionar coisas tão tangíveis e cruciais para a mudança da vida como foi para a minha avó a sua moradia subsidiada, com seu jardinzinho e suas paredes sólidas. Para esse fim, muito pode ser conseguido mediante a mudança de relação entre o poder e a informação.

O infocapitalismo se baseia na assimetria: as corporações globais obtêm seu poder de mercado ao saber mais — mais que seus consumidores, fornecedores e pequenos concorrentes. O princípio simples por trás do pós-capitalismo deveria ser o de que a busca de assimetria da informação é errada — exceto quando se trata de questões de privacidade, anonimato e segurança.

Além disso, o objetivo deveria ser o de inserir a informática e a automação em tipos de trabalho em que elas são barradas no presente, porque a mão de obra barata elimina a necessidade de inovar.

Numa fábrica moderna de automóveis há uma linha de produção, e ainda há operários com chaves de fenda e furadeiras. Mas a linha de produção está administrando de modo inteligente o que os operários fazem: uma tela de computador mostra-lhes que chave usar, um sensor os alerta caso peguem a ferramenta errada, e a ação é registrada em algum lugar num servidor.

Não há outro motivo além da exploração para que as mais avançadas técnicas de automação não possam ser aplicadas, por exemplo, ao trabalho na fábrica de sanduíche ou no empacotamento de carne. Na verdade, é só a disponibilidade de mão de obra barata e desorganizada, sustentada por benefícios trabalhistas secundários, que permite a existência desses modelos de negócios. Em muitas indústrias, velhas disciplinas de trabalho — horário, obediência, assiduidade, hierarquia — são impostas apenas porque o neoliberalismo está suprimindo a inovação. Mas elas são tecnologicamente desnecessárias.

Em negócios baseados na informação, a gestão de velho estilo começa a parecer arcaica. Gestão significa organizar recursos previsíveis — pessoas, ideias e coisas — para produzir um resultado planejado. Mas muitos resultados benéficos de economias conectadas em rede não são planejados. E o melhor processo humano para lidar com resultados voláteis é o trabalho de equipe — que costumava ser chamado de "cooperação".

Esclareçamos o que isso significa: equipes cooperativas, autogeridas, não hierárquicas, são as formas tecnologicamente mais avançadas de trabalho. No entanto, grandes parcelas da força de trabalho estão aprisionadas num mundo de punições, disciplina, violência e hierarquias de poder — simplesmente porque a existência de uma cultura de mão de obra barata permite que tal mundo sobreviva.

Uma meta crucial para o processo de transição seria a de desencadear uma terceira revolução gerencial: animar administradores, sindicatos e planejadores do sistema industrial em torno das possibilidades inerentes a uma mudança rumo ao trabalho em rede, modular, não linear.

"O trabalho não pode se tornar brincadeira", escreveu Marx.[11] Mas a atmosfera na oficina moderna de projetos de videogames mostra que brincar e trabalhar podem alternar-se livremente e produzir resultados. Em meio a violões, sofás, mesas de sinuca cobertas por caixas de pizzas vazias, ainda existe exploração, evidentemente. Mas o trabalho modular, direcionado a alvos concretos, com empregados desfrutando um alto grau de autonomia, pode ser menos alienante, mais social, mais prazeroso — e proporcionar melhores resultados.

Não há nada, a não ser nosso apego à mão de obra barata e à ineficiência, que diga que uma operação de empacotamento de carne não possa usufruir o mesmo tipo de trabalho sem chefia, modular — em que o trabalho é literalmente entremeado de diversão, e o acesso à informação em rede é um direito. Um dos sinais mais reveladores de que o neoliberalismo é um beco sem saída é a hostilidade de muitos executivos e investidores do século XXI ao ideal de trabalho altamente produtivo e gratificante. Administradores na era pré-1914 eram obcecados por isso.

À medida que perseguirmos essas metas, um padrão geral provavelmente emergirá; a transição ao pós-capitalismo será impulsionada por descobertas-surpresa feitas por grupos de pessoas trabalhando em equipe, a respeito do que elas podem trazer aos velhos processos aplicando pensamento colaborativo e redes.

O que estamos procurando são rápidos saltos tecnológicos que tornem mais barato produzir coisas e beneficiar o conjunto da sociedade. A tarefa dos pontos de tomada de decisão numa economia em rede (do banco central à cooperativa de moradia local) é compreender a interação entre redes, hierarquias, organizações e mercados; delineá-los em diferentes estágios, propor uma mudança, monitorar seus efeitos e ajustar suas intenções de modo adequado.

Mas, apesar de todas as nossas tentativas racionais, não será um processo controlado. A coisa mais valiosa que as redes (e os indivíduos no interior delas) podem fazer é *romper com tudo o que está acima*. Diante do pensamento em grupo e da convergência, seja no estágio de esboço de um projeto econômico ou na sua execução, as redes são uma ferramenta brilhante para nos permitir não apenas divergir, mas desertar e dar início a nossa própria alternativa.

Precisamos de utopistas desavergonhados. Os empreendedores mais eficazes do início do capitalismo eram exatamente isso, bem como todos os pioneiros da libertação humana.

Qual é o estado final? Essa é a pergunta errada. Se examinarmos o gráfico do PIB per capita do capítulo 8, veremos que ele é horizontal ao longo de toda a história humana até a Revolução Industrial, então sobe rapidamente e, depois de 1945, torna-se exponencial em alguns países. O pós-capitalismo é apenas uma variável do que acontece quando a linha se tornar completamente vertical em toda parte. É um estado inicial.

Uma vez que a mudança tecnológica exponencial espalhar-se dos chips de silício à alimentação, ao vestuário, aos sistemas de transportes e aos serviços de saúde, então o custo de reprodução da força de trabalho encolherá drasticamente. A essa altura, o problema econômico que definiu a história humana irá encolher ou desaparecer. Precisaremos provavelmente nos preocupar com problemas de sustentabilidade na economia e com a interação de padrões concorrentes de vida humana num âmbito mais amplo.

Portanto, em vez de procurar por um estado final, é mais importante perguntar como poderíamos lidar com reviravoltas — e escapar de um beco sem saída.

Um problema específico é como registrar a experiência do fracasso em dados persistentes que nos permitam retraçar nossos passos, corrigi-los e estender as lições ao conjunto da economia. As redes são ruins de memória; são concebidas de modo a que a memória e a atividade se instaurem em duas partes diferentes da máquina. As hierarquias eram boas para lembrar — portanto, descobrir como reter e processar lições será crucial. A solução pode ser tão simples como acrescentar uma função de registro e armazenamento a todas as atividades, da lanchonete ao Estado. O neoliberalismo, com seu amor pela destruição criativa, dispensou alegremente a função da memória — das decisões de "sofá" de Tony Blair ao despedaçamento de velhas estruturas empresariais, ninguém queria deixar rastros documentados.

No final, o que estamos tentando fazer é empurrar quanto for possível da atividade humana para uma fase em que a labuta necessária para sustentar uma vida muito rica e complexa diminua, e em que a quantidade de tempo livre aumente. E que no processo a fronteira entre as duas coisas fique mais embaçada.

ISSO É SÉRIO?

É fácil sentirmo-nos intimidados diante da escala dessas propostas. Perguntar a nós mesmos: será mesmo verdade — ainda mais numa crise de cinquenta anos — que uma mudança de quinhentos anos está em marcha? Podem as leis, mercados e modelos de negócios realmente evoluir dramaticamente a ponto de corresponder ao potencial da infotecnologia? E podemos nós, como meros e insignificantes indivíduos, ter algum impacto real?

No entanto, todos os dias, uma grande parcela da humanidade participa de uma mudança muito maior, desencadeada por um tipo diferente de tecnologia: a pílula anticoncepcional. Estamos vivenciando a abolição definitiva e irreversível do poder biológico masculino. O fato está causando um grande trauma: basta observar, no Twitter e no Facebook, as piadas ofensivas contra mulheres poderosas, as tentativas por parte de movimentos como Gamer-Gate para invadir o espaço mental delas e destruir sua saúde mental. Mas o avanço rumo à libertação está acontecendo.

É absurdo que sejamos capazes de testemunhar com nossos próprios olhos o início da dissolução de um sistema de opressão de gênero de 40 mil anos e, no entanto, sigamos vendo como utopia irrealista a abolição de um sistema econômico de duzentos anos.

Estamos num momento de possibilidade: de uma transição controlada para além do mercado livre, para além do carbono, para além do trabalho compulsório.

O que acontece com o Estado? Ele provavelmente fica menos poderoso com o tempo — e no final suas funções são assumidas pela sociedade. Venho tentando fazer disto um projeto utilizável tanto pelas pessoas que consideram os Estados úteis como pelas que não os consideram; você pode moldar uma versão anarquista e uma versão estatista e experimentá-las. Há provavelmente até mesmo uma versão conservadora de pós-capitalismo, e ela que tenha boa sorte.

LIBERTAR O 1%

O que acontece com o 1% mais rico da população mundial? Ele fica mais pobre e consequentemente mais feliz. Porque é duro ser rico.

Na Austrália, a gente vê mulheres do 1% mais rico fazendo jogging entre as praias Bondi e Tamarama todas as manhãs, ornadas com uma lycra barata tornada cara pelo acréscimo de — o que mais seria? — letras de ouro. Sua ideologia lhes diz que o que as torna um sucesso é seu caráter único e exclusivo, embora sua aparência e seu comportamento sejam os mesmos dos outros.

E como o mundo gira, na primeira luz da manhã, nas academias de ginástica nos andares intermediários dos arranha-céus de Shanghai e Singapura veem-se executivos correndo na esteira em preparação para um dia que gastarão competindo com pessoas exatamente como eles. O rico da Ásia Central, com seus guarda-costas, começa mais um dia de espoliação do mundo.

Acima disso tudo, nas cabines de primeira classe de voos de longa distância, flutua a elite global, com os rostos contraídos numa expressão de rotina diante de seus laptops. São a imagem viva de como se supõe que o mundo deva ser: instruído, tolerante, próspero. No entanto, estão excluídos desse grande experimento de comunicação social que a humanidade está empreendendo.

Só 8% dos CEOs norte-americanos têm uma conta real no Twitter. Claro que um subordinado pode administrar uma por eles, mas, devido a regras sobre a enunciação de declarações financeiras e à cibersegurança, as contas dos poderosos em redes sociais nunca podem ser verdadeiras. Quando se trata de ideias, eles podem ter as que quiserem, desde que elas se coadunem com a doutrina neoliberal: de que as melhores pessoas vencem por causa de seu talento; de que o mercado é a expressão da racionalidade; de que os trabalhadores do mundo desenvolvido são indolentes demais; de que taxar os ricos é bobagem.

Convencidos de que só os espertos se dão bem, eles mandam seus filhos para escolas particulares caras para afiar sua individualidade. Mas eles saem de lá todos iguais: pequenas versões de Milton Friedman e Christine Lagarde. Eles vão a faculdades de elite, mas os nomes reluzentes nos blusões das escolas — Harvard, Cambridge, MIT — não significam nada. A inscrição poderia muito bem ser Universidade Padrão Neoliberal. O blusão da Ivy League é simplesmente um brasão de entrada naquele mundo cafona.

Por trás de tudo isso permanece uma dúvida duradoura. A autocrença deles diz-lhes que o capitalismo é bom, porque é dinâmico — mas seu dinamismo só é de fato sentido onde há suprimento abundante de mão de obra barata e democracia reprimida — e onde a desigualdade é crescente. Viver num mundo tão à parte, dominado pelo mito da exclusividade mas na verdade tão uniforme, com o temor constante de vir a perder tudo, é — e não estou brincando — duro.

E para cúmulo de tudo eles sabem quão perto chegaram do colapso; sabem quanto de tudo o que ainda possuem foi na verdade bancado pelo Estado, que os tirou do apuro.

Hoje, a ideologia de ser burguês no mundo ocidental significa o liberalismo social, um compromisso com as belas-artes, com a democracia e com o primado da lei, fazendo filantropia e escondendo o poder que se exerce por trás de uma estudada discrição pessoal.

O perigo é que, à medida que a crise se prolongue, o compromisso da elite com a liberdade evapore. Os bem-sucedidos escroques e ditadores do mundo emergente já compraram influência e respeitabilidade: dá para sentir o poder deles simplesmente ao entrar em certos escritórios de advocacia, consultorias de relações públicas e mesmo grandes empresas.

Quanto tempo vai levar antes que a cultura da elite ocidental penda para uma tentativa de emular Putin e Xi Jinping? Em alguns campi já se ouve esse tipo de coisa. "A China mostra que o capitalismo funciona melhor sem democracia" tornou-se uma frase comum em conversas. A autocrença do 1% corre o risco de refluir, para ser substituída por uma pura e indisfarçada oligarquia.

Mas existe uma boa notícia.

Os 99% estão vindo para o resgate.

O pós-capitalismo vai libertar você.

Notas

INTRODUÇÃO [pp. 9-26]

1. Disponível em: <www.worldbank.org/en/country/moldova/overview>.
2. H. Braconier; G. Nicoletti; B. Westmore, "Policy Challenges for the Next 50 Years" [Desafios estratégicos para os próximos cinquenta anos], OCDE, n. 24, 2014.
3. Disponível em: <openeurope.org.uk/blog/greece-folds-this-hand-but-long-term-game-of-poker-with-eurozone-continues/>.
4. L. Cox e A. G. Nilsen, *We Make Our Own History*. Londres: Pluto Press, 2014.
5. Disponível em: <oll.libertyfund.org/titles/2593#Thelwall_RightsNature1621_16>.
6. M. Castells, "Alternative Economic Cultures". *BBC Radio 4*, 21 out. 2012.
7. D. Mackie et al., "The Euro-area Adjustment: About Halfway There". J. P. Morgan, Europe Economic Research, 28 maio 2013.

1. O NEOLIBERALISMO ESTÁ FALIDO [pp. 29-67]

1. P. Mason, "Bank Balance Sheets Become Focus of Scrutinity", 28 jul. 2008. Disponível em: <bbc.co.uk/blogs/newsnight/paulmason/2008/07/bank_balance_sheets_become_foc.html>.

2. Disponível em: <money.cnn.com/2007/11/27/news/newsmakers/gross_banking.fortune/>.

3. P. Mason, *Meltdown: The End of the Age of Greed*. Londres: Verso, 2009.

4. Disponível em: <www.telegraph.co.uk/finance/financetopics/davos/9041442/Davos-2012-Prudential-chief-Tidjane-Thiam-says-minimum--wage-is-a-machine-to-destroy-jobs.html>.

5. Disponível em: <ftalphaville.ft.com/2014/02/07/1763792/ a-lesson-from-japans-falling-real-wages/>; <www.social-europe.eu/2013/05/real--wages-in-the-eurozone-not-a-double-but-a-continuing-dip/>; <cep.lse.ac.uk/pubs/download/cp422.pdf>.

6. D. Fiaschi et al., "The Interrupted Power Law and the Size of Shadow Banking", 4 abr. 2014. Disponível em: <arxiv.org/pdf/1309.2130v4.pdf>.

7. Disponível em: <www.theguardian.com/news/datablog/2015/feb/05/global-debt-has-grown-by-57-trillion-in-seven-years-following-the-financial--crisis>.

8. Disponível em: <jenner.com/lehman/VOLUME%203.pdf>, p. 742.

9. Disponível em: <www.sec.gov/news/studies/2008/craexamination070808.pdf>, p. 12.

10. Disponível em: <www.investmentweek.co.uk/investment-week/news/2187554/-done-for-boy-barclays-libor-messages>.

11. J. M. Keynes, *The General Theory of Employment, Interest and Money*. Cambridge: Macmillan Cambridge University Press, 1936, p. 293. Disponível em: <www.marxists.org/reference/subject/economics/keynes/general-theory/ch21.htm>.

12. Disponível em: <www.ftense.com/2014/10/total-global-debt-crosses--100-trillion.html>.

13. Disponível em: <www.internetworldstats.com/emarketing.htm>.

14. Disponível em: <cleantechnica.com/2014/04/13/world-solar-power--capacity-increased-35-2013-charts/>.

15. L Summers, "Reflections on the New Secular Stagnation Hypothesis". In: C. Teulings; R. Baldwin, *Secular Stagnation: Facts, Causes, and Cures*. VoxEu.org, ago. 2014.

16. R. Gordon, "The Turtle's Progress: Secular Stagnation Meets the Headwinds". In: C. Teulings e R. Baldwin, ibid.

17. Disponível em: <www.constitution.org/mon/greenspan_gold.htm>.

18. Disponível em: <www.treasury.gov/ticdata/Publish/mfh.txt>.

19. R. Duncan, *The New Depression: The Breakdown of the Paper Money Economy*. Singapura: Wiley, 2012.

20. Disponível em: <www.washingtonpost.com/blogs/wonkblog/

wp/2013/01/18/breaking-inside-the-feds-2007-crisis-response/?wprss=rss_ ezra-klein>.

21. Disponível em: <www.economist.com/blogs/freeexchange/2011/08/ markets-and-fed>.

22. Disponível em: <www.multpl.com>.

23. Disponível em: <www.federalreserve.gov/boardDocs/speeches/2002/20021121/default.htm>.

24. Disponível em: <www.economist.com/blogs/freeexchange/2013/11/ unconventional-monetary-policy>.

25. D. Schlichter, *Paper Money Collapse: The Folly of Elastic Money*. Londres: Wiley, 2012, p. 836.

26. D. Graeber, *Debt: The First 5.000 Years*. Londres: Melville House, 2011.

27. G. R. Krippner, "The financialization of the American economy", *Socio-Economic Review*, n. 3, p. 173, maio 2005.

28. C. Lapavitsas, "Financialised Capitalism: Crisis and Financial Expropriation". In: RMF, *Historical Materialism*, v. 17, n. 2, 15 fev. 2009.

29. A. Brender; F. Pisani, *Global Imbalances and the Collapse of Globalised Finance*. Paris: La Découverte; Bruxelas: Dexia, 2010.

30. F. Braudel, *Civilization and Capitalism, 15th-18th Century: The Perspective of the World*. Berkeley; Los Angeles: University of California Press, 1992. p. 246.

31. FMI, *World Economic Outlook*. Washington, DC: International Monetary Fund, out. 2013.

32. Brender; Pisani, op. cit. p. 2.

33. B. Eichengreen, "A Requiem for Global Imablances", *Project Syndicate*, Nova York, 13 jan. 2014.

34. Disponível em: <www.tradingeconomics.com/china/foreign-exchanges-reserves>.

35. Disponível em: <www.imf.org/external/np/sta/cofer/eng/>.

36. L. Floridi, *The Philosophy of Information*. Oxford: Oxford University Press, 2011, p. 4.

37. M. Foucault, *The Birth of Biopolitics: Lectures at the Collège de France, 1978-79*. Trad. de G. Burchell. Nova York: Palgrave Macmillan, 2008.

38. Disponível em: <www.techopedia.com/definition/29066/metcalfes-law>.

39. "Measuring the Internet Economy: A Contribution to the Research Agenda", OECD Digital Economy Papers. Paris, n. 226, 12 jul. 2013.

40. H. Braconier; G. Nicoletti; B. Westmore, op. cit.

2. ONDAS LONGAS, MEMÓRIAS CURTAS [pp. 68-92]

1. N. Kondratieff, Carta, 17 nov. 1937. In: N. Makasheva; W. Samuels; V. Barnett (Eds.), *The Works of Nikolai D. Kondratiev*. Londres: Pickering and Chatto, v. 4, 1998, p. 313.

2. Makasheva; Samuels; Barnett (Eds.), ibid., v. 1, p. 108.

3. E. Mansfield, "Long Waves and Technological Innovation". In: *The American Economic Review*, v. 73, n. 2, p. 141 maio 1983. Disponível em: <www.jstor.org/stable/1816829?seq=2>.

4. G. Lyons, *The Supercycle Report*. Londres: Standard Chartered Bank, 2010.

5. C. Perez, "Financial bubbles, crises and the role of government in unleashing golden ages", Finnov Discussion Paper, Londres, jan. 2012.

6. N. Kondratiev, "The Long Wave Cycle", trad. de G. Daniels. Nova York: Richardson & Snyder, 1984. pp. 104-5. (Optei por usar a tradução de Daniels do trabalho de 1926, porque em relação a muitas questões de terminologia ela está num inglês melhor do que a de Makasheva et al.)

7. Ibid., p. 99.

8. Ibid., p. 68.

9. Ibid.

10. Ibid., p. 93.

11. Disponível em: <www.marxists.org/archive/trotsky/1923/04/capdevel.htm>.

12. Kondratiev, op. cit., p. xx.

13. Makasheva; Samuels; Barnett (Eds.), op. cit., v. 1, p. 116.

14. Ibid., p. 113.

15. J. L. Klein, "The Rise of 'Non-October' Econometrics: Kondratiev and Slutsky at the Moscow Conjuncture Institute", *History of Political Economy*, Dhuram: Duke University Press, v. 31, n. 1, 1999, pp. 137-68.

16. E. Slutsky, "The Summation of Random Causes as the Source of Cyclical Processes", *Econometrica*, v. 5, 1917. pp. 105-46. In: V. Barnett, "Chancing an Interpretation: Slutsky's Random Cycles Revisited", *European Journal of the History of Economic Thought*, v. 13, n. 3, p. 416, set. 2006.

17. Klein, op. cit., p. 157.

18. Slutsky, citado em ibid., p. 156.

19. Para um sumário de críticas estatísticas de Kondratiev, ver: R. Metz, "Do Kondratieff Waves Exist? How Time Series Tecniques Can Help to Solve the Problem", *Cliometrica*, v. 5, pp. 205-38, 2011.

20. A. V. Korotayev; S. V. Tsirel, "A Spectral Analysis of World GDP Dynam-

ics: Kondratieff Waves, Kuznets Swings; Juglar and Kitchin Cycles in Global Economic Development, and the 2008-9 Economic Crisis", *Structure and Dynamics*, v. 4, n. 1, 2010.

21. C. Marchetti, "Fifty Year Pulsation in Human Affairs: An Analysis of Some Physical Indicators", *Futures*, IIASA, Laxemburgo, v. 17, n. 3, p. 376, 1987.

22. J. Schumpeter, *Business Cycles: A Theoretical, Historical aind Statistical Analysis of the Capitalist Process*. Nova York: McGraw-Hill, 1939, p. 82.

23. Ibid., p. 213.

24. C. Perez, *Technological Revolutions and Finance Capital: The Dynamics of Bubbles and Golden Ages*. Cheltenham: Edward Elgar, 2002, p. 5.

3. MARX ESTAVA CERTO? [pp. 93-133]

1. K. Marx, *Capital*. Londres: Penguin Classics, v. 3, 1990. Disponível em: <www.marxists.org/archive/marx/works/1894-c3/ch15.htm>.

2. Disponível em: <www.marxists.org/archive/marx/works/1894-c3/ch27.htm>.

3. K. Marx, no prefácio de *A Contribution to the Critique of Political Economy*. Moscou: Progress Publishers, 1859. Disponível em: <www.marxists.org/archive/marx/1859/critique-pol-economy/preface-abs.htm>.

4. K. Kautsky, *The Class Struggle* (1892). Trad. de William E. Bohn. Chicago: Charles H. Kerr, 1910, p. 83.

5. H. Tudor; J. M. Tudor, *Marxism and Social Democracy: The Revisionist Debate, 1896-8*. Cambridge: Cambridge University Press, 1988.

6. G. Kolko, *The Triumph of Conservatism: A Reinterpretation of American History 1900-1916*. Nova York: The Free Press, 1963.

7. Disponível em: <www.slate.com/articles/technology/technology/features/2010/the_great_american_information_emperor/how_theodore_vail_built_the_att_monopoly.html>.

8. Disponível em: <www.hbs.edu/faculty/Publication%20Files/07-011.pdf>.

9. L. Peters, "Managing Competition in German Coal, 1893-1913", *The Journal of Economic History*, v. 49, n. 2, pp. 419-33, 1989.

10. H. Morikawa, *Zaibatsu: Rise and Fall of Family Enterprise Groups in Japan*. Tóquio: University of Tokyo Press, 1992.

11. G. Kolko, op. cit.

12. K. O'Rourke, "Tariffs and Growth in the Late 19th Century", *The Economic Journal*, v. 110, n. 463, pp. 456-83, 2000.

13. Disponível em: <www.worldeconomics.com/Data/MadisonHistoricalGDP/Madison%20Hisotrica%20GDP%20Data.efp>.

14. Disponível em: <www.marxists.org/archive/hilferding/1910/finkap/preface.htm>.

15. P. Michaelides; J. Milios, "Did Hilferding Influence Schumpeter?", *History of Economics Review*, n. 41, pp. 98-125, inverno de 2005.

16. Disponível em: <marxists.org/archive/hilferding/1916/oct/x01.htm>.

17. R. Luxemburg, *The Accumulation of Capital*. New Haven: Yale University Press, 1951, p. 468.

18. Disponível em: <bentinck.net>, Berlin Cinemas, 1975.

19. Disponível em: <www.marxists.org/archive/lenin/works/1916/imp-hsc/ch10.htm>.

20. Disponível em: <www.marxists.org/archive/bukharin/works/1917/imperial/15.htm>.

21. K. Kautsky, "Ultra-imperialism", *Die Neue Zeit*, set. 1914. Disponível em: <www.marxists.org/archive/kautsky/1914/09/ultra-imp.htm>.

22. M. Ried, "A Decade of Collective Economy in Austria", *Annals of Public and Cooperative Economics*, Wiley Blackwell, v. 5, 1929, p. 70.

23. E. Varga, "Die Wirtschaftlichen Problem der proletarischen Diktats". In: H. Strobel, *Socialisation in Theory and Prectice*. Londres: P. S. King & Son, 1922, p. 150.

24. J. M. Keynes, *The Economic Consequences of the Peace*. Nova York: Harcourt, Brace and Howe, 1920, p. 1. Disponível em: <www.econlib.org/library/YPDBooks/Keynes/kynsCp1.html>.

25. E. Varga, *The Great Crisis and its Political Consequences: Economics and Politics. 1928-1934*. Londres: Modern Books, 1935, p. 20.

26. Disponível em: <www.marxists.org/archive/trotsky/1938/tp/tp-text.htm>.

27. Disponível em: <www.marxists.org/archive/bukharin/works/1928/09/x01.htm>.

28. Disponível em: <www.internationalviewpoint.org/spip.php?article1984>.

29. Disponível em: <larrysummers.com/wp-content/uploads/2014/06/NABE-speech-Lawrence-H.-Summers1.pdf>.

30. C. Perez, *Technological Revolution...*, op. cit.

31. Calculado a partir dos dados de Maddison para 1950, <www.ggde.net/maddison/oriindex.htm>.

4. A LONGA ONDA ROMPIDA [pp. 134-69]

1. A. Horne, *Macmillan: The Official Biography*. Londres: Macmillan, v. 2, 1989.
2. N. Crafts; G. Toniolo, "Postwar Growth: An Overview". *Economic Growth in Europe since 1945*. Cambridge: Cambridge University Press, 1996, p. 4.
3. Dados de Maddison.
4. Crafts; Toniolo, op. cit., p. 2.
5. S. Pollard, *The International Economy since 1945*. Londres: Routledge, 1997, p. 232.
6. Disponível em: <www.russellsage.org/sites/all/files/chartbook/Income%20and%20Earnings.pdf>.
7. Disponível em: <www.esri.go.jp/jp/workshop/050914/050914moriguchi_saez-2.pdf>.
8. G. Federico, *Feeding the World: An Economic History of Agriculture 1800 -2000*. Princeton: Princeton University Press, 2005, p. 59; C. Dmitri; Al Effland; N. Conklin, "The 20th Century Transformation of US Agriculture and Farm Policy", *USDA Economic Information Bulletin*, Washington, n. 3, 2005.
9. C. T. Evans, "Debate in the Soviet Union? Evgenii Varga and His Analysis of Postwar Capitalism, 1946-1950", *Essays in History*, n. 32, 1989, pp 1-17.
10. E. Varga, *Izmeneniya v ekonomike kapitalizma v itoge vtoroi mirovoi voiny*. Moscou: Gospolitizdat, 1946.
11. Disponível em: <www.marxist.com/TUT/TUT5-1.html>.
12. A. Crosland, *The Future of Socialism*. Londres: Jonathan Cape, 1956.
13. P. Baran; P. Sweezy, *Monopoly Capital: An Essay on the American Social Oder*. Nova York: Monthly Review, 1966.
14. Disponível em: <external.worldbankimflib.org/Bwf/60panel2.htm>.
15. H. Hazlitt, "For World Inflation?", 24 jun. 1944. In: _____. *From Bretton Woods to Inflation: A Study of Causes and Consequences*. Chicago: Regnery Gateway, 1984, p. 39.
16. J. A. Feinman, "Reserve Requirements: History, Current Practice, and Potential Reform", *Federal Reserve Bulletin*, p. 587, jun. 1993. Disponível em: <www.federalreserve.gov/monetarypolicy/0693lead.pdf>.
17. C. Reinhart; B. M. Sbrancia, "The Liquidation of Government Debt", NBER Working Paper, n. 16893, p. 21, mar. 2011. Disponível em: <www.nber.org/papers/w16893>.
18. Ibid., p. 38.
19. I. Stewart, *Organizing Scientific Research for War: The Administrative*

History of the Office of Scientific Research and Development. Boston: Little Brown, 1948, p. 19.

20. Ibid., p. 59.

21. J. Gleick, *The Information: A History, a Theory, a Flood*. Nova York: Pantheon Books, 2011, p. 2998.

22. A. Glyn et al., "The Rise and Fall of the Golden Age", WIDER Working Paper n. 43, p. 2, abr. 1988.

23. Disponível em: <www.nber.org/chapters/c9101.pdfp485>.

24. Disponível em: <irps.ucsd.edu/assets/001/500904.pdf>.

25. Glyn et al, op. cit., p. 112.

26. Ibid., p. 23.

27. Ver, por exemplo, P. M. Garber, "The Collapse of the Bretton Woods Fixed Exchange Rate System". In: M. Bordo e B. Eichengreen, *A Retrospective on the Bretton Woods System: Lessons for International Monetary Reform*. Chicago: University of Chicago Press, 1993, pp. 461-94.

28. M. Ichiyo, "Class Strugle and Technological Innovation in Japan since 1945", *Notebooks for Study and Research*, Amsterdam, International Institute for Research and Education, n. 5, p. 10, 1987.

29. "The sick man of the euro", *The Economist*, 3 jun. 1999. Disponível em: <www.economist.com/node/209559>.

30. Disponível em: <washingtonpost.com/blogs/worldviews/wp/2015/02/20/germanys-economy-is-the-envy-of-europe-so-why-are-record-numbers-of-people-living-in-poverty/>.

31. G. Mayer, "Union Membership Trends in the United States", Congressional Research Service, Washington, 2004.

32. J. Visser, "Union membership statistics in 24 countries", *Monthly Labor Review*, p. 38, jan. 2006. Disponível em: <www.bls.gov/opub/mlr/2006/01/art-3full.pdf>.

33. E. Stockhammer, "Why Have Wage Shares Fallen? A Panel Analysis of the Determinants of Functional Income Distribution". ILO Research Paper [Artigo de Pesquisa da OIT], 2013.

34. A. V. Korotayev; S. V. Tsirel, op. cit.

35. Disponível em: <www.tradingeconomics.com/united-states/bank-lending-rate>.

36. John F. Papp et al., "Cr, Cu, Mn, Mo, Ni, and Steel Commodity Price Influences, Version 1.1", US Geological Survey Open-File Report 2007-1257, p. 112. Disponível em: <pubs.usgs.gov/of/2007/1257/>.

37. Disponível em: <www.imf.org/external/pubs/ft/fandd/2011/03/picture.htm>.

38. Disponível em: <dollardaze.org/blog/?post_id=00565>.
39. Disponível em: <www.the-crises.com>.
40. S. Khatiwada, "Did the Financial Sector Profit at the Expense of the Rest of the Economy? Evidence from the United States", ILO Research Paper [Artigo de Pesquisa da OIT], 2010.
41. Disponível em: <unctadstat.unctad.org/TableViewer/tableView.aspx>
42. Ibid.
43. D. McWilliams, "The Greatest Ever Economic Change", Gresham Lecture, 13 set. 2012. Disponível em: <www.gresham.ac.uk/lectures-and-events/the-greatest-ever-economic-change>.
44. Ver, por exemplo, S. Amin, *Unequal Development: An Essay on the Social Formations of Peripheral Capitalism*. Nova York: Monthly Review Press, 1976.
45. B. Milanovic, "Global Income Inequality by the Numbers: In History and Now", Policy Research Working Paper n. 6259, World Bank Group, p. 13, nov 2012.
46. R. Freeman, "The new global labor market", *Focus*, v. 26, n. 1, 2008. University of Wisconsin/ Madison Institute for Research on Poverty. Disponível em: <www.irp.wisc.edu/publications/focus/pdfs/foc261a.pdf>.
47. S. Kapsos e E. Bourmpoula, "Employment and Economic Class in the Developing World", ILO Research Paper [Trabalho de Pesquisa da OIT], Geneva, n. 6, jun. 2013.

5. OS PROFETAS DO PÓS-CAPITALISMO [pp. 173-222]

1. R. Singh, "Civil Aero Gas Turbines: Technology and Strategy", Discurso na Cranfield University, Swindon, 24 abr. 2001, p. 5.
2. J. Leahy, "Navigating the Future", Global Market Forecast 2012-2031, Airbus Group, 2011.
3. D. Lee et al., "Aviation and Global Climate Change in the 21st Century", *Atmospheric Environment*, Elsevier, v. 43, 2009, pp. 3520-37.
4. M. Gell et al., "The Development of Single Crystal Superalloy Turbine Blades", *Superalloys*, American Society for Metals, Metals Park, Ohio, p. 205, 1980.
5. Disponível em: <www.mtu.de/en/technologies/engineering_news/others/Sieber_Aero_Engine_Roadmap_en.pdf>.
6. Dados no Balancete, SAS Institute/CEBR, jun. 2013.
7. P. Drucker, *Post-capitalist Society*. Oxford: Butterworth-Heinemann, 1993, p. 40.

8. Ibid., p. 175.

9. Ibid., p. 193.

10. Y. Peng, "Internet Use of Migrant Workers in the Pearl River Delta". In: P.-L. Law (Ed.), *New Connectivities in China: Virtual, Actual and Local Interactions*. Dordrecht: Springer, 2012, p. 94.

11. P. Romer, "Endogenous Technological Change", *Journal of Political Economy*, v. 98, n. 5, pt. 2, pp. S71-S102, 1990.

12. Ibid., p. S72.

13. Ibid., p. S71-S102.

14. Disponível em: <www.billboard.com/biz/articles/news/digital-and-mobile/1567869/business-matters-average-itunes-account-generates-just>.

15. D. Warsh, *Knowledge and the Wealth of Nations: A Story of Economic Discovery*. Nova York: Norton, 2007.

16. Disponível em: <en.wikipedia.org/wiki/Apple_A7#cite_note-AnandTech-iPhone5s-A7-2>.

17. Disponível em: <commons.wikimedia.org/wiki/File:Bill_Gates_Letter_to_Hobbysts.jpg>.

18. R. Stallman, *The GNU Manifesto*, mar. 1985. Disponível em: <www.gnu.org/gnu/manifesto.html>.

19. Disponível em: <gs.statcounter.com>.

20. Disponível em: <www.businessinsider.com/android-market-share-2012-11>.

21. K. Kelly, "New Rules for the New Economy", *Wired*, 9 jan. 1997. Disponível em: <www.wired.com/wired/archive/5.09/newrules.html>.

22. Ibid.

23. Ibid.

24. Disponível em: <www.digitaltrends.com/mobile/history-of-samsungs-galaxy-phones-and-tablets/>.

25. Disponível em: <www.emc.com/collateral/analyst-reports/idc-the-digital-universe-in-2020.pdf>.

26. Disponível em: <www.itu.int/en/ITU-D/Statistics/Pages/stat/default.aspx>.

27. Kelly. Disponível em: <www.wired.com/wired/archive/5009/newrules.html>.

28. Ibid.

29. R. Konrad, "Trouble Ahead, Trouble Behind", cnet, 22 fev. 2002. Disponível em: <news.cnet.com/2008-1082-843349.html>.

30. Y. Benkler, *The Wealth of Networks: How Social Production Transforms Markets and Freedom*. New Haven; Londres: Yale University Press, 2006.

31. Ibid.

32. Disponível em: <en.wikipedia.org/wiki/Wikipedia:Wikipedians>.

33. Disponível em: <wikimediafoundation.org/wiki/Staff_and_contractors>.

34. Disponível em: <en.wikipedia.org/wiki/Wikipedia>. Acesso em: 28 dez. 2013.

35. Disponível em: <alexa.com/topsites>.

36. Disponível em: <www.monetizepros.com/blog/2013/analysis-how--wikipedia-could-make-2-8-billion-in-anual-revenue/>.

37. K. Arrow, "Economic Welfare and the Allocation of Resources for Invention". In: NBER, *The Rate and Direction of Inventive Activity: Economic and Social Factors*. Princeton: Princeton University Press, 1962, pp. 609-26.

38. *Marx-Engels-Werke*, v. 29. Berlim: Dietz, 1987, p. 225.

39. K. Marx, *Grundrisse*. Trad. de M. Nicolaus. Harmondsworth: Penguin, 1973, p. 9.

40. Ibid.

41. Ibid.

42. Disponível em: <distantwriting.co.uk/TelegraphStations1862.html>.

43. S. Tillotson, "We May All Soon Be 'First-class Men': Gender and Skill in Canada's Early Twentieth Century Urban Telegraph Industry". *Labor/Le Travail*, Edmonton, v. 27, pp. 97-123, mar./maio 1991.

44. Marx, *Grundrisse*, op. cit.

45. P. Virno, "General Intelect". In: A. Zanini; U. Fadini (Eds.), *Lessico Postfordista*. Trad. de A. Bove. Milão: Feltrinelli, 2001.

46. Marx, *Grundrisse*, op. cit.

47. N. Dyer-Witheford, *Cyber-Marx: Cycles and Circuits of Struggle in High-technology Capitalism*. Illinois: University of Illinois Press, 1999.

48. Y. Moulier-Boutang, *Cognitive Capitalism*. Cambridge: Polity Press, 2011, p. 53.

49. Disponível em: <ycharts.com/indicators/average_hourly_earnings>.

50. Disponível em: <management.fortune.cnn.com/2012/02/13/nike--digital-marketing/>.

51. C. Vercellone, "From Formal Subsumption to General Intellect: Elements for a Marxist Reading of the Thesis of Cognitive Capitalism", *Historical Materialism*, Brill Academic Publishers, v. 15, pp. 13-36, 2007.

52. Dyer-Witheford, op. cit.

53. J. Rifkin, *The Zero Marginal Cost Society: The Internet of Things, the Collaborative Commons, and the Eclipse of Capitalism*. Nova York: St. Martin's Griffin, 2014.

54. Ver P. Mason, "WTF is Eleni Haifa?", 20 dez. 2014. Disponível em: <www.versobooks.com/blogs/1810-wtf-is-eleni-haifa-a-new-essay-by-paul--mason>.

6. RUMO À MÁQUINA LIVRE [pp. 223-64]

1. Disponível em: <www.sns.gov.uk/Simd/Simd.aspx>.
2. Disponível em: <www.econlib.org/library/Smith/smWN2.html#B.1,%20Ch.5,%20Of%20the%20Real%20Nominal%20Price%20of%20Commodities>.
3. A. Smith, *Lectures on Jurisprudence*. Oxford: Oxford University Press, 1978, p. 351.
4. Para uma demonstração disso, ver John F. Henry, "Adam Smith and the Theory of Value: Chapter Six Considered", *History of Economics Review*, n. 31, inv. 2000.
5. Disponível em: <www.econlib.org/library/Smith/smWN2.html>.
6. "Towards the Free Machine". Disponível em: <www.econlib.org/library/Ricardo/ricP1.html>.
7. D. Ricardo, *On the Principles of Political Economy and Taxation*. Londres: John Murray, 1821, cap. 30. Disponível em: <www.econlib.org/library/Ricardo/ricP7.html>.
8. Disponível em: <avalon.law.yale.edu/19th_century/labdef.asp>.
9. Para uma discussão completa dos debates sobre valor, ver I. I. Rubin, *A History of Economic Thought*. Londres: Pluto Press, 1989.
10. Disponível em: <www.cleanclothes.org/news/2013/11/20/clean--clothes-campaign-disappointed-at-new-bangladesh-minimum-wage-level>.
11. Calculado com base no salário mínimo de 2014, 5300 tk, contra um preço de varejo do arroz de 34 tk por quilo.
12. Nesta seção, estou seguindo o resumo da teoria tal como apresentado em A. Kliman, *Reclaiming Marx's "Capital": A Refutation of the Myth of Inconsistency*. Plymouth: Lexington Books, 2007.
13. Disponível em: <www.Icddrb.org/who-we-are/gender-issues/daycare>.
14. K. Allen, "The butterfly effect: Chinese dorms and Bangladeshi factory fires", *Financial Times*, 25 abr. 2013. Disponível em: <blogs.ft.com/ftdata/2013/04/25/the-butterfly-effect-chinese-dorms-and-bangladeshi-factory--fires/?>.
15. J. Robinson, *Economic Philosophy*. Cambridge: Cambridge University Press, 1962.

16. A. Einstein, "Physics and Reality", *Journal of The Franklin Institute*, Filadélfia, v. 221, pp. 349-82, mar. 1936.

17. OECD, "Education at a Glance 2014: OECD Indicators", OECD Publishing, Paris, 2014, p. 14.

18. L. Walras, *Elements of Pure Economics: Or the Theory of Social Wealth*, Londres: Allen & Unwin, 1900, p. 399.

19. Disponível em: <library.mises.org/books/William%20Smart/An%20 Introduction%20to%20the%20Theory%20f%20Value.pdf>.

20. Walras, op. cit., p. 6.

21. W. S. Jevons, "The Periodicity of Commercial Crises, and its Physical Explanation". In: R. L. Smyth (Ed.), *Essays in the Economics of Socialism and Capitalism: Selected Papers Read to Section F of the British Association for the Advancement of Science, 1886-1932*. Londres: Duckworth, 1964, pp. 125-40.

22. C. Menger, *Investigations into the Method of the Social Sciences with Special Reference to Economics*. Trad. de F. J. Nock. Nova York: New York University Press, 1985, p. 177.

23. S. Keen, *Debunking Economics: The Naked Emperor Dethroned*. Londres: Zed Books, 2011, loc. 474.

24. Walras, op. cit.

25. Disponível em: <www.ibtimes.co.uk/game-thrones-purple-wedding--becomes-most-shared-illegal-download-ever-1445057>.

26. J. Hagel et al., "From Exponential Technologies to Exponential Innovation", Deloitte Westlake: University Press, 2013.

27. N. Wiener, *Cybernetics: Or Control and Communication in the Animal and the Machine*. Paris: Hermann & Cie; Cambridge: MIT Press, 1948, p. 132.

28. Disponível em: <www.pitt.edu/~jdnorton/lectures/Rotman_Summer_School_2013/thermo_computing_docs/Landauer_1961.pdf>.

29. R. Landauer, "The Physical Nature of Information", *Physics Letters A*, v. 217, pp. 188-93, 1996.

30. Disponível em: <spectrum.ieee.org/computing/hardware/landauer--limit-demonstrated>.

31. Disponível em: <www.marxists.org/archive/marx/works/1857/grundrisse/ch15.htm>.

32. V. Naranje; K. Shailendra K, "AI Applications to Metal Stamping Die Design: A Review", *World Academy of Science, Engineering and Technology*, v. 4, n. 8, 2010.

33. OCDE, "Measuring the Internet Economy: A Contribution to the Research Agenda", *OCDE Digital Economy Papers*, n. 226, OCDE Publishing, 2013. Disponível em: <dx.doi.org/10.1787/5k43gjg6r8jf-en>.

34. Ibid.
35. Disponível em: <www.bls.gov/news.release/pdf/ocwage.pdf>.
36. C. B. Frey; M. A. Osborne, "The Future of Employment: How Susceptible Are Jobs to Computerisation?", Oxford Martin School Working Paper, University of Oxford, p. 38, set. 2013. Disponível em: <www.futuretech.ox.ac.uk/future-employment-how-susceptible-are-jobs-computerisation-oms-working--paper-dr-carl-benedikt-frey-ms>.
37. A. Gorz, *Critique of Economic Reason*. Londres: Verso, 1989, p. 127.

7. ENCRENQUEIROS MARAVILHOSOS [pp. 265-314]

1. R. Freeman, "The Great Doubling: Labor in the New Global Economy". Usery Lector in Labor Policy, University of Atlanta, 2005.
2. T. Piketty, *Capital in the 21st Century*. Harvard, 2014.
3. "Parece mais fácil para nós, hoje, imaginar a deterioração absoluta da terra e da natureza do que o colapso do capitalismo tardio." Disponível em: <newleftreview.org/II/21/fredric-jameson-future-city>.
4. Disponível em: <shanghaiist.com/2010/05/26/translated_foxconns_employee_non-su.php>.
5. Ver P. Mason, "WTF is Eleni Haifa?", 20 dez. 2014. Disponível em: <www.versobooks.com/blogs/1810-wtf-is-eleni-haifa-a-new-essay-by-paul-mason>.
6. D. A. Galbi, "Economic Change and Sex Discrimination in the Early English Cotton Factories", mar. 1994. Disponível em: <papers.ssrn.com/paper.taf?abstract_id=239564>.
7. A. Ure, *The Cotton Manufacture of Great Britain Systematically Investigated*. Londres: C. Night, v. 2, 1836, p. 176.
8. Disponível em: <www.tandfonline.com/doi/pdf/10.1080/00236568508584785#.UeVsMBY9TCE>.
9. K. Marx, *Capital*. Londres: Penguin Classics v. 1, cap. 15, 1887, p. 287.
10. F. Engels, *Condition of the Working Class in England*. Londres, 1887, loc. 2990.
11. M. Winstanley, "The Factory Workforce". In: M. Rose (Ed.), *The Lancashire Cotton Industry: A History since 1700*. Preston: Lancashire County Books, 1996, p. 130.
12. W. Lazonick, *Competitive Advantage on the Shop Floor*. Cambridge: Harvard University Press, 1990.
13. F. Engels, *The Condition of the Working Class*, op. cit.
14. B. Palmer, *A Culture in Conflict: Skilled Workers and Industrial Capita-*

lism in Hamilton, Ontario, 1860-1914. Montreal: McGill-Queen's University Press, 1979.

15. O estudo de Kealey do sindicato dos moldadores de ferro de Toronto mostra-os estabelecendo o índice salarial para cada novo projeto e impondo-o a toda a indústria. Ver G. Kealey, "The Honest Working Man and Workers' Control: The Experience of Toronto Skilled Workers, 1860-1892", *Labour/Le Travail*, Canadian Committee on Labour History, n. 1, 1976, p. 50.

16. Ibid., p. 39.

17. Ibid., p. 58.

18. F. W. Taylor, *The Principles of Scientific Management*. Nova York; Londres: Harper & Brothers, 1911, p. 18.

19. Ibid.

20. Ibid.

21. G. Friedman, "Revolutionary Unions and French Labor: The Rebels behind the Cause; or, Why Did Revolutionary Syndicalism Fail?", *French Historical Studies*, v. 20, n. 2, primav. 1997.

22. Disponível em: <www.llgc.org.uk/ymgyrchu/Llafur/1926/MNS.pdf>.

23. V. I. Lênin, *What is to be Done?*, 1902. Disponível em: <www.marxists.org/archive/lenin/works/download/what-itd.pdf>.

24. V. I. Lênin, "Imperialism and the Split in Socialism". In: V. I. Lênin, *Imperialism: The Highest Stage of Capitalism*. Sydney: Resistance Books, 1999, p. 131.

25. Citado em A. Santucci, *Antonio Gramsci*. Nova York: Monthly Review, 2010, p. 156.

26. W. B. Yeats, "Easter, 1916". Disponível em: <www.theatlantic.com/past/docs/unbound/poetry/soundings/easter.htm>.

27. Disponível em: <www.spartacus-educational.com/TUcwc.htm>.

28. M. Ferro, *October 1917: A Social History of the Russian Revolution*. Londres: Routledge & Kegan Paul, 1980, p. 151.

29. C. Goodrich, *The Frontier of Control*. Nova York: Harcourt, Brace & Howe, 1920, p. 264.

30. G. Orwell, "Looking Back on the Spanish War". In: *A Collection of Essays*. Nova York: Harvest Books, 1979, p. 201.

31. Disponível em: <www.economist.com/node/21550764>.

32. C. W. Mills, "The Sociology of Stratification", in I. L. Horowitz (ed.), *Power Politics & People: The Collected Essays of C. Wright Mills*. Nova York: Oxford University Press, 1967, p. 309.

33. D. Bell, "The Capitalism of the Proletariat?", *Encounter*, pp. 17-23, fev. 1958.

34. Disponível em: <www.marxists.org/reference/archive/marcuse/works/one-dimensional-man/one-dimensional-man.pdf>, p. 33.

35. S. Wright, *Storming Heaven: Class Composition and Struggle in Italian Autonomist Marxism*. Londres: Pluto Press, 2002, p. 54.

36. R. Alford, "A Suggested Index of the Association of Social Class and Voting", *The Public Opinion Quarterly*, Oxford University Press, v. 26, n. 3, set./nov. 1962, pp. 417-25.

37. E. Hobsbawm, "The Forward March of Labour Halted", *Marxism Today*, p. 279, set. 1978.

38. R. Alquati, *Sulla Fiat e altri scritti*. Milão: Feltrinelli Editore, 1975, p. 83.

39. A. Gorz, *Critique of Economic Reason*. Londres: Verso, 1989, p. 55.

40. Ibid., p. 58.

41. J. Gorman, *To Build Jerusalem: A Photographic Remembrance of British Working Class Life, 1875-1950*. Londres: Scorpion, 1980.

42. R. Hoggart, *The Uses of Literacy: Aspects of Working Class Life*. Londres: Penguin Classics, 1957.

43. G. Akerlof; J. Yellen; M. Katz, "An Analysis of Out-of-Wedlock Childbearing in the United States". *The Quarterly Journal of Economics*, Oxford University Press, v. 111, n. 2, maio 1996.

44. C. Goldin; L. Katz, "The Power of the Pill: Oral Contraceptives and Women's Career and Marriage Decisions", NBER Working Paper n. 7527, fev. 2000.

45. O. Ornati, "The Italian Economic Miracle and Organised Labor", *Social Research*, v. 30, n. 4, pp. 519-26, dez./fev. 1953.

46. Ibid.

47. P. Ginsborg, *A History of Contemporary Italy: Society and Politics: 1943--1980*. Londres: Penguin, 2003, pp. 298-9.

48. "Class Struggle in Italy: 1960s to 70s", anônimo. Disponível em: <www.prole.info/pamphlets/autonomousitaly.pdf>.

49. *Lotta Continua*, n. 18, nov. 1970, citado em ibid.

50. A. Glyn et al., "The Rise and Fall of the Golden Age", WIDER Working Papers, n. 43, abr. 1988.

51. Ibid.

52. P. Meyerscough, "Short Cuts", *London Review of Books*, v. 35, n. 1, p. 25, 3 jan. 2013.

53. Disponível em: <www.bls.gov/fls/flscomparelf/lfcompendium.pdf>.

54. OIT.

55. C. Lapavitsas, "Financialised Capitalism: Crisis and Financial Expropriation", *Historical Materialism*, RMF, 15 fev. 2009.

56. Ibid.

57. Disponível em: <homes.chass.utoronto.ca/~wellman/publications/littleboxes/littlebox.PDF>.
58. R. Sennett, *The Culture of the New Capitalism*. New Haven: Yale University Press, 2005.
59. R. Sennett, *The Corrosion of Character: The Personal Consequences of Work in the New Capitalism*. Nova York: W. W. Norton & Company, 1998.
60. M. Hardt; A. Negri, *Declaration*, e-book, 2012. Disponível em: <antonionegriinenglish.files.wordpress.com/2012/05/93152857-hardt-negri-declaration-2012.pdf>.
61. Y. Peng, "Internet Use of Migrant Workers in the Pearl River Delta", *Knowledge, Technology, and Policy*, n. 21, pp. 47-54, 2008.

8. SOBRE TRANSIÇÕES [pp. 317-53]

1. A. Bogdanov, *Red Star: The First Bolshevik Utopia*. Trad. de Charles Rougle. Bloomington: Indiana University Press, 1984, p. 65.
2. Disponível em: <www.marxists.org/archive/lenin/photo/1908/007.htm>.
3. Citado em J. E. Marot, "Alexander Bogdanov, *Vpered* and the Role of the Intellectual in the Workers' Movement", *Russian Review*, Wiley-Blackwell, v. 49, n. 3, pp. 241-64, 1990.
4. Disponível em: <www.marxists.org/glossary/orgs/w/o.htm#workers-opposition>.
5. N. Krementsov, *A Martian Stranded on Earth: Alexander Bogdanov, Blood Transfusions and Proletarian Science*. Chicago: The University of Chicago Press, 2001.
6. R. Stites, "Fantasy and Revolution". In: A. Bogdanov, op. cit., p. 15.
7. M. Ellman, "The Role of Leadership Perceptions and of Intent in the Soviet Famine of 1931-1934". In: *Europe-Asia Studies*, v. 57, n. 6, pp. 823-41, set. 2005.
8. Disponível em: <www.marxists.org/reference/archive/stalin/works/1931/02/04.htm>.
9. M. Harrison, "The Soviet Economy in the 1920s and 1930s", *Capital & Class*, v. 2, n. 2, pp. 78-94, 1978.
10. G. Ofer, "Soviet Economic Growth 1928-1985", RAND/UCLA Center for the Study of Soviet International Behavior, Los Angeles, JRS-04, 1988.
11. H. Hunter, "A Testo f Five-Year Plan Feasibility". In: J. Thornton (Ed.),

Economic Analysis of the Soviet-Type System. Cambridge: Cambridge University Press, 1976, p. 296.

12. A. Kon, "Political Economy Syllabus", pp. 19-20. In: E. Preobrazhensky, *The New Economics*. Oxford: Oxford University Press, 1964, p. 57.

13. V. Pareto, *Cours d'Économie Politique*, Lausane: F. Rouge, Éditeur, v. 1. 1896, p. 59. In: J. Bockman, *Markets in the Name of Socialism: The Left Wing Origins of Neoliberalism*. Stanford: Stanford University Press, 2011.

14. E. Barone, "The Ministry of Production in the Collectivist State". In: F. Hayek (Ed.), *Collectivist Economic Planning: Critical Studies on the Possibilities of Socialism*. Londres: Routledge, 1935, p. 245.

15. L. Mises, *Economic Calculation in the Socialist Commonwealth*. Nova York: Ludwig von Mises Institute, 1990, p. 13.

16. Ibid., p.14.

17. L. Robbins, *The Great Depression*. Londres: Macmillan, 1934, p. 151.

18. O. Lange, "On the Economic Theory of Socialism: Part One", *Review of Economic Studies*, v. 4, n. 1, pp. 53-71, out. 1936.

19. J. Bockman, op. cit., loc. 1040.

20. L. Mises, op. cit., p. 22.

21. L. Trotsky, "The Soviet Economy in Danger", *The Militant*, out. 1932. Disponível em: <www.marxists.org/archive/trotsky/1932/10/sovecon.htm>.

22. L. Trotsky, *The Soviet Economy in Danger*. Nova York: Pamphlet Pioneer Publishers, out. 1932.

23. W. P. Cockshott; A. Cottrell, "Economic Planning, Computers and Labor Values", jan. 1999. Disponível em: <ricardo.ecn.wfu.edu/~cottrell/aer.pdf>.

24. O. Yun, *Improvement of Soviet Economic Planning*. Moscou: Progress Publishers, 1988.

25. W. P. Cockshott; A. Cottrell, op. cit., p. 7.

26. W. P. Cockshott; A. Cottrell; H. Dieterich, *Transition to 21st Century Socialism in the European Union*. [S.l.]: Lulu.com, 2010, pp. 1-20.

27. A. Gorz, *Capitalism, Socialism, Ecology*. Londres: Verso, 1994, p. 1.

28. J. M. Keynes, "The Economic Possibilities for our Grandchildren". In: J. M. Keynes, *Essays in Persuasion*. Nova York: W. W. Norton & Co., pp. 358-73, 1963.

29. D. Thompson, "The Economic History of the Last 2000 Years: Part II", *The Atlantic*, Washington, 20 jun. 2012.

30. Disponível em: <www.plospathogens.org/article/info%3Adoi%2F10.1371%2Fjournal.ppat.1001134>.

31. D. Herlihy, *The Black Death and the Transformation of the West*. Cambridge: Harvard University Press, 1997, p. 48.

32. E. L. Eisenstein, *The Printing Revolution in Early Modern Europe*. 2. ed., Cambridge: Cambridge University Press, 2005.
33. Disponível em: <intersci.ss.uci.edu/wiki/eBooks/BOOKS/Bacon,' Novum%20Organum%20Bacon.pdf>.
34. P. M. Sweezy; M. Dobb, "The Transition from Feudalism to Capitalism", *Science & Society*, v. 14, n. 2, pp. 134-67, 1950.
35. P. Anderson, *Passages from Antiquity to Feudalism*. Londres:Humanities Press, 1974, loc. 3815.
36. E. Preobrazhensky, op. cit., p. 79.

9. O MOTIVO RACIONAL PARA O PÂNICO [pp. 354-78]

1. Disponível em: <www.cpesap.net/publication/en/>. Acesso em: jul. 2015.
2. Disponível em: <www.climatechange2013.org/images/uploads/WGI_AR5_SPM_brochure.pdf>.
3. J. Ashton, "The Book and the Bonfire: Climate Change and the Reawakening of a Lost Continent", Discurso feito no Museu Suíço do Transporte, Lucerna, 19 jan. 2014.
4. "World Energy Outlook 2012", IEA. Disponível em: <www.iea.org/publications/freepublications/publication/WEO2013_Executive_Summary_English.pdf>.
5. Disponível em: <carbontracker.live.kiln.it/Unburnable-Carbon-2-Web-Version.pdf>.
6. Disponível em: <priceofoil.org/2014/10/28/insurers-warned-climate-change-affects-viability-business-model/>.
7. Disponível em: <sams.scientificamerican.com/article/dark-money-funds-climate-change-denial-effort/>.
8. Disponível em: <mobile.bloomberg.com/news/2014-11-02/fossil-fuel-budgets-suggested-to-curb-climate-change.html?hootPostID=1bdb3b7bbb-bb619db600c477f2c6a152>.
9. Disponível em: <www.economist.com/news/briefing/21587782-europes-eletricity-providers-face-existential-threat-how-lose-half-trillion-euros>.
10. Disponível em: <www.iea.org/techno/etp/etp10/English.pdf>.
11. Disponível em: <www.greenpeace.org/international/en/campaigns/climate-change/energyrevolution/>.
12. Ibid.

13. "Fifth Annual Report of the Registrar General", Londres, 1843.

14. ONU, "World Population Prospects: The 2012 Revision — Key Findings and Advance Tables", Nova York, 2013.

15. Disponível em: <www.georgemagnus.com/articles/demographics-3/>.

16. "Annual Survey of Large Pension Funds and Public Reserve Pension Funds", OCDE, out. 2013.

17. M. Mrsnik et al., "Global Aging 2010: An Irreversible Truth", Standard & Poors, 7 out. 2010.

18. N. Howe; R. Jackson, "How Ready for Pensioners?", *Finance & Development*, FMI, jun. 2011.

19. ONU, "World Population Prospects: The 2012 Revision".

20. Disponível em: <esa.un.org/unpd/wpp/Documentation/pdf/WPP2012_%20KEY%20FINDINGS.pdf>.

21. B. Milanovic, "Global Income Inequality by the Numbers: in History and Now", Policy Research Working Paper 6259, World Bank, nov. 2012.

22. G. Magnus, Discurso, IFC and Johns Hopkins Medicine International Health Conference 2013. Disponível em: <www.ifc.org/wps/wcm/connect/6d0b56004f081ebf99d4db3eac88a2f8/George+Magnus'+Keynote+Speech+-+190313.pdf?MOD=AJPERES>.

23. D. H. Lawrence, *Lady Chatterley's Lover*. Londres: Tipografia Giuntina, 1928, p. 1.

24. Disponível em: <www.huffingtonpost.com/2014/03/17/china-internet-censorship_n_4981389.html>.

25. Disponível em: <www.groupibi.com/2011/10/india-targets-36-billion-global-cosmetic-surgery-market-cnbc-ibi-industry-news/>.

10. PROJETO ZERO [pp. 379-418]

1. H. Simon, "Organizations and Markets", *Journal of Economic Perspectives*, v. 5, n. 2, pp. 25-44, mar./maio 1991.

2. E. Preobrazhensky, op. cit., p. 55.

3. Ver, por exemplo, P. Mason, "WTF is Eleni Haifa?", 20 dez. 2014. Disponível em: <www.versobooks.com/blogs/1801-wtf-is-eleni-haifa-a-new-essay-by-paul-mason>.

4. V. Kostakis; M. Bauwens, *Network Society and Future Scenearios for a Collaborative Economy*. Londres: Palgrave Macmillan, 2014.

5. M. Wark, *A Hacker Manifesto*. Cambridge: Harvard University Press, out. 2004.

6. Ver, por exemplo, "Fair Society, Healthy Lives". *The Marmot Review.* UCL Institute of Health Equity, fev. 2010. Disponível em: <www.instituteofhealthequity.org/projects/fair-society-healthy-lives-the-marmot-review>.

7. J. D. Farmer, "Economics Needs to Treat the Economy as a Complex System", *Crisis*, dez. 2012.

8. J. Benes; M. Kumhof, "The Chicago Plan Revisited", IMF Working Paper 12/202, ago. 2012. Disponível em: <www.imf.org/external/pubs/ft/wp/2012/wp12202.pdf>.

9. Ver <www.degruyter.com/view/j/bis> e <www.basicincome.com.org/bien/aboutbasicincome.html>.

10. D. Graeber, "On the Phenomenon of Bullshit Jobs", *Strike!*, 17 ago. 2013. Disponível em: <strikemag.org/bullshit-jobs/>.

11. K. Marx, *Grundrisse*. Trad. de M. Nicolaus. Harmondsworth: Penguin, 1973, pp. 207-750. Disponível em: <www.marxists.org/archive/marx/works/1857/grundrisse/ch/4.htm>.

Agradecimentos

Devo agradecer a meu editor na Penguin, Thomas Penn, e aos preparadores de texto Shan Vahidy e Bela Cunha. Agradeço também a meu agente Matthew Hamilton, a Andrew Kidd antes dele e à equipe da Aitken Alexander. As seguintes pessoas e organizações me deram uma plataforma para apresentar versões iniciais deste trabalho e o questionaram: Pat Kane no NESTA FutureFest; Mike Haynes na Universidade de Wolverhampton; Robert Brenner no Centro de Teoria Social e História Comparativa da UCLA; Marianne Maeckelbergh e Brandon Jourdan na *Global Uprisings!* Conference em Amsterdam, 2013; e Opera North, Leeds. Agradeço especialmente a Aaron Bastani, Eleanor Saitta, Quinn Norton, Molly Crabapple, Laurie Penny, Antonis Vradis e Dimitris Dalakogou, Ewa Jasciewicz, Emma Dowling, Steve Keen, Arthur Bough e Syd Carson do Morson Group, que contribuíram para minhas ideias sobre os temas deste livro. Obrigado também ao meu editor no *Channel 4 News*, Ben De Pear, que meu deu um mês de licença não remunerada para concluir a primeira versão; ao Channel 4, por me dar a liberdade mental para escrevê-lo; e a Malik Meer, editor do G2 do *Guardian*, que me concedeu alguns centímetros de coluna para testar algumas dessas ideias no texto impresso. Finalmente agradeço a minha esposa, Jane Bruton, sem cujo apoio, amor e inteligência este livro não seria possível.

Índice remissivo

Abe, Shinzo, 44
abundância, pós-capitalismo e, 221-2, 349, 352
aço, 101, 153, 156, 324
ações e títulos *ver* títulos e ações
acumulação de capital, 77, 91, 109, 123, 125, 245, 338, 346
Acumulação do capital, A (Rosa Luxemburgo), 109, 111, 115, 118
administração científica, 91, 182, 281
administração, teoria da, 143-4, 179
aeronáutica, 173
Afeganistão, 42, 371
África, 9, 164, 268, 371
África do Sul, 268
Agência de Segurança Nacional dos Estados Unidos, 60, 314, 375
Agência Internacional de Energia, 358, 361, 364, 390
agências de classificação de risco, 41
agentes econômicos, 236, 245, 326
agricultura, 286, 324, 332, 345, 351; declínio da força de trabalho na, 136; feudal, 345, 350; mudança climática e, 65, 354; na URSS, 323, 332; no mundo colonial, 119; produtividade agrária, 145
água, abastecimento de, 399
Akerlof, G., 301
alcatrão, plataformas de, 359
Alemanha, 37, 54-6, 102, 105, 113, 134, 152, 157, 206, 288, 292, 294, 308, 363; Alemanha Ocidental, 135; Alemanha Oriental, 26; nazista, 233, 290-1; período revolucionário (1916-21), 115, 285-6, 288, 327-8; política energética, 360, 362; políticas de esquerda, 105, 109, 115, 271; reformas trabalhistas Hartz II (2003), 152; reparações da Primeira Guerra Mundial, 118; República de Weimar, 113; social-democracia e a, 109, 207, 282; supressão do mercado (*c.* 1890-1914), 103-4

443

algodão, 207, 230, 271-2, 274, 300, 389
alienação, 272, 277, 296-7, 412
Almas em leilão (romance de John Braine), 296
Alquati, Romano, 295-7
Altair 8800, computadores, 190
Amazon, 199, 200, 205, 260
ambientalismo, 318, 363, 378, 383
América do Norte, 127, 344
América Latina, 164, 308
Américas, 163, 344, 350; conquista e pilhagem das, 347
Amsterdam, 341
"análise de frequência", técnica da, 85
Anderson, Perry, 348
Android, smartphones e, 36, 191-2, 195, 220
anticapitalismo, 112, 293, 313
aposentadoria, 31, 368-70; planos de, 366
Apple, 186-7, 192, 259-60, 267, 399
aquecimento global, 173, 355-6, 358; *ver também* mudanças climáticas
Arábia Saudita, 359
Argentina, 268
"aristocracia operária", teoria da, 270, 277, 284-5
arquitetura da belle époque, 105
Arrow, Kenneth, 204-5
Ártico, 374
Ashton, John, 357, 364
Ásia, 37, 63; Ásia Central, 416; crise asiática (1997), 123; força de trabalho, 308; modelos de desenvolvimento no pós-guerra, 164, 372; mudanças climáticas e, 65; países superavitários na, 37, 54-5, 64; sudeste asiático, 65; Tigres asiáticos, 372

Atenas, 268, 310
Augsburgo, 346
austeridade, programas de, 11-2, 21, 24, 31, 55, 314, 375-6, 395
Austrália, 416; marinha australiana, 374
Áustria, 115, 118, 290, 327
automação e mecanização: alienação dos trabalhadores e, 295, 297; desigualdade crescente e, 64; Marx sobre, 97, 122, 248, 275; na indústria do algodão no século XIX, 272-4; Projeto Zero e, 388, 407-8, 411; quarto ciclo de Kondratiev empacado e, 314, 351; quarto ciclo longo e, 91, 144, 147, 295, 297, 307; redesenho da força de trabalho e, 260-1, 307-8, 310-1; teoria do valor-trabalho e, 239, 242, 247-8, 254
automóveis *ver* indústria automobilística

Bacon, Francis, 348
Bálcãs, 109
Banco Central Europeu, 12, 24, 44, 390, 393
Banco Mundial, 11, 138, 165, 372
bancos: capital e, 41-3; cooperativos, 397; crescimento de bancos de investimento, 102; crescimento no final da Idade Média, 346; criação de dinheiro por, 40, 149; criminalidade e corrupção, 33; crise britânica do final dos anos 1820, 127; desregulamentação dos, 38, 40, 42-3, 51; gregos, 12, 393; manobra Repo 105, 33; mercados monetários de curto prazo e, 51; propostas de "100% de reserva bancária", 45;

reforma bancária pelo Projeto Zero, 404-6; regulamentação frouxa depois da crise de 2008, 32; reservas fracionárias, 144, 405; resgates de, 31-2, 52, 62; revogação do Glass-Steagall Act (1999), 43
bancos centrais, 24, 31, 118, 123, 139, 404; Banco Central Europeu, 12, 24, 44, 390, 393; Bank of England, 23, 44, 127, 129, 359; Federal Reserve, 40-2
bancos de alimentos, 47
Bangladesh, 15, 224, 229-31, 233, 266, 381
Bank of England, 23, 44, 127, 129, 359
Barcelona, 105, 270
Barclays, 34
Barlow, John Perry, 198
Barone, Enrico, 327, 329
Basileia, Acordo de: Primeiro, 41; Segundo, 41; Terceiro, 404
Bauwens, Michel, 385
Bavária, república soviética da, 327
Baviera, 113
Bell Laboratories, 134, 142
Bell Telephone, 60, 102
Bell, Daniel, 294, 298
belle époque, 105, 386
bem-estar social, 24, 124, 126-7, 129-30, 137, 146, 148, 153-4, 245, 293-4, 305, 388
Benkler, Yochai, 198, 200, 202, 205, 217
bens de consumo, 91, 97, 99, 110, 295, 297, 332
bens de informação, 17, 62, 91, 186-7, 192, 202, 218, 222, 246, 257, 259, 334, 339
bens de luxo, 116
bens de preço zero, 221, 247, 264
bens físicos, 217-9, 247, 410

Berlim, 105, 109, 111-2, 115, 128, 286, 288, 296
Bernanke, Ben, 43-4
Bethlehem Steel (Pensilvânia), 280-1
Beyoncé, 340
Biblioteca Britânica, 206
Billy Liar (romance de Keith Waterhouse), 296
Blair, Tony, 414
Bletchley Park, 142
Bogdanov, Alexander, 81-2, 319-22, 325, 379, 382-3, 407; *Estrela vermelha*, 319-2, 324, 332, 379, 407
Bogdanov, V. E., 81
Böhm-Bawerk, Eugen von, 105
bolchevismo, 82, 94, 112-4, 116-7, 287, 319, 383
boom pós-Segunda Guerra Mundial, 74, 134-6, 138-40, 144, 146, 160-1, 164, 293, 303, 366
Brand, Stewart, 181
Brasil, 20-1, 168, 216, 311
Braudel, Fernand, 52
Brender, Anton, 55
Bretton Woods, Conferência de (1944), 138-40
Bretton Woods, sistema de, 146, 388; Nixon destrói o, 148, 159
Bric, países do, 216
brinquedos, 398
Bruxelas, 376
Budapeste, 117
Bukharin, Nikolai, 113-4, 116, 121, 137, 323-4
burguesia, 179-80, 285, 417
Burns, Mary, 274
bússola, 348

cálculo, debate do, 326-37
call centres, 167, 214

445

Canadá, 104, 278, 374
capital: acumulação de, 77, 91, 123, 125, 245, 338, 346; ciclo de investimento do, 255-8
Capital, O (Marx), 93, 95, 97-9
capitalismo, 10, 61, 70, 341; boom pós--Segunda Guerra Mundial, 74, 134-40, 144, 146, 160-1, 164, 293, 303, 366; busca de "ruptura de tendência", 80; caos do período pós--Primeira Guerra Mundial, 112-4, 116-7, 327; capacidade de adaptação do, 70, 72, 78-9, 87, 94, 100-3, 105-6, 108-11, 120-1, 123, 126-7; capitalismo de Estado, 100, 121, 123, 129, 136, 406; "capitalismo monopolista de Estado", 137; capitalismo ocidental, 267, 298, 306; comercialização de atividades exteriores ao mercado, 111; como propulsor de mudança tecnológica, 58-9, 101, 143, 183, 193, 197, 240, 248; épocas antes da existência do, 317; "externalidades" e, 203-5, 214, 259, 263, 351; Gorz sobre o, 340; importância do "mundo exterior", 110, 112, 125, 132; impulsionado pelo conhecimento, 207-9, 211-2; Kautsky e ultraimperialismo, 114; "Lei de Varga", 118; limites à comercialização da vida humana, 262; marginalismo e, 242-7, 257; Marx e, 96-9, 120-1, 130, 206-9, 211-2, 228-9, 231-2, 234-6, 238-40, 250-1, 342-4, 366; Max Weber e o "espírito do capitalismo", 388; modelos de negócios com alta emissão de carbono, 220, 355; monopólios como mecanismo de defesa, 219, 221, 257, 259, 399; necessidade de socialização, 403-4; onda ascendente massiva do (anos 1890-1914), 101-5, 111; "patinando na beira do caos", 197, 219; perspectivas sombrias de longo prazo, 39, 64-5, 67; supressão do mercado (*c.* 1890-1914), 101-5; teoria do subconsumo, 109-11, 119, 121; teoria do valor-trabalho e, 96, 225-40, 254-8, 264; transição do feudalismo para o, 340-51
capitalismo cognitivo, 177, 214-6, 221
capitalismo financeiro, 53, 62, 106, 120; achatamento durante os anos 1930, 143; análise de Hilferding, 105-9; colapsos da bolsa (1973), 149; crime e corrupção, 33, 37; desregulamentação neoliberal, 37, 40, 42-3, 51; dinheiro barato, 37, 44; emergência a partir dos anos 1890, 103, 105-6, 108, 120, 128; Lênin e o "imperialismo", 113; metas do Projeto Zero para o, 387; modelo anglo-saxão, 103; modelo germano-japonês, 103; moedas flutuantes e o, 148; necessidade de socialização, 403-4; níveis de dívidas globais, 30, 32, 35, 39, 55, 63; repressão financeira depois de Bretton Woods, 138-9; repressão pós-Segunda Guerra Mundial, 144, 146, 158, 395; rota de fuga para o, 62; "sistema bancário fantasma", 30, 32; teoria do "outono financeiro", 53, 67; teoria marxista e o, 97-9, 120-1, 123
capitalismo industrial, 60, 71, 78, 85, 90, 95, 103, 177, 182, 214, 216, 221,

227, 254, 270, 342, 357, 400; ascensão nos países Bric, 216; declínio da força de trabalho, 252-4, 308; economistas clássicos e o, 95; história do (1771-1848), 270-6; história do (1848-98), 276-80; história do (1898-1948), 280-93; história do (1948-1989), 293-306; história do trabalho ao longo de quatro ciclos longos, 270-306; indústria pesada, 91, 99, 110, 279, 332; mudança climática e o, 356; primeira fábrica em Cromford (Inglaterra), 270, 389; primeiras décadas do, 95, 127, 130-1, 226-8, 263, 270-1, 273-4, 276; teoria do valor-trabalho como ideia distintiva do, 226-7; trabalho infantil, 127, 132, 233, 271, 273, 277, 398

capitalismo mercantil, 177, 214, 342, 350

capitalismo neoliberal: apreço pela destruição criativa, 414; atomização e, 151, 153, 169, 306, 334; brutalidade no Japão, 152; colisão com economia de rede, 203-5; como algo não inevitável, 150; crescimento do PIB per capita (1989-2012), 162; descompasso com a economia da informação, 61, 67, 112, 176, 188, 204-5, 263-4, 317; desequilíbrios globais, 37, 54-7, 169; desigualdade e, 31, 159, 314, 417; doutrina e princípios centrais, 30, 38-62, 150, 151, 169, 388, 417; emergência do infocapitalismo, 203-5, 212-3; esmagamento da classe trabalhadora organizada pelo, 151, 153, 265-7, 300-6; *fiat money* e, 38-46, 62, 123, 158, 169, 366, 405; fracasso do, 34, 62-3, 67, 124, 169, 318, 376-7, 405, 413; início da era do, 108; instituições de sustentação, 164, 393; mito do Estado passivo, 393; modelo de Herbert Simon, 379-81; mudanças climáticas e, 358; necessidade de países superavitários, 54; negação dos choques externos, 374-7; onda ascendente de lucros a partir de meados dos anos 1980, 169; premissa de que todas as crises podem ser resolvidas, 40, 42, 374; supressão da democracia pelo, 64, 313-4, 417-8; teoria das ondas longas e, 153-69

Carbon Tracker Initiative, 358

carbono, emissões de, 174, 220, 356, 362, 374, 377, 387, 392

Carney, Mark, 359

Carry On At Your Convenience (filme de 1971), 149

cartista, movimento, 127

cartões de crédito, 49, 50, 339

carvão, 74, 153, 156, 299, 324, 358, 360, 362-3

Castells, Manuel, 20

Catalunha, 376

Cenário de Revolução Energética do Greenpeace, 362

Cenário Mapa Azul da Agência Internacional de Energia, 361

Chade, 371

Chicago, 109, 364

Chile, 151, 164

China, 20, 31, 35, 37, 55-6, 62, 82, 157, 165, 195, 215-6, 231, 267, 312-4, 363-5, 378, 393, 418; censura à internet na, 314, 375; como país superavitário, 54-6, 64; condições de trabalho na, 266, 311; consumo de commodities na, 157; diminuição do ritmo de crescimento, 168; empréstimos bancários "suaves" na, 44; indivíduos conectados em rede na, 181, 312-3; infocapitalismo e a, 311; internet na, 312-4, 375; metais de terras-raras e a, 374; mudanças climáticas e a, 354, 356, 362; "neomercantilismo" da, 54; *offshoring* a Bangladesh, 231; rácio de dependência etária na, 365; reservas de moeda estrangeira na, 55; revolução comunista na, 270; RMB chinês, 56, 62; tensões entre o Japão e a, 57

Chipre, 24, 32

choques externos, 17, 81, 346, 348, 350-1, 353, 365, 375, 377, 384; negação neoliberal dos, 374-7; teoria das ondas longas, 78, 80, 85, 87

CIA (Central Intelligence Agency), 164, 325, 330

ciberstalinistas, 335, 392

ciclos econômicos, 45, 70, 72

cinema, 101, 111, 126, 301, 351

cinturão da ferrugem norte-americano, 65

cirurgias plásticas, gastos globais com, 377

classe média, 21, 31, 111, 116, 165-6, 181, 228, 271, 293, 396

classe social: Bretton Woods e, 146; classes médias em nações em desenvolvimento, 31, 166; declínio nos padrões de votação baseados em, 295; feudalismo e, 346-8; marginalismo e, 245; tecnologia da informação e, 181-2, 268

classe trabalhadora, 16, 19, 21, 107, 114, 119, 121, 126-30, 132, 147, 150-1, 154, 213, 266, 269-72, 274-6, 278-9, 281-5, 288-92, 295-6, 298, 300-1, 306-9, 311, 313-4, 349; alienação nos anos 1950, 295-6; André Gorz sobre a, 265, 268, 313; coexistência com o capitalismo, 121, 269-70, 289, 294, 306; consciência de classe, 272, 290, 295, 299-300; conservadorismo da, 306; controle operário, 116-7, 286-7, 322; cultura da, 271, 275, 296, 306, 320; derrota na era pós-industrial, 132, 265-7, 269-301, 303-4, 306; economia de rede e, 309-11, 313-4; esmagada no neoliberalismo, 151, 153, 265-7, 300-1, 303-4, 306; esmagada nos anos 1930-40, 289-90, 292; estratificação da, 280-4, 295-6; "expropriação financeira" e, 308; globalização e, 165, 265, 268-9, 308, 310-1; história da (1771-1848), 270-76; história da (1848-98), 276-80; história da (1898-1948), 280-93; história da (1948-89), 293-306; Hobsbawm e o "estilo comum de vida proletária", 295; impacto da peste negra, 345, 350; inquietação estudantil do final dos anos 1960, 303; instrução formal e, 301; insurreição operária dos anos 1900, 282; Lênin sobre a, 283-5, 288-9; luta contra o fascismo, 290, 292; marxismo e, 79, 93-4, 118, 130, 211-2, 269-71, 273-4, 276-7, 283-5, 291, 349; mobilidade social e geopolítica, 301; modelo centro-periferia, 306; na teoria das ondas longas, 125-6, 128-9, 131-2; na URSS, 323; no período pós-Segunda Guerra Mundial, 293; no sul global, 267-8, 308; perda da solidariedade comunitária, 267, 309; período revolucionário (1916-21), 112-4, 116-7, 284-8, 327; teóricos do "declínio da classe operária", 296; trabalhadores de colarinho-branco, 282, 293-4, 296; "transfiguração" da, 269

Clyde Workers Committee, 286

Cockshott, Paul, 335-8

Código Aberto, movimento do 191-2, 198-200, 208, 220, 377, 382, 391

colapso do sistema global, 375

colapso financeiro (2008), 29-31, 33-4, 36-7, 73, 218, 318; causas do, 30-1, 36-7, 39-40, 42-3, 55, 123; crise que se seguiu ao, 32-4, 36, 52, 55, 63, 216; operações de salvamento e dinheiro artificial, 31, 34, 44, 52; reabilitação de Marx depois do, 93, 99; reações da elite global, 33-4, 44, 373

coletivismo, 16-7

Colombo, Cristóvão, 352

colonialismo, 110, 284; conquista e pilhagem das Américas, 347; corrida por colônias, 101, 104, 284; Rosa Luxemburgo e, 110

combustíveis fósseis, 359-60, 362

commodities, 35-6, 74-5, 156, 184, 203, 220, 241, 247, 260, 368, 388

competição perfeita, 214

Compuserve, 193

computação, 74, 80, 189, 194-5, 198, 250, 262, 321, 335, 337, 392

Comuna de Paris (1871), 270

comunismo, 10, 78, 217, 272, 278, 289, 294, 321-2, 327, 343, 366, 382, 393, 410; antigos países comunistas, 161-2, 265; colapso do, 373; "comunismo de guerra", 116; partidos comunistas, 120, 289, 293; *ver também* esquerda, política de; Marx, Karl; marxismo; União Soviética (URSS)

condução para o trabalho, 309

Congresso Nacional Africano, 268

consciência de classe, 272, 290, 295, 299, 300

contabilidade, 175-6, 187, 235, 245, 257, 333, 350, 389, 404, 406

contracepção, 366

contrato social, 147, 305

cooperativas, 25, 199, 292, 351, 353, 385, 396-7, 408, 412

COP (Conferência das Partes — Paris, dezembro de 2015), 363

Copenhague, 65; Cúpula de Copenhague (2009), 360

Coreia do Norte, 20

Coreia do Sul, 308, 372

Corporação de Carvão do Reno-Vestfália, 102

corporativismo, 151

Cottrell, Allin, 335-8

Creative Commons, 198, 401

crédito, 75, 159, 219, 314; "100% de reserva bancária", 45; conceito de "dinheiro positivo", 405; congelamento do (2007), 368; desequilíbrios globais e, 37, 56; *fiat money* e, 38, 123; Marx sobre o, 99; Projeto

Zero e, 405; transição feudalismo-capitalismo, 347, 350; *ver também* financeirização
"crescimento extensivo", 325
crises econômicas: atitudes dos marginalistas diante das, 244; colapso de 1929, 119-20, 290; crise asiática (1997), 123; crises de expansão e contração dos anos 1960, 168; Depressão dos anos 1930, 71, 89, 91; "destruição criativa" de Schumpeter, 88, 414; "esmagamento do lucro" pré-1973, 147; globalização e, 57; ideia de "crise final", 110; "Lei de Varga" e, 118; Longa Depressão (a partir de 1873), 74, 244; período pós-Primeira Guerra Mundial, 112-7, 127-8; período pré-Primeira Guerra Mundial, 109; recessão do início dos anos 1980, 152; recessões desde o início dos anos 1970, 155; suposições neoliberais, 40, 42, 374; teoria marxista das, 93, 97-9, 101, 118, 121, 124-5, 130-1
Cromford, primeira fábrica em (Inglaterra — 1771), 270, 389
Crosland, Anthony, 137
Cuba: revolução cubana (1959), 270
Cupertino (Califórnia), 187
Cúpula de Copenhague (2009), 360

Darunavir (medicamento), 204
Darwin, Charles, 228
democracia, 19, 24-5, 272, 284, 293, 313, 323, 333, 338, 417-8; ascensão do extremismo de direita, 65; choques externos como perigo para a, 373; "Grande Inquietação" (1910-13), 283-4; movimentos do início do século XIX, 271, 273; necessidade de novas formas de, 385; oposição de esquerda de Trótski e, 333; protestos Occupy e, 14, 313, 318, 378
democracia, erosão da, 10
Depressão dos anos 1930, 71, 89, 91
derivativos, mercados de, 45, 62
desemprego, 45, 48, 128, 152, 182, 233-4, 239, 242, 262-3, 290, 306, 408
desequilíbrios globais, 37-8, 54-5, 62, 169
desigualdade, 12-3, 64, 66, 266, 314, 372, 417; crescimento desde o colapso de 2008, 38; elevação global da, 266, 314, 372; perspectivas de longo prazo para a, 38, 64, 66
desindustrialização, 225, 306
desktops, 195
Detroit, 29, 65, 111
DGSE [Dinâmicos Estocásticos de Equilíbrio Geral], modelos, 390
Dickens, Charles: *A pequena Dorrit*, 349
digital, tecnologia, 36; *ver também* tecnologia da informação
Dinamarca, 57, 392
dinheiro: "100% de reserva bancária", 45; criação pelos bancos, 40; "dinheiro barato", 37, 44; "dinheiro positivo", 405; dinheiro vivo, 58, 139, 159; Estado e, 46; expansão pré-2008 do suprimento de dinheiro, 34; *fiat money*, 38-40, 43-4, 46-7, 54, 62-3, 123, 158, 169, 366, 405; flexibilização quantitativa, 368, 395; fundamentalistas do, 405, 407; ilusões neoliberais quanto a lucros especulativos, 40-3; nature-

za do, 43-4, 46; Projeto Zero e, 405-6; sistemas digitais e, 58; teoria de Kondratiev e, 76-7; transição feudalismo-capitalismo, 350
direita, pensamento econômico de, 37, 329, 408, Bretton Woods e, 138; *fiat money* e, 40; proposta de "100% de reserva bancária", 45; queda de 1973 e, 146; *ver também* capitalismo neoliberal
direita, política de, 378, 408; assassinato de Rosa Luxemburgo, 112; conservadorismo da classe operária e, 306; desmonte do modelo keynesiano, 306; direita norte-americana, 138, 140; extrema direita, 11, 376; fascismo, 24, 129, 151, 290, 302, 329; implementação do neoliberalismo, 151, 153; na França, 65, 376; *ver também* capitalismo neoliberal
direitos de propriedade, 177, 185, 204-5, 263-4
direitos humanos, 366
distribuição da riqueza, 89, 126, 202, 245, 293, 328, 400
dívida pública, 30, 39, 55, 158, 369-70, 378, 388
Dniestr, rio, 9, 13, 25
Drucker, Peter, 143, 177-9, 181-3, 193, 196, 205, 213, 216-7; *Post-Capitalist Society*, 178; *The Concept of the Corporation*, 143
Dublin, 286
Dyer-Witheford, Nick, 217

Easynet, 193
eBay, 195
e-books, publicação de, 36, 195, 198

ecologia, 180, 355
e-commerce, sistemas de, 199, 309
economia *ver* pensamento econômico dominante
economia da informação, 22, 60-1, 144, 188, 247, 257, 386; arquétipo social da, 179, 181; "ativos intangíveis", 176; bens físicos e, 247; colisão com economia neoliberal, 61, 67, 112, 176, 188, 204-5, 263-4, 317; conhecimento social, 208, 211-2, 252; controle social democrático sobre a, 386; cooperação na, 412; corrosão do capitalismo pela, 351; crise global e, 203; dados agregados de nossas vidas, 386; descompasso com sistemas de mercado, 61, 66, 111, 175, 177, 188, 205, 263, 317; "efeito rede", 60-1; erradicação da necessidade do trabalho, 250, 254, 268; "exclusão" para defender a propriedade, 185; externalidades como questão fundamental, 203-5, 214, 259, 263, 351; informação como algo físico, 249; Karl Marx e a, 207-9, 211-3, 250-1; maximização do poder da, 385; monopólio e, 186, 188, 219, 257, 259; Paul Romer e a, 183, 185-6, 188, 193, 196; perda de coesão social e, 309; princípio da abundância, 188; produção colaborativa, 19, 200, 406; produtividade do conhecimento, 178; projeções de crescimento futuro, 65; tecnoburguesia, 180; teoria das ondas longas e, 86, 133; "teoria do valor-trabalho" e a, 247, 250-1, 254; *ver também* infocapitalismo; tecnologia da informação

451

economia de rede, 178, 194, 196, 198, 218; benevolência e felicidade, 201; colisão com o pensamento econômico neoliberal, 203-5; desatrelamento da, 410-4; efeitos sobre bens físicos, 217-9, 247; emergência da, 196; estratégias empresariais de sobrevivência, 197, 219; identidades múltiplas e a, 267; Kevin Kelly cunha a expressão, 194; memória e, 414; mercados e, 400; "modularidade planejada", 202; planejamento e, 339; transição humana, 384; Yochai Benkler e a, 198-201, 203-5, 217; *ver também* infocapitalismo; tecnologia da informação

economias planificadas, 117, 222, 322-3, 325-6, 328-30, 332-3; controle operário versus planejamento, 117; durante a Segunda Guerra Mundial, 141-3; teoria de Cockhott e Cottrell, 335, 337-8

Economist, The (revista), 152, 360

economistas, 10, 12, 16, 21, 24, 30, 37-8, 48, 55-6, 61, 72-3, 80-1, 88, 95, 114, 118, 121, 129, 136-7, 139-40, 146, 177, 183, 185, 188-9, 203-4, 218, 228, 235, 238, 246, 264, 301, 325, 355, 357, 370, 383, 394; economistas clássicos, 95, 225-9, 236, 242

ecossistema, 340, 356, 385

Eduardo III, rei da Inglaterra, 345

educação básica, 181, 239

educação superior, 66-7, 301

"efeito rede", 60-1

Einstein, Albert, 179, 236-8

Eisenstein, Elizabeth, 347

elites, 11, 23-5, 34, 36, 40, 63, 77, 169, 202, 268, 270, 282, 284, 290, 294, 302, 320, 372-4, 378, 416, 417, 418

empreendedorismo, 106, 401

enciclopédias, comércio de, 18

energia, 145, 224, 259, 351, 375, 383, 393, 399; combustíveis fósseis, 359-60, 362; eficiência energética, 361, 402; empresas de, 359-60; energia elétrica, 101, 103, 231, 249-52, 360, 362, 386; energia eólica, 360, 362; energia nuclear, 143, 362-4; energia solar, 36, 362, 393; energias renováveis, 362-4, 402; externalidades "más" e, 203; modelos de negócios com alta emissão de carbono, 220, 355; política energética, 356, 360; "Regra de Landauer", 250; regras para emissão de carbono, 174, 358, 362-3, 377; sistemas de energia locais, 393; tensões geopolíticas, 359, 363; *ver também* mudanças climáticas

Engels, Friedrich, 206, 271, 274, 276-7, 284; *A situação da classe trabalhadora na Inglaterra*, 274, 276-7; teoria da "aristocracia operária", 277, 284

Enron, 42, 99

envelhecimento populacional, 38, 351, 365, 368-9, 374, 377, 384, 388, 394

Equador, 398

escassez, 17, 116, 187-8, 224, 241, 246, 259, 324, 330, 343, 346, 350, 373

Escócia, 23-4, 113, 225; referendo sobre a independência da (2014), 23, 376

Escola Monetária, economistas da, 129

escravidão, 53, 342, 398

Escritórios de Assistência ao Cidadão, 47-8
Espanha, 24, 35, 63, 292, 396; guerra civil espanhola, 292; período de Franco, 290-1
especulação financeira, 13, 62, 145
esquerda, política de: aversão a discutir a URSS, 222; "capitalismo monopolista de estado" e, 137; crise do período 1967-76, 146, 297; desespero e, 383; destruída nos anos 1930/40, 290, 292; economistas da Nova Esquerda, 72, 121, 146, 298, 348; extrema esquerda, 57, 136, 214, 283, 289, 292, 321, 328, 376; história de duzentos anos de derrotas, 270; ideia da "crise final", 110; linha internacionalista nos anos 1930, 292; movimentos anticapitalistas, 112, 293; no período pós-Segunda Guerra Mundial, 136, 294-6; preocupação com a oposição, 352; problema do controle operário versus planejamento, 117; teoria do subconsumo, 109-11, 119, 121; teóricos do "declínio da classe operária", 296; ver também comunismo; Marx, Karl; marxismo; socialismo
Estado: cancelamento controlado das dívidas e o, 394-5, 403-4; capitalismo de Estado, 100, 121, 123, 129, 136, 406; controle da inovação durante a Segunda Guerra Mundial pelo, 141-3; dependência neoliberal do, 392; dinheiro como medida de confiança no, 46; financiamento da inovação pelo, 74, 89, 141-3, 401; gastos sociais pré-1975, 148-9; mudanças climáticas e o, 364; papel econômico no século XIX, 127-8; Projeto Zero e, 392-3, 395, 400, 402; supressão do mercado (c. 1890-1914), 101-5, 127-8; teoria do "capitalismo monopolista de estado", 137; transição para o pós-capitalismo e o, 392-3, 395, 400, 402; vigilância e o, 60, 314, 375; visão do Estado pela esquerda do século XX, 108, 113-4, 116-7
Estado Islâmico, 13
Estados bálticos, 290
Estados Unidos: abandono do padrão-ouro por Nixon (1971), 40, 148-9; anexação do Texas (1845), 39, 46; boom pós-Segunda Guerra Mundial, 134-5, 160, 293; Bretton Woods e os, 138, 140, 159; colapso de 1929, 119; como tomadores de empréstimo (e não emprestadores) na crise atual, 53, 55; crise do período 1967-76, 145, 147, 151, 298; crise econômica pós-Primeira Guerra Mundial, 118, 285; Departamento de Pesquisa e Desenvolvimento Científico (OSRD), 142; desigualdade nos, 159; dívida pública, 35, 39, 49, 56, 369; dólar como moeda global, 39, 64, 138; estagnação secular nos, 38; financeirização nos, 49-50; fraturamento hidráulico nos, 363, 374; greve dos controladores do tráfego aéreo (1981), 153; hegemonia pós-Segunda Guerra Mundial, 138-9; indústrias de hidrocarboneto, 359; mercado imobiliário nos, 29, 51; movimento operário dos anos

453

1930, 290; níveis de salários reais nos, 32, 49; operários têxteis de Nova York, 109; Partido Republicano dos, 57; Plano Marshall, 134-5; queda dos salários em relação ao PIB, 308; revogação do Glass-Steagall (1999), 43; sindicatos, 153, 305; vigilância cibernética pela Agência de Segurança Nacional, 60, 314, 375
"estagnação secular", 38, 124
Estrela vermelha (romance de Bogdanov), 319-22, 324, 332, 379, 407
Europa: crise de 1917-21, 74, 117; crise revolucionária de 1848-51, 90; escala de mortes na Segunda Guerra Mundial, 292; Longa Depressão (1873-96), 74, 90, 244; peste negra (séc. XIV), 345-6, 350-1; problema da migração, 65, 370; "rácio de dependência etária", 365
Exárchia (Atenas), 309
expectativa de vida, 364
ExxonMobil, 359

"fábrica socializada", conceito de, 215
Facebook, 20, 36, 59, 187, 195, 214, 415
Farmer, J. Doyne, 390
fascismo, 24, 129, 151, 290, 302, 329
fast-food, redes de, 307, 397
Federal Reserve, 40-2
feudalismo, 17, 96, 340-3, 345-51
fiandeiros, 271-2, 274, 282
Fiat, 117, 288, 297, 303
fiat money, 38-40, 43-4, 46-7, 54, 62-3, 123, 158, 169, 366, 405
Filipinas, 354, 356

financeirização, 47-52, 54, 62-3, 154, 169, 219, 405
Firefox (navegador), 191
flexibilização quantitativa, 368, 395
Florença, 341, 346
Floridi, Luciano, 58
FMI (Fundo Monetário Internacional), 11, 55, 62, 86, 138, 155, 164, 370, 390
fome, 25, 116, 118, 299, 323-4
Ford Motor Company, 111, 281
Ford, Henry, 281
forma de onda, 68
Foucault, Michel, 59
Fourier, Charles, 213
Foxconn, 266-7
Fragmento sobre máquinas (Marx), 207, 210-2, 214, 252
França, 57, 65, 82, 93, 103, 113, 292, 298, 346, 373, 376; Frente Nacional na, 65; motim do exército (1917), 287; movimento operário, 282, 285, 290
Franco, Francisco, general, 290-1
franquia, lojas de, 397
fraturamento hidráulico, 57, 352, 359, 363, 374
Freeman, Richard, 165
Friefeld, Mary, 273
Fugger, família (Augsburgo), 346-7
Fukushima, desastre nuclear de (2011), 360
fundos de pensão, 45, 139, 367-8, 396, 403

Game of Thrones (série de TV), 247
GamerGate, 415
Gante (Bélgica), 346
gás, 101, 358-60, 362-3, 375

Gates, Bill, 190, 192
Gaza, 23
Geithner, Tim, 41
General Motors, 141
Gênova, República de, 53
Ginsborg, Paul, 303
Glasgow, 286
Glass-Steagall Act, 43
globalização, 11, 37, 57, 62, 66, 100, 108, 151, 154, 161-2, 164, 166, 168, 265, 308, 366, 405; como não inevitável, 150; desequilíbrios vistos como fundamentais para a, 57, 63; falha de projeto na, 57; fragmentação ao nível do estado, 375-6; perigo de desglobalização, 66, 395; vencedores e perdedores da, 164-7
Glyn, Andrew, 144, 147
GNU (sistema operacional), 191, 199
Goldman Sachs, 33
Goodrich, Carter, 288
Google, 187, 192, 250, 399
Gordon, Robert, 38
Gorz, Andre, 262, 265, 268, 296-8, 313, 340, 384
Grã-Bretanha, 23, 31, 54-5, 57, 82, 103, 118, 127, 140, 145-6, 151, 165, 209, 271, 276-8, 285, 288, 292; *ver também* Reino Unido
Graeber, David, 46, 409
Gramsci, Antonio, 285
Granada, 164
Grande Inquietação (1910-13), 283-4
Grécia, 12, 23-4, 57, 370-1, 374, 389; ditadura de Metaxas, 290; ditames neoliberais para a, 31, 55, 63, 376, 393; dívida pública, 63, 395; Exárchia em Atenas, 309; migrantes ilegais e a, 370; programa de austeridade na, 31, 55; protesto da juventude na, 268; Syriza, 12, 389, 393
Greenpeace, 362-4
Greenspan, Alan, 40, 42
Gregg's (filial de Kirkcaldy, Escócia), 225
greve geral (1842), 127, 274
greve geral (1926), 299
Grundrisse (Marx), 206, 251-2
Guerra Fria, 132, 134, 151
Guiana, 164
Gutenberg, Johannes, 347, 352

Hamilton (Ontário), 278
Hardt, Michael, 311
Harvard Business Review, 214
Hayek, Friedrich, 70, 326, 329-30, 335
Hazlitt, Henry, 139
Hegel, Georg Wilhelm Friedrich, 276
Herbert, Frank: *Duna*, 261
Herlihy, David, 346
hidrocarboneto, indústrias norte-americanas de, 359
Highland Park (Detroit), 111
Hilferding, Rudolf, 105-9, 113, 115, 120-1, 123, 399; morte de (1941), 112; *O capital financeiro*, 106-9
hipotecas, 44, 49-52, 298
HIV, 204, 401
Hobsbawm, Eric, 295-6, 299
Hodgskin, Thomas, 228
Hoggart, Richard: *The Uses of Literacy* (1957), 300
Holanda, 53, 292; como império comercial no século XVII, 52; greve geral na (1941), 293
Holocausto, 290-2
Hong Kong, 20, 313

humanismo, 272, 296, 347
Hungria, 113, 115, 118, 290
Hunter, Holland, 325
Husson, Michel, 123-4

IBM, 195, 249
Ichiyo, Muto, 152
iCloud, 186
Idade Média, 53, 71
imperialismo, 79, 113
Império Britânico, 53, 277
imprensa, 135, 215, 347, 350-1
Índia, 20-1, 31, 62, 204, 216
Índice Alford, 295
indignados espanhóis, 20
individualismo, 16, 266, 310
"indivíduos conectados em rede", 181, 269, 313
Indonésia, 215, 374
indústria aeronáutica, 173
indústria automobilística, 53, 141, 153, 176, 281, 288, 411; carros híbridos, 36; Fiat na Itália, 117, 288, 297, 303; Ford Motor Company, 111, 281; no Japão, 143
industrialização, 267, 323; *ver também* capitalismo industrial
indústrias de serviços, 166
indústrias farmacêuticas, 115, 204
inflação, 43, 50, 57, 112, 126, 138-40, 144-5, 147, 150, 158, 168, 304, 369-70, 395, 403
infocapitalismo, 20, 177-8, 183-4, 187-8, 203-4, 212-4, 216, 225, 246, 259-60, 263, 311, 376, 411; *ver também* economia da informação; tecnologia da informação
infomonopólios, 220, 377
informação, teoria da, 144, 335

informática, 16-7, 25, 58, 65, 167, 194, 259, 377, 411
infraestrutura, 31, 86, 126, 128, 131, 138, 209, 324, 354, 372, 390, 394, 399; Tigres Asiáticos e, 372
Inglaterra, 48, 270, 272, 274, 341, 346, 389; *ver também* Reino Unido
inovação e progresso tecnológico, 36, 73-4, 81, 85, 88-9, 94, 107, 117, 121, 128-9, 141-4, 183, 197, 240-1, 246, 248, 258, 261, 263, 281-2, 301, 328-9, 338, 343, 350, 402, 404, 407-8, 410-1
instrumentos financeiros, 49, 159, 403
internet, 20, 36, 59-61, 178, 181, 191, 193, 195-6, 198, 209, 218-9, 234, 257, 309, 312-4, 339, 351, 375; Protocolo de Internet (1974), 251
"Internet das Coisas", 196, 217, 386
ios (sistema operacional), 189
iPad, 186, 189, 195
iPhone, 36, 144, 186, 195, 291, 314
iPod, 185-6, 215
Irã: revolução iraniana (1979), 305
Irlanda, 286
islamismo, 21, 313
Itália, 113, 134-5, 294, 305, 325; alienação dos trabalhadores pós-Segunda Guerra Mundial, 295-6; crise do período 1967-76 na, 298, 302-4; economia italiana, 105; lutas revolucionárias pós-Primeira Guerra Mundial, 117, 285, 288; Partido Comunista Italiano, 303; protestos estudantis (final dos anos 1960), 303; queda de Mussolini, 293, 295
iTunes, 185-7, 255

J.P. Morgan, 24, 45, 102

Jameson, Frederic, 266
Japão, 31, 37, 54-5, 103-4, 127, 135, 145, 147, 152-3, 165, 294, 308; boom pós-Segunda Guerra, 134; colapso da bolha imobiliária (1990), 44; colapso da bolsa de valores (anos 1990), 367; dívida pública, 369; modelo centro-periferia, 306; níveis de salários reais no, 32; *O Capital* de Marx em versão mangá, 93; "rácio de dependência etária", 365; supressão do mercado (*c.* 1890-1914), 103; tensões com a China, 57; *zaibatsu* (conglomerados japoneses), 103
Jevons, William Stanley, 243-4
JSTOR (website acadêmico), 184
judeus, 290-2
justiça social, 14, 221, 245, 271, 378

Katrina, furacão (Nova Orleans — 2005), 351
Katz, M., 301
Kautsky, Karl, 100, 114
Kealey, Gregory, 278-9
Keen, Steve, 246
Kelly, Kevin, 171, 194-5, 197, 217; *New Rules for the New Economy*, 194
Kentish Town (Londres), 206
Keynes, John Maynard, 34, 67, 70, 117, 138, 140, 343-5, 402
keynesianismo/economia keynesiana, 72, 110, 150, 162, 304-6
Kindle, 189, 195
Kindleberger, Charles, 27
King, Mervyn, 44
Kirkcaldy (Escócia), 225
Klein, Judy, 84
Knudsen, Alfred, 141

Koch, Indústrias, 359
Kondratiev, Nikolai, 70-92, 122, 125, 131, 146, 156, 158, 168-9, 266, 286; causas dos ciclos longos, 72, 76-7, 79-81, 130-2; *Ciclos longos da conjuntura* (1926), 81; dados aleatórios de Slutsky, 83; e a União Soviética, 70, 72, 77, 79-81, 83-4, 325; e o marxismo, 72-3, 78-81, 83, 92, 95; metodologia de, 74, 81, 84-5; "onda K" dos analistas de Wall Street, 73; previsão da Depressão dos anos 1930, 71, 74; primeiro ciclo (a partir dos anos 1780), 74, 76, 89, 182, 271, 273-4, 276; prisão e execução, 70, 121; quarto ciclo (a partir do final dos anos 1940), 91, 124, 145-7, 155-6, 158-63, 165-7, 169; quinto ciclo (a partir do final dos anos 1990), 70, 77, 91, 155-6, 158-63, 165-7, 169, 351; segundo ciclo (a partir de 1849), 74, 89-90, 95, 182, 277-8, 280; teoria básica de, 70-4, 89-90; terceiro ciclo (a partir dos anos 1890), 74, 91, 95, 105, 118, 280-9, 292; tese do "investimento exaurido", 77, 130-1
Korotayev, A. V., 85

Landauer, Rolf, 249-50
Lange, Oskar, 329-30, 335
Lapavitsas, Costas, 308
Lawrence, D. H., 373
lazer, 111, 220-1, 231-2, 308
Lazonick, William, 275
Lehman Brothers, 29, 52, 61, 96, 161
lei e regulamentação, 398-404
Leigh (Inglaterra), 48

Leis dos Grãos (Inglaterra — anos 1840), 127
Lênin, V. I., 108-10, 112-4, 116, 118, 120, 283-5, 287-9, 320, 322; e a teoria da "aristocracia operária" de Engels, 284; *Imperialismo* (1916), 113; *O que fazer?* (1902), 283, 289
liberação sexual, 295
Líbia, 21, 371
Libor, taxa, 34
libras esterlinas, 35, 308, 409
Life and Times of Rosie the Riveter, The (documentário de 1980), 293
Linux (sistema operacional), 83, 191, 195, 199, 201, 220, 340, 377
livre mercado, 13, 47-8, 108, 138, 160, 177, 204-5, 221, 329, 400
locomotiva a vapor, 207, 212
Logan, James, 102
London School of Economics, 310, 329
Londres, 15, 33, 53, 93, 149, 181, 206, 209, 308; "indivíduos conectados em rede" em, 180-1; metrô de, 180; revolta estudantil (2010), 310
Longa Depressão (1873-96), 74, 90, 244
Lotta Continua (grupo esquerdista italiano), 304
lucratividade, 42, 149, 242, 338, 400
Luxemburgo, Rosa, 100, 109, 111, 113, 115, 119, 121; *A acumulação do capital* (1913), 109, 111, 115, 118; assassinato de (1919), 112

Macmillan, Harold, 134
Magnus, George, 366, 372
mais-valia, 97, 232, 235, 241, 251
Malthus, Thomas, 95

Manchester (Inglaterra), 272, 274, 364
Manila, 65, 202, 216, 365
"mão invisível", conceito de, 236
Marchetti, Cesare, 86, 90
Marcuse, Herbert, 295-6, 298
marketing, 186, 215, 392
Marrocos, 370-1
Marselha, 371
Marx, Karl, 77, 97-8, 105, 120-1; arquétipos sociais e, 179; capitalismo e, 96-9, 120-1, 130, 206-9, 211-2, 228-9, 231-2, 234-6, 238-40, 250-1, 342-4, 366; classe operária e, 79, 93-4, 118, 130, 211-2, 269-71, 273-4, 276-7, 283-5, 291, 349; conceito de "intelecto geral", 206, 211-2, 250; conceito de modo de produção, 341-50; economia da informação e, 207-13, 250-1; *Fragmento sobre máquinas*, 207, 210-2, 214, 252; *Grundrisse*, 206, 251-2; mais-valia, 97, 232, 235, 241, 251; métodos dialéticos, 320; *O capital*, 93, 95, 97-9; "problema de transformação", 237; reabilitação de (pós-crise de 2008), 93, 99; sobre o trabalho, 213, 412; teoria da crise, 93, 97-9, 101, 118, 121, 124-5, 130-1; teoria da taxa média de lucro, 97; "teoria do valor-trabalho", 228, 235-6, 238-40, 247, 250-1, 330; visão da história em três fases, 342-4; visão materialista da história, 342-3, 348
marxismo, 67, 72, 79, 93-5, 107, 120, 207, 211-2, 237-8, 268, 275, 320-1, 329, 349; Alexander Bogdanov e o, 320; atualização por Hilferding, 105-8; boom pós-Segunda Guerra

Mundial e o, 136; como doutrina da revolução, 320; crise de 2008 e o, 123; crises de superprodução, 98-9, 109-11, 146; "épocas" históricas e o, 122; ideia da "autonomia relativa", 95; limitações do, 94; sistemas adaptativos complexos e o, 94, 100

Massacre de Peterloo (Manchester — 1819), 272

matemática, 45, 69, 142, 243-4, 258, 335, 350, 390

materiais sintéticos, 91, 143

materialismo, 249

matérias-primas, 96-7, 109, 157, 164, 184, 230, 240, 256-7, 259-60, 284, 325, 331, 386, 394

McDonald's, 398

McWilliams, Douglas, 163

Medici, família, 346-7

medicina, 105, 322; medicina social, 387

Médicos Sem Fronteiras, 204

Melilla (enclave espanhol), 370, 374

Menger, Carl, 245-6

mercados emergentes, 36, 58, 66, 168, 311; *ver também* países em desenvolvimento

mercantilismo *ver* capitalismo mercantil

metais de superliga, 174

metais de terras-raras, 374

Metaxas, Ioánnis, 290

Metcalfe, Robert, 60

método científico, 235, 350-1

metrô de Londres, 180

México, 65, 392

Microsoft, 191, 259

migração, 11, 106, 222, 351, 366, 370, 372, 384, 394

migrantes, 127, 302, 312, 370-1, 374

Milanovic, Branko, 165, 372

Milão, 117, 288, 303

Mill, John Stuart, 95

Mills, C. Wright, 293, 298

mineração, 103, 350, 364

Minitel, 60

Mirafiori (fábrica da Fiat em Turim), 304

Mises, Ludwig von, 105, 139, 326, 328-31

Mitsui, 103, 106

"modelagem baseada em agentes", 391

modems, 58, 197

modo de produção, conceito de, 341-50

"modularidade planejada", 202

Moldávia, 9-10

Mondragon, cooperativa (Espanha), 396

monopólios, 17, 23, 100, 104, 106, 121, 123, 127, 186, 188, 192, 219, 221, 244, 257, 386, 399-400, 407

moradia, 232, 267, 294, 309, 399, 411, 413

Moscou, 70, 81, 118, 120, 289, 300, 324

motor a jato, 143, 173

Motorola, 35

Moulier-Boutang, Yann, 214, 351

movimento operário, 108, 119, 137, 266-8, 270, 272, 275, 282, 284-5, 290, 292, 374; *ver também* sindicatos

movimentos anticapitalistas, 112, 293, 313

mudanças climáticas, 64, 372; Cenário Mapa Azul da Agência Internacional de Energia, 361; complacência da elite diante das,

355, 378; contribuição da indústria aeronáutica para a, 173; COP (Conferência das Partes — Paris, dezembro de 2015), 363; mecanismos de mercado e, 356, 358-60, 362, 374; mercado de carbono, 406; necessidade de supressão de forças de mercado, 356, 358-60, 362-3, 402; negadores das, 357, 359; obstáculos para estratégias de não mercado, 359, 360; política energética da Alemanha, 360; sistemas de energia locais, 393

mulheres: controle de natalidade e, 301, 366; emancipação das, 222; na educação superior, 301; na força de trabalho, 135, 282, 287, 293, 295; piadas ofensivas contra mulheres poderosas, 415; trabalho das mulheres no período 1771-1848, 127, 271, 273-4

Mumbai, 59
Mussolini, Benito, 293, 295
MySpace, 195

Nachimson, Miron, 82
nacionalismo, 11, 14, 375
nazismo, 233, 290, 291
Negri, Antonio, 211, 214, 311, 334
neoliberalismo, 11-4, 24-5, 29-30, 38-9, 42-3, 46, 48, 50, 53-4, 58-9, 61, 64, 91, 105, 123-4, 150-1, 169, 178, 218, 221, 267, 314, 318, 326, 334, 376, 380, 384, 388, 393, 405, 407-8, 411, 413-4; *ver também* capitalismo neoliberal
"neomercantilismo", 54
New Hampshire, 138
New York Tribune, 206

Nexus, 189
Níger, 371
Nigéria, 267
Nike, 66, 215, 391-2
Nikon/Canon, 259
Ningxia, província de (China), 354, 356
níquel, 156-7
Nixon, Richard, 40, 148-9, 159
Nokia, 35
Noruega, 368
notebooks, 195
Nova Orleans, 351, 354
Nova York, 29, 35, 41, 105, 109, 113, 231, 296
números aleatórios, 83

Occupy, Movimento, 14, 313, 318, 378
OCDE (Organização para a Cooperação e Desenvolvimento Econômico), 10, 61, 64-6, 239, 257-8, 264, 304, 368, 390
oferta e procura, 103, 186-7, 224, 243-4, 331, 335-6, 363
offshoring, 30, 167-8, 395
oligarquia, 418
onda, forma de, 68
ondas longas *ver* teoria das ondas longas
Ontário, 278
Onze de Setembro de 2001, ataques terroristas de, 42
Oparin, Dmitry, 81
operária, classe *ver* classe trabalhadora
Organização Internacional do Trabalho, 154, 267
Organização Mundial do Comércio, 11
Oriente Médio, 57

Orwell, George, 291-2; *1984*, 315, 324
OTAN, 13
Oxford Martin School, 261, 311, 408

padrão-ouro, 40, 45, 127-8, 140
País de Gales: sindicato dos mineiros galeses, 283
países em desenvolvimento, 10, 20, 161, 203, 365, 369, 372; corrupção institucional, 372-3; crescimento da população, 365, 371-3; diminuição do ritmo de crescimento nos, 66, 168; submissão do sul global pós-Segunda Guerra Mundial, 164; tamanho ampliado da força de trabalho, 165, 169, 371
países pobres, 166, 372
Palmer, Bryan, 278
papel-moeda, 35, 39-40, 43-5, 50, 127, 129
Pareto, Vilfredo, 327
Paris, 64, 105, 112, 320, 363; Comuna de Paris (1871), 270
Parque Gezi (Istambul), 21, 223, 313
Partido Republicano (EUA), 57
Partido Trabalhista britânico, 117
patentes, 142, 185-6, 204, 255, 401
patriotismo, 284-5
paz, 110, 117, 125, 142, 363
pensamento econômico dominante, 183, 188, 192, 204, 235-6, 238, 242, 257, 351; colapso do pontocom e o, 197; como pseudociência, 238; debate sobre o cálculo, 326-37; economistas clássicos, 95, 225, 227-9, 236, 242; fundadores do, 242; informação como uma commodity, 203-4; limitações do, 238; mecanismo de preços no, 224, 231, 240, 244, 246-7, 268, 330; mercados "racionais" e o, 189, 243-4, 246, 326, 356, 358, 417; motivação do lucro e o, 137; mudanças climáticas e o, 356, 358-60, 362, 374; oferta e procura, 103, 186, 224, 244, 331; ruminação dos dados e o, 238; utilidade do, 238; *ver também* capitalismo neoliberal; teoria do valor-trabalho; utilidade marginal, teoria da
Pequim, 317, 376
Perez, Carlota, 73, 88-9, 129
"pessoa instruída universal", 179-81, 213
peste negra (séc. XIV), 345-6, 350-1
petabytes, 330
Peterloo, Massacre de (Manchester — 1819), 272
petróleo, 55, 57, 102, 145, 163, 305, 324, 358-60; choque do petróleo (outubro de 1973), 91, 145, 149, 159; exportadores de, 54, 145; preço do, 145, 304, 359, 363
PIB, 21, 30, 32, 44, 49, 55, 63, 65, 74, 85-6, 89, 99, 132, 139, 148, 154, 158, 163, 176, 258, 266, 294, 304, 308, 334, 344, 367-9, 392, 395
PIB per capita, 135, 162-3, 325, 344-5, 413
Piketty, Thomas, 64, 66, 266
pílula anticoncepcional, 301, 415
Pinochet, Augusto, general, 151
pirataria, 185, 247, 255
Pirelli Bicocca (Milão), 303
Pisani, Florence, 55
planejamento urbano, 277
Plano Marshall, 134-5
pleno emprego, 48, 135, 147, 294

Podemos (partido espanhol de esquerda), 376
Polônia, 290
pólvora, 348
ponto a ponto, movimento, 334, 353, 394, 397, 404
pontocom: boom, 195; colapso, 37, 42, 197, 367
Popper, Karl, 236
população e demografia: crescimento da população mundial, 365, 371-3; envelhecimento populacional, 38, 351, 365, 368-9, 374, 377, 384, 388, 394; expectativa de vida, 364; impacto da migração, 370; planos de aposentadoria e, 366; "rácio de dependência etária", 365
pós-capitalismo, 14-5, 17, 25, 110, 173, 179-80, 182-3, 194, 205, 212, 217-8, 221-2, 229, 266, 313-4, 318, 326, 339-40, 345, 349, 351, 377-8, 380, 382, 389, 392-3, 399-400, 405-7, 413-4, 416, 418; abundância como pré-condição para o, 221-2, 349, 352; Alexander Bogdanov e o, 319-21; arquétipo social do, 179-81; cooperativas e o, 396; esboço de projeto modular para o, 352, 387, 412; "indivíduos conectados em rede" e o, 180, 269, 310-4; "Internet das Coisas" e, 196, 217, 386; justiça social e o, 221; libertação do 1% mais rico, 416-8; modelo de Herber Simon e o, 379; padrões abertos de informação, 382; Paul Romer e o, 183-8, 193, 196; "pessoa instruída universal" e o, 179-81, 213; Peter Drucker e o, 177-9, 181, 193, 196, 205, 213, 217; simetria da informação e o, 411; sustentabilidade ecológica e o, 384; transição para o, 96, 178-9, 181-2, 206, 211, 222, 259, 264, 317-9, 321-2, 326, 330-9; *ver também* Projeto Zero
poupança, 37, 48, 51, 54, 81, 140, 183, 232, 366
Pratt & Whitney, 174
preços: da infotecnologia básica, 249; de commodities, 156, 368; mecanismo de, 188, 210, 218, 224, 247, 257, 330, 363
Preobrazhensky, Evgeny, 332-4, 353, 383
Pret A Manger (rede de fast-food), 307
previdência privada, 370
previdência social, 31, 294, 388
Primavera Árabe, 20-1, 368
Primeira Guerra Mundial, 91, 104, 114
privatizações, 151, 158, 352, 363, 393
processamento de informação, 249
produção colaborativa, 19, 200, 396, 406
produtividade, 38, 45, 48-9, 65, 89, 97, 124-5, 129-31, 135, 137-8, 144-8, 154, 168, 178-9, 182-3, 210, 219, 221, 227, 231, 236, 238-41, 248, 251, 259, 268, 280, 303-4, 311, 325, 345, 350
progresso tecnológico *ver* inovação e progresso tecnológico
Projeto Zero: abordagem de todos os ângulos, 385; como projeto distribuído, 387; cooperação e trabalho de equipe, 412; descentralização do controle, 386; eliminação dos monopólios, 399; empreendedorismo, não rentismo, 401; esboço de projeto, 390-418; governança e

regulamentação, 385; grandes empresas e, 397; metas do, 383; necessidade de sinais transparentes, 388; papel do Estado, 392-3, 395, 400, 402; preceitos extraídos de fracassos passados, 383-7; proposta de renda básica universal, 401, 407-8, 410; sistema financeiro e, 403-6; transição humana, 384; uso da lei e da regulamentação, 398-404
proletariado, 17, 118, 179, 215, 265-6, 269, 272, 275-6, 291, 294-5, 297, 300, 313, 349; *ver também* classe trabalhadora
propaganda, 20, 60, 152, 332
propriedade intelectual, 24, 175, 185, 187, 198, 204-5, 219, 401
propriedade privada, 15, 62, 113, 137, 192, 318, 328, 343
prosperidade, 13, 110, 306, 388
protecionismo, 57, 66, 146
protestantismo, 347
Prudential, 31
publicitária, indústria, 18
Putin, Vladimir, 9, 10, 359, 418
Reagan, Ronald, 151, 306

redes sociais, 36, 195, 312, 416
Reed Elsevier, 194
Reinhart, C., 139
Reino Unido, 31-2, 139, 140, 176, 276, 404, 409; boom pós-Segunda Guerra Mundial, 135; "contrato social" dos governos trabalhistas dos anos 1970, 305; crise do período 1967-76, 145, 298; crise econômica pós-Primeira Guerra Mundial, 117, 284; declínio da filiação a sindicatos, 153; desvalorização da libra (1949), 146; emergência do capitalismo financeiro, 103; emergência do sistema fabril, 74; greve de mineiros (1984-5), 153; Império Britânico, 53, 277; movimento operário nos anos 1930, 290; paisagem urbana do, 47; teoria do "outono financeiro" e o, 53
remédios genéricos, 377
renda básica universal, 401, 407-9
Reno-Vestfália, Corporação de Carvão do, 102
rentismo, 401
representantes de fábrica, 286
repressão financeira, 139, 144, 146, 158, 395, 403
Revolta da Páscoa (Dublin — 1916), 286
revolução científica, 347
Revolução Cubana (1959), 270
Revolução Industrial, 71, 88, 163, 165, 344, 413
Revolução Russa (1917), 113, 270, 284, 286, 288, 322
Ricardo III, rei da Inglaterra, 341
Ricardo, David, 95, 226-8, 242, 245
Rifkin, Jeremy, 217-8; *The Zero Marginal Cost Society*, 217
Rio de Janeiro, 314
risco de mercado, 41-2
RMB chinês, 56, 62
Robbins, Lionel, 329-30, 335
Robinson, Joan, 235
Romer, Paul, 183-4, 186, 188-9, 193, 196-7
Rússia, 18, 57, 64, 82, 103, 112-3, 116, 127, 162-3, 216, 285-6, 288, 292, 320, 322-3, 334, 374-5; crise ucra-

niana, 57, 363, 375; império czarista, 282; preços do petróleo e a, 359, 363, 375; revolução de 1905, 320, 379; Revolução Russa (1917), 113, 270, 284, 286, 288, 322; ver também União Soviética (URSS)

Sábado à noite, domingo de manhã (romance de Alan Sillitoe), 297
salários: baixa forçada dos, 48-9, 119, 127-8, 154, 307; cortes durante os anos 1920, 119, 128; diferenças salariais entre operários e classe média, 293; economia da informação e, 183, 219; elevação de salários em países em desenvolvimento, 166-7; elevações de salários no período pós-Segunda Guerra Mundial, 146, 293, 302; estagnação dos, 99, 154, 307; impacto da peste negra sobre, 346; *offshoring* e, 167; programas de austeridade e, 31; renda básica universal, 401, 407, 409; salário mínimo, 31, 47, 230, 307, 409; salários reais, 32, 49, 130, 147, 154, 302; "teoria do valor-trabalho" e, 232
Samsung, 192, 195
Samuelson, Paul, 72
São Paulo, 314
Sarkozy, Nicolas, 93
SAS Institute, 175, 254
saúde, 15, 48, 148, 158, 217, 225, 231, 294, 349, 351-2, 366, 369, 381, 386, 388-9, 393-4, 399, 406, 414-5
Say, Jean-Baptiste, 95
Sbrancia, B. M., 139
Schlichter, Detlev, 45
Schumpeter, Joseph, 70, 72-3, 78, 87-90, 105, 107, 126, 178, 182; *Ciclos econômicos* (1939), 87
Segunda Guerra Mundial, 64, 91, 159, 173, 292-3, 363, 366; boom do pós-guerra, 74, 134-6, 138-41, 144, 146, 160-1, 163-4, 293, 303, 366, 370
Sennett, Richard, 310
Serviço Geológico dos Estados Unidos, 157
sexo, 301
Shaikh, Ahmed, 123-4
Shakespeare, William, 340-2, 349-50, 352
Shanghai, 105, 113, 364, 416
Shannon, Claude, 142
Shenzhen (China), 216, 266, 312-3
siderurgia, 103, 364
Simon, Herbert: "Organizações e Mercados" (1991), 379
simuladores e modelos econômicos, 390
sindicatos, 31, 151, 153, 186, 228, 244, 265, 268, 276-7, 282, 287-8, 290, 292, 302, 305, 322, 412; *ver também* movimento operário
Singapura, 404, 416
"sistema bancário fantasma", 30, 32
sistema fabril, 74, 90, 227, 276
sistema financeiro, 19, 29-30, 34, 37, 46, 50, 52, 56, 58, 71, 77, 88, 97-8, 106, 117, 123, 125-6, 159, 328, 331, 366-8, 378, 388, 403-5
sistema monetário internacional, 40, 64, 137, 138, 338; abandono do padrão-ouro por Nixon (1971), 40, 148-9; dólar atrelado ao ouro, 39, 138; estabilidade após a Segunda Guerra Mundial, 39, 137-8, 146,

147; moedas com flutuação livre, 148; política de desvalorização, 146; regras de Bretton Woods, 146, 148, 159; reservas de divisas, 47; taxas fixas de câmbio, 40
"sistema temporal único", escola do, 237
sistemas adaptativos complexos, 94, 100
Slutsky, Eugen, 83-5
Smart, William, 242
smartphones, 36, 59, 180-1, 191-2, 195-6, 202, 309, 312, 385
Smith, Adam, 95, 225-6, 228, 230, 236, 242, 245; *A riqueza das nações*, 225-6
social-democracia, 19, 109, 116, 136, 207, 280, 282, 290, 294, 298, 302, 378
socialismo, 14, 108, 116-7, 151, 212, 222, 228, 246, 270, 276, 319, 322-3, 326, 329-31, 340; comissão de socialização alemã (1919), 115; da belle époque, 386; debate do cálculo e, 326-37; Hilferding e o, 105-9; na Alemanha, 100, 105, 108-9, 113-4, 288; papel do Estado e o, 108, 113-4, 116-7, 392, 410; partidos socialistas de massas, 282; período revolucionário (1916-21), 112-4, 116-7, 284-6, 288, 327; representantes de fábrica e o, 286; Rosa Luxemburgo e o, 109-10, 115, 121; "socialismo num só país", 118; "socialismo ricardiano", 228; socialismo utópico, 117, 213, 276; teoria da utilidade marginal e o, 327, 329; *ver também* comunismo; Marx, Karl; marxismo; União Soviética (URSS)
software, 248; de Código Aberto, 192; movimento pelo software livre, 191-2
softwares, 58
solidariedade, 17, 48, 151, 153, 266, 269, 278, 289, 300, 306, 309
Sony Ericsson, 35
Stálin, Ióssif, 70, 72, 81, 118-9, 121, 136, 323-4
stalinismo, 222, 270, 302, 318, 321, 326
Stallman, Richard, 191-2; *Manifesto GNU*, 191
Standard & Poor's (S&P, índice norte-americano), 367, 369-70, 396
Standard Oil, 102, 108
startups, 397
Stern (revista alemã), 12
Stiglitz, Joseph, 188
Stockhammer, Engelbert, 154
subconsumo, teoria da, 107, 109-10, 119, 121
Suécia, 64
Suíça, 404
sul global, 157, 164, 167, 265, 267-8, 308, 311, 365
Summers, Larry, 38, 43, 124
supercomputadores, 175, 191, 330, 335, 337, 392
supermercados, 187, 205, 391
superprodução, 98-100, 109, 146, 328, 330
sustentabilidade, 222, 322, 384, 403, 405, 414
Sweezy, Paul, 137
Sydney, 181
Syriza (partido de esquerda da Grécia), 12, 389, 393

tablets, 36, 59, 189, 196
Tânger, 371
tarifas, 104, 128, 244
taxação, 127, 140
taxas de câmbio, 62, 138, 147-8, 161, 304
taxas de juros, 35, 42, 47, 51, 62, 74-5, 112, 118, 139, 148-9, 152, 156, 242, 395
Taylor, Frederick Winslow, 280-3
tecnoburguesia, 180
tecnologia da informação, 58, 65, 67, 88, 112, 169, 175, 177, 188-9, 197, 203, 205, 212, 247-8, 268, 317, 351, 357, 382, 390, 400, 402; como algo "compartilhável", 185; como tecnologia central da quinta onda, 174, 180; "custo marginal zero" de reprodução, 184, 217, 254-5, 257-8, 383, 401; demografia da, 181; desenvolvimento sob o neoliberalismo, 38, 58, 212; diferença em relação a toda a tecnologia anterior, 174-5, 261; "Internet das Coisas", 196, 217, 386; movimento pelo software livre, 191-2; notebooks e, 195; pirataria e, 247; primeiros computadores, 144, 189; quedas exponenciais de preços, 249; rupturas causadas pela, 60; sistemas operacionais, 189; software de Código Aberto, 192; supercomputadores, 330, 337, 392; tablets, 59, 189, 196; telecomunicações 3G, 59, 181, 195-6; Web 2.0, 59, 195; *ver também* infocapitalismo; economia da informação; economia de rede
telecomunicações, 59, 102, 195, 399

telefone, 49, 60, 91, 101, 196, 286, 385
telégrafo, 74, 90, 101, 207, 209, 212, 279, 286
teoria da administração, 143-4, 179
teoria da crise, 94-5, 98-9, 110, 115, 120-2
teoria da informação, 144, 335
teoria das ondas longas, 69-70, 72, 78-9, 82-4, 89-90, 129, 153-4, 180; *ver também* Kondratiev, Nikolai
teoria do valor-trabalho, 96, 225-31, 234-9, 242, 247-8, 250-2, 254-6, 258, 260, 264, 330-2, 334-5, 338, 340
terceirização, 393
Tesco, 205
Texas, 39, 45-6
Thatcher, Margaret, 151, 153, 306
Thelwall, John, 19
Thiam, Tidjane, 31
Tianhe-2 (computador), 195
Tigres Asiáticos, 372
títulos e ações, 139, 366, 368, 370; recompras, 33; títulos do governo, 35, 44
Tóquio, 109, 112, 128, 181
Tornado (caça-bombardeiro), 175
Tourre, Fabrice, 33
Toyota, 36, 200
trabalho: Adam Smith e o, 226; capitalismo cognitivo e o, 214; diluição das fronteiras entre lazer e, 220, 308; duplicação da força de trabalho mundial, 169; economia da informação e, 58, 64, 182, 220, 250, 254, 261, 267; "empregos de mentira", 221, 351; flexibilidade e, 66, 307; força de trabalho, 17, 38, 58, 65-6, 97, 122, 125-7, 132-3, 136,

150-3, 165-6, 168-9, 178, 203, 216, 239, 248, 251, 256, 259-61, 265-7, 274, 277, 282-3, 292-4, 296, 301, 305-6, 308, 310-2, 319-20, 366-8, 381, 398, 412, 414; gênero e, 273-4, 282, 287, 293, 295, 301; história inexplorada do, 182; mão de obra alojada em dormitório, 233; mão de obra barata, 62-3, 97-8, 127, 169, 397, 411-2, 417; Marx e o, 213, 412; mercado de trabalho, 182, 233-4, 409; metas do Projeto Zero para o, 388, 411-2
trabalho infantil, 127, 132, 233, 271, 273, 277, 398
tráfico de pessoas, 371
transições, conceito de, 317, 332, 345; *ver também* Projeto Zero
transistores, 91, 144, 189, 249
Transnístria (Estado-fantoche russo), 9
Trótski, Leon, 78-81, 118, 323-4, 332-4, 336; assassinato de (1940), 334; democracia no local de trabalho e, 333
trotskismo, 119, 136, 292, 332
Tsirel, S. V., 85
turbofan, 173-5, 184-5, 187
Turim, 288, 293, 304
Turing, Alan, 142
Turquia, 20-1, 371, 375
Twitter, 20, 187, 195, 209, 415-6
Typhoon (caça-bombardeiro), 175

Ucrânia, 13, 20, 57, 363, 375
União Europeia, 63, 192, 337, 376
União Soviética (URSS), 12, 112, 137, 200-1, 207, 222, 318, 322, 336; agricultura na, 324, 332; boom pós-Segunda Guerra Mundial e a, 136; burocracia privilegiada da, 323; colapso da, 9-10, 108; "crescimento extensivo" na, 325; guerra civil na (1918-21), 322; gulag e execuções em massa, 291-2, 333; Kondratiev e a, 70, 72, 77, 79-84, 325; *kulaks*, 323-4; Lei de Varga, 118; Nova Política Econômica, 323; Plano Quinquenal, 324-5, 329, 352; Rosa Luxemburgo e a, 112, 119; "socialismo num só país", 118
uniões de crédito, 353, 385, 404
United States Steel Corporation, 102
Unix (sistema operacional), 191
urbanização, 64, 165, 366
US Envelope Company, 102
utilidade marginal, teoria da, 242, 244, 257, 329-30

Vail, Theodore, 60, 102
Valência, 291
valor de marca, 215, 219, 392
Varga, Jeno, 105, 115-20, 136-7
"veículos de investimento estruturado", 30
Versalhes, Conferência de, 117-8
Victor Gramophone Company, 111
videogames, projetos de, 412
Viena, 105, 115, 296, 331
Vietnã: fábricas no, 215; Guerra do, 148, 168, 373
Virgílio, 182
Virgínia Ocidental, 364
Virno, Paolo, 211

Wall Street, 103, 149, 206; analistas de, 73, 75; colapso de, 121, 290
Wall Street Journal, 96
Wallace, Alfred Russel, 228
Walmart, 205, 398

Walras, Léon, 242-4, 246
Wark, McKenzie, 385
Warsh, David, 188
Washington, 40, 112, 128, 147, 376
Web 2.0, 59, 195
Weber, Max, 388
Weimar, República de, 113
Wellman, Barry, 310
White River Junction (Vermont), 137
Wiener, Norbert, 249-50
wi-fi, rede de, 61, 180, 195-6, 399
WikiLeaks, 60, 193
Wikipédia, 17, 193, 195, 199-202, 220, 340, 377, 382, 392, 408
Windows (sistema operacional), 190
Wired (revista), 194, 214

Wolverhampton (Inglaterra), 216
World Wide Web (rede mundial de computadores), 193

Xi Jinping, 418

Yeats, W. B., 286
Yellen, J., 301
Yersinia pestis (bacilo), 345
Yue Yuen (fábrica de calçados chinesa), 312

zaibatsu (conglomerados japoneses), 103
Zhou Yongkang, 375
Zona do Euro, 32, 35, 56-7, 388, 390